Весь Эркюль Пуаро.

AGATHA CHRISTIE
Весь Эркюль Пуаро.

The ABC Murders

•

Hercule Poirot's Christmas

•

The Hollow

Novels

Агата Кристи
Весь Эркюль Пуаро

Рождество Эркюля Пуаро

Убийство по алфавиту

Рождество Эркюля Пуаро

«Лощина»

Романы

Москва
ЦЕНТРПОЛИГРАФ
2001

УДК 820-31
ББК 84(4Вел)
    К82

Серия «Весь Эркюль Пуаро»
выпускается с 2000 года

Выпуск 11

*Разработка серийного оформления
художника И.А. Озерова*

Художник Е.М. Ульянова

Кристи Агата

К82   Рождество Эркюля Пуаро: Детективные романы. — Пер. с англ. / Комментарии. — «Весь Эркюль Пуаро». — М.: ЗАО Изд-во Центрполиграф, 2001. — 603 с.

ISBN 5-227-01024-2 (Вып. 11)
ISBN 5-227-00641-5

Истина для гениального сыщика превыше всего. Стремясь к ней, он разоблачает преступника, подставившего под подозрение полиции невиновного («Убийство по алфавиту»); распутывает историю с лже-сыном убитого богача («Рождество Эркюля Пуаро») и, несмотря на противодействие окружающих, узнает, кто убил доктора Кристоу («Лощина»).

УДК 820-31
ББК 84(4Вел)

ISBN 5-227-01024-2 (Вып. 11)
ISBN 5-227-00641-5

Убийство по алфавиту

Роман

The ABC Murders

ПРЕДИСЛОВИЕ,

написанное капитаном Артуром Гастингсом, офицером Британской империи

На этот раз я нарушил свое обычное правило — рассказывать только те истории и случаи, свидетелем которых был сам. Поэтому некоторые главы написаны от третьего лица.

Ручаюсь за достоверность описанных мною событий. Я лишь допустил некоторую вольность в описании мыслей и чувств героев. Могу добавить, что все записки были просмотрены моим другом Эркюлем Пуаро.

В заключение скажу, что я так подробно описал некоторые второстепенные отношения между персонажами этой странной серии преступлений потому, что никогда нельзя недооценивать человеческий фактор. Эркюль Пуаро как-то втолковывал мне, что преступление может стать причиной любовной истории.

Что касается убийств по алфавиту, то я считаю, что Пуаро нашел гениальный способ разрешения этой загадки.

Глава 1

ПИСЬМО

Это случилось в июне 1935 года, когда я вернулся месяцев на шесть домой со своего ранчо в Южной Америке. То было трудное для нас время. Как и все, мы переживали мировую депрессию. У меня были раз-

7

личные дела в Англии, которые требовали моего непосредственного участия. Моя жена осталась управлять ранчо.

Первое, что я сделал, прибыв в Англию, — это разыскал своего старого друга Эркюля Пуаро в современной квартире в Лондоне. Я высказал свое недовольство геометрическими пропорциями его жилища. Я сказал, что комната слишком квадратная, и, намекая на старую шутку, спросил, не удалось ли в этом суперсовременном доме заставить кур нести квадратные яйца?

Пуаро рассмеялся:

— О, вы помните? Но наука еще не может заставить кур соответствовать современным вкусам. Они откладывают яйца различных размеров и цвета!

Я был рад видеть своего друга. Он выглядел очень хорошо — ну, может быть, на день старше, чем в последний раз.

— Вы в отличной форме, Пуаро, — сказал я. — Если бы это было возможно, я бы сказал, что у вас стало меньше седины...

— Почему же невозможно? — улыбнулся Пуаро.

— Вы хотите сказать, что ваши волосы не седеют, а чернеют?

— Точно.

— Но это же с научной точки зрения невозможно!

— Вы в своем репертуаре, Гастингс, с вашим ясным и неискушенным умом. Вы воспринимаете факт и, не раздумывая, даете ему объяснение.

Я озадаченно посмотрел на Пуаро.

Не говоря ни слова, он прошел в спальню и вернулся с бутылью.

Ничего не понимая, я взял ее и прочитал следующее: «Оживитель. — Восстанавливает естественный цвет волос. Оживитель — не краска. Пять оттенков — пепельный, каштановый, тициановый, коричневый, черный».

— Пуаро! — воскликнул я. — Вы покрасили волосы?

— Поняли наконец-то.

— Так вот почему ваши волосы почернели!

— Верно.

— Ну, мой дорогой, — сказал я, приходя в себя, — думаю, в мой следующий приезд вы будете носить фальшивые усы... или, может быть, уже?

Пуаро вздрогнул. Он необыкновенно гордился своими усами. Мои слова задели его за живое.

— Нет, нет, дорогой. Сегодня, слава Богу, до этого далеко. Фальшивые усы! Ужас какой!

Он сильно подергал их, чтобы доказать мне, что они настоящие.

— У вас роскошные усы, — сказал я.

— Не правда ли? Обойдите весь Лондон — вторых таких не найдете.

«Хорошенькое занятие», — подумал я, но промолчал, чтобы не обидеть его.

Вместо этого я сказал:

— Я знаю, что вы несколько лет назад ушли в отставку.

— ...И занялся выращиванием кабачков. И сразу же произошло убийство, и я послал кабачки к черту. Я хорошо знаю, что вы на это скажете: я как примадонна, которая дает прощальный спектакль. Дает неопределенное количество раз.

Я рассмеялся.

— Честное слово, примерно так и было. Каждый раз я говорю: все, в последний раз. Но нет, что-нибудь еще происходит! Признаюсь, мне совсем не по душе отставка. Если не тренировать серое вещество, оно покроется ржавчиной.

— Я вижу, вы проявляете свои способности умеренно.

— Да, я разборчив. Сейчас для Эркюля Пуаро интересны только «сливки».

— Ну и как, много ли сняли сливок?

— О, немало, и недавно я еле спасся.

— От провала?

— Нет, нет. — Пуаро выглядел подавленным. — Но я, я — Эркюль Пуаро, чуть было не поплатился жизнью.

Я присвистнул:

— Предприимчивый убийца?

— Не столько предприимчивый, сколько легкомысленный, именно так — легкомысленный. Но давайте не будем об этом. Знаете, Гастингс, ведь я считаю вас своим талисманом...

— Да? — удивился я. — И часто?

Пуаро не ответил и продолжил:

— Как только я узнал, что вы приезжаете, я сказал себе: опять что-нибудь произойдет. И мы будем рядом. И дело будет необычным. Это должно быть... — он в возбуждении взмахнул руками, — чем-то изящным...

— Слушайте, Пуаро, можно подумать, что вы заказываете ужин в «Ритце»[1].

— А почему бы и в самом деле не заказать преступление? — Он вздохнул. — Ведь я верю в удачу и в судьбу, если хотите. А ваша судьба — быть рядом со мной и ограждать меня от непростительных ошибок.

— Что вы называете непростительными ошибками?

— Просмотреть очевидное.

Я не вполне уловил суть сказанного.

— Ладно, — сказал я, улыбаясь, — а это суперпреступление уже состоялось или еще нет?

На его лбу образовалась задумчивая складка, а руки принялись машинально расставлять на столе предметы в одну линию.

— Я не уверен, — медленно произнес он.

Что-то странное было в его интонации, я с удивлением посмотрел на него. Внезапно он направился к письменному столу. Достал письмо. Прочитал его про себя, а затем передал мне:

— Скажите, мой друг, что вы можете из этого заключить?

Я взял письмо. Оно было написано на белой бумаге печатными буквами.

«Мистер Эркюль Пуаро, не правда ли, вы воображаете себе, будто разгадываете тайны, слишком сложные для нашей тупорылой британской полиции? Что ж, поглядим, мистер Умник Пуаро, какой вы умный.

Возможно, этот орешек окажется вам не по зубам. 21-го числа этого месяца обратите внимание на Андовер.

Ваш и т. д.

ABC».

---

[1] Фешенебельный отель с рестораном в Лондоне. (*Здесь и далее примеч. перев.*)

Я взглянул на конверт. На нем тоже были печатные буквы.

— Стоит штемпель WCI, — сказал Пуаро, когда я перевел взгляд на штемпель. — Что скажете?

Я пожал плечами.

— Какой-нибудь сумасшедший?

— И это все, что вы можете сказать?

Его голос был мрачен. Я с удивлением посмотрел на него.

— Вы слишком уж всерьез все это воспринимаете, Пуаро.

— Сумасшедших, мой друг, и надо воспринимать всерьез. Сумасшедший — это очень опасно!

— Да, разумеется, но все это похоже на дурацкий розыгрыш какого-нибудь идиота, который перебрал.

— Как? Что?

— Ничего — просто выражение такое. Я имел в виду: парень был навеселе, то есть выпил больше, чем надо.

— Мерси, Гастингс, я знаком с выражением «навеселе». Так вы говорите, что ничего тут такого нет, кроме как...

— А вы считаете, что есть? — спросил я, удивленный неудовлетворенностью его тона.

Пуаро неопределенно покачал головой и не ответил.

— Что вы предприняли? — спросил я.

— Показал Джеппу. Он того же мнения, что и вы. Каждый день они получают такие штучки в Скотленд-Ярде. Мне вот тоже досталось. И все же есть нечто в этом письме, Гастингс, что мне не нравится...

Его тон снова удивил меня. Я спросил:

— Если вы действительно воспринимаете это серьезно, то можете ли что-нибудь предпринять?

— В полиции графства тоже видели письмо и тоже не восприняли его серьезно. На нем нет отпечатков пальцев. Нет ключа к поискам возможного автора.

— Да, да, есть только ваша интуиция?

— Не интуиция, Гастингс! Интуиция — это плохое слово. Мои знания, мой опыт говорят мне: что-то с этим письмом не так... — Пуаро начал жестикулировать, так как не мог подобрать слов, затем снова покачал головой: — Может быть, я делаю из мухи слона. Но в любом случае остается лишь ждать.

11

— Так, 21-е — это пятница. Если в районе Андовера произойдет безумно большое ограбление, тогда...

— О, это будет таким утешением!..

— Утешением?! — Я остолбенел. — Ничего себе: «утешение»...

— Ограбление освободило бы от страха перед кое-чем еще!

— Перед чем же?

— Убийством! — коротко ответил Пуаро.

Глава 2

(написана не от лица капитана Гастингса)

Мистер Александр Бонапарт Каст[1] поднялся и близоруко осмотрел грязную спальню. У него затекла спина от сидения в стесненном положении, и когда он стал распрямляться во весь рост, то наблюдатель мог бы заметить, что на самом деле это довольно высокий мужчина. Сутулость производила обманчивое впечатление.

Подойдя к поношенному пальто, висящему на двери, он достал пачку дешевых сигарет, закурил и вернулся к своему столу, взял железнодорожный справочник и вновь принялся изучать листок бумаги. Это был список имен. Наконец против одного имени он поставил «галочку». Это было в четверг, 20 июня.

Глава 3

АНДОВЕР

Дурные предчувствия Пуаро, связанные с пресловутой анонимкой, к 21-му числу совсем вылетели у меня из головы. И первым, что напомнило мне о них, был визит Джеппа — старшего инспектора Скотленд-Ярда — к моему другу. Я многие годы знал этого инспектора отдела по расследованию уголовных преступлений, и он сердечно приветствовал меня:

— О, провалиться мне, если это не капитан Гастингс из диких мест! Как в былые времена, вместе с

_____

[1] Alexander Bonaparte Cust.

мсье Пуаро. Вы здорово выглядите! Хотя и поредело на макушке. А? Мы все к этому идем. Я тоже.

Да, дружище Джепп никогда не отличался тактичностью в отношении меня. И я с благодушным лицом согласился, что никто из нас не становится моложе.

— Кроме мсье Пуаро, — хитро добавил Джепп. — Он мог бы служить превосходной рекламой тонику для волос. Да к тому же он всегда в центре внимания.

Пуаро заулыбался:

— Я говорил Гастингсу, что я как примадонна, которая выходит на «бис»!

— Не удивлюсь, если вы закончите расследованием собственной смерти, — сказал Джепп, добродушно посмеиваясь. — Это идея! Ее надо в книжку записать.

— Именно Гастингсу и придется это сделать, — подмигнул мне Пуаро.

— Ха-ха! Вот будет забава, — рассмеялся Джепп.

Я же не усмотрел ничего забавного в этой идее. Во всяком случае, шутка показалась мне дурной. Эх, старина Пуаро. Шуточки по поводу близящейся смерти вряд ли могут быть уместны по отношению к нему.

Вероятно, мои чувства отразились на лице, и Джепп перевел разговор на другую тему, спросив:

— Вы в курсе относительно анонимки, адресованной Пуаро?

— Разумеется! — воскликнул я. — Просто все это вылетело у меня из головы. Постойте, о каком там числе говорилось?

— О 21-м, — ответил Джепп, — собственно вот почему я и забежал. Вчера было 21-е, и я просто ради любопытства позвонил вечером в Андовер. Это был действительно розыгрыш. Ничего не произошло. Разбита витрина — пострел швырнул камень — и пара пьяных дебошей. Так что на этот раз наш бельгийский друг, как говорится, лаял не на то дерево.

— Должен признать, я вздохнул с облегчением, — кивнул Пуаро.

— Вы просто зациклились! — мягко сказал Джепп. — Господи, да мы каждый день получаем десятки подобных писем! Люди, которым нечего делать и у которых не в порядке на «чердаке», сидят и пишут... Но ничего не собираются делать! Наверное, их это оживляет.

— Я действительно сглупил, «сунул нос в ослиное гнездо»...

— Вы путаете ослов с осами, — усмехнулся Джепп. — Пара разных английских поговорок. Ну, мне пора. Есть дело на соседней улице — получить украденные драгоценности. Хотел заглянуть по пути. Жаль, что серое вещество осталось неиспользованным.

Джепп ушел.

— Он не сильно изменился, добряк Джепп, а? — спросил Пуаро.

— А на вид постарел, — ответил я и мстительно добавил: — Поседел, как барсук. Этот Джепп всегда был таким: никакого чувства юмора! Смеется, если из-под кого-нибудь выдвигают стул, когда тот садится.

— Множество людей засмеялись бы на его месте.

— Это безжалостно.

— С точки зрения сидящего...

— Ладно, — сказал я, успокаиваясь. (Я всегда становлюсь ранимым, когда речь заходит о густоте моих волос.) — Просто мне жаль, что дело по письму не состоялось. И раз мне предстоит содействовать вам, то придется поискать другое «сливочное» преступление. Давайте посмотрим меню. Ограбление? Подделка? Слишком по-вегетариански! Должно быть убийство! Кровавое убийство. И с гарниром, конечно.

— Действительно. С закуской.

— Кто будет жертвой — мужчина или женщина? — продолжал я. — Думаю, мужчина. Какая-нибудь «шишка». Американский миллионер. Премьер-министр. Газетный магнат. Сцена преступления. Старая добрая библиотека? Оружие: витой кинжал или какой-нибудь тупой предмет — высеченный из камня идол...

Пуаро вздохнул.

— Или, конечно, — сказал я, — яд... что так узкоспециально. Или выстрел из револьвера, раскатившийся в ночи. Потом там должна быть красивая девушка, или даже две...

— С каштановыми волосами, — проворчал мой друг.

— Одна из красивых девушек конечно же должна быть несправедливо подозреваема... и у нее должна быть размолвка с молодым человеком. Потом, разумеется, должны быть и другие подозреваемые. Старуха таинственного вида... и какой-нибудь друг или враг убитого... и секретарь — темная лошадка... и добродушный мужчина с грубоватыми манерами... и пара уволенных слуг или егерей или что-то в этом роде... и дубина-детектив из таких, как Джепп... и, пожалуй, хватит.

— И все насчет «сливок»?

— А вы не согласны?

Пуаро печально посмотрел на меня:

— Вы прекрасно пересказали детективы, которые когда-либо были.

— Ну хорошо, а что рассказали бы вы?

Пуаро, закрыв глаза, откинулся в кресле. Его голос, мурлыкая, прорывался сквозь губы:

— Очень простое преступление. Преступление без осложнений. Преступление в тихой местности... очень бесстрастное, очень интимное.

— Как это? Преступление разве может быть интимным?

— Предположим, — пробормотал Пуаро, — четверо сели играть в бридж, а один — в кресле у камина. Под конец вечера обнаруживается, что человек у камина мертв. Один из четверки, когда пришла его очередь играть «болвана», подошел и убил его. А остальные трое, погруженные в игру, ничего не заметили. Вот это было бы вам преступление! *Который из четырех?*

— Ну, здесь нет ничего будоражащего, — сказал я.

Пуаро бросил на меня укоризненный взгляд:

— Потому что нет витых кинжалов, нет шантажа, нет изумруда — украденного глаза божества... Вы сентиментальны, Гастингс. Вам подавай не одно убийство, а целую серию.

— Признаюсь, — сказал я, — что в книжках второе убийство оживляет дело. Если убийство происходит в первой главе и вам надо проследить алиби каждого, то скоро это становится несколько утомительно.

Зазвонил телефон, Пуаро поднялся ответить:

— Алло. Да, Пуаро говорит.

Я увидел, как он изменился в лице. А ответы стали короткими и бессвязными:

— Да... Да, конечно... Разумеется, мы подъедем... Действительно... Может, это так, как вы говорите... Да, принесу. До скорого свидания.

15

Он повесил трубку и подошел ко мне.

— Это Джепп, Гастингс.

— Да?

— Он вернулся в Ярд. Из Андовера пришло сообщение...

— Из Андовера?! — воскликнул я.

Пуаро медленно произнес:

— Пожилая женщина по фамилии Ашер, которая держит небольшую табачно-газетную лавку, обнаружена мертвой.

Я был слегка обескуражен. Я ждал чего-то фантастического. Убийство пожилой женщины, содержащей табачную лавочку, казалось мне убогим и безынтересным.

Пуаро продолжал тем же голосом:

— Полиция верит, что сможет найти виновного...

Я ощутил второй прилив разочарования.

— Похоже, женщина не ладила со своим мужем. Он пьет и бывает буйным. Он не раз грозился лишить ее жизни. И тем не менее, — продолжал Пуаро, — полиция хотела бы еще раз взглянуть на письмо, которое я получил. Я сказал, что мы с вами немедленно отправимся в Андовер.

Я слегка оживился. В конце концов, каким бы убогим это преступление ни было, прошло много времени с тех пор, как я последний раз бывал в переделке.

И я не обратил особого внимания на следующие слова Пуаро.

— Это начало, — сказал он...

Глава 4

МИССИС АШЕР

В Андовере нас встретил инспектор Глен, высокий блондин с приятной улыбкой.

Краткости ради, мне кажется, стоит дать сжатый обзор голых фактов этого дела.

О преступлении стало известно констеблю Дувру в час ночи 22-го. Во время обхода он решил проверить дверь лавки и обнаружил, что она не заперта. Он вошел и сперва подумал, что там никого нет, но, посветив за прилавок, увидел скрючившееся тело пожилой женщины. Прибыл полицейский хирург и установил, что женщину ударили тяжелым предметом, вероятно, когда она нагнулась к полке за пачкой сигарет. Смерть произошла примерно семь—девять часов назад.

— Но нам удалось уточнить это время, — объяснил инспектор, — мы нашли человека, который заходил купить табак в 17.30. А другой человек зашел, как он полагает, в 18.05 и увидел, что в лавке пусто. Из этого следует, что время преступления — между 17.30 и 18.05. До сих пор мне не удалось найти кого-нибудь, кто видел бы этого типа Ашера. Но конечно, еще успеем. Он был в девять часов вечера в «Трех коронах», здорово уже набравшись. Как только мы его отыщем, он будет задержан как подозреваемый.

— Не очень приятная личность, инспектор? — спросил Пуаро.

— Подонок.

— Он не жил с женой?

— Нет, они разошлись несколько лет назад. Ашер — немец. Когда-то служил официантом, но пристрастился к выпивке и со временем стал безработным. Его жена начала работать. Последний раз она была кухаркой и экономкой у одной старой леди, мисс Роуз. Она отдавала мужу бульшую часть заработка, но он всегда напивался, приходил и закатывал сцены там, где она работала. Вот почему она устроилась у мисс Роуз в Грейндже. Это в трех милях от Андовера, в деревенской глуши. Там Ашеру не просто было добраться до нее. Когда мисс Роуз умерла, миссис Ашер получила небольшое наследство и открыла табачное и газетное дело: совсем крошечную лавку. Только дешевые сигареты и кое-какие газеты. Ей едва удавалось сводить концы с концами. Ашер снова повадился наведываться и оскорблять ее, а она, чтобы избавиться от него, регулярно выделяла ему немного денег — пятнадцать шиллингов в неделю.

— У них есть дети? — спросил Пуаро.

— Нет. Есть племянница. Работает служанкой в Овертоне. Весьма незаурядная, уравновешенная молодая женщина.

— Так вы говорите, что этот Ашер угрожал жене?

— Совершенно верно. Он становился тираном, когда был пьян: ругался и клялся, что проломит ей голову.

— Какого она была возраста?

— Под шестьдесят — уважаема и трудолюбива!

Пуаро мрачно произнес:

— По-вашему, инспектор, убийство совершил этот тип — Ашер?

Инспектор осторожно кашлянул:

— Рановато говорить об этом, мистер Пуаро, но мне хотелось бы услышать показания самого Франца Ашера. Пусть-ка скажет о том, как провел вчерашний вечер...

Наступившая пауза была многозначительной.

— Из магазина ничего не пропало?

— Ничего. В кассе деньги целы. Никаких признаков ограбления.

— Вы думаете, Ашер ввалился сюда пьяным, принялся оскорблять жену, а потом ее прикончил?

— Вероятно, так! Но должен признаться, сэр, мне хотелось бы еще раз взглянуть на то странное письмо... Я был бы крайне удивлен, если бы оказалось, что его послал Ашер.

Пуаро передал письмо, инспектор, хмурясь, прочитал его.

— Не похоже, что писал Ашер, — сказал он наконец.

— Я сомневаюсь, чтобы Ашер, если только он не большой хитрец, додумался до этого. И потом, он такая развалина. У него слишком дрожат руки, чтобы вывести такие буквы. Письмо написано на качественной бумаге и хорошими чернилами. Странно, что в письме упоминается 21-е число. Конечно, это могло быть совпадением.

— Возможно.

— Не нравятся мне такие совпадения, мсье Пуаро. — Инспектор помолчал одну-две минуты, нахмурился: — АВС. Кто же, черт возьми, это может быть? Может, Мэри Дроуэр (это племянница миссис Ашер) нам как-нибудь поможет?

— Вы знаете что-нибудь о прошлом миссис Ашер?

— Она из Гемпшира. Будучи еще незамужней, устроилась на службу в Лондоне. Там встретила Ашера и вышла за него замуж. Во время войны им пришлось туго. Она бросила его окончательно в 1922 году. Тогда они жили в Лондоне. Она возвратилась сюда, чтобы скрыться от него, но он пронюхал, где она находится, и стал ее преследовать, требуя денег.

Вошел констебль.

— Ну, Бригс, что там?

— Там Ашер, сэр. Мы доставили его.

— Введите его. Где он был?

— Прятался в железнодорожном вагоне.

— Давайте его сюда.

Франц Ашер был действительно опустившимся типом. Он то громко плакал, то ежился, то бушевал. Его мутный взгляд бегал с одного лица на другое.

— Что вам надо? Я сделать ничего! Это стыд и позор — привести меня сюда! Вы, свиньи, как осмелились? — Внезапно его поведение изменилось. — Нет, нет, я не хочу сказать — вы не сделать плохо бедный старик — не будьте жестоки с ним. Все жестокий с бедный, старый Франц. Бедный, старый Франц...

Мистер Ашер заплакал.

— Довольно, Ашер! — сказал инспектор. — Возьмите себя в руки. Я вас ни в чем не обвиняю... пока. И если не хотите... то вы не обязаны давать показания. Но если вы не замешаны в убийстве жены...

Ашер перебил его, закричав:

— Я не убивал ее! Я не убивал ее! Это неправда! Вы, английские свиньи, вы все против меня! Я никогда не убивал ее! Никогда!

— Вы достаточно часто угрожали ей, Ашер.

— Нет, нет. Вы не понимаете. Это просто была шутка — милая шутка между мной и Алисой. Она понимала.

— Хорошенькая шутка! Потрудитесь сказать, где вы были вчера вечером?

— Да, да, я все скажу. Меня не было рядом с Алисой. Я есть с друзьями, с хорошими друзьями. Мы есть в «Семи звездах», потом в «Рыжем псе»...

Он торопился, запинался.

— Дик Виллоуз — он был со мной, — и старина Керди, и Джордж, и Плат, и другие ребята. Я говорю вам, что я не есть рядом с Алисой. О Боже, я говорю вам правду!

19

Его голос сорвался на крик. Инспектор кивнул подчиненному:

— Уведите! Задержан по подозрению.

— Я не знаю, что и подумать, — сказал он, когда вывели этого трясущегося старика со злым оскалом. — Если бы не письмо, я бы сказал: он убил!

— Но кого он упоминал?

— Дурная компания: некоторые способны прирезать. Я не сомневаюсь, он был с ними. Но многое зависит и от того, видел ли кто-нибудь его около лавки между 17.30 и 18 часами.

Пуаро покачал головой:

— Вы уверены, что из лавки ничего не пропало?

— Как сказать! Одну-две пачки сигарет, может, и взяли, но вряд ли можно совершить убийство ради этого.

— И ничего не было... как бы сказать... внесено в лавку? Не обнаружено ли там что-нибудь странное, неуместное?

— Железнодорожный справочник... — сказал инспектор.

— Железнодорожный справочник?

— Да. Он был открыт и лежал на прилавке обложкой вверх. Вот так... Похоже, кто-то искал поезд из Андовера.

— Она продавала что-нибудь подобное?

Инспектор покачал головой:

— Такие есть только у Смита или в крупных магазинах.

Глаза Пуаро блеснули. Он подался вперед.

— Вы сказали, железнодорожный справочник. «Брэдшоу» *или* «АВС»?

Глаза инспектора тоже блеснули.

— Господи, — сказал он. — Это был «АВС».

Глава 5

МЭРИ ДРОУЭР

Да, да, тут-то я и заинтересовался этим делом серьезно — после первого упоминания об этом железнодорожном справочнике. Я поначалу был глубоко убежден, что миссис Ашер оказалась жертвой скотины-мужа. Упоминание о железнодорожном справочнике, где все железнодорожные станции перечислялись в алфавитном порядке, привело меня в трепет. Несомненно, это не могло быть вторым совпадением.

Мы пошли в морг осмотреть тело. Странное чувство охватило меня, когда я вгляделся в старое морщинистое лицо с пучком седых волос, туго стянутых на висках. Оно было таким мирным, таким далеким от насилия.

— Непонятно, кто и чем ударил ее, — заметил сержант. — Как сказал доктор Керр, это произошло мгновенно. Бедная старая душа, она была славной женщиной.

— Должно быть, когда-то она была красива, — заметил Пуаро.

— Да? — пробормотал я недоверчиво.

— Ну конечно, посмотрите на черты лица, форму головы.

Он вздохнул, поправил простыню, и мы вышли из морга. Следующее, что мы сделали, — поговорили с полицейским хирургом.

Доктор Керр был знающим человеком. Он говорил оживленно и решительно:

— Орудие преступления не было найдено. Трудно сказать, что это было. Увесистая палка, дубинка, мешок с песком — что-нибудь подобное.

— Много ли надо силы, чтобы нанести такой удар?

Доктор бросил острый взгляд на Пуаро:

— Вы хотите спросить, мог ли семидесятилетний старик сделать это? Да, взяв орудие достаточного веса, совершенно немощный человек мог достичь такого результата.

— В таком случае убийцей могла быть и женщина?

Это предположение застало доктора врасплох.

— Женщина? Должен признаться, мне не приходило в голову связать женщину с преступлением такого рода. Но конечно, это возможно — совершенно возможно. Однако, с точки зрения психологии, я бы не сказал, что это дело рук женщины.

Пуаро кивнул, соглашаясь:

— Точно, точно. Это неправдоподобно. Но надо принять во внимание все. Как лежало тело?

Доктор подробно описал нам положение жертвы. По его мнению, когда был нанесен удар, миссис Ашер стояла спиной к прилавку (и, следовательно, к убийце). Затем ее тело сползло на кипу газет за прилавком, так что человек, случайно вошедший в лавку, мог не заметить труп.

После того как мы, поблагодарив доктора, ушли, Пуаро тепло сказал:

— Чувствуете, Гастингс, мы уже кое-что имеем в пользу Ашера. Если бы он устроил в лавке скандал, жена стояла бы к нему лицом. Вместо этого она повернулась *спиной*... чтобы взять табак или сигареты для *покупателя?*

Я невольно почувствовал легкую дрожь.

— Какой ужас!

Пуаро мрачно кивнул.

— Бедная женщина, — пробормотал он.

Потом взглянул на часы.

— Я думаю, Овертон не так далеко отсюда. Может, рванем туда и побеседуем с племянницей покойной?

— А лавка, где произошло преступление?

— Я бы предпочел туда зайти позже. Есть причина.

Пуаро не стал объяснять, и спустя несколько минут мы неслись по лондонской дороге к Овертону. Адрес, который нам дал инспектор, привел нас к просторному дому, примерно в миле от деревни в сторону Лондона.

На наш звонок вышла приятная темноволосая девушка, с покрасневшими от недавних слез глазами.

Пуаро ласково спросил:

— О! Я думаю, это вы и есть — мисс Мэри Дроуэр, работающая здесь горничной?

— Да, сэр. Я — Мэри, сэр.

— Тогда, возможно, я смог бы с вами поговорить несколько минут, если ваша хозяйка не возражает. Это касается вашей тетушки, миссис Ашер.

— Хозяйки нет дома, сэр. Она бы не возражала, я уверена, если бы вы вошли.

Она провела нас в маленькую столовую. Пуаро сел в кресло у окна и пристально посмотрел на девушку.

— Вы, конечно, слышали о смерти вашей тетушки?

Девушка кивнула, у нее снова на глаза навернулись слезы.

— Этим утром, сэр. Приходила полиция. О! Это ужасно! Бедная тетушка! Так тяжело ей жилось. А вот теперь... Это так ужасно!

— Вам полиция не предлагала вернуться в Андовер?

— Они сказали, что я должна прийти на дознание — это в понедельник, сэр. Но никуда я не поеду. Не могу представить себя у магазина... сейчас... и потом, мне не хочется оставлять госпожу...

— Вы любили свою тетю, Мэри? — мягко спросил Пуаро.

— Конечно, сэр! Она всегда была ко мне очень добра, всегда. Я приехала к ней в Лондон, когда мне было одиннадцать лет, после того как умерла мама. Я начала работать в шестнадцать лет и обычно в выходные заезжала к тетушке. Много горя натерпелась она с этим немцем. Она называла его «старый черт». Он не давал ей покоя, паразит и попрошайка!

Девушка пришла в неистовство.

— Ваша тетя никогда не помышляла об освобождении от его преследований с помощью закона?

— Понимаете, он был ее мужем, сэр, куда от этого денешься?

Девушка говорила просто и убедительно.

— Скажите, Мэри, он угрожал ей или нет?

— О да, сэр, он говорил ужасные вещи. Что перережет горло и тому подобное. Проклинал и ругался по-немецки и по-английски. А еще тетушка вспоминала, что он был очень хорошим, когда она вышла за него. Страшно подумать, сэр, во что превращаются люди.

— Да, действительно. Таким образом, Мэри, мне представляется, что вы, зная об угрозах, не очень-то были поражены, когда услышали о случившемся?

— О нет, сэр. Видите ли, сэр, я никогда не думала, что он угрожал всерьез. Я полагала, что это было просто мерзкой болтовней и ничем более. И я бы не сказала, что тетушка его боялась. Почему? Я видела, как он поджимал хвост, когда она давала ему отпор. Это *он* боялся *ее*...

— И все же она давала ему деньги?

— Да, он был ее мужем, понимаете, сэр?

— Да, это вы уже говорили. — Пуаро помолчал и добавил: — Предположим, он ее *не* убивал.

— Не убивал?! — Она удивленно посмотрела на него.

— Да. Допустим, это кто-то другой... Кто это мог бы быть?

Она удивилась еще больше.

— В это трудно поверить, сэр. Не правда ли?

— И ваша тетя вообще никого не боялась?

Мэри покачала головой.

— Тетушка не боялась людей. Она была остра на язык и могла за себя постоять.

— Вам не приходилось слышать, что кто-то имеет на нее зуб?

— Нет, сэр!

— Она когда-нибудь получала анонимные письма?

— Какие, вы говорите, письма?

— Письма, которые не были подписаны или подписаны чем-то вроде ABC. — Он пристально посмотрел на нее, но девушка была в недоумении и удивленно качала головой.

— У вашей тети есть родственники, кроме вас?

— Сейчас нет. Она была десятым ребенком в семье, но из них только четверо дожили до взрослого возраста. Дядя Том убит на войне, а дядя Гарри уехал в Южную Америку, и с тех пор о нем никто не слышал. Мама умерла, и осталась одна я.

— У вашей тети были какие-нибудь сбережения?

— У нее был небольшой счет в банке, сэр. Достаточный, чтобы похоронить ее надлежащим образом, как она выражалась. Тетушка едва сводила концы с концами.

Пуаро задумчиво кивнул. И сказал скорее самому себе:

— Сейчас ничего не ясно... если дело прояснится...

Он встал.

— Если вы мне понадобитесь, Мэри, я напишу вам сюда.

— Вообще говоря, я поселилась здесь, потому что считала, что это будет удобно для тетушки — иметь меня рядом. Но теперь, — слезы снова появились у

24

нее на глазах, — меня здесь ничто не удерживает и я вернусь в Лондон. Там девушке веселее.

— Я бы хотел, чтобы вы оставили мне адрес, когда уедете. Вот моя визитная карточка.

Он передал ей карточку. Она взглянула на нее с недоумением:

— Так вы... не связаны с полицией, сэр?

— Я — частный детектив.

Она помолчала некоторое время и наконец спросила:

— Что-нибудь подозрительное, сэр?

— Да, дитя мое. Во всем этом есть что-то подозрительное. Позже вы, наверное, сможете мне помочь.

— Я... я что-нибудь сделаю, сэр. Это... это было *неправильно*, что тетушку убили.

Ее последняя фраза прозвучала странно, но с глубоким чувством.

Через несколько минут мы отправились обратно в Андовер.

Глава 6
МЕСТО ПРЕСТУПЛЕНИЯ

Улица, на которой произошла трагедия, начиналась за поворотом главной улицы города. Магазинчик миссис Ашер был расположен на полпути вниз по правой стороне улицы.

Когда мы шли туда, Пуаро взглянул на часы, и я понял, почему он повременил с посещением места преступления: было как раз половина шестого... Ему захотелось воспроизвести атмосферу вчерашнего дня.

Но его ждала неудача. Конечно же к нашему приходу улица имела мало сходства со вчерашней. На ней стояла толпа народа. Не надо было быть слишком проницательным, чтобы догадаться: обыватели с интересом рассматривали место, где им подобный был предан смерти.

Перед маленькой закопченной лавочкой с закрытыми жалюзи стоял встревоженный полицейский, призывавший толпу «проходить и не задерживаться».

Мы остановились. Над дверью была надпись, Пуаро прочел:

— А. Ашер. Да, это, должно быть, здесь... Давайте зайдем внутрь, Гастингс.

Мы пробрались сквозь толпу и обратились к полицейскому. Пуаро предъявил свои рекомендации, которыми снабдил его инспектор. Констебль кивнул и отпер дверь. Мы вошли, обратив на себя внимание всех зевак.

Закрытые жалюзи создавали такую темноту, что констеблю пришлось нащупать выключатель, и маломощная лампочка тускло осветила помещение.

Я огляделся.

Несколько разбросанных дешевых журналов, вчерашних газет. Пыль однодневной давности.

За прилавком — снизу и до самого потолка — ряд полок, забитых табаком и пачками сигарет. Там также стояла пара банок с мятными лепешками и ячменным сахаром. Обычный магазинчик, каких тысячи.

Медлительным гемпширским голосом констебль принялся объяснять:

— Внизу за прилавком, на кипе газет, — там она была. Доктор говорит, и не знала бедняга, кто ударил ее. Должно быть, полезла так вот на одну из полок...

— А у нее ничего не было в руках?

— Нет, сэр, только рядом валялась пачка «Плэйерс».

Пуаро кивнул. Глаза его забегали вокруг маленького пространства, все разглядывая, все замечая.

— А железнодорожный справочник?

— Здесь он был, сэр, — констебль показал место на прилавке. — Открыт на странице, где Андовер, и перевернут. Как будто он искал поезд на Лондон. Раз так, этот человек вовсе не из Андовера. Конечно же железнодорожный справочник мог принадлежать кому-то еще, просто забывшему его здесь и не замешанному в убийстве.

— Отпечатки пальцев? — предположил я.

Констебль отрицательно покачал головой:

— Все обследовали, сэр. Ничего нет.

— И на прилавке? — спросил Пуаро.

— Здесь слишком много, сэр! Все перемешалось и запуталось.

— Среди них есть отпечатки Ашера?

— Еще рано говорить, сэр.

Пуаро кивнул и спросил, жила ли женщина здесь же.

— Да, сэр, пройдите в эту дверь. Извините, должен остаться...

Открыв дверь, мы попали в крошечную, аккуратно прибранную прихожую-кухню. Она была обставлена очень скудно и выглядела мрачно. На каминной полке стояло несколько фотографий. Я подошел и взглянул на них. Пуаро присоединился ко мне.

Всего было три фотографии. Первая — дешевый портрет девушки — Мэри Дроуэр. На ней была, безусловно, лучшая одежда, а на лице — деревянная улыбка, которая так часто возникает, когда позируют.

Вторая карточка была подороже. Искусно отретушированное изображение пожилой женщины с седыми волосами. Вокруг ее шеи — высокий меховой воротник. Возможно, это была мисс Роуз, оставившая небольшое наследство, которое позволило миссис Ашер начать свое дело.

Третья фотография была очень старой, затершейся и пожелтевшей. Она воспроизводила державшуюся под руки молодую пару в чем-то старомодном. У мужчины был цветок в петлице, и во всем его виде ощущалось былое веселье.

— Наверное, свадебная карточка, — сказал Пуаро. — Признайтесь, Гастингс, не говорил ли я вам, что она была красивой женщиной?

Пуаро был прав.

От прихожей лестница вела к двум верхним комнатам. Одна из них была необставленной, пустой. Другая, очевидно, являлась спальней покойной и осталась без изменений после осмотра полиции. Пара ветхих одеял на кровати, стопка перештопанного белья в ящике комода, кулинарные рецепты, роман в мягкой обложке под названием «Зеленый оазис», пара новых чулок, пара декоративных фарфоровых фигурок: сильно побитый дрезденский пастух и собака с желтыми и синими пятнами, черный плащ и висящий на вешалке шерстяной свитер — вот и все состояние покойной Алисы Ашер.

Если и были какие-то личные письма, то полиция взяла их с собой.

— Бедная женщина, — пробормотал Пуаро, — пойдемте, Гастингс, здесь для нас ничего нет.

Когда мы снова оказались на улице, он минуту-две поразмышлял, потом пересек улицу. Почти напротив лавки миссис Ашер находилась лавка зеленщика, спланированная таким образом, что большая часть товара находилась снаружи.

Пуаро приглушенным голосом дал мне соответствующие инструкции, затем вошел в лавку. Через одну-две минуты я последовал за ним. В этот момент он торговался насчет салата. Я же купил фунт клубники.

Пуаро оживленно беседовал с женщиной, которая его обслуживала.

— Это ведь прямо напротив вас? Такая сенсация!

Полная женщина, безусловно, утомленная разговорами об убийстве на протяжении всего дня, заключила:

— Хорошо, если б эти зеваки убрались. На что там смотреть, хотела бы я знать?

— Должно быть, вчерашний вечер сильно отличался от остальных, — сказал Пуаро, — возможно, вы даже видели, как преступник входил в лавку: такой высокий блондин с бородой, не так ли? Русский, как я слышал.

— Что? — Женщина живо взглянула на него. — Вы говорите, это сделал русский?

— Я узнал, что его арестовала полиция.

— Да что вы?! — Женщина была возбуждена. — Иностранец!

— Да. Я думал, что вы заметили его вчера вечером.

— У меня не было такой возможности. Вечером самая работа, все время кто-то проходит мимо, идя с работы домой. Высокий блондин с бородой... нет, не могу сказать, что видела такого...

Настала моя очередь.

— Извините, сэр, — сказал я Пуаро, — мне кажется, вы дезинформированы. Коротышка-брюнет, как мне сказали.

Возникла интересная дискуссия, в которую были вовлечены полная женщина, ее худощавый муж и мальчик-прислуга с хриплым лошадиным голосом. Были замечены по крайней мере четыре брюнета, а мальчик-лошадь видел высокого блондина.

— Но тот был без бороды, — с сожалением добавил он.

Наконец наши покупки были сделаны, мы вышли от зеленщика, оставляя наш обман нераскрытым.

— И в чем смысл всего этого, Пуаро? — спросил я укоризненно.

— Черт возьми! Я хотел оценить шансы незнакомца быть незамеченным при входе в лавку напротив.

— Не могли бы вы просто спросить, без таких хитросплетений?

— Нет, мой друг, если бы я «просто спросил», как вы предлагаете, то я бы никаких ответов на все свои вопросы не получил бы. Вы сам — англичанин, а до сих пор не знаете, как англичане реагируют на прямые вопросы. Но моим заявлением и вашим, противоречащим ему, удалось развязать им языки. Мы также узнали, что в то время была самая работа, когда каждый занят своими делами. Да, наш убийца выбрал хорошее время, Гастингс.

Пуаро помолчал и потом добавил с упреком:

— Не кажется ли вам, Гастингс, что у вас отсутствует здравый смысл? Говорю вам: делайте покупки попроще, а вы словно нарочно выбираете клубнику! Она уже подвергает опасности ваш прекрасный костюм. Смотрите, вот-вот протечет.

С некоторым замешательством я осознал, что так оно и было. Я машинально отдал клубнику маленькому мальчику, что показалось тому необычным и подозрительным, а Пуаро добавил к ней салат, окончательно повергнув ребенка в недоумение.

Он продолжал морализировать:

— У дешевого зеленщика не бывает клубники. Клубника, не считая свежеснятой, перерабатывается в соки. Банан, немного яблок, ну хотя бы капуста... но клубника!..

— Это первое, о чем я подумал, — извинялся я.

— Сказывается недостаток вашего воображения, — сурово заметил Пуаро.

Он приостановился.

Дом и магазин справа от дома Ашер был пуст. В окне виднелась табличка: «Сдается». По другую сторону располагался дом с неопрятными муслиновыми занавесками.

К этому дому и направился Пуаро и, так как у входа не было звонка, размашисто постучал дверным кольцом.

Дверь открыли не сразу. На пороге стоял очень чумазый мальчик с весьма примечательным носом.

— Добрый вечер, — сказал Пуаро, — твоя мама дома?

— А? — сказал ребенок.

Он уставился на нас недоброжелательно и очень подозрительно.

— Твоя мама, — повторил Пуаро.

Потребовалось секунд десять, чтобы до мальчика дошло, после чего он повернулся и, крикнув наверх: «Мам, тебя!», исчез в темноте.

Остролицая женщина выглянула через балюстраду и начала спускаться.

— Зря теряете время... — начала она, но Пуаро перебил ее.

Он снял шляпу и отвесил изысканный поклон:

— Добрый вечер, мадам. Я корреспондент «Ивнинг Фликер». Прошу вас принять гонорар в пять фунтов и позволить нам напечатать статью о вашей соседке — миссис Ашер.

Гневные слова замерли у женщины на губах, она сошла по лестнице, разглаживая волосы и поправляя юбку.

— Проходите, пожалуйста. Сюда, налево. Присаживайтесь, сэр.

Крошечная комнатка была переполнена громоздким псевдоякобинским убранством, но нам удалось протиснуться и сесть на жесткую софу.

— Вы уж извините меня, — повторяла женщина, — извините, что так резко говорила, но вы не представляете себе моих беспокойств. Люди приходят и предлагают то одно, то другое: пылесосы, чулки, шкатулки с лавандой и прочее. Узнают ваше имя — и, пожалуйста, миссис Фаулер, то да се!

Удачно ухватившись за имя, Пуаро сказал:

— Да, миссис Фаулер, я надеюсь, вы согласитесь с моим предложением.

— Я не знаю... да... — Пять фунтов соблазнительно повисли перед глазами миссис Фаулер. — Я знала миссис Ашер, конечно, но чтобы что-то писать...

Пуаро поспешно стал ее убеждать: никакой работы не требуется. Он узнает факты, а интервью напишет потом.

Приободренная миссис Фаулер погрузилась в воспоминания, догадки и слухи.

Миссис Ашер жила уединенно. Переносила много невзгод, бедная душа. Не то, чтобы миссис Ашер боялась его. Она ведь сама могла превращаться в фурию! И так день за днем. Говорила ей миссис Фаулер: «Однажды он тебя доконает». И он доконал ее, не так ли? А миссис Фаулер находилась по соседству и не слышала ни звука...

Воспользовавшись паузой, Пуаро задал вопрос:

— Получала ли миссис Ашер какие-нибудь необычные письма: письма без конкретной подписи — что-нибудь вроде АВС?

Миссис Фаулер ответила отрицательно.

— Я знаю, что вы имеете в виду: анонимные письма — так их называют. Подобные письма полны слов, которые не осмелишься произнести вслух. Не знаю, занимался ли Франц Ашер этим. Железнодорожный справочник? «АВС»? Нет, ничего подобного не видела. Уверена, что если бы миссис Ашер такой получала, то я бы знала. Говорю вам, провалиться мне на месте, — знала бы. Моя девочка Эдди пришла и говорит: «Мам, там столько полицейских. Меня ошеломило». «Да, — сказала я, когда услышала об этом, — вот что значит оставаться одной в доме: эта ее племянница должна была быть с ней». Выпивший мужчина — он же как разъяренный волк. Предупреждала ее, говорила тысячу раз, и вот мои слова подтвердились. Он тебя доконает, говорила ей, — и вот — доконал. Вы не можете себе представить, на что способен мужчина, когда выпьет, и вот вам доказательство.

Миссис Фаулер закончила вздохом.

— Сдается мне, никто не видел, как этот Ашер входил в лавку? — спросил Пуаро.

Миссис Фаулер презрительно фыркнула:

— Естественно, он не собирался себя обнаруживать!

Как мистер Ашер смог проникнуть в лавку незамеченным, она затрудняется объяснить.

Она признала, что в доме не было черного хода и что Ашера в округе хорошо знали.

— Но он не хотел мелькать и замаскировался.

Пуаро позволил потоку слов течь еще немного, но, когда миссис Фаулер уже в который раз принялась повторять все, что знает, он остановил интервью, предварительно заплатив обещанную сумму.

— Это не стоило пяти фунтов, Пуаро, — позволил заметить я, когда мы оказались на улице.

— Пока — да.

— Вы думаете, она знает больше?

— Мой друг, мы с вами находимся в необычном положении: *не знаем, какие вопросы задавать*. Мы, как дети, играем в жмурки. Вытягиваем руки, идем ощупью. Миссис Фаулер сказала нам все и для убедительности бросила несколько догадок! В дальнейшем ее показания могут оказаться полезными. Эти фунты я ассигновал ей на будущее.

Я не вполне понял его, но мы уже были у инспектора Глена...

Глава 7

МИСТЕР ПАРТРИДЖ И МИСТЕР РИДДЕЛЛ

Инспектор Глен был весьма мрачен. По-видимому, он провел день, пытаясь составить полный перечень людей, которых заметили входящими в табачную лавку.

— Видели еще кого-нибудь? — спросил Пуаро.

— Да, видели. Трех высоких мужчин с вороватой внешностью, четырех коротышек с черными усами... двух бородачей... трех толстяков — все незнакомцы — и все, если верить свидетелям, со свирепым выражением лица. Я удивляюсь, почему никто не видел шайку переодетых бандитов с пистолетами!

Пуаро сочувственно улыбнулся:

— Никто не утверждал, что видел Ашера?

— Никто. Еще одно очко в его пользу. Я уже говорил главному констеблю, что эта работа для Скотленд-Ярда. Не думаю, что это преступление местного масштаба.

— Я согласен с вами, — хмуро сказал Пуаро.

— Знаете ли, мсье Пуаро, — это мерзкое дело... мерзкое дело... Не нравится оно мне...

Прежде чем вернуться в Лондон, мы имели еще две беседы.

Первую — с мистером Джеймсом Партриджем, который был последним, кто видел миссис Ашер живой.

Мистер Партридж был невысоким человеком, по профессии — банковский служащий. Он носил пенсне, был очень сухой, чрезвычайно педантичный во всех своих высказываниях. Он жил в маленьком доме, таком же опрятном и аккуратном, как и он сам.

— Месье Пуаро, — прочитал он на визитной карточке моего друга, которую тот ему подал. — От инспектора Глена? Чем могу служить, мсье Пуаро?

— Я знаю, мистер Партридж, что вы были последним, кто видел миссис Ашер до ее смерти.

Мистер Партридж сложил кончики пальцев и посмотрел на Пуаро как на фальшивый чек.

— Это спорное предположение, мсье Пуаро, — сказал он. — Многие могли делать покупки у миссис Ашер после меня.

— Если это и так, то они не пришли и не сказали об этом.

Мистер Партридж закашлял.

— У некоторых, мсье Пуаро, отсутствует чувство долга. — Он посмотрел на нас как-то по-совиному сквозь свои очки.

— Совершеннейшая правда, — пробормотал Пуаро, — вы, я думаю, пришли в полицию по собственной инициативе?

— Конечно. Как только я услышал об этом потрясающем происшествии, я решил, что мое заявление будет полезным, и немедленно явился.

— Очень правильная позиция, — торжественно заявил Пуаро. — Не будете ли вы так любезны повторить ваш рассказ.

— Разумеется. Я возвращался домой, и ровно в 17.30...

— Простите, почему вы так точно запомнили время?

Мистер Партридж был несколько раздражен, что его прервали.

— Пробили часы на церкви. Я посмотрел на свои часы, они на минуту отставали. Это было как раз перед тем, как я вошел в лавку миссис Ашер.

— Вы всегда делали там покупки?

— Достаточно часто. Мне это было по пути. Раз или два в неделю я всегда покупал две унции табака «Джон Коттон Майлд».

— Вы хорошо знали миссис Ашер? Какие-нибудь обстоятельства ее жизни, ее судьбы?

— Я никогда не разговаривал с ней, не считая моих покупок и случайных замечаний о погоде.

— Вы знали о ее пьянице-муже, который угрожал ей?

— Нет, я о ней ничего не знал!

— Тем не менее вы знали ее в лицо. Не было ли в ней вчера вечером чего-нибудь такого, что показалось вам необычным? Может быть, она была возбуждена или по крайней мере раздражена?

Мистер Партридж задумался.

— Насколько я мог заметить, она выглядела как обычно, — сказал он.

Пуаро встал:

— Благодарю вас, мистер Партридж, за ваши ответы. Кстати, нет ли у вас справочника «АВС»? Я хочу выбрать обратный поезд в Лондон.

— На полке за вами, — ответил мистер Партридж.

На полке были «АВС», «Брэдшоу», ежегодник фондовой биржи, адресная книга Келли, «Кто есть кто» и местная адресная книга.

Пуаро взял «АВС», делая вид, что выбирает поезд, затем поблагодарил мистера Партриджа и вышел.

Наша следующая встреча была с мистером Альбертом Ридделлом и носила совершенно другой характер.

Альберт Ридделл был дорожным рабочим, и наш разговор проходил под аккомпанемент звона тарелок, производимого миссис Ридделл — чрезвычайно нервной особой, рычания собаки Ридделла и откровенной враждебности самого мистера Ридделла.

Это был неуклюжий громила с темным лицом и маленькими подозрительными глазками. Он ел пирог с мясом, запивая очень крепким чаем.

Ридделл сердито уставился на нас поверх своей чашки.

— Я уже все сказал, не так ли? — прорычал он. — Что еще вам от меня надо? Плевал я и на вашу полицию, и на ваших иностранцев.

34

Пуаро бросил на меня насмешливый взгляд, потом сказал:

— Честно говоря, я вам сочувствую, но о чем вы? Это убийство, не так ли? Надо быть очень щепетильным в этом деле.

— Лучше скажи джентльмену, что хочет, Берт, — нервно сказала женщина.

— Заткнись, — прорычал громила.

— Я думаю, вы не пришли бы сами в полицию, — вскользь заметил Пуаро.

— Какого черта! Это не мое дело!

— Спорный вопрос, — ответил Пуаро. — Произошло убийство — полиция хочет знать, кто был в магазине. Я считаю, что было бы естественно, если бы вы пришли сами.

— Я должен работать. И не говорите мне, что я мог прийти в свое свободное время...

— Но полиции стало известно, что вас видели входящим к миссис Ашер, и поэтому им пришлось вас побеспокоить. Они были удовлетворены вашими ответами?

— Почему бы и нет? — свирепо прорычал Ридделл. Пуаро пожал плечами.

— Что вы имеете в виду, мистер? Никто против меня ничего не имеет. Все знают, что доконал старуху ее муж...

— Но его не было в тот вечер на этой улице, а вы были...

— Хотите мне это приписать? Не получится! Зачем мне это надо? Думаете, я хотел стащить ее проклятый табак? Или, может, я маньяк-убийца? Или, может... — Он угрожающе поднялся.

Его жена залепетала:

— Берт, Берт, не говори так. Берт, они подумают...

— Успокойтесь, мсье, — сказал Пуаро. — Я только хочу, чтобы вы объяснили ваш визит. Мне показалось, что вы отказываетесь...

— Кто сказал, что я отказываюсь? — Мистер Ридделл опять уселся. — Вовсе нет.

— Вы вошли в лавку в 18 часов?

— Да, минуту-две спустя. Хотел купить пачку «Голд Флэйк». Открыл дверь...

— Она была закрыта?

— Да. Я подумал, что лавка закрыта. Но нет. Я вошел, внутри никого не было. Я постучал по прилавку и немного подождал. Никого не было, и я вышел. Это все.

— Вы не видели тела за прилавком?

— Нет, нет, не было видно, я же его не искал.

— Лежал ли там железнодорожный справочник?

— Да, он был перевернут. У меня мелькнула мысль, что эта женщина, должно быть, торопилась на поезд и забыла запереть лавку.

— Может быть, вы приподнимали справочник или двигали с места?

— Не трогал я эту... Я сделал только то, что сделал.

— Не видели ли вы кого-нибудь выходящим из лавки, прежде чем вы сами вошли в нее?

— Ничего такого не видел. Было, как я сказал. Что еще от меня надо?

Пуаро поднялся.

— Никто к вам больше не пристает. До свидания, мсье.

Он вышел, оставив Ридделла с открытым ртом. Я вышел за ним.

На улице Пуаро посмотрел на часы.

— Если мы поспешим, мой друг, то, может, нам удастся успеть на 19.20. Давайте поспешим.

Глава 8
ВТОРОЕ ПИСЬМО

— Ну? — спросил я нетерпеливо.

Мы сидели в вагоне первого класса. Поезд-экспресс вышел из Андовера.

— Преступление, — сказал Пуаро, — совершил человек среднего роста, рыжеволосый и косящий на левый глаз. Он немного хромает на правую ногу, и у него под лопаткой родинка.

— Пуаро?! — вскрикнул я.

На мгновение я ему полностью поверил. Но насмешливые искорки в глазах моего друга вывели меня из заблуждения.

— Пуаро! — повторил я уже с упреком.

— Мой дорогой, что с вами? Вы устремили на меня взор, полный собачьей преданности, как будто я — Шерлок Холмс. По правде говоря, *я не знаю ни как выглядит убийца, ни где он живет, ни как на него выйти.*

— Если б только он оставил какой-нибудь след, — пробормотал я.

— Да, след — вас всегда привлекали следы! Увы, он не курил сигарет и не оставил пепла или следов обуви с гвоздями какой-нибудь необыкновенной формы. Нет, он не был так любезен. Но по крайней мере, мой друг, у вас есть железнодорожный справочник, «АВС» — вот его след для вас!

— Вы думаете, он оставил его по ошибке?

— Конечно нет. Он оставил его с умыслом. Об этом говорят отпечатки пальцев.

— Но на справочнике их не было!

— Вот и я об этом. Что было вчера? Теплый июньский вечер. Будет ли в такой вечер человек гулять в перчатках? Он, безусловно, привлек бы к себе внимание. Тем не менее никаких отпечатков на «АВС» не было, они были тщательно стерты. Невинный человек оставил бы отпечатки, виновный — нет. Некто купил «АВС», потом принес его...

— Вы считаете, мы сможем что-нибудь узнать таким образом?

— Дружище Гастингс! Я не самый большой оптимист. Этот человек, некто Х, необычайно горд своими способностями. Не похоже, что он наметил путь, который легко сразу проследить.

— Тогда «АВС» не сможет нам помочь.

— В этом смысле — нет.

— Но в каком-то смысле может?

Пуаро ответил не сразу. Потом тихо сказал:

— Да. Мы столкнулись с неизвестным типом. Он в темноте и постарается остаться там. С одной стороны, мы ничего о нем не знаем. С другой стороны, мы уже знаем достаточно. Я себе смутно представляю его — человека, который красиво пишет, который покупает качественную бумагу, которому очень нужно проявить себя. Я вижу его — ребенка, оставленного без внимания; я вижу его растущим с внутренним чувством приниженности, обеспокоенным чувством несправедливости. Я вижу его внутреннее желание... отстоять свои права... привлечь внимание к себе, что оборачивается еще большим унижением. Он внутри себя готов в любую минуту взорваться...

— Но все это чистая выдумка, — заключил я, — и не имеет практического применения.

— Вы, конечно, предпочитаете горелую спичку, сигаретный пепел и обувь с гвоздями. Но по крайней мере, мы можем задать себе ряд практических вопросов. Почему именно «АВС»? Почему миссис Ашер? Почему Андовер?

— Прошлое этой женщины выглядит достаточно просто, — произнес я задумчиво, — беседы с теми двумя нас разочаровали. Они ничего не смогли добавить к тому, что мы уже знали.

— По правде говоря, я ничего особого и не ожидал. Но мы не могли сбросить со счетов две возможные кандидатуры убийцы.

— Так вы не полагаете...

— Во всяком случае, существует вероятность того, что убийца живет либо в Андовере, либо неподалеку от него. Вот и возможный ответ на наш вопрос: «Почему именно Андовер?» Так, нам известны двое мужчин, бывшие в лавке в требуемое время. И пока ничего не доказывает, что тот или другой не является убийцей.

— Скорее всего этот увалень Ридделл, — заметил я.

— О, я склоняюсь к тому, чтобы отбросить Ридделла. Он выглядел нервным пустобрехом, слишком беспокойным...

— Так ведь это и говорит как раз о том, что он...

— Натура, диаметрально противоположная написавшему письмо АВС. Тщеславие и самомнение — вот черты, которые нам надо искать.

— Того, кому некуда девать силу?

— Возможно. Но в некоторых нервных тугодумах скрывается великое тщеславие и самодовольство.

— Вам не кажется, что маленький мистер Партридж...

— Он просто больше подходит. Его поведение похоже на поведение автора письма: сразу же идет в полицию, выдвигает себя на передний план, наслаждается своим положением.

— Вы и впрямь думаете?..

— Нет, Гастингс, большего о нем сказать нельзя. Лично я считаю, что убийца не из Андовера, но мы не должны размыкать цепочку анализа. И хотя я все время говорю «он», мы не должны исключать возможности того, что это дело рук женщины.

— Конечно нет!

— Способ нанесения удара, согласен, — мужской. Но анонимное письмо писала скорее женщина, чем мужчина. Это мы должны усвоить.

Я несколько минут помолчал, а потом спросил:

— Что мы предпримем дальше?

— Ничего!

— Ничего?! — Мое разочарование так и прозвенело в воздухе.

— Я что, волшебник? Колдун? Что вы от меня хотите?!

Прокручивая в голове события, я не нашел, что ответить. Тем не менее я был убежден, что надо как-то действовать, что нельзя останавливаться и, как говорится, позволять траве расти под нашими стопами.

Я сказал:

— Есть «АВС», бумага, конверт...

— В этом направлении все, что надо, делается. Полиция располагает всеми средствами для такого расследования. Если что-то в этом направлении можно выяснить, будьте уверены — они выяснят.

Это меня немного успокоило.

В течение нескольких дней Пуаро странным образом уклонялся от обсуждения этого дела.

Неужели в расследовании убийства миссис Ашер он потерпел поражение? АВС бросил ему вызов — и АВС выиграл! Мой друг оказался чувствительным настолько, что не мог вынести даже обсуждения этого дела. Что ж, даже наиболее рассудительному из нас былые успехи могут вскружить голову.

Я отнесся с пониманием к слабостям своего друга и более не упоминал о случившемся. Преступление привлекло совсем незначительное внимание прессы. Убийство пожилой женщины на отдаленной улице вскоре сошло со страниц газет, уступив место более волнующим сообщениям.

По правде говоря, это дело выветрилось и из моей головы. Это произошло, наверное, еще и потому, что мне не хотелось связывать имя Пуаро с какими-то неудачами.

Дня два я не видел Пуаро, так как проводил уик-энд в Йоркшире. В понедельник днем я вернулся, а письмо пришло с шестичасовой вечерней почтой. Мне запомнился внезапный вздох, который издал Пуаро, разрезав конверт.

— Пришло, — сказал он.

Я уставился на него, не понимая.

— Что пришло?

— Второе письмо АВС.

С минуту я в недоумении глядел на него. Я действительно забыл об этом деле.

— Читайте, — сказал Пуаро и передал мне письмо.

Как и в первый раз, оно было написано печатными буквами на отличной бумаге.

«Мистер Пуаро, ну как? Первый тайм за мной! Дело в Андовере прошло в полном порядке, не так ли? Но забава только начинается. Разрешите обратить ваше внимание на Бексхилл-на-море. Дата: 25 т. м.

Как весело мы живем!

Ваш и т. д.
АВС».

— Черт возьми, Пуаро, — воскликнул я, — не значит ли, что этот фанатик собирается совершить еще одно преступление?

— Так оно и есть, Гастингс. А что вы ожидали? Вы что, думали, дело в Андовере — это отдельный случай? Помните, я сказал: это только начало.

— Но это ужасно!

— Да, это ужасно!

— Против нас — маньяк-убийца!

— Да.

Спокойствие Пуаро поражало меня больше, чем иная патетика. Я с содроганием вернул ему письмо.

На следующее утро мы были на совещании. Главный констебль графства Суссекс, помощник комиссара из отдела по расследованию уголовных преступлений, инспектор Глен из Андовера, старший инспектор Картер из суссекской полиции, Джепп с младшим инспектором Кроумом и доктор Томпсон, известный психиатр, — все собрались вместе. Штемпель на письме был гемпстедский, но, по мнению Пуаро, это было не столь важно.

Тщательно все обсудили. Доктор Томпсон оказался приятным человеком средних лет, который, несмотря на образование, сохранил бытовую речь и избегал специальных терминов, присущих его профессии.

— Вне всякого сомнения, — сказал помощник комиссара, — что эти два письма одних рук дело. Оба написаны одним лицом.

— И у нас есть все основания полагать, что это лицо причастно к андоверскому убийству.

— Точно. Теперь у нас есть конкретное предупреждение о втором преступлении, намеченном на 25-е, на послезавтра, в Бексхилле. Какие шаги можно предпринять?

Главный констебль Суссекса взглянул на своего старшего инспектора:

— Ну, Картер, что скажете?

Старший инспектор мрачно покачал головой:

— Нет нити, которая привела бы к возможной жертве. Говоря прямо, какие же шаги мы можем предпринять?

— Есть предположение, — проворчал Пуаро.

Все повернулись к нему.

— Мне кажется, что фамилия предполагаемой жертвы будет начинаться с буквы «В».

— Ну и что? — высказал сомнение старший инспектор.

— Алфавитный комплекс, — задумчиво произнес доктор Томпсон.

— Я говорю об этом как о возможности — не более. Это пришло мне в голову, когда я увидел фамилию Ашер, четко написанную над дверью лавки несчастной женщины, убитой в прошлом месяце. Когда я получил письмо, называющее Бексхилл, мне представилось, что, возможно, как жертва, так и место выбираются по алфавитному принципу.

— Возможно, — сказал доктор. — С другой стороны, может статься, что фамилия Ашер была совпадением, что на этот раз жертвой, невзирая на фамилию, снова окажется пожилая женщина, содержащая лавку. Помните, что мы имеем дело с сумасшедшим. До сих пор он не предоставил нам ни ключа к разгадке, ни мотивов преступления.

— Разве сумасшедший руководствуется мотивами? — скептически спросил старший инспектор.

— Конечно. Навязчивая идея является одной из особых черт острой мании. Человек может уверовать в свое небесное предназначение, убить священника, или доктора, или старуху из табачной лавки — и во всех случаях за этим кроются связные объяснения. Нам нельзя замыкаться на алфавите. Бексхилл, идущий за Андовером, *может* быть просто совпадением.

— Мы, в конце концов, можем принять определенные меры предосторожности, Картер, выявив всех на букву «В», особенно владельцев небольших лавок, и установить наблюдение за всеми продавцами табака и газет, кто работает в одиночку. Не думаю, что мы можем сделать что-нибудь кроме этого. Определенно — следить, насколько возможно, за всеми незнакомцами.

Старший инспектор издал тяжелый вздох:

— И это когда закрылись школы и начались каникулы? Люди просто заполонили то место на этой неделе.

— Мы должны сделать все, что можем, — отрезал главный констебль.

Очередь дошла до инспектора Глена.

— Я установлю наблюдение за каждым, кто связан с делом Ашер. Это те два свидетеля — Партридж и Ридделл — и, конечно, сам Ашер. При малейшем сигнале о том, что они покидают Андовер, за ними будут следить.

После еще нескольких предложений и небольшого отвлеченного разговора совещание было закончено.

— Пуаро, — сказал я, когда мы прогуливались вдоль реки, — вы верите, что это преступление можно предотвратить?

Он повернул ко мне измученное лицо:

— Здравомыслие многолюдного города против умопомешательства единицы? Боюсь, Гастингс, очень боюсь. Вспомните о продолжительном успехе Джека Потрошителя.

— Ужасно, — сказал я.

— Сумасшествие, Гастингс, — ужасная вещь... *Я беспокоюсь... Я очень беспокоюсь.*

Глава 9
УБИЙСТВО В БЕКСХИЛЛЕ-НА-МОРЕ

До сих пор помню, как я проснулся утром 25 июля. Было около половины восьмого.

Пуаро наклонился над моей кроватью и мягко тряс меня за плечо. Один только взгляд на него вывел меня из полусонного состояния.

— Что такое? — спросил я, вскакивая на постели.

Его ответ был прост, но в эти три слова было вложено все обилие чувств:

— *Это уже произошло!*

— Что?! — вскрикнул я. — Вы хотите сказать... но *сегодня только 25-е?!*

— Это случилось ночью или под утро!

Я спрыгнул с кровати. Пока я быстро совершал свой туалет, Пуаро коротко рассказал, что в Бексхилле на пляже найдено тело девушки. В ней опознали Элизабет Барнард, официантку небольшого кафе. Она проживала с родителями в недавно отстроенном бунгало. Медицинское заключение позволило сделать вывод, что смерть наступила между 23.30 и 1 часом ночи.

— Они вполне уверены, что это преступление? — спросил я, покрываясь испариной.

— *Прямо под трупом был найден железнодорожный справочник «АВС», открытый на расписании поездов до Бексхилла.*

Я вздрогнул:

— Это ужасно!

— Осторожно, Гастингс! Мне не нужна вторая трагедия в моих апартаментах!

Я уныло вытер кровь с бритвы и подбородка.

— Каков наш план действий? — спросил я.

— Машина сейчас заедет за нами. Я принесу вам чашку кофе сюда, и мы трогаемся без задержки.

Двадцать минут спустя мы пересекали Темзу, уезжая из Лондона на полицейском автомобиле. С нами был инспектор Кроум, который на днях присутствовал на совещании и официально отвечал за это дело. Он был прямой противоположностью Джеппу. Моложе, спокойнее, солиднее. Образован и начитан. Недавно он снискал славу раскрытием серии убийств малолетних детей, терпеливо выследив преступника, который находился теперь в Бродмуре[1].

Кроум, безусловно, как нельзя лучше подходил для ведения этого дела, но мне показалось, что он себя несколько переоценивает. В его отношении к Пуаро проскальзывала снисходительность. Он уступал Пуаро, как уступает молодой пожилому, в духе «школьного воспитания».

— У нас с доктором Томпсоном состоялась длинная беседа, — сказал Кроум, — он очень интересуется «цепочками» убийств как продуктом умственного расстройства. Конечно, не будучи специалистом, нельзя сказать, чту это, с медицинской точки зрения. — Он кашлянул. — Собственно говоря, мое последнее дело — не знаю, читали ли вы о нем, — дело о Мейбл Хоумер, школьнице из Масуэлл-Хилл... Знаете, тот человек, Каппер, был необычаен. Удивительно трудно было приписать ему дело — это было уже его третье, вот как! На вид такой же нормальный, как вы или я. Но существуют разные тесты — словесные ловушки, знаете, вполне современные. Ничего подобного в ваше время не было. Человек сам себя выдает. Он знает это и нервничает. Начинает бросаться туда-сюда...

— Даже в мои годы такое порой случалось, — заметил Пуаро.

Инспектор Кроум взглянул на него и произнес:

— О, неужели?

На некоторое время воцарилось молчание.

Когда мы проехали вокзал Нью-Кросс, Кроум сказал:

— Если вы хотите спросить меня о чем-либо, связанном с делом, то, пожалуйста, спрашивайте.

---

[1] Тюрьма в графстве Беркшир, где содержат и лечат психически больных.

— У нас, я полагаю, нет описания мертвой девушки?

— Ей было двадцать три, работала официанткой в кафе «Рыжая кошка»...

— Да не об этом речь. Она была хорошенькой?

— На этот счет я не располагаю информацией, — ответил инспектор Кроум. Его вид говорил: «Ох уж эти иностранцы! Все одинаковы!»

В глазах Пуаро появилось удивление:

— А вам что, это не кажется важным? Ох, бедные девушки, это же крайне важно. Зачастую это определяет их судьбу!

Инспектор Кроум решил продолжить.

— Неужели? — вежливо спросил он.

Снова наступило молчание.

Пуаро возобновил разговор лишь тогда, когда автомобиль подъехал к «Семи дубам».

— Вы, случайно, не знаете, как и чем была задушена девушка?

— Задушена своим же поясом, широким, вязаным, — коротко ответил инспектор.

Глаза Пуаро широко раскрылись.

— Ага, — сказал он, — наконец у нас есть кусочек вполне определенной информации. Это уже о чем-то говорит, не так ли?

— Пока не вижу, — холодно ответил инспектор.

Я почувствовал раздражение.

— Это дает нам характерную особенность преступника, — сказал я, — это говорит о его жестокости.

Пуаро пристально взглянул на меня. Я решил, что это предостережение от излишней откровенности с инспектором, и замолчал.

В Бексхилле нас встретил старший инспектор Картер. С ним был инспектор Келси, интеллигентный молодой человек с приятной внешностью.

— Вы хотите сами провести дознание, Кроум? — спросил старший инспектор. — Тогда я сообщу вам основные сведения, и вы сможете сразу заняться этим.

— Благодарю вас, — сказал Кроум.

— Мы известили ее родителей, — сказал Картер, — ужасное потрясение для них, конечно. Я дал им возможность прийти в себя, прежде чем мы начнем задавать вопросы. Поэтому вы можете начинать с самого начала.

— Есть ли другие члены семьи? — спросил Кроум.

— Есть сестра в Лондоне — машинистка. С ней связались. И есть молодой человек. Я полагаю, что девушка была с ним в ту ночь.

— Что-нибудь дал справочник «АВС»?

— Он здесь. — Старший инспектор кивнул в сторону стола. — Отпечатков пальцев нет. Открыт на странице, где Бексхилл. Следует заметить — совсем новенький. Видно, что его редко открывали. Куплен не в этих местах. Я обошел все лавки.

— Кто обнаружил тело?

— Один из этих бодрячков-полковников, которым не спится. Полковник Джером. Он прогуливался со своей собакой около шести утра. Шел по берегу в направлении Кудена. Собака отбежала, что-то почуяв. Полковник позвал ее, но она не послушалась. Полковник издалека поглядел и почувствовал что-то неладное. Подошел ближе... Он повел себя совершенно правильно. Не стал ее трогать, а сразу позвонил нам.

— И смерть произошла около полуночи?

— Между полуночью и часом ночи — совершенно определенно. Наш шутник-убийца — человек слова. Если он сказал 25-го — значит, 25-го. Хотя это произошло в самом начале суток.

Кроум кивнул.

— Да, это стиль. Что-нибудь еще? Никто не заметил еще чего-нибудь?

— Еще рано. Люди, которые прошлой ночью видели девушку в белом, прогуливающуюся с молодым человеком, скоро придут сказать нам об этом. Насколько я понимаю, прошлой ночью не менее четырех сотен девушек прогуливались с молодыми людьми. Должно быть, это было приятным занятием!

— Ну, сэр, это не для меня,— сказал Кроум. — Есть еще кафе и дом девушки. Я лучше займусь этим. Келси может пойти со мной.

— А мистер Пуаро? — спросил старший инспектор.

— Я составлю вам компанию, — сказал Пуаро Кроуму с легким поклоном.

46

Мне показалось, что Кроум был слегка раздосадован. Келси, который раньше не видел Пуаро, широко улыбнулся. Было просто обидно, что люди, которые видели моего друга впервые, принимали его за шутника чистой воды.

— А что с поясом, которым была задушена девушка? — спросил Кроум. — Мсье Пуаро склонен думать, что это ценный ключ к разгадке. Я думаю, он хочет посмотреть на него.

— Отнюдь нет, — сказал Пуаро, — вы меня неправильно поняли.

— Это вам ничего не даст, — сказал Картер, — это был не кожаный пояс, на котором могли остаться отпечатки пальцев, а пояс из плотного трикотажного шелка — идеальное средство для этих целей.

Я вздрогнул.

— Хорошо, — сказал Кроум, — давайте пройдемся.

Мы вышли.

Наш первый визит был к хозяйке «Рыжей кошки». Это было типичное маленькое кафе, расположенное у самого моря: небольшие столики, покрытые оранжевой клетчатой тканью, и очень неудобные плетеные стулья с оранжевыми подушечками. Там подавали утренний кофе, пять сортов чая (девонширский, фермерский, фруктовый, карлтонский и обыкновенный) и несколько закусочных блюд для женщин: яичница, креветки и макароны, обжаренные в сухарях.

Утренний кофе был в самом разгаре. Хозяйка торопливо провела нас в грязное темное жилище.

— Мисс... э-э-э... Мэрион? — спросил Кроум.

Мисс Мэрион ответила тонким и измученным голосом:

— Да, это я. Какое несчастье. Такая беда. Я даже не могу представить, как это скажется на нашем деле!

Мисс Мэрион, очень худая женщина лет сорока, с пучком рыжих волос, была удивительно похожа на рыжую кошку. Она нервно перебирала руками рюшки и оборки на платье.

— Это будет сенсация, — ободряюще сказал инспектор Келси. — Вот увидите! Вы не будете успевать подавать чай.

— Отвратительно, — сказала мисс Мэрион. — Как отвратительно! Так можно совсем разувериться в людях.

Тем не менее глаза ее заблестели.

— Что вы можете сказать о погибшей девушке, мисс?

— Ничего, — категорически заявила мисс Мэрион, — абсолютно ничего.

— Как давно она здесь работала?

— Второе лето.

— Она вас устраивала?

— Она была хорошей официанткой — быстрой и любезной.

— Она была хорошенькая, да? — спросил Пуаро.

Мисс Мэрион в свою очередь посмотрела на него. «Ох уж эти иностранцы!» — говорил ее взгляд.

— Она была красива и хорошо сложена, — ответила она безразличным тоном.

— Во сколько она вчера закончила работу? — спросил Кроум.

— В восемь вечера. Мы закрываемся в восемь вечера. Мы не готовим ужинов. Нет спроса. Съесть яичницу и выпить чай (Пуаро поморщился) люди приходят и в семь часов или чуть позже, но к половине седьмого наплыв посетителей кончается.

— Не упоминала ли она при вас, как собирается провести свой вечер?

— Конечно нет, — подчеркнуто сказала мисс Мэрион, — мы такие темы не обсуждали.

— Никто не заходил за ней? Или что-нибудь в этом роде?

— Нет.

— Она выглядела как обычно? Может быть, была возбуждена или подавлена?

— Ничего не могу сказать, — ответила мисс Мэрион равнодушно.

— Сколько у вас официанток?

— Две постоянные, а с 20 июля по конец августа — еще две дополнительно.

— Элизабет Барнард не была из числа дополнительных?

— Мисс Барнард была одной из постоянных официанток.

48

— А что собой представляет другая?

— Мисс Хигли? Хорошая девушка!

— Она с мисс Барнард дружила?

— Не могу сказать.

— Может, нам лучше поговорить с ней?

— Сейчас?

— Если можно.

— Я пришлю ее к вам, — сказала мисс Мэрион, вставая. — Пожалуйста, по возможности не задерживайте ее долго. Сейчас время утреннего кофе.

Мисс Мэрион вышла из комнаты.

— Очень манерна, — заметил инспектор Келси и передразнил ее жеманным голосом: *«Не могу сказать»*.

В комнату влетела, запыхавшись, полная темноволосая девушка, румяная, с темными, вытаращенными от возбуждения глазами.

— Меня прислала мисс Мэрион, — выпалила она, не переводя дыхания.

— Мисс Хигли?

— Да, это я.

— Вы знали Элизабет Барнард?

— О да, я знала Бетти, это *ужасно*. Это так ужасно! Не могу в это поверить. Мы все утро с девушками об этом говорили, в это невозможно поверить! «Вы знаете, — говорила я им, — это трудно представить. Бетти! Бетти Барнард, которая все время была здесь, убита! Я не могу в это поверить», — говорила я. Я несколько раз ущипнула себя, думала, что я сплю. Бетти убита... Это... вы понимаете меня... этого не может быть!

— Вы хорошо знали убитую? — спросил Кроум.

— Вообще-то она работала здесь дольше меня. Я пришла сюда только в марте, а она работала с прошлого года. Она была не из тех, кто много смеется и шутит. Я не хочу сказать, что она была совершенная тихоня, в ней скрывалось веселье и все такое, но она не веселилась. Словом, она была тихая и не тихая, понимаете, что я имею в виду?

Я бы сказал, что инспектор Кроум проявил ангельское терпение. Как свидетель толстушка мисс Хигли действовала на нервы. Все, что она говорила, она повторяла полдюжины раз, но результат был мизерный.

Она не была в близких отношениях с убитой. Элизабет Барнард, как можно было догадаться, считала себя гораздо выше мисс Хигли. В рабочее время она держала себя дружелюбно, но девушки мало о ней знали. У Элизабет Барнард был «друг», который работал в агентстве по торговле недвижимостью «Корт и Бранскилл» недалеко от станции. Нет, он не был ни мистером Кортом, ни мистером Бранскиллом. Он служил клерком. Она не знала его имени, но хорошо знала его в лицо. Симпатичный — о, очень симпатичный! — и всегда прекрасно одет. Очевидно, в глубине души мисс Хигли завидовала Элизабет Барнард.

В конце концов показания мисс Хигли свелись к следующему: Элизабет Барнард не делилась с кем-либо в кафе своими планами на вечер. Но, по мнению мисс Хигли, она собиралась встретиться со своим «другом». Она надела новое белое платье, «которое очень освежал новый воротничок»...

Мы побеседовали с двумя другими девушками без особой пользы. Бетти Барнард ничего не говорила о своих планах, и никто не видел ее в Бексхилле на протяжении всего вечера.

Глава 10

СЕМЬЯ БАРНАРД

Родители Элизабет Барнард жили в небольшом бунгало, одном из тех, что были недавно построены предприимчивым строителем в черте города. Оно называлось Лландудно.

Мистер Барнард, выглядевший растерянным, был тучным человеком лет пятидесяти пяти. Он заметил нас и в ожидании замер на пороге.

— Проходите, господа, — сказал он.

Инспектор Келси взял инициативу в свои руки:

— Это инспектор Кроум из Скотленд-Ярда, сэр, он прибыл, чтобы помочь нам раскрыть это дело.

— Скотленд-Ярд? — переспросил мистер Барнард с надеждой. — Это хорошо. Этот злодей-убийца должен быть задержан. Моя бедная девочка...

Его лицо горестно сморщилось.

— А это мистер Эркюль Пуаро, тоже из Лондона, а это...

— Капитан Гастингс, — подсказал Пуаро.

— Рад приветствовать вас, господа, — автоматически произнес мистер Барнард, — проходите в дом. Не знаю, встанет ли моя жена, чтобы увидеть вас. Она совсем разбита.

Однако пока мы рассаживались в комнате, появилась миссис Барнард.

Было заметно, что она недавно плакала: у нее были покрасневшие глаза. Походка была неуверенной, как у человека, который перенес сильное потрясение.

— Ну, матушка, как ты? — спросил ее муж. — Ты уверена, что хорошо себя чувствуешь?

Она пожала плечами и опустилась на стул.

— Старший инспектор был очень добр, — сказал мистер Барнард. — После того как он принес нам это страшное известие, он сказал, что задаст свои вопросы позже, когда мы оправимся от первого шока.

— Это жестоко. О, как это жестоко! — произнесла миссис Барнард со слезами в голосе. — Это самое жестокое, что может произойти.

Она немного растягивала слова, и я сначала подумал, что она иностранка, но потом вспомнил название на воротах и понял, что ее речь выдает уроженку Уэльса.

— Я понимаю, мадам, это очень тяжело, — сказал инспектор Кроум. — Мы очень сочувствуем вам, но хотели бы узнать все подробности, чтобы приняться за работу как можно скорее.

— Да, да, это разумно, — проговорил, утвердительно кивая, мистер Барнард.

— Вашей дочери, насколько мне известно, было двадцать три года. Она жила здесь с вами и работала в кафе «Рыжая кошка». Не так ли?

— Да.

— Вы здесь недавно, не правда ли? Где вы жили раньше?

— Я торговал скобяными изделиями в Кеннингтоне. Два года назад отошел от этого, всегда хотел жить у моря.

— У вас две дочери?

— Да, старшая работает в офисе в Лондоне.

— Вы забеспокоились, когда ваша дочь не пришла прошлой ночью домой?

— Мы не знали, что она не пришла, — проговорила миссис Барнард со слезами. — Отец и я всегда ложимся спать рано. Обычно в девять часов. Мы не знали, что Бетти не вернулась домой, пока не пришел полицейский и не сказал... и сказал...

Она потеряла самообладание.

— Ваша дочь обычно возвращалась домой поздно?

— Вы знаете, какие сейчас девушки, инспектор, — ответил Барнард. — Слишком самостоятельные. В такие летние вечера они домой не торопятся. Тем не менее Бетти обычно была дома в одиннадцать.

— Как она входила? Дверь бывала открыта?

— Мы обычно оставляли ключ под ковриком.

— Я слышал, что ваша дочь была помолвлена и собиралась замуж?

— Сейчас все не так официально, как было в наше время, — ответил мистер Барнард.

— Его зовут Дональд Фрэзер, и мне он очень нравился. Он мне очень нравился, — сказала миссис Барнард. — Бедный парень, эта новость будет ужасна для него. Интересно, он уже знает?

— Он работает у Корта и Бранскилла, не так ли?

— Да, они агенты по недвижимости.

— Он обычно встречал вашу дочь вечером после работы?

— Не каждый вечер. Раз или два в неделю.

— Не знаете ли вы, она не собиралась с ним вчера встречаться?

— Она не говорила. Бетти никогда не говорила много о том, что она делает, куда идет. Но она была хорошей девушкой, была... О, я не могу поверить!..

Миссис Барнард опять разрыдалась.

— Держи себя в руках, милая. Мужайся, — успокаивал ее муж. — Нам придется испить эту чашу до дна.

— Я уверена, что Дональд бы никогда... никогда... — рыдала миссис Барнард.

— Ну возьми себя в руки, — повторил мистер Барнард.

— Видит Бог, я хочу вам помочь, но я ничего не знаю, ничего, что помогло бы найти подлого мерзавца, который сделал это. Бетти была такой веселой, счастливой девушкой, у нее был порядочный парень, она гуляла с ним, как говорили в молодости. Я не могу понять, зачем кому-то понадобилось ее убивать... это бессмысленно.

— Вы недалеки от истины, мистер Барнард, — сказал Кроум. — Мне хотелось бы взглянуть на комнату мисс Барнард. Там может оказаться что-нибудь... письма или дневник.

— Пожалуйста, смотрите, — сказал мистер Барнард, поднимаясь.

Он повел нас. За ним шел Кроум, потом Пуаро, Келси, я замыкал шествие.

Я немного отстал, чтобы завязать шнурок. В это время на улице остановилось такси, из него выпорхнула девушка. Она заплатила водителю и заторопилась по тропинке к дому, в руках у нее был небольшой чемодан. Когда она вошла в дом, то увидела меня и замерла у входа.

В ее позе было что-то необычное, что заинтриговало меня.

— Кто вы? — спросила она.

Я спустился на несколько ступенек. Я был в замешательстве, не зная, как ответить. Должен ли я назвать свое имя? Или сказать, что я пришел сюда с полицией?

Девушка, однако, не дала мне времени для принятия решения.

— А, я догадываюсь, — сказала она.

Она сняла легкую белую шерстяную шапочку и бросила ее на стул. Теперь я мог рассмотреть ее получше, так как она повернулась к свету.

С первого взгляда она напомнила мне голландских кукол, с которыми играли в детстве мои сестры.

У нее были темные, коротко подстриженные волосы, широкие скулы, и вся ее фигура была по-современному угловатой, но это не делало ее непривлекательной. Она не была красавицей, скорее самой обыкновенной, но от нее исходил какой-то импульс, сила, она не могла не обратить на себя внимание.

— Вы мисс Барнард? — спросил я.

— Я — Меган Барнард. А вы, наверное, из полиции?

— Ну, не совсем... — пробормотал я.

Она прервала меня:

— Я думаю, что мне нечего вам сказать. Моя сестра была привлекательная и веселая, и у нее не было молодых людей. Доброе утро.

Она усмехнулась и вызывающе посмотрела на меня.

— Это правильная фраза, я надеюсь? — спросила она.

— Я не репортер, если вы меня за него приняли.

— Ну а кто же вы? — Она оглянулась. — Где мама и папа?

— Ваш отец показывает полицейским спальню вашей сестры. Ваша мать в доме. Она очень расстроена.

Казалось, девушка приняла какое-то решение.

— Входите, — сказала она, толкнула дверь и прошла. Я последовал за ней и оказался в маленькой опрятной кухне.

Я собрался закрыть за собой дверь, но почувствовал неожиданное сопротивление. В следующее мгновение Пуаро тихо проскользнул в комнату.

— Мадемуазель Барнард? — спросил он с быстрым поклоном.

— Это мсье Эркюль Пуаро, — сказал я.

Меган Барнард бросила на него резкий оценивающий взгляд.

— Я слышала о вас, — сказала она. — Вы — модная частная ищейка, не так ли?

— Не слишком приятное, но подходящее название, — ответил Пуаро.

Девушка присела на краешек кухонного стола. Она порылась в своей сумочке, достала сигарету, закурила и произнесла между двумя затяжками:

— Что-то я не вижу, что забыл мсье Пуаро в нашем скромном преступлении.

— Мадемуазель, — ответил Пуаро, — то, что вы не видите, и то, что я не вижу, возможно, вскоре появится. Но не это важно. Важно то, что нелегко будет найти.

— Что же это?

— Смерть, мадемуазель, к сожалению, порождает *предубеждение*. Предубеждение к покойному. Я слышал, что вы только что сказали моему другу Гастингсу — «привлекательная и веселая, и у нее не было молодых людей». Вы сказали так в насмешку над газетами. И это естественно так говорить, когда умирает молодая девушка. Она была прекрасна. Она была счастлива. Она была доброжелательна. Она была беззаботна. У нее не было сомнительных знакомых. О мертвых плохо не говорят. Знаете, что я сейчас хочу? Найти кого-нибудь, кто знает Элизабет Барнард и кто *не знает, что она мертва!* И тогда, возможно, я услышал бы что-то похожее на правду.

Меган Барнард несколько минут молча смотрела на Пуаро и курила. Затем, наконец, она заговорила. Ее слова заставили меня подскочить на месте.

Она сказала:

— Бетти была маленьким упрямым ослом!

Глава 11

МЕГАН БАРНАРД

Как я уже сказал, слова Меган Барнард и особенно четкий деловой тон, каким они были произнесены, заставили меня подскочить на месте.

Пуаро, однако, в замешательстве кивнул.

— Вы умны, мадемуазель, — заметил он, — в добрый час.

Меган Барнард продолжала тем же беспристрастным тоном:

— Я очень любила Бетти. Но моя любовь не закрывала мне глаза на то, что она была маленькой глупой дурочкой, я даже при случае говорила ей об этом. Как сестра.

— А она обращала внимание на ваши замечания?

— Вероятно, нет, — цинично ответила Меган.

— Поясните, пожалуйста, мадемуазель.

Девушка одну-две минуты колебалась.

Пуаро произнес с легкой улыбкой:

— Я помогу вам. Я слышал, как вы сказали Гастингсу, что ваша сестра была привлекательной и счастливой и у нее не было молодых людей. Это неправда, не так ли?

Меган медленно проговорила:

— В Бетти не было никакого зла, я хочу, чтобы вы это поняли. Она всегда шла напрямик. Она не относилась к тому сорту девиц, которые любят развлечения. Ничего подобного. Но она любила, когда ее выводили в свет, любила дешевую лесть и комплименты и тому подобное.

— Она была хорошенькая, да?

Этот вопрос — я в третий раз слышал его — наконец получил положительный ответ.

Меган соскользнула со стола, подошла к своему чемодану, раскрыла его, достала что-то и протянула Пуаро.

Из кожаной рамки смотрела белокурая улыбающаяся девушка. Она недавно сделала перманент, и на голове у нее была копна вьющихся волос. Ее улыбка была лукавой и неестественной. Это было лицо, которое, конечно, нельзя было назвать прекрасным — оно было просто привлекательным.

Пуаро вернул карточку со словами:

— Вы не похожи друг на друга, мадемуазель.

— О, я одна откровенна в нашей семье. Я всегда это знала.

Казалось, она отмела от себя этот факт как незначительный.

— Скажите конкретно, почему вы считали поведение вашей сестры глупым? Возможно, вы имеете в виду ее отношение к Дональду Фрэзеру?

— Вот именно. Дон относится к типу тихих людей, но его возмущали некоторые вещи, и потом...

— И потом что, мадемуазель? — Пуаро пристально следил за ней.

Мне показалось, что девушка секунду колебалась, прежде чем ответить.

— Я боялась, что он *подавит* ее. Было бы жаль. Он очень надежный и трудолюбивый человек и был бы ей хорошим мужем.

Пуаро продолжал пристально смотреть на нее. Она не смутилась под его взглядом, а ответила ему таким же, и было в ее взгляде еще нечто такое, что напомнило мне ее вызывающее надменное поведение при ее появлении.

— Да, похоже, — сказал наконец Пуаро, — что мы больше не говорим правду.

Она пожала плечами и повернулась к двери.

— Ну, что я могла — то сделала, чтобы помочь вам, — сказала она.

Пуаро остановил ее:

— Подождите, мадемуазель. Мне кое-что надо вам сказать. Вернитесь.

Как мне показалось, весьма неохотно она подчинилась.

К моему удивлению, Пуаро пустился в подробный рассказ о письмах АВС, убийстве в Андовере и железнодорожном справочнике, найденном около убитых. У него не было причин жаловаться на недостаток внимания со стороны девушки. Рот у нее открылся, глаза засветились, она внимательно слушала его.

— Это все правда, мсье Пуаро?

— Да, правда.

— Вы действительно думаете, что моя сестра была убита ужасным маньяком-убийцей?

— Да.

Она глубоко вздохнула.

— О, Бетти, Бетти, как скверно!

— Теперь вы видите, мадемуазель, что интересующие меня сведения вы можете дать свободно, так или иначе они пригодятся.

— Да, теперь я понимаю.

— Тогда давайте продолжим наш разговор. У меня сложилось впечатление, что у Дональда Фрэзера, возможно, ревнивый и насильственный характер, это так?

Меган Барнард тихо ответила:

— Я теперь доверяю вам, мсье Пуаро. Я скажу вам всю правду. Дон, как я уже сказала, тихий, «закупоренный» человек, вы понимаете, что я имею в виду. Он никогда не высказывал вслух то, что думает. Но при этом он думал об ужасных вещах. Он ревнив. Он всегда ревновал Бетти. Он увлекся ею, и, конечно, она была им очень увлечена, но не в ее характере было увлекаться кем-то одним и никого больше не замечать. Она не такая. Она обращала внимание на привлекательных мужчин, которые ей встречались. И конечно, работая в «Рыжей кошке», она часто сталкивалась с мужчинами, особенно в сезон летних отпусков. У нее всегда был острый язычок, и если ее задевали, она отвечала. И потом, возможно, она встречалась с ними, ходила в кино или еще куда-нибудь. Ничего серьезного, ничего такого, но она любила веселье. Она обычно говорила, что так как она когда-нибудь выйдет за Дона, то сейчас надо веселиться, пока можно.

Меган замолчала, и Пуаро проговорил:

— Я понимаю. Продолжайте.

— У нее был такой склад ума, который Дон не мог понять. Он не мог понять, почему ей хочется встречаться с другими людьми, если она действительно увлечена им. Раз или два они крупно ссорились из-за этого.

— Мистер Фрэзер уже не оставался спокойным?

— Как все эти спокойные люди. Если выходят из себя, то уж вовсю. Дон бывал таким свирепым, что Бетти пугалась.

— Когда это было?

— Одна ссора была год назад, а другая, гораздо хуже, около месяца назад. Я была дома в выходные, и мне пришлось их мирить. Тогда я пыталась немного вразумить Бетти, говорила ей, что она глупышка. Она сказала, что не видит в этом вреда. Но она вела себя безрассудно. Видите ли, после прошлогоднего скандала у нее вошло в привычку несколько привирать, исходя из принципа — что ум не знает, то сердце не огорчает. Последняя ссора произошла потому, что Бетти говорила Дону, что собирается в Гастингс к подружке, а он узнал, что на самом деле она отправилась в Истборн с каким-то мужчиной. Тот был женат, как оказалось, и поэтому осторожничал, что было еще хуже. У Бетти с Доном произошла ужасная сцена. Бетти говорила, что пока не вышла за него и имеет права гулять с кем хочет. Дон побелел, затрясся и сказал, что когда-нибудь... когда-нибудь...

— Что?

— Совершит убийство, — закончила Меган упавшим голосом.

Она замолчала и взглянула на Пуаро.

Он мрачно покачал головой:

— И поэтому, естественно, вы боялись...

— Я ни на минуту не могу представить, что Дон действительно сделал это! Но я боюсь, что так могут подумать. Эта ссора и все, что он тогда говорил, — некоторые знают об этом.

Пуаро снова мрачно покачал головой:

— Да. И вот что я могу сказать вам, мадемуазель: все это произошло из-за эгоистического тщеславия убийцы. Если Дональд Фрэзер и избежит подозрения, то благодаря маниакальному хвастовству АВС.

Он помолчал, потом спросил:

— Вы не знаете, встречалась ли ваша сестра с тем женатым мужчиной или каким-нибудь другим после того?

Меган покачала головой:

— Я не знаю. Я ведь уехала.

— Но как вы думаете?

— Вряд ли она встречалась снова, особенно с тем мужчиной. Он исчез, как только понял, что возможен скандал, но меня не удивило бы, если бы Бетти снова несколько раз солгала Дону. Видите ли, она очень любила танцевать и ходить в кино, а Дон, конечно, не мог позволить себе проводить с ней все время.

— Но если так, то она, вероятно, доверяла свои секреты кому-нибудь? Девушке в кафе, например?

— Не думаю. Она терпеть не могла Хигли. Она считала ее вульгарной. А другие были новенькие. Бетти вообще была недоверчивой.

Над головой девушки резко прозвенел электрический звонок. Она подошла к окну, выглянула и тут же резко откинула голову.

— Это Дон...

— Пригласите его сюда, — быстро сказал Пуаро. — Мне хотелось бы поговорить с ним прежде, чем наш доблестный инспектор завладеет им.

Меган Барнард вылетела из кухни и вернулась через несколько секунд, ведя за руку Дональда Фрэзера.

Глава 12

ДОНАЛЬД ФРЭЗЕР

Я сразу почувствовал жалость к молодому человеку. По его бледному измученному лицу и туманному взгляду можно было понять, что он в шоке.

Это был хорошо сложенный молодой парень ростом почти в шесть футов, не особенно красивый, но с приятным веснушчатым лицом, скуластый и рыжеволосый.

— Что это, Меган? — проговорил он. — Почему? Бога ради, скажи мне... Я только что услышал... Бетти...

Голос его прервался.

Пуаро пододвинул стул, и тот опустился на него.

Тем временем мой друг извлек из кармана флакончик, отлил из него в чашку, которая стояла на буфете, и сказал:

— Выпейте это, мистер Фрэзер. Вам станет лучше.

Молодой человек подчинился. После бренди его лицо порозовело. Он выпрямился и опять повернулся к девушке. Его поведение было спокойным и контролируемым.

— Это правда? — спросил он. — Бетти мертва... убита?

— Правда, Дон.

Он спросил механически:

— Ты только что приехала из Лондона?

— Да. Папа позвонил мне.

— Наверное, поездом в 9.30? — проговорил Дональд Фрэзер. Его ум, пытаясь уйти от действительности, находил спасение в этих незначительных деталях.

— Да!

Минуту-две царило молчание, потом Фрэзер спросил:

— Полиция? Они что-нибудь сделали?

— Они сейчас наверху. Я думаю, осматривают вещи Бетти.

— Они не знают кто?.. Они не подозревают?

Фрэзер замолчал. Как все чувствительные, застенчивые люди, он не любил произносить слова о насилии.

Пуаро немного продвинулся вперед и задал вопрос. Он говорил деловым, бесстрастным голосом, словно то, о чем он спрашивал, являлось незначительными подробностями.

— Мисс Барнард не говорила вам, куда она собиралась прошлым вечером?

Фрэзер ответил на вопрос. Казалось, он говорит механически:

60

— Она сказала мне, что собирается со своей подругой к Святому Леонарду.

— Вы поверили ей?

— Я... — Он вдруг пришел в себя. — Какого черта! Что вы хотите этим сказать?

Глядя на его лицо, угрожающе исказившееся вспышкой гнева, я понял, что девушка действительно могла опасаться его возможной ярости.

Пуаро четко произнес:

— Бетти Барнард была убита злодеем-убийцей. Только сказав всю правду, вы можете помочь нам напасть на его след.

Его взгляд на минуту обратился к Меган.

— Да, Дон, — сказала она. — Нет времени считаться с нашими или еще чьими-то чувствами. Выкладывай все начистоту.

Дональд Фрэзер подозрительно посмотрел на Пуаро:

— Кто вы? Вы не из полиции?

— Я лучше, чем полиция, — ответил Пуаро. Он сказал это без высокомерия. Для него это было простой констатацией факта.

— Расскажи ему, — проговорила Меган.

Дональд Фрэзер сдался.

— Я не был уверен, — сказал он. — Я поверил ей, когда она это сказала. Ни о чем другом не думал. Потом, возможно, это было что-то в ее стиле. Я... я начал интересоваться.

— Да? — спросил Пуаро.

Он сидел напротив Дональда Фрэзера. Его глаза, остановившиеся на парне, казалось, гипнотизировали.

— Я стыдился своей подозрительности. Но... но я такой... Я собирался пойти и проследить, когда она выйдет из кафе. Я действительно пошел туда. Но потом я почувствовал, что не могу этого сделать. Бетти могла увидеть меня, и она бы рассердилась. Однажды она догадалась, что я следил за ней.

— Что вы сделали?

— Я поехал к Святому Леонарду. Добрался туда к восьми часам. Потом я осмотрел автобусы, пытаясь найти ее... Но следов ее там не было...

— А потом?

— Я... я совсем потерял голову. Я был убежден, что она с каким-нибудь мужчиной. Я подумал, что, возможно, он увез ее на машине в Гастингс. Я поехал туда, осмотрел гостиницы, рестораны, обошел кинотеатры, вышел на пирс. Все проклятая глупость! Даже если бы она была там, вряд ли я смог бы ее найти, и, кроме того, было множество других мест кроме Гастингса, куда он мог увезти ее. — Он замолчал. Его голос оставался ровным, но я уловил интонацию ослепляющего, невыносимого страдания и ярости, которые овладевали им во время рассказа. — В конце концов я махнул на это рукой и вернулся.

— В котором часу?

— Не знаю. Я возвращался пешком. Должно быть, была полночь или позже, когда я пришел домой.

— Потом...

Дверь в кухню открылась.

— А, вот вы где, — сказал инспектор Келси.

Инспектор Кроум вошел за ним, бросив взгляд на Пуаро и на двух незнакомцев.

— Мисс Меган Барнард и мистер Дональд Фрэзер, — представил их Пуаро.

— Это инспектор Кроум из Лондона, — сказал он, обращаясь к молодым людям. Затем, повернувшись к инспектору, он продолжал: — Пока вы проводили ваше расследование наверху, я беседовал с мисс Барнард и мистером Фрэзером, стараясь найти что-нибудь, что прольет свет на это дело.

— Неужели? — произнес инспектор Кроум, он думал не о Пуаро, а о двух новых людях.

Пуаро направился в холл. Когда он проходил мимо, инспектор Келси любезно спросил:

— Есть что-нибудь?

Но его внимание отвлек коллега, и он не дождался ответа.

Я вышел вслед за Пуаро в холл.

— Для вас что-нибудь прояснилось, Пуаро? — поинтересовался я.

— Только изумительное великодушие убийцы, Гастингс.

Я не осмелился сказать, что не понял, что он имел в виду.

Глава 13
СОВЕЩАНИЕ

Совещания!

Значительная часть моих воспоминаний, связанных с делом АВС, относится к совещаниям.

Совещания в Скотленд-Ярде. В апартаментах Пуаро. Официальные совещания. Неофициальные совещания.

А на это совещание мы собрались, чтобы решить, стоит или нет оглашать в печати факты, касающиеся анонимных писем.

Бексхиллское убийство, по сравнению с андоверским, намного сильнее привлекло к себе внимание. Жертвой стала привлекательная девушка. Убийство произошло на популярном прибрежном курорте. Все подробности преступления были обнародованы и ежедневно пережевывались до неузнаваемости.

Свое место занял и железнодорожный справочник «АВС». Он наводил на мысль, что убийца приехал на поезде и собирался удрать в Лондон. По предпочитаемой версии, справочник был куплен где-то неподалеку и являлся ценной зацепкой для выяснения личности убийцы. Но в скупых сообщениях об андоверском убийстве железнодорожный справочник вообще не фигурировал, поэтому в глазах общественности к тому времени эти два преступления имели мало общего.

— Нам необходимо определить линию поведения, — сказал помощник комиссара. — Проблема в том, каким путем мы добьемся наилучших результатов? Предать гласности факты, заручиться поддержкой общественности, в конце концов, — это было бы сотрудничество нескольких миллионов людей, выслеживающих сумасшедшего...

— Он не сумасшедший, — вставил доктор Томпсон.

— ...контролирующих продажу «АВС»... и так далее. С другой стороны, я полагаю, есть выгода и от работы «втемную», не позволяющей данному человеку знать о наших намерениях. Но, в этом-то все дело, *он и так прекрасно знает, что нам известно.* Он своими письмами преднамеренно обращает на себя внимание. А как вы считаете, Кроум?

— Я склоняюсь к тому же, сэр. Если вы предадите это огласке, *то вы втягиваетесь в игру ABC*. Это то, что ему нужно, — огласка, дурная слава. Это то, к чему он стремится. Я прав, не так ли, доктор? Он желает броских заголовков.

Томпсон кивнул.

Помощник комиссара задумчиво произнес:

— Значит, следует отказать ему в славе, о которой он мечтает. А каково ваше мнение, мсье Пуаро?

С минуту Пуаро молчал. А заговорив, тщательно подбирал слова:

— Трудно сказать, мистер Лайонел. Я, как вы можете заметить, заинтересованная сторона. Вызов брошен мне. Если я скажу: «Придержите факты, не предавайте их гласности», — не будет ли это воспринято как говорящее во мне тщеславие? Что я боюсь за свою репутацию? Трудно сказать.

Раскрыться, все рассказать — в этом есть свои преимущества. По крайней мере, это уже предостережение... с другой стороны, я, как и инспектор Кроум, убежден — *это то, что от нас хочет убийца*.

— Г-м-м! — произнес помощник комиссара, потирая подбородок. Он перевел взгляд на доктора Томпсона. — Допустим, мы откажем нашему лунатику в огласке, которой он жаждет. Что он может предпринять?

— Совершит другое преступление, — выпалил доктор, — как пить дать!

— А если мы размалюем заголовки? Тогда какая реакция?

— Такая же. Идя первым путем, вы *стимулируете* его мегаломанию, вторым — *игнорируете* ее. Результат один и тот же — следующее преступление.

— Что скажете, мсье Пуаро?

— Я согласен с доктором Томпсоном.

— Палка о двух концах, а? Как вы думаете, сколько преступлений задумал этот лунатик?

Доктор Томпсон взглянул на Пуаро.

— Похоже, что от «A» до «Z», — сказал он весело. — Конечно, ему не достичь этого. Даже близко. Вы наступите ему на пятки намного раньше. Интересно, как бы он обошелся с буквой «X». — Тут он перешел на серьезный тон. — Но вы возьмете его намного раньше. Скажем, на «G» или «Н».

Помощник комиссара ударил кулаком по столу.

— Черт возьми! Вы что, хотите сказать, что нас ждут еще пять убийств?!

— Столько не окажется, сэр, — сказал инспектор Кроум, — поверьте мне.

Тон его был уверенным.

— На какой букве вы останавливаетесь, инспектор? — спросил Пуаро.

В его голосе сквозила легкая ирония. Кроум, как мне показалось, посмотрел на него с тенью пренебрежения.

— Может быть, на следующей, мсье Пуаро. В любом случае, сумеем взять его до того, как он дойдет до «F», гарантирую.

Он повернулся к помощнику комиссара:

— Думаю, мне достаточно ясна психология случая. Доктор Томпсон поправит меня, если что не так. Я представляю, что каждый раз, когда АВС совершает преступление, его самодовольство возрастает процентов на сто. Каждый раз он думает: «Я умен, и им меня не поймать!» Он становится победно-самоуверенным и беспечным. Он преувеличивает свой ум и тупость остальных. Он очень скоро перестанет заботиться о мерах предосторожности. Не так ли, доктор?

Томпсон кивнул:

— Обычный случай. Не употребляя медицинской терминологии, лучше изложить нельзя. Вам что-нибудь известно о подобных вещах, мсье Пуаро? Вы не согласны?

Не думаю, чтобы Кроуму пришлось по душе обращение Томпсона к Пуаро. Он считал себя единственным специалистом в этой области.

— Все, как сказал инспектор Кроум, — согласился Пуаро.

— Паранойя, — пробурчал доктор.

Пуаро повернулся к Кроуму:

— Есть ли какие-нибудь существенные сведения по делу в Бексхилле?

— Ничего определенного. Официант Силендайда в Истборне узнал на фотографии убитой молодую женщину, которая ужинала там вечером 24-го в компании мужчины средних лет в очках. То же самое в закусочной «Алый гонец» на полпути из Бексхилла в Лондон. Говорят, она была там около девяти часов вечера 24-го с человеком, похожим на военно-морского офицера. И те и другие не могут быть правы одновременно, но кто-то из них, возможно, и прав. Полно, конечно, и других опознаний, но они большей частью не годятся. Мы не смогли напасть на след ABC.

— Ладно. Похоже, вы сделали все, что смогли, Кроум, — сказал помощник комиссара.

— Что скажете, мсье Пуаро? Какое-нибудь из направлений расследования вас удовлетворяет?

Пуаро медленно ответил:

— Мне кажется, есть один очень важный ключ — раскрыть мотив.

— Разве он не очевиден? Алфавитный комплекс. Разве не так, доктор?

— М-да, — сказал Пуаро, — это алфавитный комплекс. Но почему алфавитный комплекс? У сумасшедшего всегда есть веская причина для совершения преступления.

— Ну полно вам, мсье Пуаро, — сказал Кроум, — вспомните Стоунмена в 1929 году. Он кончил тем, что пытался покончить с любым, кто его хоть как-то раздражал.

Пуаро повернулся к нему:

— Правильно. Если вы достаточно великая и важная личность, нужно, чтобы вы были изолированы от малейших раздражителей. Если муха садится вам на лоб снова и снова, выводя вас из себя своим щекотанием, — что вы делаете? Вы *намереваетесь* убить ее. Тут у вас нет сомнений. Вы важны... муха — нет. Вы убиваете муху, и раздражение проходит. Ваши действия представляются вам святыми и справедливыми.

Другой причиной убить муху является ваша сильная страсть к гигиене. Муха — потенциальный источник опасности для общества, ее надо убрать. Так работает мозг помешанного преступника. Но разберем наш случай: *если жертвы выбраны по алфавитному принципу, тогда они убираются не из-за того, что являются источником раздражения убийцы. Для объеди-*

66

нения обоих случаев должно быть чересчур много совпадений.

— Вот именно, — сказал доктор Томпсон. — Помню случай, когда муж одной женщины был предан смерти. Она начала убивать членов суда присяжных одного за другим. Непосредственно перед тем, как преступления были связаны воедино, они казались совершенно случайными. Но, как сказал мсье Пуаро, не бывает убийц, которые совершают преступления «наобум». Или они устраняют людей, которые стоят (пусть незначительно) у них на пути, или они убивают по *убеждению*. Они уничтожают полицейских или проституток, потому что уверены, что те *должны* быть уничтожены. Мне кажется, в нашем случае все это не подходит. Миссис Ашер и Бетти Барнард нельзя объединить как представителей одного класса. Конечно, возможно, что это сексуальный комплекс. Обе жертвы были женщинами. Нам об этом легче, конечно, будет судить после следующего преступления...

— Ради Бога, Томпсон, не говорите так бойко о следующем преступлении! — раздраженно воскликнул сэр Лайонел. — Мы должны сделать все возможное, чтобы предотвратить его.

Доктор Томпсон промолчал и несколько вызывающе высморкался.

— Предложите свой вариант. Если вы не хотите замечать фактов...

Помощник комиссара обратился к Пуаро:

— Я вижу, к чему вы клоните, но мне еще не все ясно.

— Я спрашиваю себя, — заговорил Пуаро, — как именно рассуждал убийца? Он убивает, это видно из его писем, из «спортивного интереса» — чтобы развлечь себя. Может ли это действительно быть так? Но даже если это так, по какому принципу он выбирает свои жертвы, *кроме как по алфавиту*? Если он убивает, только чтобы позабавить себя, он бы не стал это рекламировать, хотя бы для того, чтобы убивать безнаказанно. Но нет, он старается, как мы все заметили, произвести сенсацию, утвердить себя в глазах общественности. Каким образом его индивидуальность была подавлена и как это можно связать с двумя жертвами, которые он выбрал? И последнее предположение: а что, если его действиями руководит личная ненависть ко мне, Эркюлю Пуаро? А вдруг он публично бросает мне вызов, поскольку я (незаметно для себя) победил его когда-то в своей работе? Или, может быть, его злоба безлична — направлена против *иностранца*? И если это так, то что, опять же, привело к этому? Какую обиду нанесли ему иностранцы?

— Весьма спорные вопросы, — заметил Томпсон.

— Да... Они немного трудноваты для ответа сейчас, — поддержал его инспектор Кроум.

— Тем не менее, мой друг, — заявил Пуаро, глядя прямо на него, — *именно в них, в этих вопросах, кроется отгадка*. Если бы мы знали точный мотив — фантастический, возможно, для нас, но логичный для него: из того, *почему* наш сумасшедший совершает эти преступления, мы могли бы узнать вероятную следующую жертву.

Кроум покачал головой.

— Он выбирает их случайно — вот мое мнение.

— Великодушный убийца, — пробурчал Пуаро.

— Что вы сказали?

— Я говорю — великодушный убийца! Франц Ашер мог бы быть арестован за убийство своей жены, Дональд Фрэзер мог бы быть арестован за убийство Бетти Барнард, если бы не предупреждающее письмо от ABC. Или он такой мягкосердечный, что не мог заставить других страдать?

— Я слышал и о более странных происшествиях, — заметил Томпсон. — Я знаю людей, которые убили полдюжины человек, растерзав их только потому, что одна из их жертв не умерла сразу же, а долго мучилась. Все же я не думаю, что это присуще и нашему убийце. Он хочет умножить свою собственную славу. Такое объяснение лучше всего подходит.

— Мы так и не пришли к решению насчет огласки преступлений, — заметил помощник комиссара.

— Если бы я мог предложить, сэр, — проговорил Кроум. — Почему бы не подождать следующего письма? А потом опубликовать его экстренным выпуском. Это вызовет в указанном городе небольшую панику, но зато заставит каждого, чья фамилия начинается на «С», быть начеку, и это испытает мужество АВС. Это заставит его действовать. И тогда мы его настигнем.

Как мало мы знали, что нам готовит будущее.

Глава 14
ТРЕТЬЕ ПИСЬМО

Я хорошо помню, как пришло третье письмо от АВС. Могу сказать, что были приняты все меры предосторожности с тем, чтобы, когда АВС возобновит свою деятельность, не было излишних проволочек. К дому прикрепили молодого сержанта из Скотленд-Ярда, и если Пуаро и я отсутствовали, он должен был вскрывать почту.

День шел за днем, и нетерпение росло.

Отчуждение и высокомерие инспектора Кроума становились все более явными по мере того, как его «многообещающие» нити, ведущие к раскрытию преступления, обрывались одна за другой. Описания людей, с которыми видели Бетти Барнард, оказались ненужными. Различные машины, замеченные в окрестностях Бексхилла и Кудена, уже были проверены... Исследование продажи железнодорожного справочника «АВС» вызвало беспокойство среди невинных людей.

Что касается нас с Пуаро, то всякий раз, когда мы слышали знакомый громкий стук почтальона в дверь, наши сердца начинали колотиться: по крайней мере, это испытывал я; не могу поручиться, но мне кажется, что Пуаро чувствовал то же.

Он, я полагаю, был расстроен ходом этого дела и отказался уезжать из Лондона, предпочитая быть на месте в случае внезапного поворота событий. В те накаленные до предела денечки у него даже усы поникли, неожиданно утратив внимание хозяина.

Когда пришло третье письмо от АВС, была пятница. Вечернюю почту принесли около десяти часов...

Когда мы услышали знакомые шаги и проворный стук, я поднялся и прошел к почтовому ящику. Там, помнится, было четыре или пять писем. На последнем из них адрес был написан печатными буквами.

— Пуаро! — вскрикнул я... Мой голос замер.

— Оно пришло? Вскройте его, Гастингс. Быстрее. Каждое мгновение на счету. Надо составить план!

Я разорвал конверт (Пуаро на этот раз не упрекнул меня за неаккуратность) и вытащил лист с печатными буквами.

— Читайте, — сказал Пуаро.

Я прочел вслух:

«Бедный мистер Пуаро, или вы не столь искусны в этих маленьких преступлениях? Ваш расцвет позади, что ли? Посмотрим, удастся ли вам улучшить результат на этот раз. На этот раз полегче. Черстон[1], 30-го. Очень постарайтесь предпринять что-нибудь! Скучновато все делать по-своему, понимаете!

Счастливой охоты.

Всегда ваш

ABC».

— Черстон, — произнес я, подскакивая к нашему экземпляру «АВС». — Поглядим, где это.

— Гастингс. — Пронзительный голос прервал меня. — Когда написано это письмо?

Я взглянул на письмо.

— Написано 27-го.

— Я не ослышался, Гастингс? Он назначил день убийства на 30-е?

— Да, так. Минутку, это будет...

— Боже мой, Гастингс, — вы не понимаете? *30-е сегодня!!*

Его рука указала на календарь на стене. Я схватил свежую газету, чтобы убедиться.

— Но почему... как... — От волнения я запнулся.

Пуаро поднял с пола разорванный конверт.

В моем мозгу смутно отложилось что-то необычное в адресе, но я был слишком озабочен содержанием письма, чтобы обратить внимание на адрес.

В то время Пуаро жил в Уайтхэйвн-Мэншенс. Адрес гласил: *М. Эркюль Пуаро, Уайтхорс-Мэншенс.* В углу поперек было каракулями написано: *«Не известен в*

---

[1] Churston.

Уайтхорс-Мэншенс и в Уайтхорс-Корт — проверьте в Уайтхэйвн-Мэншенс».

— Боже мой! — простонал Пуаро. — Неужели даже случай помогает этому сумасшедшему?! Живей, живей, мы должны поставить в известность Скотленд-Ярд.

Спустя минуту-две мы уже говорили по телефону с Кроумом. На этот раз сдержанный инспектор не ответил: «Неужели?» С его губ слетели сдержанные проклятия. Он выслушал все, что мы хотели ему сказать, позвонил и заказал срочный междугородный разговор с Черстоном.

— Слишком поздно, — произнес Пуаро.

— Напрасно вы в этом уверены, — возразил я, впрочем безо всякой надежды.

Он посмотрел на часы.

— Двадцать минут одиннадцатого? Час и сорок минут осталось. Станет ли ABC выжидать так долго?

Я раскрыл справочник, который перед этим достал с полки.

— Черстон, графство Девоншир, — прочитал я. — От вокзала Паддингтон — 204 3/4 мили. Население — 656. Похоже, совсем крохотное местечко. Несомненно, нашего приятеля там заметят.

— Даже если так, то все равно ценой еще одной жизни, — сказал Пуаро.

— Какие есть поезда? Мне кажется, что поездом будет быстрее.

— Есть ночной поезд — спальный вагон до Ньютон-Эббот — прибывает в 6.08 утра, а в Черстон — в 7.15.

— Отходит с Паддингтона?

— Да, с Паддингтона.

— Поедем этим, Гастингс.

— У вас вряд ли будет время для сбора новостей перед выездом.

— Какая разница, когда мы получим печальные известия: ночью или завтра утром?

— Вообще-то да.

Я кое-что сложил в чемодан, пока Пуаро еще раз звонил в Скотленд-Ярд.

Через несколько минут он зашел в спальню и спросил:

— Позвольте, что вы здесь делаете?

71

— Я за вас собрал ваши вещи. Думал, это сэкономит время.

— Поменьше эмоций, Гастингс. Это действует на ваши руки и здравый рассудок. Разве так складывают пальто? И посмотрите, что вы сделали с моей пижамой. Если разольется шампунь, что будет?

— Черт возьми, Пуаро! — заорал я. — Вопрос жизни и смерти. Какая разница, что будет с нашей одеждой?

— У вас нет чувства меры, Гастингс. Вы не сядете в поезд раньше, чем он придет, а порча одежды ни в коей мере не предотвратит убийства.

Силой вырвав у меня чемодан, Пуаро принялся упаковывать его сам.

Он пояснил, что нам надо взять письмо и конверт с собой. У Паддингтона нас встретит кто-нибудь из Скотленд-Ярда.

Когда мы прибыли на перрон, первым, кого мы увидели, был инспектор Кроум.

Он ответил на вопросительный взгляд Пуаро:

— Новостей еще нет. Все, кто есть, подняты на ноги. Все лица, чье имя начинается на «С», по возможности предупреждаются по телефону. Шансов мало. Где письмо?

Пуаро передал его.

Тот рассмотрел конверт, тихо чертыхаясь.

— Надо же, какое невезение, звезды со своим дурацким расположением на стороне этого субъекта.

— А вам не кажется, — предположил я, — что это сделано преднамеренно?

Кроум покачал головой:

— Нет, у него свои правила — идиотские правила, — и он их придерживается. Четкое предупреждение. Это пункт. Вот где проявляется его хвастовство. Я почти уверен, что этот малый пьет виски «Белая Лошадь».

— О, это гениально! — воскликнул Пуаро. — Он пишет письмо печатными буквами, а напротив стоит бутылка.

— Вот именно, — сказал Кроум. — Любой из нас время от времени делает то же самое, подсознательно копируя то, что стоит перед глазами. Он начал писать «Уайт» и продолжил «хорс» вместо «хэйвн»...

Как выяснилось, инспектор тоже едет на поезде.

— Даже если по какой-то счастливой случайности ничего не произошло, надо быть в Черстоне. Наш убийца там или был там сегодня. Один из моих людей сидит на телефоне до отхода поезда на случай, если что-то поступит.

В тот момент, когда поезд тронулся, мы увидели человека, бегущего к перрону. Он поравнялся с окном инспектора и что-то выкрикнул.

Мы с Пуаро поспешили по коридору и постучали в купе инспектора.

— Что, есть новости? — спросил Пуаро.

Кроум спокойно ответил:

— Плохие. Сэр Кармайкл Кларк[1] найден с пробитой головой.

Сэр Кармайкл Кларк, хотя и не имел громкого имени, был человеком довольно высокого положения, а в свое время — очень известным ларингологом. Уйдя на пенсию, он посвятил себя одной из самых больших страстей своей жизни — коллекционированию китайской керамики и фарфора. Спустя несколько лет, унаследовав значительное состояние от дядюшки, он смог предаться своему увлечению полностью. Он стал обладателем одной из самых известных коллекций китайского фарфора. Сэр Кларк был женат, но не имел детей и жил в доме, который построил сам для себя недалеко от девонширского побережья. В Лондон он ездил очень редко, в основном когда устраивался аукцион.

Не требовалось особой сообразительности, чтобы представить, какой шум вызовет в прессе его смерть, последовавшая за смертью молодой и симпатичной Бетти Барнард. Дело усугублял тот факт, что это случилось в августе, когда газеты испытывают недостаток в интересных материалах.

— Хорошо, — сказал Пуаро, — возможно, огласка сделает то, что не удалось сделать частными усилиями. Теперь вся страна будет выслеживать ABC!

— К сожалению, — заметил я, — это то, что он хочет.

---

[1] Carmicael Clarke.

— Верно. Но это погубит его. Окрыленный успехом, он станет неосторожен... На что я надеюсь, так это на то, что он может быть опьянен своею ловкостью.

— Пуаро, это так необычно! — воскликнул я, внезапно пораженный одной мыслью. — Вам не кажется, что это первое преступление такого сорта, которое нам с вами приходится расследовать?

— Вы совершенно правы, мой друг. До сих пор судьба преподносила нам работу *изнутри*. То была история *жертвы* широко известной. Важными моментами являлись: кому выгодна смерть? Какие благоприятные возможности были у тех, кто находился рядом, для совершения преступления? Это всегда было «интимное преступление». А здесь впервые в нашей с вами практике имеет место хладнокровное, беспристрастное убийство. Убийство *извне*.

Я содрогнулся.

— Это довольно ужасно.

— Да. С самого начала я, когда прочитал то письмо, почувствовал, что здесь есть что-то уродливое... — Он раздраженно стал жестикулировать. — Нельзя давать свободу нервам... Это — *ничуть не хуже, чем самое обычное преступление*...

— Это... это...

— Разве хуже, когда лишают жизни незнакомца, а не кого-то из близких и дорогих — того, кто доверяет вам?

— Это хуже, потому что это *безумно*...

— Нет, Гастингс. Это не *хуже*. Это всего лишь *труднее*.

— Нет, нет же! Я не согласен с вами. Это бесконечно страшнее!

Эркюль Пуаро задумчиво произнес:

— Тогда его будет легче раскрыть, потому что оно безумно. Преступление, совершенное хитрым и здравомыслящим человеком, было бы намного запутаннее. Если бы кто-то смог хотя бы найти истинный мотив... Это алфавитное дело... в нем столько противоречий... Если бы я смог увидеть мотив, все стало бы просто и ясно... — Он вздохнул и покачал головой. — Эти преступления не должны иметь продолжения. Скоро, скоро я должен докопаться до истины... Пойдемте, Гастингс. Поспим немножко. Завтра нам предстоит многое сделать.

Глава 15
СЭР КАРМАЙКЛ КЛАРК

Черстон, окруженный с одной стороны Бриксгэмом и с другой Пейнтоном и Торки, охватывает примерно половину излучины реки Торбей. Еще десять лет назад на этом месте было только поле для игры в гольф, а ниже поля — простирающийся до моря зеленый простор. Но с недавних пор развернулось широкое строительство, и теперь береговая линия была усеяна домами, бунгало, дорогами.

Сэр Кармайкл Кларк приобрел участок в два акра с видом на море. Дом был сооружен по современному проекту: неназойливый белый прямоугольник. Если не считать двух галерей, в которых располагалась коллекция, дом нельзя было назвать большим.

Мы прибыли в Черстон примерно в восемь утра. Офицер местной полиции встретил нас на станции и пояснил:

— Сэр Кармайкл Кларк, похоже, имел обыкновение прогуливаться после ужина. Когда позвонила полиция — после одиннадцати, — было установлено, что он не вернулся! Поскольку его прогулка обычно имела один маршрут, не потребовалось много времени для того, чтобы обнаружить тело. Смерть наступила в результате удара тяжелым предметом по затылку. *На теле убитого лежал раскрытый железнодорожный справочник «АВС» лицевой стороной вниз.*

Мы прибыли в Комбесайд (так назывался дом) около половины девятого. Дверь открыл пожилой дворецкий, трясущиеся руки и искаженное лицо которого говорили о том, насколько его поразила трагедия.

— Доброе утро, Деверил, — сказал наш спутник.

— Доброе утро, мистер Уэллс.

— Эти джентльмены из Лондона, Деверил.

— Прошу вас, джентльмены, проходите.

Дворецкий проводил нас в длинную столовую, где был накрыт завтрак.

— Я схожу за мистером Франклином.

Через одну-две минуты в комнату вошел крупный блондин с загорелым лицом. Это был Франклин Кларк, единственный брат покойного. Решительный и, похоже, привыкший к неожиданностям.

— Доброе утро, джентльмены.

Инспектор Уэллс представил всех друг другу:

— Это инспектор Кроум из отдела по расследованию преступлений, мистер Эркюль Пуаро и... э-э... капитан Гайтер.

— Гастингс, — холодно поправил я.

Франклин Кларк пожал по очереди каждому из нас руку, и всякий раз рукопожатие сопровождалось пронизывающим взглядом.

— Разрешите предложить вам позавтракать, — произнес он, — мы можем обсудить положение за едой.

Никто не возражал, и мы отдали должное превосходной яичнице с беконом и кофе.

— Теперь к делу, — сказал Кларк. — Я бы сказал — дичайшая история из всех, что я слышал. Значит ли все это, инспектор Кроум, что мой брат стал жертвой маньяка, что это было третье убийство и что всякий раз возле тела был оставлен справочник «АВС»?

— Таковы, собственно, факты, мистер Кларк.

— Но *почему?* Какую реальную выгоду можно извлечь из подобного преступления, даже при самом больном воображении?

Пуаро одобрительно кивнул.

— Вы попали прямо в точку, мистер Кларк, — сказал он.

— Нецелесообразно доискиваться до мотивов на этом этапе, мистер Кларк, — сказал инспектор Кроум. — Это дело психиатров, хотя, должен сказать, я имею некоторый опыт в криминальных помешательствах, их мотивы обычно сильно неадекватны. Налицо желание заявить о себе, в общем — стать кем-то, а не пустым местом.

— Это правда, мсье Пуаро?

Голос мистера Кларка выражал недоверие. Его обращение к такому авторитету не очень-то спокойно было воспринято инспектором Кроумом.

— Совершенно верно, — ответил мой друг.

— В любом случае, он не сможет долго увиливать от преследований, — задумчиво произнес Кларк.

— Вы так думаете? Но они такие изворотливые. И вы должны помнить, что *этот тип внешне выглядит весьма незначительным* — он принадлежит к тем, кого обходят, игнорируют или даже смеются над ними!

— Вы не позволите, мистер Кларк, уточнить несколько деталей? — спросил Кроум, вмешиваясь в разговор.

— Разумеется.

— Ваш брат был вчера в обычном своем расположении духа и здоров? Не получал никаких неожиданных писем? Ничто его не расстраивало?

— Он был таким же, как всегда.

— Значит, ничем не расстроен и не огорчен?

— Извините, инспектор. Я этого не говорил. Быть расстроенным и огорченным — это нормальное состояние моего бедного брата.

— Почему так?

— Вы, возможно, не в курсе, что его жена, леди Кларк, очень больна. Если честно, между нами, у нее рак и ей не долго осталось жить. Ее болезнь ужасно терзала сознание моего брата. Я сам недавно вернулся с Востока и был поражен тем, как он изменился.

Пуаро вставил вопрос:

— Предположим, мистер Кларк, что ваш брат был бы найден у подножия обрыва... или убитым из револьвера, который лежал бы рядом. О чем бы вы подумали в первую очередь?

— Честно говоря, я бы сразу подумал, что это самоубийство, — ответил Кларк.

— Вот! — сказал Пуаро.

— Что?

— Факт говорит сам за себя. Это не имеет значения.

— Так или иначе, это *не было* самоубийством, — грубовато-отрывисто сказал Кроум. — Как я понимаю, мистер Кларк, ежевечерняя прогулка входила в привычки вашего брата?

— Совершенно верно. Он всегда это делал.

— Каждый вечер?

— Да, если только, разумеется, не лил дождь.

— И каждый в доме знал его привычку?

— Конечно.

— А другие?

— Я не знаю, кого вы имеете в виду под «другими». Садовник, возможно, знал, а может, и нет. Не уверен.

— А в деревне?

— Строго говоря, у нас не деревня. Здесь только почтовое отделение и коттеджи в Черстон-Феррерс, но нет деревни и магазинов.

— Я полагаю, что незнакомца, маячившего вокруг, было бы очень легко заметить?

— Наоборот. В августе этот уголок земли кишит посторонними. Каждый день они приезжают на машинах, автобусах, приходят пешком из Бриксгэма, Торки и Пейнтона. Обширные пляжи, вон там, ниже, — он показал, — очень популярны, так же как и Элбери-Коув — известное красивое место. Все это притягивает людей сюда на пикники. Не люблю я этого. Вы не представляете, насколько прекрасен и тих этот уголок в июне и начале июля.

— Так вы не думаете, что незнакомца могли бы заметить?

— Нет, если только он не выглядел чокнутым.

— Этот человек не выглядит чокнутым, — уверенно произнес Кроум.

— Вы понимаете, к чему я веду, мистер Кларк? Этот человек должен был разведать местность заранее и обнаружить привычку вашего брата прогуливаться каждый вечер. Кстати, вчера никто не заходил в этот дом и не спрашивал сэра Кармайкла?

— Нет, насколько мне известно, но можно спросить Деверила.

Он позвонил в колокольчик и задал этот вопрос дворецкому.

— Нет, сэр, никто не спрашивал сэра Кармайкла. И я никого шатающегося вокруг дома не заметил. Горничные тоже ничего не видели, — я их уже спрашивал.

Дворецкий подождал секунду и затем спросил:

— Это все, сэр?

— Да, Деверил, вы можете идти.

Дворецкий удалился, пропустив в дверях молодую женщину.

Франклин Кларк поднялся, когда она вошла.

— Это мисс Грей, джентльмены. Секретарь моего брата.

Мое внимание привлекли необычайные, по-скандинавски светлые волосы девушки. Они были пепельные, почти бесцветные. Такие светло-серые глаза и прозрачно-светящуюся бледность можно встретить у норвежек и шведок. На вид ей было около двадцати семи, и она была не только эффектной внешне, но и компетентной в делах.

— Могу я быть чем-нибудь полезна? — спросила мисс Грей, присаживаясь.

Кларк предложил ей кофе, но она отказалась от него.

— Вы вели корреспонденцию сэра Кармайкла? — спросил Кроум.

— Да, всю.

— Не получал ли он письма или писем, подписанных ABC?

— ABC? — Она покачала головой. — Уверена, не получал.

— Не упоминал ли он о том, что видел кого-нибудь во время вечерней прогулки?

— Нет. Он ничего подобного не говорил.

— А вы сами не замечали незнакомых людей?

— В это время года полно людей, как вы говорите, «шляющихся». Часто можно встретить людей, бесцельно вперивших взгляд в лужайку для гольфа или бредущих вдоль аллеи, ведущей к морю. К тому же, практически каждый встречный в это время года — незнакомец.

Пуаро задумчиво кивнул.

Инспектор Кроум попросил показать маршрут вечерней прогулки сэра Кармайкла. Франклин Кларк провел нас через французское окно (доходящее до пола), мисс Грей сопровождала нас.

Мы с ней оказались несколько позади остальных.

— Должно быть, это для всех вас ужасное потрясение, — заметил я.

— Это невероятно. В ту ночь я уже легла, когда позвонила полиция. Я услышала голоса внизу и спустилась узнать, в чем дело. Деверил и мистер Кларк как раз собирались выйти с газовыми фонарями.

— В котором часу обычно сэр Кармайкл возвращался с прогулки?

— Около четверти десятого. Обычно он заходил в дом через боковую дверь и иногда сразу же шел спать, а иногда шел в галерею к своей коллекции. Вот почему, несмотря на звонок из полиции, его исчезновение не было замечено до тех пор, пока его не нашли утром.

— Должно быть, для его жены это ужасное потрясение?

— Леди Кларк находится под большой дозой морфия. Полагаю, она в таком состоянии, что не осознает, что происходит вокруг.

Через калитку мы вышли на лужайку для гольфа. Срезав угол, через уступ прошли на крутую петляющую тропу.

— Она ведет вниз к Элбери-Коув, — пояснил Франклин Кларк. — Но два года назад проложили новую дорогу, ведущую от главной дороги на Бродсэндз к Элбери, так что теперь эта тропа практически опустела.

Мы продолжили свой путь вниз по тропе. У ее основания путь лежал через заросли куманики и папоротника к морю. Внезапно мы вышли на покрытый травой и смотрящий в море гребень и сверкающий белыми камнями пляж. Вокруг темно-зеленые деревья сбегали к морю. Это было очаровательное место — белое, темно-зеленое и сапфирно-синее.

— Как прекрасно! — не удержался я.

Кларк стремительно повернулся ко мне:

— Не правда ли? Почему люди стремятся уехать за границу на Ривьеру, когда у них есть это?! В свое время я обошел весь свет и, ей-богу, никогда не видел столь прекрасного места.

Потом, как бы устыдившись своей пылкости, он сказал более подходящим для данной ситуации тоном:

— Это была вечерняя прогулка моего брата. Потом обратно наверх, поворачивая не налево, а направо мимо фермы и через поле, где и было найдено тело.

Кроум кивнул:

— Достаточно просто. Человек стоял здесь, в тени. Ваш брат ничего бы не заметил до нанесения удара.

Девушка возле меня содрогнулась.

Франклин Кларк сказал:

— Крепись, Тора. Это чудовищно, но неразумно уклоняться от подробностей.

Тора Грей — это имя шло ей.

Мы пошли обратно к дому, откуда уже забрали тело, после того как его сфотографировали.

Когда мы поднимались по широкой лестнице, из комнаты вышел доктор, держа в руке черную сумку.

— Есть что-нибудь для нас, доктор? — спросил Кларк.

Доктор покачал головой:

— Элементарнейший случай. Я подготовлю заключение для следствия. В общем, он не испытал мучений. Смерть наступила мгновенно. — Доктор проследовал мимо. — Пойду проведаю леди Кларк.

Все прошли в комнату, откуда вышел доктор, а я замешкался на лестнице. Тора Грей все стояла у начала лестницы. На ее лице застыло испуганное выражение.

— Мисс Грей... — Я запнулся.

— Что такое?

Она посмотрела на меня.

— Я думала о «D».

— О «D»? — Я с недоумением посмотрел на нее.

— Да. О следующем убийстве. Надо что-то делать. Это надо остановить.

В дверях комнаты за моей спиной показался Кларк и спросил:

— Что надо остановить, Тора?

— Эти ужасные убийства.

— Да. — Его челюсти агрессивно сжались. — Я хочу поговорить с мсье Пуаро... А что, Кроум — стоящий человек? — неожиданно вырвалось у него.

Я ответил, что Кроум очень умный офицер. Но возможно, мой голос звучал не так бодро, как мог бы звучать.

— У него грубые манеры, — сказал Кларк. — Прикидывается, что ему все известно, — а *что* ему известно? Ровным счетом ничего, насколько я могу заключить.

Минуту-две он молчал, потом добавил:

— Мсье Пуаро мне подходит. У меня есть план. Но о нем мы поговорим позже.

Он прошел по коридору и постучал в комнату, куда вошел доктор.

Мгновение я колебался. Девушка отрешенно глядела перед собой.

— О чем вы задумались, мисс Грей?

Она перевела взгляд на меня:

— Интересно, *где он сейчас...* убийца то есть. Не прошло и двенадцати часов с того момента, как это случилось... О! Есть ли такой ясновидящий, кто может указать, где он сейчас и что делает?..

— Полиция ищет... — начал я.

Мои простые слова прервали оцепенение. Тора Грей взяла себя в руки.

— Да. Конечно, — промолвила она.

Она спустилась по лестнице. Я еще постоял немного, переваривая ее слова.

АВС...

Где он сейчас?

Глава 16
(написана не от лица капитана Гастингса)

Мистер Александр Бонапарт Каст вышел вместе с остальными зрителями из «Торки Палладиум», где посмотрел душераздирающий фильм «Ни воробья...».

Он слегка прищурился от дневного света и огляделся вокруг, как бродячий пес, что было ему свойственно. И пробормотал сам себе:

— Это идея...

Мальчишки — разносчики' газет пробегали мимо, выкрикивая:

— Последние новости!.. Маньяк-убийца в Черстоне!..

Они несли листовки с надписью:

«УБИЙСТВО В ЧЕРСТОНЕ.
ПОСЛЕДНИЕ НОВОСТИ».

Мистер Каст порылся в кармане, нашел монету и купил газету, но не стал раскрывать ее сразу же. Войдя в Принцесс-Гарденс, он медленно направился под навес, выходящий на Торкийскую гавань. Он сел на лавочку и раскрыл газету.

Большой заголовок:

«УБИТ СЭР КАРМАЙКЛ КЛАРК.
УЖАСНАЯ ТРАГЕДИЯ В ЧЕРСТОНЕ.
РАБОТА МАНЬЯКА-УБИЙЦЫ».

И ниже:

«Всего месяц назад Англия была поражена и потрясена убийством молодой девушки Элизабет Барнард в Бексхилле. В деле, как известно, фигурировал железнодорожный справочник «АВС». У тела сэра Кармайкла Кларка также был найден «АВС». Полиция склоняется к тому, что оба убийства были совершены одним лицом. Не исключено, что маньяк-убийца собирается пройтись по нашим морским курортам...»

Молодой человек во фланелевых брюках и светло-голубой рубашке из эртекса, что сидел возле, заметил:

— Грязное дельце, а?

Мистер Каст встрепенулся:

— О, весьма... весьма...

Его руки, как заметил молодой человек, дрожали так, что он едва удерживал газету.

— Лунатиков невозможно определить, — принялся болтать молодой человек, — они не всегда «того», знаете ли. Часто они выглядят так же, как вы или я...

— Думаю, что да, — сказал мистер Каст.

— Точно. Некоторых война сделала совершенно неизлечимыми.

— Я... я полагаю, вы правы.

— Я не одобряю войну, — продолжал молодой человек.

Его сосед повернулся к нему:

— Я не одобряю чуму, муху цеце, голод и рак... но это все равно случается!

— Войну можно предотвратить, — уверенно выпалил молодой человек.

Мистер Каст расхохотался и какое-то время не мог остановиться.

Молодой человек немного встревожился.

— Этот сам немного чокнутый, — подумал он, а вслух произнес: — Извините, сэр, мне кажется, вы были на войне?

— Был, — ответил Каст, — и она надломила меня. С тех пор голова уж не та. Болит, знаете ли. Ужасно болит.

— О! Извините за это, — неуклюже проронил молодой человек.

— Иногда я с трудом сознаю то, что делаю...

— Правда? Ну, мне пора, — сказал молодой человек и торопливо ушел. Он знал, что это за люди, которые начинают рассказывать о своем здоровье.

Мистер Каст остался со своей газетой. Он перечитал ее еще раза два.

Мимо него проходили люди. Большинство говорило об убийстве...

— Ужасно... Ты не знаешь, это не связано с китайцами? Та официантка не из китайского кафе?..

— Прямо на лужайке для гольфа...

— Я слышал, это случилось на пляже...

— ...но, дорогой, мы привезли чай в Элбери только вчера...

— ...полиция уверена, что поймает...

— ...его могут арестовать, и с минуты на минуту...

— ...наиболее вероятно, что он в Торки...

— То была женщина, а не...

Мистер Каст аккуратно сложил газету и положил на сиденье. Затем встал и спокойно пошел по направлению к городу.

Мимо прошли девушки в белом, в розовом, в голубом, в летних платьях, халатах и шортах. Они разговаривали и смеялись. Их глаза оценивали проходящих мужчин.

Их взгляды не задерживались на мистере Касте...

Мистер Каст сел за небольшой столик и заказал чай с девонширскими сливками.'

Глава 17

ПРИМЕЧАТЕЛЬНОЕ ВРЕМЯ

После убийства сэра Кармайкла Кларка дело о загадке ABC достигло наивысшей популярности.

В газетах только и говорилось об этом. Сообщалось о раскрытии различного сорта «тайн». Было объявлено о скорых арестах. Были фотографии каждого человека или места, хоть как-то связанных с убийством. Были интервью с каждым, кто мог дать его. Были запросы в парламент.

Андоверское убийство было приобщено к двум другим.

В Скотленд-Ярде были убеждены, что полнейшая гласность является лучшей возможностью поймать преступника. Население Великобритании превратилось в армию сыщиков-любителей.

«Дейли фликер» вдохновенно выдала заголовок:

«ОН МОЖЕТ БЫТЬ В ВАШЕМ ГОРОДЕ».

Пуаро, конечно, был в гуще событий. Письма, которые он получил, были опубликованы и воспроизведены факсимильно. Его обвиняли в том, что он не предотвратил преступлений, и защищали, говоря, что он вот-вот назовет убийцу.

Репортеры беспрестанно изводили его интервью.

«Что мсье Пуаро говорит сегодня?»

Далее обычно следовало полколонки глупостей.

«Мсье Пуаро пессимистически оценивает ситуацию».

«Мсье Пуаро на пороге удачи».

«Капитан Гастингс, старый друг мсье Пуаро, рассказал нашему специальному корреспонденту...»

— Пуаро, — я готов был зарыдать, — умоляю, верьте мне, я ничего подобного не говорил!

Мой друг мягко отвечал:

— Я знаю, Гастингс, я знаю. Произнесенное слово и напечатанное — какая пропасть между ними. Вот вам способ переиначивания, который полностью меняет смысл.

— Не хотелось бы мне, чтобы вы подумали, что я сказал...

— Вы сами-то не волнуйтесь. Это не важно. Эти глупости могут даже оказать нам услугу.

— Каким образом?

— Хорошо! — сказал Пуаро. — Если наш сумасшедший прочитает сегодняшние газеты, он потеряет всякое уважение ко мне как к противнику. А это уже кое-что!

С другой стороны, Скотленд-Ярд и местная полиция без устали выдвигали различные догадки. Вокруг места преступления были опрошены люди, сдающие квартиры, меблированные комнаты. Внимательно были изучены сотни рассказов людей, которые «видели очень подозрительного человека с бегающими глазами» или с «лицом грешника». Ни одна информация, даже самого неопределенного характера, не была игнорирована. Множество людей были задержаны и опрошены об их действиях в ту злополучную ночь.

Если Кроум и его коллеги работали не покладая рук, то Пуаро казался мне ленивым...

Мы все время спорили.

— А что вы от меня хотите, мой друг? Рабочее расследование — полиция справится с этим лучше меня. Вы хотите, чтобы я бегал взад-вперед, как собака?

— Вместо того, чтобы сидеть дома, как... как...

— Как здравомыслящий человек! Моя сила, Гастингс, *в голове, а не в ногах!* Всякий раз, когда вам кажется, что я бездействую, я размышляю.

— Размышляете?! — вскричал я. — Разве сейчас время для размышлений?!

— Да, тысячу раз — да!

— Но вы уже наизусть знаете факты трех преступлений.

— Я размышляю не над фактами, а над психологией, над умом убийцы.

— Умом убийцы?

— Точно. *Когда я узнаю, на что похож убийца, я узнаю, кто он.* Что мы знали об убийце после андоверского преступления? Почти ничего. После убийства в Черстоне? Немного больше. Я начинаю видеть *не очертания лица и формы, а очертания ума.* Ума, который движется и работает. После следующего преступления...

— Пуаро!

Мой друг бесстрастно посмотрел на меня:

— Да, Гастингс, думаю, наверняка последует еще одно. Многое зависит от случая. Интересно, насколько незнакомец окажется удачлив. Удача может отвернуться от него. Но в любом случае после следующего преступления мы будем знать больше. Преступление сильно обнажает преступника. Изменяйте методы, привычки, а ваша душа обнажится поступками. Существуют беспорядочные приметы, — иногда кажется, будто бы не один — два ума работали, но его очертания прояснятся, *я узнаю.*

— Кто это?

— Нет, Гастингс, я не узнаю его имени и адреса! Я узнаю, *что он за человек...*

— А потом?

— А потом я отправлюсь... «на рыбалку». — Пока я глядел, сбитый с толку, Пуаро продолжал: — Понимаете, Гастингс, опытный рыбак точно знает, какого червячка какой рыбке предложить. Я предложу верного червячка.

— А потом?

— А потом? А потом? Вы так же несносны, как и прагматик Кроум с его вечным «неужели?». Ладно, а потом он клюнет. Ну, и мы вытащим его на крючке.

— А тем временем люди гибнут и гибнут...

— Три человека. А ведь около... ста двадцати человек гибнет каждую неделю на дорогах, не так ли?

— Это совсем другое.

— Наверное, это то же самое для тех, кто гибнет. Для остальных — родственников, друзей — да, есть разница; но, по крайней мере, одно меня радует в этом деле.

— Да, все-таки скажите мне что-нибудь радостное.

— Напрасно вы столь саркастичны. Радует то, что нет и тени вины, брошенной на невинного. Жить в атмосфере подозрения — видеть глаза, смотрящие на тебя, сменяющие выражение любви на ненависть... Это отрава, зловоние. Нет, отравление жизни невинного — этого, по крайней мере, мы не можем приписать АВС.

— Вы скоро начнете оправдывать его, — съязвил я.

— Почему бы и нет? Мы и закончим на сочувствии его точке зрения...

— Браво, Пуаро!

— Боже, я поразил вас! Сначала моя инертность, а потом мои взгляды.

Я покачал головой вместо ответа.

— Все равно, — сказал Пуаро, — у меня есть план, который порадует вас, — он активный, а не пассивный. А также он повлечет много разговоров и практически ни одной мысли.

— Какой план? — осторожно спросил я.

— Выжимка из друзей, родственников и слуг всего, что они знают.

— Вы подозреваете, что они утаивают что-то?

— Не преднамеренно. Но рассказ обо всем, что знаешь, всегда подразумевает *отбор*. Если бы я попросил вас рассказать о вчерашнем дне, вы, возможно, ответили бы: «Я встал в девять, позавтракал в половине десятого, ел яичницу с беконом и кофе, потом я пошел в клуб» — и так далее. Вы бы не включили: «Я сломал ноготь, и его пришлось обрезать. Я позвонил, чтобы принесли воды для бритья. Я пролил немного кофе на скатерть...» Никто не может рассказать всего. Следовательно, они *выбирают*. Люди выбирают то, что, по их мнению, *важно*. Но очень часто они думают неправильно!

— И как же нам быть? Как заполучить нужные факты?

— Путем разговоров! Надо обсуждать какое-то событие, или какого-то человека, или какой-то день снова и снова, дополнительные детали всплывут.

— Что за детали?

— Детали, которые я и хочу выяснить. Прошло достаточно времени, чтобы переосмыслить ценности, — то, что в трех случаях убийства нет ни одного факта, за который можно зацепиться, противоречит всем математическим законам. Какое-нибудь тривиальное событие, тривиальное высказывание *должно* отыскаться, чтобы указать путь! Это все равно, что искать иголку в стогу, признаю, *но в стогу есть иголка* — вот в чем я убежден!

Его слова показались мне туманными.

— Вы не видите? Вы не так находчивы, как простая служанка.

Пуаро передал мне письмо. Оно было написано аккуратным круглым ученическим почерком.

«Уважаемый сэр, надеюсь, вы простите мою смелость написать вам. Я много думала после тех ужасных двух убийств, подобных убийству тетушки. Мы словно находимся в одной лодке. Я видела в газете фотографию молодой леди, то есть я хочу сказать, что это сестра молодой леди, той, что была убита в Бексхилле. Я набралась смелости и написала ей, и сказала, что я поеду в Лондон искать работу, и спросила, могу ли я приехать к ней или к ее матери, так как я сказала, что две головы лучше одной и мне не потребуется большое жалованье, только бы узнать, кто тот дьявол...

Молодая леди очень любезно ответила мне, что поскольку она живет в общежитии, то хорошо бы написать еще и вам. Вот я и пишу, сэр, сказать, что я еду в Лондон, и вот мой адрес.

Надеюсь, что не побеспокоила вас.

С уважением,

Мэри Дроуэр».

— Мэри Дроуэр, — произнес Пуаро, — очень умная девушка.

Он взял еще одно письмо.

— Прочитайте это.

Это была строчка от Франклина Кларка, сообщавшего о том, что он едет в Лондон и позвонит на следующий день, если это удобно.

— Не отчаивайтесь, мой друг, — сказал Пуаро, — действие вот-вот начнется.

Глава 18
ПУАРО ПРОИЗНОСИТ РЕЧЬ

Франклин Кларк приехал к нам в три часа дня.

— Мсье Пуаро, — сказал он, — я не удовлетворен.

— Да, мистер Кларк?

— Кроум очень способный офицер, но если честно... Я как-то дал понять вашему другу, что у меня на уме... Я считаю, что нам не следует позволять траве расти у нас под ногами...

— Вы повторяете слова Гастингса!

— Мы должны быть готовы к следующему преступлению.

— Так вы полагаете, что будет еще преступление?

— А вы — нет?

— Конечно!

— Ну хорошо. Я хочу покончить с этим.

— Расскажите о вашем плане подробнее.

— Я предлагаю, мсье Пуаро, создать что-то вроде специального легиона, работающего под вашим началом и состоящего из друзей и родственников убитых...

— Прекрасная мысль.

— Рад, что вы одобряете. Соединив усилия, думаю, мы чего-нибудь добьемся. И когда поступит следующее предупреждение, кто-нибудь из нас, будучи на месте, может узнать кого-то, кто был вблизи места одного из предыдущих преступлений.

— Я понял вашу идею и одобряю ее, но мы должны учитывать, что родственники и друзья других жертв совсем из другого, нежели вы, круга. Они ведь на службе, и хотя им могут дать небольшой отпуск...

Франклин Кларк перебил:

— Вот именно. Я единственный, кто в состоянии понести расходы. Сам-то я не очень богат, но мой брат был состоятельным человеком, и, таким образом, это отразилось на мне. Я предлагаю, как уже говорил, создать специальный легион, членам которого будут выплачиваться деньги в соответствии с их заработком и дополнительными, разумеется, расходами.

— Из кого вы предполагаете создать легион?

— Я думал об этом. Я уже написал мисс Меган Барнард — собственно, это частично ее идея. Я предлагаю себя, мисс Барнард, мистера Дональда Фрэзера, который был помолвлен с покойной девушкой. Потом есть племянница женщины из Андовера, мисс Барнард знает ее адрес. Я не думаю, что нам как-то пригодится муж: я слышал, он все время пьян. Я также не имею в виду родителей Барнард — они слишком стары для активных действий.

— Больше никого?

— Да... э-э... мисс Грей.

Он слегка покраснел, произнося ее имя.

— О! Мисс Грей?

Никому в мире не дано вложить столь мягкую иронию в пару слов лучше, чем Пуаро. Франклин Кларк сбросил лет тридцать пять и стал похож на застенчивого школьника.

— Да. Знаете, мисс Грей работала у моего брата более двух лет. Она знает окрестности, и их обитателей, и все остальное. Я ведь полтора года отсутствовал.

Пуаро сжалился над ним и перевел разговор:

— Вы были на Востоке? В Китае?

— Да. Я проводил что-то вроде экспедиции по покупке вещиц для брата.

— Должно быть, это очень интересно. Ладно, мистер Кларк, я весьма одобряю вашу идею. Я только вчера говорил Гастингсу, что требуется объединение заинтересованных людей. Необходимо слить воедино воспоминания, обменяться взглядами, необходимо, в конце концов, все сказать об этом деле, говорить, говорить и еще раз говорить. Самая незначительная фраза может пролить свет.

Спустя несколько дней «Специальный легион» встретился у Пуаро.

Все расселись, преданно глядя на Пуаро, который занял свое место во главе стола. Все три девушки обращали на себя внимание — необычайная красота белокурой Торы Грей, темперамент смуглой Меган Барнард с ее странной, как у индейцев, неподвижностью лица, Мэри Дроуэр с ее милым интеллигентным лицом, опрятно одетая в темную блузку и юбку. Двое мужчин — Франклин Кларк, крупный, загорелый и разговорчивый, и Дональд Фрэзер, замкнутый и спокойный, — представляли забавный контраст друг другу.

Пуаро, конечно, не мог не произнести маленькую речь.

— Дамы и господа, вы знаете, для чего мы здесь собрались. Полиция делает все возможное, чтобы выследить преступника. Я тоже занимаюсь этим. Но мне кажется, что встреча тех, кто лично заинтересован и кто лично знал жертвы, может дать результаты, которые не в состоянии получить любое расследование.

Мы имеем три убийства — старой женщины, молодой девушки и пожилого мужчины. Их всех объединяет только одно — *то, что убил их один и тот же человек*. Это означает, что убийца *присутствовал в трех различных местах* и наверняка его видело множество людей. То, что он сумасшедший в прогрессирующей стадии, — это безусловно. Но также очевидно, что его поведение не выдает в нем сумасшедшего. Этот человек может быть как мужчиной, так и женщиной, — обладает дьявольской хитростью помешанного. Ему удалось совершенно запутать следы. Полиция имеет довольно смутные приметы, по которым не может ничего предпринять. Тем не менее должны существовать не смутные, а определенные приметы. Взять хотя бы один факт — не мог же этот убийца прибыть в Бексхилл в полночь и прямо на побережье найти молодую леди, имя которой начиналось с «В»...

— Нужно ли вдаваться в это? — промолвил Дональд Фрэзер. Казалось, он с трудом выдавливает из себя слова.

— Необходимо вдаваться во все, мсье, — ответил Пуаро, обращаясь к нему. — Мы здесь не для того, чтобы оберегать свои чувства, а для того, чтобы, если потребуется, терзать их, досконально разбираясь во всем. Как я уже сказал, Бетти Барнард не случайно оказалась жертвой ABC. С его стороны это был обдуманный выбор и поэтому преднамеренный. Он должен был прощупать почву *заранее*. Есть такие вещи, о которых он разузнавал заблаговременно: удобное время для преступления в Андовере, мизансцену в Бексхилле, привычки сэра Кармайкла Кларка в Черстоне. Я лично отказываюсь верить, что улик нет, что нет ни малейшего намека, который мог бы установить его личность.

Я допускаю, что кто-то из вас, а может быть и каждый, *знает то, о чем он даже не догадывается, что он это знает.*

Рано или поздно при общении друг с другом что-нибудь прояснится, приобретет значимость, о которой ранее и не помышляли. Это как мозаика. Каждый из вас может иметь кусок, который отдельно ничего не значит, но который, соединившись с другими, может составить определенную часть целой картины.

— Слова! — заметила Меган Барнард.

— А? — Пуаро вопросительно посмотрел на нее.

— То, что вы говорите. Это только слова. Они ничего не значат.

Она говорила с такой отчаянной силой, что я отнес это к особенностям ее характера.

— Слова, мадемуазель, представляют собой внешнюю оболочку идей!

— Да, я думаю, в этом есть смысл, — сказала Мэри Дроуэр. — На самом деле, мисс. Так часто бывает, когда вы говорите о вещах, которые кажутся вам абсолютно ясными. Вы представляете их, не зная на самом деле, как было. Разговор приведет к чему-то, так или иначе.

— Если вспомнить поговорку «меньше слов, больше дела», то мы сейчас собираемся делать как раз обратное, — заметил Франклин Кларк.

— Что вы скажете, мистер Фрэзер?

— Я, пожалуй, сомневаюсь в практическом применении того, о чем вы говорите, мсье Пуаро.

— Что вы думаете, Тора? — спросил Кларк.

— Я думаю, что принцип пересказа разумен.

— Предположим, — предложил Пуаро, — что вы все постараетесь вспомнить все, что относится ко времени, предшествующему убийству. Пожалуй, начнем с вас, мистер Кларк.

— Помнится, утром того дня, когда убили Кара, я ушел в плавание. Поймал восемь скумбрий, прямо там, в бухте. Пообедал дома. Я помню, ел жаркое по-ирландски. Поспал в гамаке. Выпил чаю. Написал несколько писем, просмотрел почту, затем поехал в Пейнтон отправить письма. Потом поужинал и — я не стыжусь этого — перечитал книгу Э. Несбита, которую я люблю с детства. Потом зазвонил телефон...

— Достаточно. Теперь подумайте, мистер Кларк, не встретили ли вы кого-нибудь, когда утром спускались к морю?

— Я много кого видел.

— Можете что-нибудь вспомнить об этих людях?

— Нет, ничего ужасного.

— Вы уверены?

— Ну... давайте посмотрим... Я помню примечательно толстую женщину, она была в коротком шелковом платье, я еще удивился почему... двое ребятишек с ней... два молодых человека с фокстерьером на берегу моря бросали камни... а, да, девушка со светлыми волосами, которая купалась и визжала... Интересно, как много вещей вспоминается, как фотографию проявляешь.

— У вас хорошая память. Теперь дальше, что было потом, в саду и по дороге на почту...

— Садовник поливал сад... По дороге на почту? Неподалеку остановился велосипедист... Бестолковая женщина, шатающаяся и вопящая на своего приятеля. Я боюсь, что это все...

Пуаро повернулся к Торе Грей.

— Мисс Грей?

Тора ответила своим четким уверенным голосом:

— В то утро я разбирала корреспонденцию с сэром Кармайклом, искала экономку. Я написала письмо и во второй половине дня занималась рукоделием, кажется. Трудно вспомнить. Это был совершенно обычный день. Я рано легла спать.

К моему удивлению, Пуаро не стал ее больше расспрашивать. Он сказал:

— Мисс Барнард, можете вы вспомнить, когда в последний раз видели свою сестру?

— Это было где-то за две недели до ее смерти. Я приезжала на выходные. Была прекрасная погода. Мы отправились в Гастингс в плавательный бассейн.

— О чем вы в основном говорили?

— Я делилась с ней воспоминаниями, — ответила Меган.

— А что еще? О чем она говорила?

Девушка нахмурилась, пытаясь вспомнить.

— Она говорила о том, что у нее нет денег, так как она только что купила шляпку и пару летних перчаток. И немного о Доне... Потом она говорила, что не любит Милли Хигли — это девушка из кафе, — и мы смеялись над Мэрион — женщиной, которая содержит это кафе... Я больше ничего не помню...

— Она не упоминала какого-нибудь мужчину — простите меня, мистер Фрэзер, — которого могла встретить?

— По-моему, нет, — сухо ответила Меган.

Пуаро повернулся к молодому рыжеволосому мужчине с квадратной челюстью.

— Мистер Фрэзер, я хочу, чтобы вы перенеслись в прошлое. Вы сказали, что пришли в кафе в тот роковой вечер. Прежде всего вы собирались дождаться, когда выйдет Бетти Барнард. Не могли бы вы вспомнить кого-нибудь, кого вы заметили, пока ждали там?

— Там было множество людей. Я не могу вспомнить каждого.

— Простите, но, может, вы попытаетесь? Как бы ни были вы поглощены своими мыслями, возможно, вы механически заметили что-нибудь неосознанно, но с точностью...

Молодой человек упрямо повторил:

— Я никого не запомнил.

Пуаро кивнул и повернулся к Мэри Дроуэр:

— Я полагаю, вы получали письма от вашей тетушки?

— О да, сэр.

— Когда было последнее?

Мэри задумалась на минуту.

— За два дня до убийства, сэр.

— Что в нем было написано?

— Она писала, что старый черт крутится около и что она отшила его, простите за выражение. Она писала, что ждет меня в среду. Это мой выходной, сэр, и она сказала, что мы пойдем в кино. Это был мой день рождения, сэр.

Что-то, возможно мысль о маленьком веселье, внезапно вызвало у девушки слезы. Она сдерживала рыдания. Потом начала оправдываться:

— Вы должны простить меня, сэр. Я не хочу быть глупой. Слезами горю не поможешь. Это была ее мысль... и моя... — загадывать вперед наши развлечения. Это меня как-то расстроило, сэр.

— Я понимаю ваши чувства, — сказал Франклин Кларк, — всегда какие-нибудь мелочи наводят на них, особенно такие, как развлечения или подарки, что-то веселое и естественное. Я помню, как увидел однажды женщину, сбитую автомобилем. Она только что купила что-то из обуви. Я видел ее лежащей и разорванную коробку, из которой торчали маленькие нелепые туфли на высоком каблуке. Все перевернулось во мне — они выглядели так душераздирающе.

Меган произнесла с неожиданной теплотой:

— Правда, ужасная правда. То же самое случилось, когда Бетти... умерла. Мама купила ей чулки в подарок... купила в тот самый день, когда это случилось. Бедная мама, она была совсем разбита. Я видела, как она рыдала над ними. Она причитала: «Я купила их для Бетти... Я купила их для Бетти... а она их так и не увидела».

Голос девушки дрогнул. Она подалась вперед к Франклину Кларку. Между ними внезапно возникло чувство взаимного понимания, основанное на общем.

— Я знаю, — сказал он, — я точно знаю. Это те самые вещи, о которых невыносимо вспоминать.

Дональд Фрэзер заерзал.

Тора Грей перевела разговор на другую тему.

— А мы собираемся составить план на будущее? — спросила она.

— Конечно, — сказал Франклин Кларк уже в своей обычной деловой манере. — Я полагаю, что когда наступит момент, то есть когда придет четвертое письмо, мы должны соединить усилия. А до этого, наверное, каждый из нас может попытать удачу поодиночке. Я не знаю, есть ли, по мнению мсье Пуаро, какие-нибудь отправные точки для нового расследования?

— Я мог бы кое-что предложить, — сказал Пуаро.

— Хорошо. Я это запишу. — Кларк вытащил записную книжку. — Говорите, мсье Пуаро. Итак?

— Я считаю вполне возможным, что официантка Милли Хигли может знать что-то полезное.

«А. — Милли Хигли», — записал Франклин Кларк.

— Я предлагаю два подхода. Вы, мисс Барнард, можете попробовать, как я его называю, наступательный подход.

— Полагаю, вы считаете, что это соответствует моему стилю? — сухо произнесла Меган.

— Затейте ссору с девушкой. Скажите, что вам известно, что она никогда не любила вашу сестру и что ваша сестра все вам о *ней* рассказала. Если я не ошибаюсь, это спровоцирует поток встречных обвинений. Она скажет вам все, что думала о вашей сестре! Может всплыть полезный факт.

— А второй метод?

— Могу я попросить вас, мистер Фрэзер, проявить интерес к этой девушке?

— Это так обязательно?

— Нет, это не обязательно. Это просто возможный путь поиска.

— Можно, я попытаюсь? — спросил Франклин Кларк. — У меня... э-э... большой опыт, мсье Пуаро. Разрешите подумать, что я могу предпринять по поводу молодой дамы.

— У вас есть своя роль, которой нужно придерживаться, — достаточно резко вставила Тора Грей.

Лицо Франклина слегка потускнело.

— Да, — сказал он, — у меня есть.

— Я не думаю, что вы во многом преуспеете там в настоящее время, — сказал Пуаро. — Мадемуазель Грей сейчас намного больше соответствует...

Тора Грей перебила его:

— Видите ли, мсье Пуаро, я уехала из Девоншира навсегда.

— Простите? Я не понял.

— Мисс Грей любезно согласилась помочь мне уладить дела, — сказал Франклин, — но вообще она предпочитает иметь работу в Лондоне.

Пуаро перевел острый взгляд с одного на другого.

— Как дела у леди Кларк? — спросил он.

Я засмотрелся на побледневшую Тору Грей и чуть не пропустил ответ Кларка.

— Весьма плохо. Между прочим, мсье Пуаро, мне хотелось бы знать, собираетесь ли вы съездить в Девоншир и нанести ей визит? Она выразила желание повидаться с вами, когда я еще был там. Разумеется, она зачастую по два дня подряд не в состоянии принимать гостей, но если бы вы попытались... за мой счет, разумеется.

— Конечно, мистер Кларк. Скажем, послезавтра?

— Хорошо. Я извещу сиделку, и она организует прием необходимых наркотических средств.

— Что касается вас, дитя мое, — сказал Пуаро, поворачиваясь к Мэри, — я думаю, вы могли бы выполнить полезную работу в Андовере. Порасспрашивайте детей.

— Детей?

— Да. Дети неохотно болтают с приезжими, а вас хорошо знают на той улице, где жила ваша тетя. Там вокруг полно играющих детей. Они могли заметить тех, кто выходил из лавки вашей тетушки.

— А как насчет мисс Грей и меня? — спросил Кларк. — Если мне не надо ехать в Бексхилл...

— Мсье Пуаро, — спросила Тора Грей, — что за штемпель был на третьем письме?

— Путни, мадемуазель.

Она задумчиво произнесла:

— «S.W.15, Путни» — так, не правда ли?

— Газеты, как ни странно, напечатали правильно.

— Похоже, это указывает на то, что АВС — лондонец.

— С этой точки зрения — да.

— Необходимо выследить его, — сказал Кларк. — Мсье Пуаро, как по-вашему, если я помещу объявление... примерно такого содержания: *АВС. Срочно. Э. П. у вас на хвосте. Сотню за мое молчание. XYZ.* Не так грубо, конечно, но вы понимаете мою идею. Так можно выследить его.

— Возможность есть... да.

— Можно навести его на попытку стрелять в меня.

— Мне кажется, это очень опасно и глупо, — резко произнесла Тора Грей.

— Как вы думаете, мсье Пуаро?

— Попытка вреда не принесет. Но я думаю, что АВС схитрит. — Пуаро слегка улыбнулся. — Мне кажется, мистер Кларк, что вы, если так можно выразиться, — все еще ребенок в душе.

Франклин Кларк немного сконфузился.

— Ладно, — сказал он, заглядывая в записную книжку, — мы начинаем.

«А. — Мисс Барнард и Милли Хигли.

В. — Мистер Фрэзер и мисс Хигли.

С. — Дети в Андовере.

D. — Объявление».

Я не думаю, что от этого будет много пользы, но это хоть что-то, что уже можно сделать, пока мы в ожидании.

Он поднялся, и через несколько минут собравшиеся разошлись.

Глава 19

ПРОЕЗДОМ ЧЕРЕЗ ШВЕЦИЮ

Пуаро вернулся на свое место, мурлыча под нос какой-то мотивчик.

— Жаль, что она столь умна, — проворчал он.

— Кто?

— Меган Барнард. Мадемуазель Меган. «Слова» — она мгновенно уловила, что все, о чем я говорю, ничего не значит.

— Так вы не вкладывали смысл в свои слова?

— Все, что я сказал, можно было бы сконцентрировать в одном коротком предложении. А я повторялся, но никто, кроме мадемуазель Меган, не отдавал себе в этом отчета.

— Но зачем?

— Чтобы сдвинуть все с места! Чтобы наполнить каждого пониманием предстоящей работы! Чтобы начать, назовем это так, беседы!

— Вы думаете, что какое-то из этих направлений к чему-нибудь приведет?

— О, это возможно. — Он усмехнулся. — В разгар трагедии мы начинаем комедию. Не так ли?

— Что вы имеете в виду?

— Человеческую драму, Гастингс! Поразмышляйте немного. Три группы человеческих душ, объединенные общей трагедией. Сразу же начинается вторая драма — совершенно независимо от первой. Вы помните мое первое дело в Англии? О, уже столько лет прошло с тех пор. Я соединил двух людей, которые любили друг друга, простым путем, арестовав одного из них за убийство! На меньшее нечего было рассчитывать! Находясь рядом со смертью, мы все же живем, Гастингс... Убийство, как я однажды заметил, — это замечательная сводня.

— В самом деле, Пуаро, — гневно воскликнул я, — я уверен, что никто из этих людей не думает ни о чем, кроме...

— О, мой милый друг! А как же быть с вами?

— Со мной?

— Ну конечно, как только они ушли, не напевали ли вы мелодию, возвращаясь в комнату?

— Вообще-то напевают, когда что-то есть на душе.

— Разумеется, но эта мелодия рассказала мне о ваших мыслях.

— Неужели?

— Да. Напевать мелодию — это чрезвычайно опасно. Это выдает подсознательные мысли. Мелодия, которую вы напевали, относится, полагаю, к военным временам. Так. — Пуаро пропел отвратительным фальцетом:

Порой мне нравится брюнетка,
Порой — блондинка,
Та, что приехала из Идена
Проездом через Швецию...

Что может быть более откровенным? Но я думаю, что блондинка затмит брюнетку!

— В самом деле, Пуаро! — воскликнул я, слегка покраснев.

— Это вполне естественно. Вы заметили, как Франклин Кларк внезапно нашел взаимопонимание у мадемуазель Меган? И заметили ли вы также, как мадемуазель Тора Грей реагировала на это? А мистер Дональд Фрэзер, он...

— Пуаро, — сказал я, — ваш ум неисправимо сентиментален.

— Это относится к моему уму в последнюю очередь. Это вы сентиментальны, Гастингс.

Я собрался было горячо поспорить, но в этот момент открылась дверь.

К моему изумлению, это была Тора Грей.

— Извините меня за возвращение, — спокойно сказала она, — но, мне кажется, у меня есть что вам сказать, мсье Пуаро.

— Конечно, мадемуазель. Присаживайтесь, будьте добры.

Она села и на минуту заколебалась, будто подбирая слова.

— Дело вот в чем, мсье Пуаро. Мистер Кларк только что очень определенно дал вам понять, что я уехала из Комбесайда по собственному желанию. Он очень внимательный и лояльный человек. Но, собственно говоря, это не совсем так. Я уже свыклась с мыслью, что остаюсь. Это леди Кларк пожелала, чтобы я уехала! Она очень больная женщина, и ее мозг замутнен наркотическими средствами, которые ей дают. Она беспричинно невзлюбила меня и настояла на том, что я должна покинуть дом.

Мне оставалось только удивляться ее выдержке. Она не старалась представить факты в худшем виде, как многие наверняка попытались бы сделать, а с удивительной прямотой перешла к делу. Я восхищался ею, мои симпатии были на ее стороне.

— Хорошо, что вы сообщили об этом, — сказал я.

— Всегда лучше иметь дело с правдой, — сказала она, слегка улыбнувшись. — Я не хочу прятаться за мистера Кларка. Хотя он очень благородный мужчина.

В ее словах сквозила теплота. Было очевидно, что она восхищена Франклином Кларком.

— Вы поступили честно, мадемуазель, — сказал Пуаро.

— Это был для меня удар, — призналась Тора Грей, — я не подозревала, что леди Кларк так меня не любит. — Она поднялась. — Это все, что я хотела рассказать. До свидания.

Я проводил ее вниз.

— Скажу, что она поступила по-спортивному, — сказал я, вернувшись в комнату, — у нее достаточно смелости.

— И расчета.

— Что вы подразумеваете?

— Я хочу сказать, что она может заглядывать вперед.

Я с сомнением посмотрел на Пуаро.

— Она просто прелесть, — сказал я.

— И носит прелестную одежду. Это платье из крепа и воротник из серебристой лисы — последний крик моды!

— Вы прямо как модистка, Пуаро. Я никогда не замечаю, что надето на людях.

— Вам тогда следует примкнуть к колонии нудистов. — Только я собирался возмутиться в ответ, как Пуаро внезапно переменил тему: — Вы знаете, Гастингс, я не могу отделаться от мысли, что в наших разговорах днем уже было сказано что-то значительное. Но я не могу понять что. У меня было такое впечатление, что... что-то *напоминает мне о том, что я уже слышал, или видел, или отмечал...*

— Что-то в Черстоне?

— Нет, не в Черстоне... До того... ладно, вскоре это придет ко мне... — Пуаро взглянул на меня, рассмеялся и снова стал напевать. — Она ангел, не так ли? Из Идена, проездом через Швецию...

— Пуаро, — сказал я, — идите к черту!

101

Глава 20
ЛЕДИ КЛАРК

Когда мы вновь увидели Комбесайд, он был погружен в состояние глубокой и устойчивой меланхолии. Возможно, частично из-за погоды — стоял сырой сентябрьский день, в воздухе уже улавливались признаки осени — и отчасти, безусловно, из-за полуопустевшего дома. Комнаты на нижнем этаже были заперты, ставни закрыты. В маленькой комнате, куда нас провели, пахло сыростью и затхлостью.

Сноровистая больничная сиделка пришла к нам туда, подтягивая накрахмаленные манжеты.

— Мсье Пуаро? — живо спросила она. — Я — сестра Кэпстик. Я получила письмо от мистера Кларка с уведомлением о вашем приезде.

Пуаро осведомился о состоянии здоровья леди Кларк.

— Вообще, не столь плохо, как предполагалось. Нельзя надеяться на сильное улучшение, разумеется, но некоторые новые методы лечения немного помогли ей. Доктор Логан вполне доволен ее состоянием.

— Но ведь это правда, что ей не поправиться, не так ли?

— О, мы никогда так не говорим, — ответила сестра Кэпстик, слегка шокированная такой прямотой.

— Полагаю, смерть мужа явилась для нее сильным потрясением?

— Видите ли, мсье Пуаро, для нее потрясение было не столь сильным, каким могло бы оказаться для человека, находящегося в полном здравии и рассудке. Леди Кларк сейчас воспринимает все туманно.

— Извините за такой вопрос, не были ли они с мужем сильно привязаны друг к другу?

— О да, они были счастливой парой. Он очень беспокоился за нее, бедняга. Это всегда трудно для доктора, знаете, поддерживать ложными надеждами. Боюсь, это мучило его поначалу.

— Поначалу? А потом в меньшей степени?

— Привыкаешь ко всему, не так ли? И потом, у сэра Кармайкла была его коллекция. Хобби — это большое утешение для мужчин. Иногда он отправлялся на рас-

102

продажу, после чего они с мисс Грей занимались пересоставлением каталога и переустройством музея.

— О да, мисс Грей. Она уехала?

— Да. Мне жаль, что так вышло, но женщины склонны к разным фантазиям, когда они больны. И бесполезно спорить с ними. Лучше смириться. Мисс Грей это очень задело.

— Всегда ли леди Кларк чувствовала неприязнь к ней?

— Нет, пожалуй, она не чувствовала неприязни. Собственно, я думаю, что она ей поначалу даже нравилась. Но не стоит сплетничать. Моя пациентка еще поинтересуется, о чем я говорила с вами.

Она провела нас в комнату на втором этаже. Леди Кларк сидела в большом кресле у окна. Она была болезненно худощава, а лицо было серым, изможденным, как у тех, кто мучается сильными болями. Взгляд ее был слегка отвлеченным, мечтающим, а зрачки были размером с булавочную головку.

— Это мсье Пуаро, которого вы желали видеть, — произнесла сестра Кэпстик бодрым голосом.

— О да, мсье Пуаро, — отрешенно повторила леди Кларк.

Она протянула руку.

— Мой друг капитан Гастингс, леди Кларк.

— Здравствуйте. Так мило, что вы оба тут.

Мы сели, повинуясь ее неясному жесту. Наступила тишина. Казалось, леди Кларк впала в дремоту.

Наконец с небольшим усилием она поднялась.

— Это по поводу Кара, не так ли? По поводу смерти Кара. Да-да. — Она вздохнула, но все еще отрешенно покачивала головой. — Мы никогда не думали, что так обернется... Я была уверена, что уйду первой... — Она на одну-две минуты задумалась. — Кар был очень крепок, удивительно для своих лет. Он никогда не болел. Ему было почти шестьдесят, но выглядел скорее на пятьдесят... Да, очень крепок...

Она снова впала в дремотное состояние. Пуаро, будучи знаком с действием определенных лекарств и тем, как они создают впечатление бесконечности времени, ничего не говорил.

Внезапно леди Кларк произнесла:

— Да, это хорошо с вашей стороны, что вы приехали. Я просила Франклина. Он сказал, что не забудет вам сообщить. Я надеюсь, что Франклин не собирается сглупить... Он так доверчив, несмотря на то, что довольно повидал мир. Мужчины таковы... Они остаются детьми... Франклин, в частности...

— У него импульсивный характер, — заметил Пуаро.

— Да-да... и очень рыцарский. Мужчины помешаны на этом. Даже Кар...

Ее голос сорвался.

Леди Кларк лихорадочно покачала головой.

— Все так туманно... От тела одни неприятности, мсье Пуаро. Я озабочена только тем, утихнет боль или нет, — ничто больше не имеет значения.

— Я знаю, леди Кларк. Это одна из трагедий жизни.

— Я от этого так глупа. Я даже не могу вспомнить, что хотела сказать вам.

— Что-то связанное со смертью вашего мужа?

— Со смертью Кара? Да, возможно... Сумасшедшее, несчастное создание — я имею в виду убийцу. В наши дни сплошного шума и суматохи люди не выдерживают. Мне всегда было жаль сумасшедших — их головы, должно быть, так одурманены. И потом, когда их припрут, это, должно быть, так ужасно. Но что еще остается делать? Раз они убивают людей. — Она от боли тихонько покачала головой. — Вы еще не поймали его? — спросила она.

— Нет, еще нет.

— Он, должно быть, в тот день слонялся здесь.

— Вокруг было столько прохожих, леди Кларк. Сейчас пора отпусков.

— Да... Я забыла... Но они держатся у пляжей, они не поднимаются к дому.

— Прохожие в тот день к дому не подходили.

— Кто так говорит? — неожиданно резко спросила леди Кларк.

Пуаро слегка опешил.

— Ваши слуги, — ответил он, — мисс Грей.

Леди Кларк произнесла очень отчетливо:

— Эта девушка — лгунья!

Я приподнялся со стула. Пуаро бросил на меня быстрый взгляд.

Леди Кларк продолжала, ее речь теперь звучала лихорадочно.

— Я не люблю ее. Она мне никогда не нравилась. Кар превозносил ее. Постоянно говорил, что она одинокая сирота. Ну и что, что сирота? Говорил, что она храбра и такой хороший работник.

— Прошу, не распаляйте себя, дорогая, — вмешалась сестра Кэпстик, — вы не должны утомляться.

— Я сразу же отправила ее! Франклин имел наглость предположить, что она мне подойдет. Действительно, подошла! «Чем скорее от нее не останется следа, тем лучше», — вот что я сказала! Франклин — дурак! Я не желала, чтобы он связывался с ней. Он — мальчишка! Бестолковый! «Я выдам ей жалованье за три месяца, если ты хочешь, — сказала я. — Но она уйдет. Я не желаю, чтобы она оставалась в доме и дня!» Только болезнь способна удержать мужчин от возражений. Он сделал так, как я сказала, и она ушла. Ушла как мученица, полагаю — с еще большей сердечностью и храбростью!

— Ну, не распаляйтесь, дорогая. Вам нельзя.

Леди Кларк отмахнулась от сестры Кэпстик.

— Вы были одурачены ею так же, как и все остальные.

— О! Леди Кларк, нельзя так говорить. Я полагала, что мисс Грей — замечательная девушка, такая романтическая на вид, словно героиня романа.

— Вы все выводите меня из себя, — немощно произнесла леди Кларк.

— Ну она же ушла. Ушла прочь.

Леди Кларк беспомощно покачала головой, но не ответила.

Пуаро спросил:

— Почему вы сказали, что мисс Грей — лгунья?

— Потому что так оно и есть. Она сказала вам, что к дому не подходили незнакомые люди, не так ли?

— Да.

— Очень хорошо. Я видела своими собственными глазами, из этого окна, как у переднего крыльца дома она разговаривала с совершенно незнакомым мужчиной.

— Как выглядел этот человек?

— Обыкновенный человек. Ничего особенного.

— Джентльмен или ремесленник?

— Не ремесленник. Убогого вида человек. Не могу вспомнить. — Внезапно по ее лицу пробежала гримаса боли. — Прошу вас... теперь... уйти... я немного устала... сестра...

Мы поняли и удалились.

— Странная история, — сказал я Пуаро, когда мы ехали обратно в Лондон, — про мисс Грей и незнакомца.

— Видите, Гастингс? Я вам говорил: *всегда что-то можно узнать.*

— Почему девушка солгала, сказав, что никого не видела?

— Думаю, на то есть семь разных причин, — одна из них наипростейшая.

— Нагоняй? — предположил я.

— Возможно, это и повод для вашей сообразительности, но нам нет смысла волноваться на этот счет. Проще всего узнать ответ, спросив ее саму.

— Предположим, она нам опять солжет.

— Вот это уже будет на самом деле интересно... и заставит думать.

— Это ужасно — предположить, что девушка может оказаться связанной с сумасшедшим.

— Верно... я не думаю, что это так.

Я размышлял еще несколько минут.

— Симпатичная девушка переживает тяжелые времена из-за всего этого, — наконец выговорил я со вздохом.

— Отнюдь нет. Выбросьте из головы эту мысль.

— Но это так, — настаивал я, — все против нее только из-за того, что она симпатичная.

— Вы говорите глупости, друг мой. Кто против нее в Комбесайде? Сэр Кармайкл? Франклин? Сестра Кэпстик?

— Леди Кларк определенно настроена против нее.

— Друг мой, вы полны чувством сострадания к прекрасным молодым девушкам. А я чувствую сострадание к пожилым леди. Возможно, что леди Кларк имела ясный взгляд на вещи и людей, а ее муж мистер Франклин Кларк и сестра Кэпстик были слепы, как летучие мыши... и капитан Гастингс тоже...

— У вас зуб на эту девушку, Пуаро.

К моему удивлению, он внезапно заморгал.

— Может, мне нравится ссаживать вас с вашего романтического конька, Гастингс. Вы всегда верный рыцарь — готовы прийти на помощь — дамам, разумеется.

— Как вы нелепы, Пуаро, — ответил я, не в силах удержаться от смеха.

— Ну хорошо, нельзя же быть трагиком все время. Мне все интересней и интересней наблюдать за развитием личностей в связи с трагедией. Мы имеем три семейные драмы. Первая в Андовере: трагическая жизнь миссис Ашер, ее борьба, ее поддержка мужа-немца, преданность племянницы. Одно это может составить целый роман. Потом в Бексхилле: счастливые, преуспевающие отец с матерью, две дочери, сильно отличающиеся друг от друга, — маленький пупсик и сильная, упорная Меган с ясным интеллектом и бесстрастным желанием правды. И еще один персонаж: уравновешенный собранный молодой шотландец, но со своей страстной ревностью и поклонением умершей. Наконец, дом в Черстоне: умирающая жена, муж, поглощенный своей коллекцией, но с растущей симпатией и нежностью к красивой девушке, которая сочувствует и помогает ему; далее, младший брат — энергичный, привлекательный, интересный, очаровательно романтический после дальних странствий.

Поймите, Гастингс, при обычном ходе событий *эти три отдельные драмы никогда бы не соприкоснулись*. Перипетии жизни, Гастингс, — тут я никогда не перестану удивляться.

— Вот и Паддингтон, — только и произнес я.

Как только мы добрались до Уайтхэйвн-Мэншенс, нам сообщили, что какой-то джентльмен ожидает Пуаро.

Я думал увидеть Франклина Кларка или, возможно, Джеппа, но, к моему удивлению, это оказался не кто иной, как Дональд Фрэзер. Он выглядел смущенным, и его косноязычие было заметно еще сильнее, чем обычно.

Пуаро не стал допытываться о цели его визита, а вместо этого предложил сандвичи и бокал вина. До появления сандвичей Пуаро монополизировал ход разговора, объясняя, где мы были и о чем говорили с больной женщиной. Мы еще не доели сандвичи и не пригубили вина, а он уже придал разговору личностный характер.

— Вы приехали из Бексхилла, мистер Фрэзер?

— Да.

— Есть ли успехи с Милли Хигли?

— Милли Хигли? Милли Хигли? — Фрэзер с удивлением повторил это имя несколько раз. — А, та девушка! Нет, я ничего там еще не предпринимал. Это...

Он остановился, заламывая руки.

— Я не знаю, зачем пришел к вам! — взорвался он.

— Я знаю, — сказал Пуаро.

— Вы не знаете. Откуда вам знать?

— Вы пришли ко мне потому, что вы кому-нибудь что-то должны сообщить. Вы оказались правы. Я тот самый человек. Говорите!

Уверенность Пуаро принесла результат. Фрэзер взглянул на него с чувством признательного послушания.

— Вы так думаете?

— Черт возьми! Я уверен в этом.

— Мсье Пуаро, вы знаете что-нибудь о снах?

Я был готов услышать от него что угодно, но только не это.

Пуаро, однако, не был озадачен.

— Знаю, — ответил он, — вам что-то приснилось?..

— Да. Я полагаю, вы скажете — это вполне естественно, что мне должно сниться... это. Но это не обычный сон.

— Нет?

— Мне снилось это три ночи подряд, сэр... Мне кажется, я схожу с ума...

— Расскажите мне...

Лицо Фрэзера стало мертвенно бледным. Глаза его вылезли из орбит. Между прочим, он действительно выглядел *сумасшедшим*.

— Все время одно и то же. Я на пляже. Ищу Бетти. Она потерялась — просто потерялась, понимаете. Мне надо ее найти. Мне надо отдать ей ее пояс. Он у меня в руке. И потом...

— Да?

— Сон меняется... Я больше не ищу. Она там, передо мной, — сидит на пляже. Она не видит, как я приближаюсь... это — о, я не могу...

— Продолжайте. — Голос Пуаро звучал авторитетно, твердо.

— Я подхожу сзади нее... она не слышит меня... Я обвиваю поясом ее шею и затягиваю, о, — затягиваю...

Агония в его голосе была страшной... Я стиснул ручки своего кресла... Так реально представлялись вещи.

— Она задыхается... она мертва. Я задушил ее — и вот ее голова откидывается назад, и я вижу ее лицо... и это *Меган*, не Бетти!

Он откинулся назад, весь бледный и дрожащий. Пуаро налил еще стакан вина и подал ему.

— Что означает этот сон, мсье Пуаро? Почему он приходит ко мне? Каждую ночь?..

— Выпейте вина, — приказал Пуаро.

Молодой человек выпил и спросил более спокойным голосом:

— Что это означает? Я... я не убивал ее, не так ли?

Что ответил Пуаро, я не знаю, потому что в эту минуту я услышал, как почтальон постучал в дверь, и автоматически вышел из комнаты.

То, что я вынул из почтового ящика, заставило меня забыть необычное откровение Дональда Фрэзера.

Я поспешил обратно в гостиную.

— Пуаро, — воскликнул я, — оно пришло! Четвертое письмо!

Он вскочил, выхватил его у меня из рук, достал свой нож для разрезания бумаг и вскрыл его. Он разложил письмо на столе.

Мы трое прочли его вместе.

«Опять безуспешно? Фи! Фи! Чем же вы и полиция заняты? Забавно, а? И куда мы отправимся за медом дальше?

Бедный мистер Пуаро. Мне вас так жаль.

Раз вам поначалу не удалось, пытайтесь, пытайтесь, пытайтесь снова.

Нам предстоит дальний путь.

Типперэри?[1] Нет — это будет позже. На букву «Т».
Следующий небольшой инцидент произойдет в Донкастере 11 сентября.

Пока.

АВС».

Глава 21
ОПИСАНИЕ УБИЙЦЫ

Пожалуй, в тот момент с картины снова стал исчезать элемент, называемый Пуаро человеческим фактором. Было такое впечатление, что для нас настал период нормальных человеческих интересов, так как мозг уже был не в состоянии выдерживать этот ненадуманный ужас. Каждый из нас чувствовал невозможность каких-либо действий до прихода четвертого письма, которое должно было открыть для нас сцену убийства. На смену атмосфере ожидания пришло ослабление напряжения.

Но теперь эти печатные буквы, насмехающиеся с белой твердой бумаги, заставляли возобновить охоту.

Инспектор Кроум прибыл из Ярда; зашли Франклин Кларк и Меган Барнард.

Девушка объяснила, что приехала из Бексхилла.

— Мне хотелось кое о чем спросить мистера Кларка. Она очень старалась извиниться и объяснить свой поступок.

Я просто отметил этот факт, не придавая ему большого значения.

Больше всего остального меня волновало письмо.

Кроум, как мне кажется, тоже не был рад видеть этих участников драмы. Он стал чрезвычайно официален и необщителен.

— Я заберу письмо с собой, мсье Пуаро. Если хотите, можете оставить копию...

— Нет, нет, в этом нет необходимости.

— Каковы ваши планы, инспектор? — спросил Кларк.

---

[1] Намек на солдатскую песню, популярную во время Первой мировой войны: «Дальний путь в Типперэри...»

— Весьма сложные, мистер Кларк.

— На этот раз нам надо настичь его, — сказал Кларк. — Могу сказать вам, что мы с этой целью образовали собственную ассоциацию. Легион заинтересованных сторон.

Инспектор Кроум выразился в своем духе:

— Неужели?

— Я так понял, что вы не высокого мнения о любителях.

— Вряд ли вы располагаете такими же средствами, не так ли, мистер Кларк?

— Мы заинтересованы лично, а это уже кое-что.

— Неужели?

— Мне представляется, ваша задача не из легких, инспектор. Действительно, похоже, что ABC провел вас снова.

Я заметил, что Кроум, когда другие методы не срабатывают, начинает говорить раздраженно.

— Я не считаю, что есть достаточно оснований критиковать нас, — сказал он. — До 11-го у нас достаточно времени для кампании по огласке в прессе. Донкастер будет весь предупрежден. Каждая душа, чье имя начинается с «D», встанет на свою защиту. Мы стянем в город значительные силы полиции. Это организовано с общего согласия всех главных констеблей Англии. Весь Донкастер, полиция и жители, выйдут ловить одного человека, и мы должны взять его!

Кларк спокойно произнес:

— Сразу видно, что вы далеки от спорта, инспектор.

Кроум уставился на него:

— Что вы имеете в виду, мистер Кларк?

— Ну и ну! Неужели вы не знаете, что *в следующую среду в Донкастере пройдет «Сент-Леджер»?*[1]

У инспектора отвисла челюсть. Впервые в жизни он не смог произнести свое «неужели?». Вместо этого он сказал:

— Действительно! Это усложняет дело...

— ABC не дурак, даже если сумасшедший.

---

[1] «Сент-Леджер» — ежегодные скачки для кобыл-трехлеток в г. Донкастер, графство Йоркшир. Впервые были проведены в 1776 г. и названы по имени первого организатора — полковника Сент-Леджера (St. Leger).

Минуту-две мы молчали, представляли сложившуюся ситуацию. Толпа на ипподроме — страстная английская публика, обожающая спорт...

Пуаро произнес:

— Это остроумно. Так или иначе — это неплохо придумано.

— Я уверен, — сказал Кларк, — что убийство произойдет на ипподроме, возможно, прямо во время леджеровских скачек.

На мгновение его спортивный инстинкт возобладал, и он погрузился в приятные мысли...

Инспектор Кроум поднялся, забирая письмо с собой.

— «Сент-Леджер» — это затруднение, — признал он, — это досадно.

Он вышел. Мы услышали голоса в прихожей. Через минуту вошла Тора Грей.

Она сказала озабоченно:

— Инспектор сказал мне, что есть еще письмо. Где на этот раз?

На улице шел дождь. На мисс Грей было черное пальто, юбка и меха. На ее золотистой голове сбоку сидела маленькая черная шляпка.

Она обращалась именно к Франклину Кларку и, подойдя прямо к нему, положила свою руку на его. Она ожидала ответа.

— Донкастер — в день «Сент-Леджера».

Мы расселись для обсуждения.

Меня охватило чувство уныния. Что может небольшая группка из шести человек? Там будет бесчисленное множество полицейских, зорких и бдительных, следящих за всеми уголками. Что могут сделать еще шесть пар глаз?

Словно в ответ на мои мысли раздался голос Пуаро. Он говорил как учитель или священник:

— Дети мои, мы не должны разбрасывать силы. Мы должны подойти к этому делу с ясностью и стройностью в мыслях. Мы должны заглянуть внутрь, а не вовне, ради поиска правды. Мы должны сказать себе — каждый из нас: «Что я знаю об убийце?» И таким образом мы должны составить портрет человека, которого мы собираемся искать.

— Мы ничего о нем не знаем, — беспомощно вздохнула Тора Грей.

— Нет, нет, мадемуазель. Это неправда. Каждый из нас что-то о нем знает — *если бы только мы знали, что именно. Я убежден, что знание есть,* если только мы сможем добыть его.

Кларк покачал головой:

— Нам ничего не известно: пожилой он или молодой, блондин или брюнет. Никто из нас никогда его не видел и не разговаривал с ним. Мы уже все перебрали, что знаем.

— Не все! Например, мисс Грей сказала нам, что она не видела и не разговаривала ни с какими незнакомцами в тот день, когда был убит сэр Кармайкл Кларк.

Тора Грей кивнула:

— Совершенно верно.

— Разве так? *Леди Кларк сказала нам, мадемуазель, что из своего окна она видела, как вы стояли у переднего крыльца и разговаривали с мужчиной.*

— Она видела меня разговаривающей с незнакомцем? — Девушка выглядела искренне удивленной. Конечно, этот чистый, ясный взгляд мог быть только неподдельным. Она покачала головой. — Леди Кларк, должно быть, ошиблась. Я никогда... О! — Восклицание неожиданно вырвалось у нее. Краска прилила к ее щекам. — Я вспомнила! Как глупо! Я все забыла. Но это было не важно. Просто один из тех людей, которые ходят и продают чулки, — вы знаете — бывшие военные. Они очень назойливы. Мне надо было избавиться от него. Я как раз шла через холл, когда он подошел. Он заговорил со мной вместо того, чтобы позвонить. Но он выглядел совершенно безобидно. Я и забыла про него.

Пуаро сновал туда-сюда, охватив голову руками. Он бормотал себе под нос с такой неистовостью, что никто не мог проронить ни слова.

— Чулки, — повторял он, — чулки... чулки... чулки... это подходит... чулки... чулки... это мотив — да... три месяца назад... и в тот день... и теперь. Боже мой, я понял!

Он сел и пронзил меня властным взглядом.

— Вы помните, Гастингс? Андовер. Магазин. Мы идем наверх. Спальня. На стуле. *Пара новых шелковых чулок.* Теперь я знаю, что привлекло мое внимание два дня назад. Это были вы, мадемуазель... — Он повернулся к Меган. — Вы говорили о своей матери, которая плакала *из-за того, что купила вашей сестре новые чулки как раз в день убийства...* — Он обвел нас взглядом. — Вы понимаете? Это тот же мотив, повторенный три раза. Это не может быть совпадением. Когда мадемуазель говорила, у меня было ощущение, что то, о чем она говорит, с чем-то связано. Теперь я знаю с чем. Слова, сказанные соседкой миссис Ашер — миссис Фаулер. О людях, которые все время пытались что-то *продать*, — и она упоминала чулки. Скажите мне, мадемуазель, правда это или нет, что ваша мать купила те чулки не в магазине, а у кого-то, кто подошел к двери?

— Да... да... так... Я вспомнила. Она что-то говорила об этих несчастных, которые слоняются и пытаются получить работу.

— Но какова связь? — воскликнул Франклин. — То, что человек ходит и продает чулки, ничего не доказывает!

— Говорю вам, мой друг, это *не может* быть совпадением. Три преступления — и всякий раз человек продает чулки и обследует место.

Пуаро повернулся к Торе:

— Вам слово! Опишите этого человека.

Она беспомощно посмотрела на него:

— Я не могу... Я не знаю как. Я вряд ли и смотрела на него. Он не из тех людей, кого замечают...

Пуаро могильным голосом произнес:

— Вы совершенно правы, мадемуазель. Весь секрет заключается в вашем описании убийцы, — а он, без сомнения, убийца! *Он не из тех людей, кого замечают.* Да — в этом нет сомнения... Вы описали убийцу!

Глава 22

(написана не от лица капитана Гастингса)

Мистер Александр Бонапарт Каст сидел неподвижно. Его завтрак лежал холодный и нетронутый. Газета была прислонена к заварному чайнику, и это была та

114

самая газета, которую мистер Каст только что читал с жадным интересом.

Неожиданно он встал, прошел взад-вперед и снова погрузился в кресло у окна, со сдавленным стоном охватив голову руками.

Он не услышал звука открывающейся двери. Его домовладелица, миссис Марбери, остановилась в дверном проеме.

— Я думала, мистер Каст, не захотите ли вы хорошего... как, что это? Вам плохо?

Мистер Каст оторвал руки от головы.

— Ничего. Ничего особенного, миссис Марбери. Я... неважно чувствую себя с утра.

Миссис Марбери осмотрела поднос с завтраком.

— Уж вижу. Вы не притронулись к завтраку. Опять голова вас беспокоит?

— Нет. То есть да... Я... я... мне немного нездоровится.

— Да, вы уж извините. Вы не собираетесь выходить сегодня?

Мистер Каст резко подскочил:

— Нет, нет. Я должен идти. Есть дело. Важное. Очень важное.

Его руки тряслись. Видя его возбуждение, миссис Марбери попыталась успокоить его.

— Ну, раз надо — так надо. Далеко едете на этот раз?

— Нет. Я еду в... — Он на минуту-другую заколебался. — В Челтенхэм.

Было что-то странное в неуверенном тоне, которым он произнес это слово, и миссис Марбери посмотрела на него с удивлением.

— Челтенхэм — милое местечко, — сказала она, чтобы поддержать разговор. — Я заезжала туда однажды из Бристоля. Там замечательные магазины.

— Полагаю, что так.

Миссис Марбери наклонилась, не сгибаясь, поскольку сутулость не шла ее фигуре, и подняла с пола скомканную газету.

— В газетах теперь одни только дела, связанные с убийством, — сказала она. — А завтра! Просто мурашки по коже, а? Если бы я жила в Донкастере и мое имя начиналось бы с «D», я уехала бы первым же поездом, вот что. Я бы не рискнула. Что вы скажете, мистер Каст?

— Ничего, миссис Марбери, ничего.

— Эти скачки и все прочее. Без сомнения, он думает, что ему там повезет. Сотни полицейских, говорят, стягиваются и... Мистер Каст, вы так плохо выглядите. Не выпить ли вам что-нибудь? По правде, вам не стоит отправляться в путь сегодня.

Мистер Каст поднялся.

— Это необходимо, миссис Марбери. Я всегда был пунктуален в моих... обязательствах. Люди должны... должны быть уверены в вас! Когда мне поручено дело, я довожу его до конца. Это единственный способ преуспеть в... в бизнесе.

— Но если вы больны?

— Я не болен, миссис Марбери. Просто немного переволновался — всякие личные неурядицы. Я плохо спал. А вообще я в норме.

Его поведение было столь убедительным, что миссис Марбери собрала завтрак и неохотно покинула комнату.

Мистер Каст вытащил из-под кровати чемодан и начал его собирать. Пижама, туалетные принадлежности, чистый воротничок, кожаные тапочки. Затем, открыв шкаф, он переложил дюжину плоских картонных коробочек размером семь на десять дюймов с полки в чемодан.

Он заглянул в железнодорожный справочник, лежащий на столе, и вышел из комнаты, держа в руке чемодан.

Поставив его в холле, он надел шляпу и пальто. При этом он глубоко вздохнул, настолько глубоко, что девушка, выходящая из соседней комнаты, посмотрела на него озабоченно.

— Что-то случилось, мистер Каст?

— Ничего, мисс Лили.

— Вы так вздохнули!

Мистер Каст отрывисто произнес:

— У вас это вызывает предчувствия, мисс Лили?

— Я не знаю... Конечно, бывают дни, когда чувствуешь, что что-то не так, и такие дни, когда — что все идет, как надо.

116

— Ясно, — сказал мистер Каст. Он снова вздохнул. — Ну, до свидания, мисс Лили. До свидания. Вы были всегда очень добры ко мне.

— Не говорите «до свидания» так, будто уходите насовсем, — засмеялась Лили.

— Нет, нет, конечно нет.

— До пятницы, — весело сказала девушка. — Куда вы едете на этот раз? Опять на побережье?

— Нет, нет... э-э... в Челтенхэм.

— О, там тоже хорошо. Но не так, как в Торки. Там, должно быть, здорово. Я хочу поехать туда на каникулы в следующем году. Между прочим, вы должны были находиться совсем рядом с тем местом, где случилось убийство — убийство по алфавиту. Оно произошло в то время, когда вы были там, не так ли?

— Э-э... да. Но Черстон в шести-семи милях оттуда.

— Все равно, это должно быть было потрясающе! Ведь вы могли на улице пройти мимо убийцы! Могли быть совсем рядом с ним!

— Да, мог, конечно, — сказал мистер Каст с кривой улыбкой, на которую обратила внимание Лили Марбери.

— О, мистер Каст, вы *плохо* выглядите.

— Я в полном порядке, в полном порядке. До свидания, мисс Марбери.

Он неуклюже приподнял шляпу, подхватил чемодан и поспешно вышел в дверь.

— Забавный старик, — произнесла Лили Марбери, — но, по-моему, немного «того»...

Инспектор Кроум сказал своему подчиненному:

— Раздобудьте список всех фирм, выпускающих чулки, и размножьте его. Мне нужен список всех их агентов — вы поняли? — людей, которые торгуют по поручению и охотятся за заказами.

— Это связано с делом АВС, сэр?

— Да. Одна из идей мистера Эркюля Пуаро. — Тон инспектора был пренебрежителен. — Вероятно, ничего здесь и нет, но не следует упускать любую возможность, даже самую незначительную.

— Правильно, сэр. Мистер Пуаро в свое время сделал многое, но я думаю, что теперь он слегка впал в маразм, сэр.

— Он фигляр, — сказал инспектор Кроум, — все время воображает. Вводит в заблуждение некоторых. Но не *меня*. А теперь перейдем к мероприятиям в Донкастере...

Том Хартиган сказал Лили Марбери:

— Видел вашего отставного этим утром.

— Кого? Мистера Каста?

— Каста. У Юстона[1]. Как всегда, был похож на потерявшуюся курицу. Я думаю, приятель полусумасшедший. За ним надо кому-то присматривать. Сначала он выронил газету, а потом свой билет. Я подобрал — он и не подозревал, что потерял его. Он вдохновенно поблагодарил, но, думаю, не узнал меня.

— О, конечно, — сказала Лили, — он только видел, как ты проходил через холл, и то не часто.

Они протанцевали один круг.

— Ты здорово танцуешь, — сказал Том.

— Продолжим, — ответила Лили и, прогнувшись, оказалась еще ближе.

Они протанцевали еще круг.

— Ты сказал — Юстон или Паддингтон? — внезапно спросила Лили. — Где ты видел старину Каста, я имею в виду?

— Юстон.

— Ты уверен?

— Конечно, уверен. Ты что думаешь?

— Забавно. Я полагала, что в Челтенхэм едут с Паддингтона.

— Так и есть. Но старина Каст не собирался ехать в Челтенхэм. Он собирался в Донкастер.

— В Челтенхэм.

— В Донкастер. Я-то знаю, девочка моя! В конце концов, я подобрал его билет, не так ли?

— Но он же сказал мне, что едет в Челтенхэм. Я точно помню.

---

[1] Вокзал в Лондоне.

— Нет, ты ошибаешься. Он собирался в Донкастер, это точно. Некоторым везде везет. Я поставил на Светлячка в Леджере, и хотелось бы посмотреть на его бег.

— Не думаю, что мистер Каст отправится на скачки, он не похож на тех, кого они интересуют. О, Том, надеюсь, его не убьют. Ведь в Донкастере должно произойти убийство по алфавиту.

— С Кастом все будет в порядке. Его имя не начинается на «D».

— Его могли убить в прошлый раз. Он был поблизости от Черстона в Торки, когда произошло убийство.

— Неужели? Какое совпадение, а?

Он рассмеялся.

— А раньше он не был в Бексхилле?

Лили сдвинула брови.

— Он уезжал... Да, я помню, его не было здесь... потому что он забыл свой купальный костюм, который чинила ему моя мать. И она сказала: «Мистер Каст отправился вчера без купального костюма», а я сказала: «О, какой там купальный костюм, когда произошло самое ужасное убийство. В Бексхилле задушена девушка».

— Но если ему понадобился купальный костюм, значит, он собирался на побережье. Слышишь, Лили, — он забавно скорчил лицо, — а что, если ваш отставник — сам убийца?

— Бедняга мистер Каст? Он и мухи не обидит, — засмеялась Лили.

Они продолжали танцевать: в их озабоченных головах не было ничего, кроме удовольствия от того, что они вместе. В их беззаботных головах что-то засело.

Глава 23
11 СЕНТЯБРЯ. ДОНКАСТЕР

Донкастер!

Мне кажется, что я буду помнить то 11 сентября всю свою жизнь.

В самом деле, всякий раз, когда упоминается Сент-Леджер, мои мысли автоматически отправляются не к скачкам, а к убийству.

Когда я вспоминаю о своих ощущениях, чаще всего всплывает болезненное чувство неудовлетворенности. Вот мы там, на месте, — Пуаро, я сам, Кларк, Фрэзер, Меган Барнард, Тора Грей и Мэри Дроуэр. *Что каждый из нас мог?*

В нас теплилась слабая надежда узнать в толпе, среди тысяч людей, лицо или фигуру, которую нечетко видели при известных обстоятельствах два или три месяца назад.

Необычность была на самом деле еще большей. Из всех нас только Тора Грей могла бы определенно узнать того человека.

Из-за напряжения от ее безмятежности не осталось и следа. Ее спокойное, убедительное поведение куда-то исчезло. Она сидела, ломая руки, почти плача, бессвязно обращаясь к Пуаро:

— Да я ни разу не взглянула на него. Почему? Как же я сглупила. Вы от меня зависите, все вы... я и подведу вас. Потому что, даже если бы я увидела его снова, то не смогла бы узнать его. У меня плохая память на лица.

Пуаро ничего, кроме обходительности, не выказывал. Меня это поразило, но он не менее меня сочувствовал страдающей красоте. Даже нежно похлопал ее по плечу.

— Итак, крошка, без истерик. Нам сейчас не до этого. Если вам суждено увидеть этого человека, то вы его узнаете.

— Вы уверены? Но почему?

— О, полно всяких причин... скажем, потому, что красное сменяет черное.

— Что вы имеете в виду, Пуаро? — спросил я.

— Я говорю на языке игорного стола. При игре в рулетку долго может выпадать черное, но в конце концов *должно появиться красное*. Это закон вероятности.

— Вы подразумеваете, что придет удача?

— Совершенно верно, Гастингс. И именно здесь игроку (и убийце, ибо он, в конце концов, всего лишь высший представитель игрока, поскольку он рискует не деньгами, а жизнью) недостает часто здравого предчувствия. Из-за того, что он выиграл, ему кажется, что он будет продолжать выигрывать! Он не уйдет от стола

120

с полным карманом в нужное время. Так и убийца, которому сопутствует удача, *не в состоянии постичь возможность неудачи!* Все заслуги в удачном проведении дел он относит на свой счет, но уверяю вас, друзья мои, как бы тщательно ни планировалось преступление, оно не достигнет успеха без везения!

-- Не зашло ли это слишком далеко? — возразил Франклин Кларк.

Пуаро возбужденно всплеснул руками:

— Нет, нет. Шансы равны, если хотите, но должны перетянуть в нашу сторону. Судите сами! Могло случиться так, что кто-то вошел в лавку миссис Ашер как раз тогда, когда убийца выходил. Тот человек мог бы заглянуть за прилавок, увидеть мертвую женщину и либо сразу же задержать убийцу, либо дать точное описание полиции, после чего убийцу тотчас же арестовали бы.

— Да, разумеется, это возможно, — признал Кларк, — из этого следует, что убийца должен рисковать.

— Именно так. И, подобно многим игрокам, убийца зачастую не знает, когда остановиться. С каждым новым преступлением он укрепляется во мнении о своих способностях. Чувство меры изменяет ему. Он не говорит: «Я был умен и *удачлив!*» Нет, он говорит только: «Я был умен!» И его мнение о своей одаренности растет, но затем, друзья мои, шарик описывает круг и масть заканчивается: он останавливается на новом номере, и крупье объявляет: «красное».

— Вы считаете, что так произойдет в этом деле? — спросила Меган, сдвигая брови и хмурясь.

— Это рано или поздно *должно* произойти! До сих пор *удача была на стороне преступника,* — рано или поздно она должна повернуться к нам. Я уверен, что уже повернулась! Ниточка, связанная с чулками, — это только начало. Теперь все вместо того, чтобы помогать ему, будет против него! И он начнет совершать ошибки...

— Должен сказать, что вы ободряете нас, — проговорил Франклин Кларк, — нам всем нужна поддержка. С самого утра у меня было парализующее чувство беспомощности.

— Мне представляется весьма проблематичным, что мы можем достигнуть каких-нибудь практических результатов, — сказал Дональд Фрэзер.

Меган выпалила:

— Не будь капитулянтом, Дон.

Мэри Дроуэр, слегка покраснев, произнесла:

— Я хочу сказать, что никогда не знаешь, что тебя ждет... Этот злодей здесь и мы тоже... В конце концов, иногда сталкиваешься с людьми самым неожиданным образом.

Я раздраженно сказал:

— Если бы только мы могли сделать что-то большее.

— Вы должны помнить, Гастингс, что полиция делает все возможное. Задействованы специальные констебли. У нашего инспектора Кроума, может, и несносный характер, но он способный офицер. И полковник Андерсон, главный констебль, — человек дела. Они приняли все меры по наблюдению и патрулированию города и ипподрома. Везде будут люди в штатском. Плюс кампания в прессе. Общественность полностью предупреждена.

Дональд Фрэзер покачал головой.

— Он ни за что не осмелится, я думаю, — сказал он с большей надеждой, — надо быть просто сумасшедшим!

— К сожалению, — сухо возразил Кларк, — он сумасшедший! Как вы думаете, мсье Пуаро? Он бросил это дело или попытается его провернуть?

— По-моему, степень одержимости такова, что он должен попытаться выполнить свое обещание! Отказ означал бы признание поражения, а такого ему больное самолюбие никогда не позволит. Это, могу сообщить, и мнение доктора Томпсона. Наша надежда на то, что он сможет быть пойман при попытке.

Дональд снова покачал головой:

— Он будет очень хитер.

Пуаро взглянул на часы. Мы поняли намек. По договоренности нам следовало заниматься своим делом, патрулируя утром как можно большее количество улиц, а потом занять самые разные места на ипподроме.

Я говорю «мы». Разумеется, от моего участия в патрулировании было мало пользы, поскольку я никогда в глаза не видел АВС. Тем не менее, поскольку в замысел входило разделиться так, чтобы охватить территорию как можно шире, я предложил свои услуги в

122

качестве эскорта одной из дам. Пуаро согласился, — боюсь, что он подмигнул при этом.

Девушки ушли надевать шляпки. Дональд Фрэзер стоял у окна и смотрел на улицу, по-видимому погруженный в раздумья.

Франклин Кларк взглянул на него и, несколько понизив голос, обратился к Пуаро:

— Послушайте, мсье, я знаю, вы ездили в Черстон и видели жену моего брата. Сказала ли она... намекнула... то есть... она вообще предположила?..

Он остановился в замешательстве.

Пуаро ответил. Лицо его выражало саму невинность, что возбудило во мне подозрение.

— То есть? Сказала ли жена вашего брата, намекнула или предположила — что?

Франклин Кларк покраснел.

— Возможно, вы считаете, что сейчас не время вмешиваться с личными делами...

— Отнюдь нет!

— Но мне кажется, что надо поставить вопрос прямо. — Кларк с трудом выдавил: — Жена моего брата очень милая женщина... Я всегда ее очень любил... но, конечно, она какое-то время была больна... и при этой болезни... ей давали наркотические средства и все такое... имеет тенденцию... в общем, воображать всякое в людях!

— А?

Теперь, без сомнения, глаза Пуаро заиграли.

Но Франклин Кларк, поглощенный своим дипломатическим заданием, не заметил этого.

— Это насчет Торы... мисс Грей, — сказал он.

— О, так это вы о Торе Грей? — в голосе Пуаро сквозило невинное удивление.

— Да. У леди Кларк в голове всякие идеи. Понимаете, Тора, мисс Грей, довольно симпатичная девушка...

— Наверное, да, — допустил Пуаро.

— А женщины, даже лучшие из них, немного злы на других женщин. Конечно, Тора была неоценима для моего брата — он всегда говорил, что она лучшая из всех секретарей, какие были у него, — и он очень любил ее. Но это выражалось весьма прямолинейно и чрезмерно. То есть Тора не из тех девиц...

— Нет? — пришел на помощь Пуаро.

— Но жена моего брата вбила себе в голову... это.. ревность, не то, чтобы она это когда-нибудь показала. Но после смерти Кара, когда возник вопрос о пребывании мисс Грей, Шарлотта возмутилась. Конечно это отчасти из-за болезни, морфия и всего такого, — так сестра Кэпстик говорит, — мы не вправе осуждать Шарлотту за эти идеи в ее голове...

Он остановился.

— Да?

— Я хочу, чтобы вы вот что поняли, мсье Пуаро. В этом совсем ничего нет. Это просто больное воображение больной женщины. Посмотрите... — Он порылся в своем кармане. — Вот письмо, которое я получил от брата, когда был в Малайском государстве. Я хотел бы, чтобы вы прочитали его, так как оно точно указывает на степень отношений между ними.

Пуаро взял письмо. Франклин зашел сзади и, водя пальцем, вслух зачитал некоторые отрывки:

— «...дела здесь идут как обычно. Шарлотта в основном не чувствует боли. Хотелось бы, чтобы это был не предел. Ты, должно быть, помнишь Тору Грей? Она милая девушка, и не могу передать, какая для меня поддержка. Я не могу предположить, что бы я в эти тяжелые времена без нее делал. Ее сочувствие и интерес неизменны. У нее изысканный вкус, чутье к красивым вещам, и она разделяет мою страсть к китайскому искусству. Мне просто повезло с ней. Ни одна дочь не может быть более близким и сочувствующим собеседником. Жизнь ее была трудной и не всегда счастливой, и я с радостью ощущаю, что здесь ее дом и истинное призвание...»

— Вот видите, — сказал Франклин, — *вот* как мой брат относился к ней. Она была ему как дочь. Никто не вправе судить ее. Я решил показать вам это письмо. Мне не хотелось, чтобы вы получили о Торе неверное представление...

Пуаро вернул письмо.

— Могу заверить вас, — сказал он, улыбаясь, — что я никогда не позволяю себе получать неверное впечатление. Я формирую свое собственное...

— Хорошо, — сказал Кларк, — я рад, что так или иначе показал письмо вам. Сюда идут девушки.

Как только мы вышли из комнаты, Пуаро подозвал меня:

— Вы собираетесь сопровождать экспедицию, Гастингс?

— О да. Я бы чувствовал себя неуютно, если бы остался здесь и бездействовал.

— Наряду с работой тела существует работа ума, Гастингс.

— Да, но вы в этом сильнее меня, — ответил я.

— Я правильно полагаю, что вы намереваетесь стать кавалером одной из дам?

— Была такая мысль.

— И какую из дам вы предпочитаете удостоить своим вниманием?

— Я... э-э... еще не решил.

— Как насчет мисс Барнард?

— Она довольно независима, — засомневался я.

— Мисс Грей?

— Да, она предпочтительней.

— Я нахожу вас, Гастингс, откровенным мошенником! Всюду вы ищете повод провести день со своим ангелом — блондинкой!

— Ну, Пуаро, в самом деле!

— Мне очень жаль, что я расстраиваю ваши планы. Лицо, которое вы должны сопровождать, — Мэри Дроуэр, и я должен просить вас не оставлять ее.

— Но почему, Пуаро?

— Потому, дорогой друг, что ее имя начинается с «D»!!! Мы не должны рисковать.

Я отдал должное этому замечанию. Сначала оно показалось мне натянутым. Но потом я понял, что если АВС обладает фанатичной ненавистью к Пуаро, то он может быть очень хорошо осведомлен о всех его действиях. И в этом случае устранение Мэри Дроуэр может прийти к нему как способ нанести очень изящный четвертый удар.

Пообещав быть верным в своей опеке, я пошел к выходу, оставив Пуаро сидящим в кресле у окна. Перед ним стояла небольшая рулетка. Он крутанул ее, когда я проходил к двери, и бросил мне в спину:

— *Красное* — это хорошее предзнаменование, Гастингс. Удача поворачивается к нам!

Глава 24

(написана не от лица капитана Гастингса)

Мистер Лидбеттер раздраженно проворчал, когда сосед поднялся и неуклюже споткнулся возле него, уронив шляпу на переднее сиденье, после чего и перегнулся, чтобы подобрать ее. И все это в кульминационный момент фильма «Ни воробья...», той самой захватывающей драмы, наполненной пафосом и красотой, с участием всех звезд, той самой драмы, просмотра которой мистер Лидбеттер с нетерпением ожидал всю неделю.

Героиня с золотистыми волосами, которую играла Кэтрин Ройал (по мнению мистера Лидбеттера — ведущая киноактриса мира), только что дала выход чувствам, выразив своим хриплым криком предел негодования: «Никогда. Я бы предпочла умирать с голода. Но я не умру с голода. Помните те слова: *ни воробья не упадет...*» Мистер Лидбеттер раздраженно повернул голову справа налево. Ну люди! И чего ради они не могут досидеть до *конца* фильма... а уходят в такой душещипательный момент.

О, так-то лучше. Несносный джентльмен прошел к выходу. Мистеру Лидбеттеру стало хорошо видно весь экран и Кэтрин Ройал, стоящую у окна особняка Вэн-Шрайнер в Нью-Йорке. А теперь она садится в поезд, на руках у нее ребенок... Какие чудные поезда у них там в Америке, совсем не похожи на английские.

О, опять Стив в своей лачуге в горах...

Фильм шел к своей волнующей религиозной развязке.

Когда зажегся свет, мистер Лидбеттер удовлетворенно вздохнул, медленно поднялся, слегка щурясь. Он никогда не уходил из кинотеатра сразу. Ему всегда требовалось какое-то время, чтобы вернуться к прозаической реальности жизни.

Он оглянулся вокруг. Не так уж много народу, в самом деле. Они все на скачках. Мистер Лидбеттер не одобрял ни скачки, ни игру в карты, ни выпивку, ни курение. Это оставляло ему больше энергии для наслаждения от походов в кино.

Все спешили к выходу. Мистер Лидбеттер приготовился сделать то же. Человек на месте перед ним спал, погрузившись глубоко в кресло. Мистер Лидбеттер вознегодовал от мысли, что кто-то может спать, когда идет такая драма, как «Ни воробья...».

Сердитый джентльмен сказал спящему, чьи ноги были вытянуты и загораживали проход:

— Извините, сэр.

Мистер Лидбеттер дошел до выхода и оглянулся. Позади возникла какая-то суматоха... Возможно, тот человек был мертвецки пьян, а не спал.

Он поколебался, а затем вышел и тем самым пропустил сенсацию дня — сенсацию даже бо́льшую, чем победа Немалого на Сент-Леджере при ставке 85 к 1.

Швейцар говорил:

— Похоже, вы правы, сэр... Он болен... Что, в чем дело, сэр?

Другой, вскрикнув, отдернул руку и разглядывал красное липкое пятно.

— Кровь...

Швейцар издал сдавленное восклицание.

Его взгляд различил угол чего-то желтого, выступающий из-под сиденья.

— Чтоб мне провалиться! — воскликнул он. — Это а... b... «АВС»!

Глава 25

(написана не от лица капитана Гастингса)

Мистер Каст вышел из кинотеатра «Ригал Синема» и взглянул на небо.

Замечательный вечер... Право, замечательный вечер...

В голову пришла цитата из Браунинга:

«Есть Бог на небесах». И все спокойно в мире.

Он всегда любил цитаты.

Он припустился рысью вдоль по улице, улыбаясь самому себе, пока не добрался до «Черного лебедя», постояльцем которого был.

Он вскарабкался по ступенькам к себе в номер — душную, крохотную комнатушку на третьем этаже с окном, выходящим на мощеный внутренний двор и гараж.

Как только он вошел в комнату, его улыбка внезапно исчезла. На рукаве, около манжеты, было пятно. Он прикоснулся к нему — мокрое и красное, кровь...

Он запустил руку в карман и вытащил длинный тонкий нож. Лезвие ножа также было липким и красным.

Мистер Каст просидел долгое время.

Потом он быстро обвел комнату глазами загнанного зверя.

Лихорадочно облизал губы...

— Это не моя вина, — сказал мистер Каст.

Это выглядело так, будто он с кем-то спорит, как школьник оправдывается перед учителем.

Он снова облизал губы...

Снова изучил рукав пальто.

Взгляд его пересек комнату и остановился на умывальнике.

Спустя минуту он уже наполнял раковину водой из старомодного кувшина. Сняв пальто, прополоскал рукав, осторожно выжал его...

Ух! Вода стала красной...

Стук в дверь.

Он застыл в ледяной неподвижности, уставившись на дверь.

Дверь отворилась. Полная молодая женщина с кувшином в руках вошла в комнату.

— Простите, сэр. Ваша горячая вода, сэр.

Ему удалось произнести:

— Спасибо... Я умылся холодной...

Зачем он сказал это? Тотчас же ее глаза остановились на раковине.

Он ожесточенно бросил:

— Я... я порезал руку...

Повисла пауза — да, безусловно, очень длинная пауза, — прежде чем она сказала:

— Да, сэр.

Она вышла, захлопнув дверь.

Мистер Каст стоял, словно окаменев.

Пришло, наконец...

Он прислушался.

Слышны ли голоса, возгласы, шаги вверх по ступенькам? Он не слышал ничего, кроме ударов своего сердца... Внезапно от ледяной неподвижности он быстро перешел к действиям: влез в пальто, подкрался на цыпочках к двери и открыл ее. Никакого шума, кроме знакомого гомона, доносившегося из бара. Он сполз по лестнице... По-прежнему никого. Повезло. Он задержался на нижних ступенях. Куда теперь?

Он принял решение, стрелой вылетел по коридору через заднюю дверь во двор. Там двое шоферов возились с машинами и обсуждали победителей и проигравших.

Мистер Каст быстро пересек двор и оказался на улице.

После первого угла направо, затем налево, снова направо...

Осмелится ли он появиться на вокзале?

Да — там, должно быть, полно народу... специальные поезда... если удача будет на его стороне, у него получится.

Если только удача будет с ним...

Глава 26

(написана не от лица капитана Гастингса)

Инспектор Кроум слушал возбужденное изречение мистера Лидбеттера:

— Уверяю вас, инспектор, сердце перестает биться, когда я думаю об этом. Он ведь сидел сбоку от меня в течение всего сеанса!

Инспектор Кроум, совершенно равнодушный к поведению сердца мистера Лидбеттера, сказал:

— Позвольте мне прояснить кое-что? Этот человек вышел уже под конец картины... Он проходил мимо вас и при этом споткнулся...

— Он *притворился*, что споткнулся. Я теперь понимаю. Затем он перегнулся через сиденье переднего ряда, чтобы подобрать шляпу. Он, должно быть, заколол беднягу именно тогда.

— Вы ничего не слышали? Крик или стон?

Мистер Лидбеттер ничего не слышал, кроме громкого хриплого голоса Кэтрин Ройал, но в пылком своем воображении он изобрел стон.

Инспектор Кроум поверил ему на слово и велел продолжать.

— А потом он вышел...

— Вы можете описать его?

— Он был очень большой. По меньшей мере шесть футов. Гигант.

— Блондин или брюнет?

— Я... ну... не вполне уверен. Мне кажется, что он был лысый. Такого зловещего вида парень.

— Он не прихрамывал, а? — спросил инспектор Кроум.

— Да-да, сейчас, когда вы сказали об этом, мне кажется, что он хромал. Очень темно, он, должно быть, принадлежал к смешанной расе.

— Он сидел на месте, когда последний раз зажигался свет?

— Нет. Он вошел уже после начала основной картины.

Инспектор Кроум кивнул, передал мистеру Лидбеттеру протокол для подписания и избавился от него.

— Наверное, это самый плохой свидетель, какого только можно найти, — пессимистично заметил он. — Он скажет все, что угодно, если его немного направлять. Совершенно ясно, что у него нет ни малейшего представления о внешности этого человека. Давайте снова швейцара.

Швейцар, очень подтянутый, военной выправки человек, вошел и остановился, весь во внимании, его глаза остановились на полковнике Андерсоне.

— Ну что ж, Джеймсон, давайте послушаем вас.

Джеймсон отдал честь.

— Дассэр. Конец сеанса, сэр. Мне сказали, что есть заболевший джентльмен, сэр. Джентльмен сидел, погруженный в кресло за два шилинга и четыре пенса. Другие джентльмены стояли вокруг. Мне показалось, что с джентльменом неладное, сэр. Один из джентльменов, стоящих рядом, прикоснулся рукой к пальто больного джентльмена и привлек мое внимание. Кровь, сэр. Было ясно, что джентльмен мертв, — заколот, сэр. Мое внимание привлек железнодорожный справочник «ABC», сэр, под сиденьем. Желая действовать как полагается, я не трогал упомянутого, а сообщил немедленно полиции, что произошла трагедия.

— Очень хорошо, Джеймсон, вы действовали очень грамотно.

— Благодарю вас, сэр.

— Вы заметили человека, покидающего место за два шиллинга и четыре пенса пятью минутами ранее?

— Их было несколько, сэр.

— Вы можете их описать?

— Боюсь, нет, сэр. Одним был мистер Джеффри Парнелл. И был молодой парень, Сэм Бэйкер, со своей молодой леди. Больше я никого особенно не заметил.

— Жаль. Этого достаточно, Джеймсон.

— Дассэр.

Швейцар козырнул и удалился.

— У нас есть медицинское заключение, — сказал полковник Андерсон, — но следующим нам лучше послушать парня, который обнаружил его.

Вошел полицейский констебль и козырнул.

— Мистер Эркюль Пуаро здесь, сэр, и другой джентльмен.

Инспектор Кроум нахмурился.

— Ну ладно, — сказал он, — пусть лучше войдут, я полагаю.

Глава 27

ДОНКАСТЕРСКОЕ УБИЙСТВО

Входя и наступая Пуаро на пятки, я только уловил конец фразы инспектора Кроума. Он и главный констебль выглядели озабоченными и подавленными.

Полковник Андерсон кивком головы поприветствовал нас.

— Рад, что вы пришли, мсье Пуаро, — вежливо произнес он. Думаю, что полковник догадывался, что слова Кроума достигли наших ушей. — Мы снова по горло в этом, понимаете?

— Еще одно убийство по алфавиту?

— Да. Дерзкая до безумия работа. Человек перегибается и закалывает другого в спину.

— На этот раз заколот?

— Да, несколько варьирует свои методы, не так ли? Удар по голове, удушение, теперь нож. Разносторонний, дьявол... Вот медицинское заключение, если хотите, ознакомьтесь.

Он пододвинул бумаги Пуаро.

— Справочник «ABC» на полу, между ног мертвого, — добавил он.

— Опознан ли мертвый? — спросил Пуаро.

— Да. ABC на этот раз совершил ошибку, — если такое объяснение может нас как-то удовлетворить. Покойного зовут Эрлсфилд — Джордж Эрлсфилд[1]. По профессии — парикмахер.

— Любопытно, — прокомментировал Пуаро.

— Может, перескочил на другую букву? — предположил полковник.

Мой друг с сомнением покачал головой.

— Попросим следующего свидетеля? — спросил Кроум. — Ему очень надо домой.

— Да-да, давайте продолжим.

Джентльмена средних лет, очень напоминавшего лягушку-лакея из «Алисы в Стране чудес», ввели к нам. Он был сильно возбужден, и голос его был пронзителен и эмоционален.

— Самое сильное потрясение на моем веку, — пропищал он. — У меня слабое сердце, сэр, очень слабое сердце, я мог сам умереть.

— Ваша фамилия, пожалуйста, — сказал инспектор.

— Даунз. Роджер Эммануэль Даунз.

— Профессия?

— Я учитель в школе Хайфилд для мальчиков.

— Теперь, мистер Даунз, расскажите, что произошло.

— Я могу рассказать лишь вкратце, джентльмены. По окончании сеанса я встал со своего места. Место слева от меня было пустым, но на следующем за ним сидел человек, по-видимому спящий. Я не мог пройти мимо него к выходу, так как ноги его торчали в проходе. Я попросил его разрешить мне пройти. Так как он не пошевелился, я повторил свою просьбу... э-э... немного громче. Он по-прежнему не отвечал. Тогда я тронул его за плечо, чтобы разбудить. Его тело откинулось еще дальше, и до меня дошло, что он либо без сознания, либо серьезно болен. Я крикнул: «Этот

_____
[1] George Earlsfield.

132

джентльмен заболел. Позовите швейцара». Подошел швейцар. Когда я убрал руку с плеча этого человека, то обнаружил, что она стала мокрой и красной. Я понял, что человек заколот. В тот самый момент швейцар заметил железнодорожный справочник «АВС»... Уверяю вас, джентльмены, потрясение было страшным! Всякое могло произойти! Многие годы я страдаю сердечной недостаточностью...

Полковник Андерсон смотрел на мистера Даунза с весьма забавным выражением лица.

— Можете считать, что вы счастливчик, мистер Даунз.

— Конечно так, сэр. Ни сердцебиения даже!

— Вы не вполне поняли значение моих слов, мистер Даунз. Вы сидели через два места, вы сказали?

— В действительности я сидел поначалу на месте, следующем после убитого... потом я передвинулся, с тем чтобы сидеть позади свободного места.

— Вы примерно того же роста и телосложения, что и покойный, не так ли? И у вас вокруг шеи был шерстяной шарф, как и у него?

— Я не заметил... — твердо начал мистер Даунз.

— Говорю вам — вот где пришла ваша удача. Так или иначе, когда убийца следил за вами, он перепутал. *Он выбрал не ту спину.* Готов съесть собственную шляпу, мистер Даунз, если этот нож предназначался не для вас!

Как бы хорошо ни выдерживало сердце мистера Даунза предыдущие испытания, оно не в состоянии было вынести этого. Он опустился в кресло, задыхаясь, лицо его побагровело.

— Воды, — задыхался он, — воды...

Ему принесли стакан. Он пил маленькими глотками, и по мере этого его состояние приходило в норму.

— Меня? — произнес он. — Почему *меня*?

— Похоже на это, — сказал Кроум, — действительно, это единственное объяснение.

— Вы хотите сказать, что этот человек... этот дьявол во плоти... этот кровожадный сумасшедший выслеживал меня, поджидая удобный случай?

— Должен сказать, что, похоже, так и было.

— Но, Бога ради, почему *меня*? — настаивал оскорбленный школьный учитель.

Инспектор Кроум поборол искушение ответить: «По-чему бы и нет?» — и вместо этого сказал:

— Не стоит ожидать от лунатика объяснения его действий.

— Господи, благослови душу мою, — произнес мис-тер Даунз шепотом. Он встал. — Если я вам больше не нужен, джентльмены, то, пожалуй, я пойду домой. Я... я неважно себя чувствую.

— Конечно, мистер Даунз. Я пошлю с вами констебля, чтобы проконтролировать ваше самочувствие.

— О, нет-нет, спасибо. В этом нет необходимости.

— Может, и есть, — прохрипел полковник Андерсон. Его взгляд скользнул в сторону, незаметно спраши-вая инспектора. Последний ответил таким же незамет-ным кивком.

Мистер Даунз, трясясь, вышел.

— Он так и не понял, — сказал полковник Андер-сон. — Их будет двое, а?

— Да, сэр. Ваш инспектор Райс все организовал. За домом будет установлено наблюдение.

— Вы полагаете, — спросил Пуаро, — что, когда АВС обнаружит свою ошибку, он может попытаться снова?

Андерсон кивнул.

— Такая возможность допускается, — сказал он, — этот АВС похож на методичного типа. Раз дела продви-гаются не в соответствии с программой — это расстро-ит его.

Пуаро задумчиво кивнул.

— Хотелось бы получить описание приятеля, — раз-драженно сказал полковник Андерсон, — мы, как и рань-ше, находимся в потемках.

— Оно может появиться, — сказал Пуаро.

— Вы так думаете? Да, это возможно. Черт их всех подери, есть ли у кого глаза на голове?

— Имейте терпение, — сказал Пуаро.

— В вас видна уверенность, мсье Пуаро. Есть ли у вас основания для подобного оптимизма?

— Да, полковник Андерсон. До сих пор убийца не делал ошибок. Вскоре он вынужден будет ее сделать.

— Если это все, то продолжайте, — фыркнул было главный констебль, но его прервали.

— Мистер Болл из «Черного лебедя» здесь с молодой женщиной, сэр. Уверяет, у него есть то, что может вам помочь.

— Проводите их. Нам надо иметь хоть что-то полезное...

Мистер Болл из «Черного лебедя» был большой тугодумный малоподвижный мужчина. От него крепко разило пивом. С ним была полная молодая женщина с круглыми глазами, ясно выражающими состояние возбуждения.

— Надеюсь, я не навязываюсь и не отнимаю время, — сказал мистер Болл медленным вязким голосом, — но эта вот молодуха, Мэри, уверяет, что у нее есть что вам сообщить.

Мэри нерешительно хихикнула.

— Ну, дитя мое, что там? — спросил полковник Андерсон. — Как тебя зовут?

— Мэри, сэр, Мэри Страуд.

— Ну, Мэри, давай выкладывай.

Мэри перевела взгляд круглых глаз на своего хозяина.

— В ее обязанности входит приносить горячую воду в номера мужчин, — сказал мистер Болл, приходя на помощь. — Около полудюжины джентльменов остановилось сейчас у нас.

— Да, да, — нетерпеливо произнес Андерсон.

— Продолжай, девчонка, — сказал мистер Болл, — рассказывай свою историю. Нечего бояться...

Мэри тяжело вздохнула и застрочила, не переводя дыхания:

— Я постучала в дверь, но не было ответа, а то я бы не вошла, если только джентльмен не сказал «войдите», и раз он не сказал ничего, я вошла, и он там мыл руки.

Она сделала паузу и тяжело вздохнула.

— Продолжай, дитя мое, — сказал Андерсон.

Мэри искоса посмотрела на своего хозяина и, словно получив вдохновение от его медленного кивка, снова перешла к повествованию.

— «Ваша горячая вода, сэр», — сказала я, — я ведь постучалась. «Я умылся холодной», — сказал он, и поэтому, естественно, я поглядела в раковину, — о Боже, помоги мне! — *она была вся красной!*

135

— Красной? — резко спросил Андерсон.

Болл встрял в разговор:

— Девчонка сказала мне, что на нем пальто не было надето, а он держал его за рукав, и рукав весь был мокрым — так ведь, девчонка, а?

— Да, сэр, это так, сэр.

Она продолжала дальше:

— А лицо его, сэр, она выглядело странным, страшно подозрительным оно выглядело. Прямо перевернуло меня.

— Когда это было? — резко спросил Андерсон.

— Около четверти шестого, где-то так, насколько я могу полагать.

— Более трех часов назад, — оборвал Андерсон. — Почему вы сразу не пришли?

— Не сразу услышал об этом, — сказал Болл, — только после того, как пришла весть о совершенном новом убийстве. А потом девчонка эта заорала, дескать, это могла быть кровь в раковине, и я спросил ее, что она имеет в виду, и она рассказала. Ну, это мне показалось подозрительным, и я сам пошел наверх. В комнате никого. Я задал несколько вопросов, и один из ребят во дворе сказал, что видел какого-то малого, выскользнувшего на улицу, и, по его описанию, это был тот самый. Поэтому я сказал жене, что Мэри лучше пойти в полицию. Мэри не понравилась эта мысль, и я сказал, что пойду вместе с ней.

Инспектор Кроум протянул ему листок бумаги.

— Опишите этого человека, — сказал он, — как можно быстрее. Нельзя терять времени.

— Средних размеров он был, — сказала Мэри, — и сутулился, и носил очки.

— Его одежда?

— Темный костюм и затасканная шляпа «хомбург».

Кроум выудил еще и то, что человек, пробравшийся через двор, был без сумки или чемодана...

— Тогда есть шанс, — сказал он.

Двоих направили в «Черный лебедь». Мистер Болл, полный гордости и важности, и Мэри, слегка заплаканная, сопровождали их.

Сержант вернулся через десять минут.

— Я принес журнал регистрации, сэр, — сказал он, — вот подпись.

Мы столпились вокруг стола. Почерк был мелким и сжатым, прочитать нелегко.

— А.Б. Кэйс — или же Кэш? — сказал главный констебль.

— АВС, — заметил Кроум со значением.

— Что с багажом? — спросил Андерсон.

— Один солидного размера чемодан, сэр. Полный картонных коробок.

— Коробок? Что в них?

— Чулки, сэр. Шелковые чулки.

Кроум повернулся к Пуаро.

— Поздравляю, — сказал он. — Ваши подозрения подтвердились.

Глава 28

(написана не от лица капитана Гастингса)

Инспектор Кроум сидел в своем офисе в Скотленд-Ярде. Телефон на его столе издал прерывистое треньканье, и он поднял трубку.

— Джейкобс говорит, сэр. Тут молодой парень пришел, его, мне кажется, вам надо послушать.

Инспектор Кроум вздохнул. Ежедневно в среднем человек двадцать появлялись по делу АВС. Некоторые были безобидными лунатиками, некоторые — здравомыслящими людьми, но все они искренне верили, что их информация чего-то стоит. В обязанности сержанта Джейкобса входило служить человеческим ситом.

— Очень хорошо, Джейкобс, — сказал Кроум, — проведите его.

Несколькими минутами позже в дверь инспектора постучали, и появился сержант Джейкобс, который ввел высокого, сравнительно симпатичного молодого человека.

— Это Том Хартиган, сэр. У него есть что сообщить нам, что, возможно, касается дела АВС.

Инспектор вежливо поднялся и пожал руку.

— Доброе утро, мистер Хартиган. Присаживайтесь. Курите? Сигарету, а?

Том Хартиган неуклюже уселся и с некоторым страхом посмотрел на того, кого про себя называл одной из важных персон. Внешность инспектора как-то разочаровала его. Он выглядел совсем как обыкновенный человек!

Инспектор Кроум произнес:

— Ну, так значит, у вас есть сведения, которые, по-вашему, относятся к делу? Выкладывайте!

Том нервно начал:

— Конечно, это может быть совсем ничего. Просто, может, моя собственная идея. Возможно, я только отнимаю у вас время.

Инспектор Кроум незаметно вздохнул.

Сколько же нужно потратить времени, чтобы ободрить людей!

— Нам лучше об этом судить. Изложите факты, мистер Хартиган.

— В общем, так, сэр. У меня есть девушка, понимаете, а ее мать сдает комнаты. По направлению в Кэмден-таун. Часть третьего этажа, выходящего во двор, они уже больше года сдают человеку по имени Каст.

— Каст, да?

— Именно так, сэр. Такой средних лет парень, довольно безликий и мягкий. И немного чудаковатый, скажем так. Из того сорта людей, что мухи не обидят, и я никогда бы не подумал ничего дурного, если бы не довольно странные обстоятельства.

В несколько смущенной манере и раз-другой повторяясь, Том описал свою неожиданную встречу с мистером Кастом на вокзале Юстон и инцидент с оброненным билетом.

— Понимаете, сэр, относитесь к этому как пожелаете, но это выглядело смешно. Лили — это моя девушка, сэр, — она совершенно убеждена, что он сказал именно Челтенхэм, и ее мать говорит то же самое, — говорит, что помнит отчетливо разговор об этом в то утро, когда он ушел. Конечно, в то время я не придал этому большого значения. Лили, моя девушка, сказала, что очень надеется на то, что он не нарвется на человека — ABC, собирающегося в Донкастер, а затем она сказала, что он был в районе Черстона во время прошлого преступления. Смеха ради я спросил ее, был ли он в Бексхилле в позапрошлый раз. Она ответила, что не знает, где он был, но то, что он уезжал на побережье, — это точно. А потом я сказал ей, что было бы забавным, если бы он сам был ABC, а она ответила, что бедный мистер Каст и мухи не обидит. Тогда на этом все и кончилось. Мы больше об этом не думали. По крайней мере, я, сэр, — только подсознательно. Меня стал интересовать этот тип Каст, и я стал размышлять о том, что, в конце концов, безобидный на вид, он мог быть немного гулякой.

Том перевел дыхание и продолжал. На этот раз инспектор Кроум уже слушал внимательно.

— А затем, после донкастерского убийства, сэр, во всех газетах было написано, что требуется информация относительно местопребывания некоего А.Б. Кейса, или Кэша, и давалось описание, которое вполне подходило. В первый же свободный вечер я отправился к Лили и спросил, каковы инициалы мистера Каста. Она сначала не могла вспомнить, но мать ее вспомнила. Она сказала, что определенно А.Б. Затем мы попытались вычислить, был ли Каст в отъезде в момент первого убийства в Андовере. Как вы знаете, сэр, нелегко вспомнить то, что было три месяца назад. Мы здорово потрудились и наконец выяснили, потому что у миссис Марбери есть брат, который приезжал навестить ее из Канады 21 июня. Он приехал в общем-то неожиданно, и она захотела предоставить ему ночлег. Лили предложила, что раз мистер Каст в отъезде, то Берт Смит может воспользоваться его кроватью. Но миссис Марбери не согласилась, так как она сказала, что это нехорошо по отношению к ее жильцу и что она всегда предпочитает действовать честно и по справедливости. Но мы четко установили дату, потому что пароход мистера Берта Смита прибыл в тот день в Саутгемптон.

Инспектор Кроум очень внимательно все выслушал, делая время от времени краткие пометки.

— Все? — спросил он.

— Все, сэр. Я надеюсь, вы не думаете, что я делаю много шума из ничего, — слегка вспыхнул Том.

— Вовсе нет. Вы правильно поступили, что пришли. Конечно, это очень небольшая улика: эти даты могли быть простым совпадением, и похожесть имен тоже.

Но у меня есть все основания поговорить с вашим мистером Кастом. Он сейчас дома?

— Да, сэр.

— Когда он вернулся?

— Вечером того дня, когда было совершено донкастерское убийство, сэр.

— Чем он занимается с тех пор?

— В основном сидит дома, сэр. И выглядит он весьма необычно. Покупает газеты. Выходит рано и приносит утренние, а потом, с наступлением темноты, он снова выходит и приносит вечерние. Миссис Марбери также говорит, что он много разговаривает сам с собой. Она считает, что он становится все более странным.

— Какой адрес у этой миссис Марбери?

Том дал ему адрес.

— Благодарю вас. Я, вероятно, заскочу в течение дня. Вряд ли мне следует предупреждать вас об осторожности в поведении при встрече с этим Кастом. — Он поднялся и пожал руку. — Вы можете быть вполне удовлетворены тем, что поступили правильно, придя к нам. До свидания, мистер Хартиган.

— Ну как, сэр? — спросил Джейкобс, снова входя в кабинет несколькими минутами позже. — Полагаете, стоящее?

— Обещающее, — сказал инспектор Кроум, — то есть, если факты соответствуют изложенному парнем. У нас не выяснилось еще ничего про изготовителя чулок. Что-то у нас уже было как-то. Кстати, дайте мне папку с черстонским делом.

Он потратил несколько минут, разыскивая то, что ему было нужно.

— А, вот оно. Это среди заявлений в полицию города Торки. Молодой человек по имени Хилл. Дает показания, что, выходя из кинотеатра «Торки Палладиум» после фильма «Ни воробья...», заметил странно ведущего себя человека: тот разговаривал сам с собой. Хилл услышал, как он сказал: «Это идея». «Ни воробья...» — это тот самый фильм, что был в «Ригал Синема» в Донкастере?

— Да, сэр.

— В этом что-то может быть. Пока рано говорить, но возможно, что мысль о характере действия при следующем убийстве пришла нашему подопечному именно там. У вас есть, как я вижу, имя Хилла и его адрес. Описание им внешности человека довольно туманно, но неплохо соотносится с описанием, данным Мэри Страуд и этим Томом Хартиганом...

Он задумчиво кивнул.

— Ну что ж, стало теплее, — сказал инспектор Кроум весьма неосторожно, так как он сам был всегда немного прохладен.

— Какие будут инструкции, сэр?

— Поставьте двух человек наблюдать в Кэмдентауне, но я не хочу, чтобы нашу птичку спугнули. Я должен переговорить с помощником комиссара. Затем, я думаю, неплохо было бы привести этого Каста сюда и спросить, не хочет ли он сделать заявление. Все говорит о том, что он вполне созрел, чтобы расколоться.

На улице Том Хартиган присоединился к ждавшей его на набережной Лили Марбери.

— Все в порядке, Том?

Том кивнул.

— Я виделся с самим инспектором Кроумом.

— И какой он из себя?

— Довольно спокойный и манерный — отличается от моего представления о детективах.

— Новый лорд Тренчард, — с уважением сказала Лили, — некоторые из них такие гранды. Что он сказал?

Том коротко изложил ей содержание беседы.

— Так они и в самом деле думают на него?

— Считают, что есть вероятность. Так или иначе, зайдут и зададут ему пару вопросов.

— Бедный мистер Каст.

— Нехорошо говорить «бедный» про мистера Каста. Если он АВС, то на его счету четыре страшных убийства.

Лили вздохнула и покачала головой.

— Это ужасно, — заключила она.

— Ладно, ты не хочешь сейчас пойти перекусить, девочка моя? Ты только подумай, если мы окажемся правы, то, наверное, мое имя будет в газетах!

— О, Том, в самом деле?

— А что? И твое тоже. И твоей мамы. И, кто знает, может, и фотографию поместят.

— О, Том! — в экстазе Лили сжала его руку.

— А пока что ты скажешь насчет того, чтобы перекусить в Корнер-Хаус?

Лили сжала его руку еще сильнее.

— Ну пойдем!

— Хорошо... полминутки. Мне только надо с вокзала позвонить.

— Кому?

— Подружке, с которой собиралась встретиться.

Она перебежала дорогу и вернулась к нему через три минуты немного раскрасневшейся.

— Ну что, Том. — Она взяла его под руку. — Расскажи мне еще про Скотленд-Ярд. Ты не видел там еще одного?

— Кого еще?

— Бельгийского джентльмена. Того самого, которому АВС писал все время.

— Нет, его там не было.

— Хорошо, расскажи мне все об этом. Что было, когда ты попал внутрь? С кем ты разговаривал и что им сказал?

Мистер Каст аккуратно опустил телефонную трубку на рычаг.

Он повернулся лицом к миссис Марбери, которая стояла в дверном проеме комнаты и всем видом выражала любопытство.

— Нечасто вам звонят, мистер Каст?

— Нет... э-э... нет, миссис Марбери. Нечасто.

— Надеюсь, не плохие новости?

— Нет-нет. — Как назойлива эта женщина. Взгляд его поймал название рубрики в газете, которая была у него в руках. «Рождения — Бракосочетания — Некрологи...» — У моей сестры только что родился мальчик, — выпалил он.

Он — у которого никогда не было сестры!

— О! Да... ведь это же племянник. («И ни разу не упомянул за все это время о сестре, — подумала она про себя, — как это похоже на мужчин!») Вот это сюрприз, скажу вам. Ни за что бы не подумала, когда леди попросила мистера Каста. Сначала мне просто показалось, что это голос моей Лили, — он был похож на

142

ее, но был более высокомерным. Вы понимаете, что я имею в виду, — такой высоко звучащий. Да, мистер Каст, мои поздравления. Это первый или у вас уже есть маленькие племянники и племянницы?

— Это единственный, — сказал мистер Каст. — Единственный, кого я когда-либо имел или мог иметь, и... э-э... мне кажется, что мне надо немедленно идти. Они... они хотят, чтобы я приехал. Я думаю, я как раз могу успеть на поезд, если потороплюсь.

— Вас долго не будет, мистер Каст? — спросила вдогонку миссис Марбери, когда он побежал вверх по лестнице.

— О нет... два или три дня... и все.

Он исчез в своей комнате. Миссис Марбери вернулась на кухню, сентиментально представляя себе «милого крошку».

Она почувствовала внезапное угрызение совести. Прошлым вечером Том и Лили все копались в датах! Пытались выяснить, мог ли мистер Каст быть тем самым отвратительным монстром ABC. Всего-то из-за его инициалов и нескольких совпадений.

— Вряд ли они думали об этом всерьез, — умиротворенно размышляла она, — и теперь, надеюсь, им станет стыдно за себя.

Она сама не смогла бы объяснить, каким это непонятным образом заявление мистера Каста о том, что его сестра родила ребенка, эффективно устранило все сомнения по поводу ее жильца. «Надеюсь, что она перенесла это нормально, бедняжка», — думала миссис Марбери, проверяя утюг щекой перед тем, как начать гладить шелковую комбинацию Лили.

Мысль ее уютно скользила по проторенной акушерской теме.

Мистер Каст тихо спустился по лестнице, держа в руке баул. Его глаза на минуту задержались на телефоне, и в памяти всплыл тот короткий разговор:

— Это вы, мистер Каст? Думаю, вам было бы небезынтересно знать, что вас, может быть, посетит инспектор из Скотленд-Ярда...

Что он ответил? Он не мог припомнить.

— Благодарю вас... благодарю вас... очень любезно с вашей стороны...

Что-то вроде того.

Почему она позвонила ему? Могла ли она как-то догадаться? Или, может, она просто хотела убедиться, что он останется дома до прихода инспектора?

А ее голос — она изменила голос перед своей матерью...

Похоже... похоже, будто она *знала*.

Но, несомненно, если бы она знала, то не стала бы...

Хотя, она могла. Женщины всегда были очень странными. Непредсказуемо жестоки и непредсказуемо добры. Однажды он видел, как Лили выпускала мышь из мышеловки.

Добрая девушка...

Добрая, симпатичная девушка.

Он задержался в холле у вешалки, нагруженной зонтиками и пальто.

Стоит ему?..

Легкий шум с кухни заставил его решиться.

Нет, времени не было.

Может выйти миссис Марбери.

Он открыл парадную дверь, вышел и закрыл ее за собой...

Куда?

Глава 29

В СКОТЛЕНД-ЯРДЕ

Снова совещание.

Помощник комиссара, инспектор Кроум, Пуаро и я.

Помощник комиссара говорил:

— Хорош ваш намек, мсье Пуаро, относительно проверки большого сбыта чулок.

Пуаро вытянул руки.

— На это все указывало. Тот человек не мог быть штатным агентом. Он продавал напрямую, а не навязывался с заказами.

— Пока все ясно, инспектор?

— Думаю, что да, сэр. — Кроум заглянул в папку с делом. — Мне пройтись по местам и датам?

— Да, пожалуйста.

— Я проверил Черстон, Пейнтон и Торки. Получил список людей, где он ходил и предлагал чулки. Должен сказать, что он все продумывал тщательно. Остановился в «Питте», маленькой гостинице около вокзала Торр. В вечер убийства вернулся в гостиницу в 10.30. Мог воспользоваться поездом из Черстона в 9.57, который прибывает в Торр в 10.20. Никто в поезде или на вокзале не опознал его по описанию. Но в ту пятницу была дартмутская регата, и обратные поезда из Кингсвера были набиты битком.

С Бексхиллом почти то же самое. Остановился в «Глобусе» под собственным именем. Предлагал чулки местах в десяти, включая миссис Барнард и «Рыжую кошку». Съехал из гостиницы ранним вечером. Прибыл обратно в Лондон на следующее утро около 11.30. Что касается Андовера, то процедура та же. Остановился в «Перьях». Предлагал чулки миссис Фаулер — соседке миссис Ашер — и полдюжине других людей на той улице. Пару миссис Ашер я получил от ее племянницы (по фамилии Дроуэр) — они идентичны с партией Каста.

— Пока хорошо, — сказал помощник комиссара.

— Действуя в соответствии с полученной информацией, я пришел по адресу, который дал мне Хартиган, но обнаружил, что Каст покинул дом получасом ранее. Мне сказали, что ему звонили по телефону. Это случилось впервые — так мне сказала хозяйка.

— Соучастник? — предположил помощник комиссара.

— Вряд ли, — сказал Пуаро, — странно, хотя...

Мы все посмотрели на него, и он замолчал.

Инспектор продолжил:

— Я произвел тщательный обыск комнаты, которую он занимал. Обыск развеял последние сомнения. Я нашел блок бумаги для записей, похожей на ту, на которой были написаны письма; большое количество чулочных изделий и — в глубине шкафчика, где хранились чулочные изделия, — сверток такой же формы и размера, но в котором оказались не чулки, а *восемь новеньких железнодорожных справочников «АВС»!*

— Доказательство явное, — сказал помощник комиссара.

— Я также нашел еще кое-что, — сказал инспектор. Голос его внезапно сделался торжественно-официальным. — Нашел только этим утром, сэр. Еще не успел доложить. В его комнате не было ножа...

— Он поступил бы как последний чудак, принеся его с собой обратно, — заметил Пуаро.

— В конце концов, он же не здравомыслящий человек, — ответил инспектор. — Так или иначе, мне представилось, что он мог бы просто принести его обратно в дом, а потом осознать опасность сокрытия его (как отметил мсье Пуаро) в своей комнате и подыскать какое-нибудь другое место. Какое место в доме он вероятнее всего бы выбрал? Я нашел его сразу. *Вешалка в холле:* никому не придет в голову двигать вешалку в холле. Мне с большим трудом удалось отодвинуть ее от стены — и он был там!

— Нож?

— Нож. В этом нет сомнения. На нем до сих пор осталась запекшаяся кровь.

— Хорошая работа, Кроум, — одобрительно сказал помощник комиссара. — Нам теперь нужна только одна вещь.

— Какая?

— Сам человек.

— Мы схватим его, сэр. Не бойтесь.

Тон инспектора был убедительным.

— Что вы скажете, мсье Пуаро?

Пуаро очнулся от грез:

— Прошу прощения?

— Мы говорим, что схватить преступника — это только дело времени. Вы согласны?

— А, это... да. Без сомнения.

Он произнес это так задумчиво, что все посмотрели на него с удивлением.

— Вас что-то беспокоит, мсье?

— Кое-что беспокоит очень сильно. Мотив...

— Но, дорогой мой, этот АВС — помешанный, — сказал помощник комиссара полиции.

— Я понимаю, что имеет в виду мсье Пуаро, — сказал Кроум, снисходительно приходя на помощь. — Он совершенно прав. Должна существовать навязчивая идея. Я полагаю, что мы увидим корень зла в обостренном комплексе неполноценности. Возможна также мания преследования, а раз так, то он вполне мог ассоциировать с этим мсье Пуаро. У него могла быть иллюзия, что мсье Пуаро — детектив, нанятый с целью выследить его.

— Гм-гм, — произнес помощник комиссара. — В мои годы, если человек был сумасшедшим — он был сумасшедшим, и мы не выискивали тут научных терминов. Наверное, современный доктор предложил бы помещать людей, подобных АВС, в приют и рассказывать им о том, какими славными ребятами они были в течение последних сорока пяти дней, а потом выпускать их как полноправных, ответственных членов общества.

Пуаро улыбнулся, но не ответил.

Совещание подошло к концу.

Помощник комиссара сказал:

— Хорошо, как вы говорите, Кроум, арестовать его — это всего-навсего дело времени.

— Он уже был бы у нас в руках, — ответил инспектор, — если бы не выглядел столь ординарно.

— Интересно, где он находится в эту минуту, — сказал помощник комиссара.

Глава 30
(написана не от лица капитана Гастингса)

Мистер Каст остановился у лавки зеленщика. Бросил взгляд через дорогу.

Да, это она.

Миссис Ашер. Продавец газет и табачных изделий...
В пустом окне знак.

Сдается.

Пусто...

Безжизненно...

— Простите, сэр.

Жена зеленщика пытается дотянуться до лимонов.

Он извинился, отошел в сторону.

Медленно зашагал обратно, по направлению к главной улице города.

Было нелегко. Очень нелегко. Теперь, когда у него не осталось денег...

Отсутствие чего-либо съестного на протяжении всего дня довело его до странных и легкомысленных чувств...

147

Он посмотрел на плакат снаружи газетной лавки.

«ДЕЛО АВС. УБИЙЦА ЕЩЕ НА СВОБОДЕ.
ИНТЕРВЬЮ С МСЬЕ ЭРКЮЛЕМ ПУАРО».

Мистер Каст сказал самому себе:

— Эркюль Пуаро... Интересно, знает ли *он?*..

И зашагал дальше.

Негоже стоять и глазеть на плакат...

Он подумал:

— Я не могу продолжать так дальше...

Нога перед ногой... что за странная вещь — походка...

Нога перед ногой — нелепо.

В высшей степени нелепо.

Но ведь человек — это нелепое животное...

И он, Александр Бонапарт Каст, в частности, был нелепым.

Он всегда был...

Люди всегда смеялись над ним...

Куда он идет? Он не знал. Он подошел к концу.

Он уже больше ни на что не смотрит, кроме своих ног.

Нога перед ногой.

Он поднял глаза. Перед ним огни. И буквы...

Полицейский участок.

— Забавно, — сказал мистер Каст. Он едва заметно ухмыльнулся.

Затем ступил внутрь. Внезапно при этом он закачался и рухнул ничком.

Глава 31

ЭРКЮЛЬ ПУАРО ЗАДАЕТ ВОПРОСЫ

Стоял ясный ноябрьский день. Доктор Томпсон и инспектор Джепп зашли, чтобы ознакомить Пуаро с результатами слушаний в полицейском суде по делу «Король против Александра Бонапарта Каста»[1]. Ведь Пуаро из-за бронхиальной простуды не смог на них присутствовать.

— Передано в суд, — сказал Джепп.

---

[1] Традиционная формула британского судопроизводства.

— Разве это не необычно, — спросил я, — что защита предоставляется на данной стадии? Я считал, что заключенные всегда откладывают защиту.

— Обычный ход, — сказал Джепп, — я полагаю, молодой Лукас рассчитал, что сможет провернуть это. Умопомешательство — его единственная зацепка.

Пуаро пожал плечами:

— При помощи умопомешательства добиться свободы? Тюремное заключение, «пока это будет угодно его величеству», вряд ли предпочтительнее смерти.

— Я полагаю, Лукас считает, что есть шанс, — сказал Джепп. — С первоклассным алиби относительно бексхиллского убийства все дело может ослабнуть. Я не думаю, что он представляет, настолько сильны наши позиции. Так или иначе, Лукас оригинальничает: он молод и хочет проявить себя в глазах общественности.

Пуаро повернулся к Томпсону:

— Каково ваше мнение, доктор?

— О Касте? Клянусь, не знаю, что и сказать. Он замечательно играет нормального человека. Он эпилептик, конечно.

— Какая удивительная развязка получилась, — сказал я.

— То, что он ввалился в припадке в полицейский участок Андовера? Да, это подходящий театральный занавес для драмы. АВС всегда хорошо рассчитывал свои эффекты.

— Возможно ли совершить преступление и не знать об этом? — спросил я. — Его отрицания, похоже, звучат правдиво.

Доктор Томпсон едва заметно улыбнулся:

— Вас не должна вводить в заблуждение театральная поза типа «Клянусь Богом!». По-моему, *Каст прекрасно знает, что это он совершил убийства*.

— Что касается вашего вопроса, — продолжал Томпсон, — представляется вполне возможным эпилептическому субъекту в состоянии сомнамбулизма совершать действия и абсолютно ничего не знать о проделанном. Но подобные действия не должны противоречить желанию личности в пробудившемся состоянии! — Он продолжал рассуждать по этому вопросу, безнадежно сбив меня с толку, как часто случается, когда ученая личность садится на своего конька. — Однако я против теории, что Каст совершил эти преступления, не зная об этом. Вы могли бы выдвигать эту теорию, если бы не письма. Письма разбивают эту теорию в пух и прах. Они указывают на преднамеренность и тщательное планирование преступления.

— И по поводу писем у нас по-прежнему нет объяснений, — сказал Пуаро.

— Это интересует вас?

— Естественно, раз они были написаны мне. И по поводу писем Каст упорно молчит. До тех пор пока я не пойму, почему те письма были написаны мне, у меня не будет ощущения, что дело завершено.

— Да, я могу понять это с вашей точки зрения. Похоже, нет никаких оснований полагать, что этот человек где-то что-то против вас имел?

— Нет, ни в коей мере.

— Я могу сделать предположение. Ваше имя!

— Мое имя?

— Да. Каст обременен — по-видимому, капризом его матери — двумя чрезвычайно напыщенными именами: Александр и Бонапарт. Вы улавливаете смысл? Александр — считающийся непобедимым, тосковал о новых землях. Бонапарт — великий император Франции. Ему хочется соперника — соперника, можно сказать, его класса. Ну, вот вы и есть Геракл могучий[1].

— Ваши слова заставляют задуматься, доктор. Они способствуют возникновению мыслей...

— О, это только предположение. Ну, мне пора.

Доктор Томпсон вышел. Джепп остался.

— Вас в самом деле беспокоит это алиби? — спросил Пуаро.

— Немного, — признал инспектор. — Впрочем, это пустяки, я не верю в него, потому что я знаю, что оно ложно. Но придется попотеть, чтобы разбить его. Этот человек, Стрейндж, с твердым характером.

— Опишите мне его.

— Ему лет сорок. Твердый, уверенный, упрямый горный инженер. По-моему, это он настоял на том, чтобы

---

[1] Эркюль (Hercule) — французский вариант имени Геракл, Геркулес (Hercules).

150

его показания были выслушаны теперь. Он хочет отправиться в Чили.

— Он один из самых самоуверенных людей, каких я когда-нибудь видел, — сказал я.

— Тип человека, который не хотел бы признавать, что ошибся, — задумчиво произнес Пуаро.

— Он упорствует в своем рассказе и не из тех, кого можно забросать вопросами. Он всем на свете клянется, что познакомился с Кастом в отеле «Белый крест» в Истборне вечером 24 июля. Тот был одинок, и ему хотелось поговорить с кем-нибудь. Насколько я понимаю, Каст получил идеального слушателя. Он не прерывал его. После ужина они с Кастом играли в домино. Оказывается, Стрейндж — знаток домино, и, к его удивлению, Каст тоже первоклассно играл. Странная игра домино. Люди с ума сходят по ней. Готовы играть часами. Что, по-видимому, и делали Каст со Стрейнджем. Каст хотел пойти спать, но Стрейндж и слышать об этом не желал — требовал, чтобы они продолжили хотя бы до полуночи. Что они и сделали. Они разошлись в десять минут первого. А раз Каст был в отеле «Белый крест» в Истборне в десять минут первого ночи, то он не мог преспокойно задушить Бетти Барнард на пляже Бексхилла между полуночью и часом.

— Задача, похоже, непреодолима, — задумчиво сказал Пуаро.

— Она заставляет Кроума призадуматься, — сказал Джепп.

— Этот человек, Стрейндж, очень самоуверенный?

— Да. Он упрямый дьявол. И трудно понять, где у него изъян. Допустим, Стрейндж ошибается, и тот человек был не Каст, — с какой стати ему потребовалось говорить, что его имя Каст? И почерк в книге регистраций в отеле точно его. Нельзя сказать, что он сообщник, — у убийц-лунатиков не бывает сообщников! Умерла ли девушка позднее? Доктор совершенно тверд в своих показаниях, да так или иначе Касту потребовалось бы какое-то время, чтобы выйти из отеля в Истборне незамеченным и добраться до Бексхилла: за четырнадцать миль...

— Да, проблема, — сказал Пуаро.

— Конечно, строго говоря, это не столь важно. Мы взяли Каста на донкастерском убийстве: запачканное кровью пальто, нож — здесь уже не найдешь лазейки. Любой суд присяжных не оправдает его — никто не осмелится утверждать обратное. Но это портит красивое дело. Он совершил черстонское убийство. Он совершил андоверское. Тогда, черт возьми, он *должен* был совершить бексхиллское. Но я не вижу как!

Джепп покачал головой и поднялся.

— Теперь ваш шанс, мсье Пуаро, — сказал он. — Кроум в тумане. Напрягите свои мозговые клетки, о которых мне приходилось столько слышать. Покажите нам, как он это сделал.

Джепп удалился.

— Ну как, Пуаро? — спросил я. — Как ваше серое вещество? Соответствует масштабам задачи?

Пуаро ответил на мой вопрос вопросом:

— Скажите, Гастингс, а вы считаете дело законченным?

— Практически да. У нас есть человек. И доказательства. Остается только доработка.

Пуаро покачал головой:

— Дело закончено! Дело! Дело — это *человек*, Гастингс. Пока мы не знаем о человеке все, тайна остается столь же глубокой. То, что мы посадили его на скамью подсудимых, — это еще не победа!

— Мы знаем довольно много о нем.

— Мы совершенно ничего не знаем! Мы знаем, где он родился. Мы знаем, что он воевал и получил ранение в голову и что он был уволен из армии из-за эпилепсии. Мы знаем, что он квартировал у миссис Марбери в течение почти двух лет. Мы знаем, что он был тихим и застенчивым — людей такого типа никто не замечает. Мы знаем, что он изобрел и воплотил впечатляюще умную схему систематизированного убийства. Мы знаем, что он совершил определенные грубые ошибки. Мы знаем, что он убивал жестоко и без сожаления. Мы знаем также, что он был весьма любезен, не позволив обвинить в совершенных им преступлениях кого-нибудь другого. Разве вы не видите, Гастингс, что этот человек — скопище противоречий? Глупый и изобретательный, безжалостный и великодушный, — *и должен найтись некий доминирующий фактор, который согласовал бы две его натуры.*

— Конечно, если вы рассматриваете его как психологический экспонат... — начал я.

— Чем еще привлекало это дело с самого начала? Все время я шел ощупью, пытаясь *прийти к выводу,* кто *убийца?* И теперь я понял, Гастингс, что я не знаю его вообще, я в тупике.

— Это страсть к власти...

— Да, это может объяснить многое... Но не все. Я хочу знать следующее. Почему он совершил эти убийства? Почему он выбрал именно тех людей?..

— По алфавиту...

— Разве Бетти Барнард единственная в Бексхилле, чье имя начинается с «В»? Бетти Барнард — у меня есть мысль... Она должна быть верной, она обязательно должна быть верной. И если так...

Он немного помолчал. Мне не хотелось его прерывать. Видимо, я задремал.

Я проснулся от прикосновения руки Пуаро к моему плечу.

— Мой дорогой Гастингс, — нежно сказал он. — Мой добрый гений.

Я был совершенно смущен этим неожиданным знаком уважения.

— Это так, — настаивал Пуаро. — Всегда, всегда вы мне помогаете... вы приносите мне удачу. Вы вдохновляете меня.

— Каким образом я вдохновил вас на этот раз? — спросил я.

— Задавая себе конкретные вопросы, я вспомнил одну вашу ремарку — ремарку, ясную как Божий день. Разве я не говорил вам как-то, у вас талант констатации очевидного? Именно очевидным я пренебрег.

— Так что это за блестящая ремарка? — спросил я.

— Она сделала все прозрачным, как кристалл. Я вижу ответы на все свои вопросы. Почему миссис Ашер, почему сэр Кармайкл Кларк, зачем донкастерское убийство и, наконец, что исключительно важно, *почему Эркюль Пуаро.*

— Не будете ли вы любезны объяснить? — спросил я.

— Не сейчас. Сперва мне необходима дополнительная информация. Ее я могу получить в нашем «Специальном легионе». А потом — потом, *когда я буду иметь ответ на один вопрос, я схожу навестить АВС*. Мы наконец встретимся с глазу на глаз: АВС и Эркюль Пуаро — соперники.

— А потом? — спросил я.

— А потом, — сказал Пуаро, — мы поговорим! Уверяю вас, Гастингс, *для тех, кому есть что скрывать*, нет ничего страшнее разговора! Речь, как однажды сказал мне один старый французский мудрец, — это изобретение человека для избавления его от мыслей. Она является также непревзойденным средством для обнаружения того, что он хочет скрыть. Человек, Гастингс, не может устоять против возможности, которую ему дает беседа, без того чтобы не раскрыть себя и не выразить свою индивидуальность. Каждый раз он себя выдает.

— Что, вы ожидаете, вам расскажет Каст?

Эркюль Пуаро улыбнулся.

— Ложь, — сказал он. — А по ней я установлю истину!

Глава 32

ЛИСУ СЛОВИТЬ

В течение нескольких следующих дней Пуаро был очень занят. Он таинственно исчезал, разговаривал мало, хмурился и упорно отказывался удовлетворить мое естественное любопытство относительно того блеска, который я, по его мнению, недавно произвел.

Я не был приглашен сопровождать его в таинственных походах — факт, который в некоторой степени возмутил меня.

К концу недели, однако, он объявил о своем намерении посетить Бексхилл и его окрестности и предложил мне отправиться с ним. Нечего и говорить, я с готовностью принял это предложение.

Приглашение, как я выяснил, распространялось не только на меня, но и на членов нашего «Специального легиона».

Пуаро заинтриговал их так же, как и меня. Так или иначе, к концу дня я, во всяком случае, представлял направление, в котором работали мысли Пуаро.

Первым делом он посетил мистера и миссис Барнард и получил от них точные сведения относительно часа, в котором заходил мистер Каст, и что точно он сказал. Далее он отправился в отель, в котором останавливался мистер Каст, и выудил подробное описание отъезда этого джентльмена. Насколько я мог судить, новых фактов с помощью этих вопросов извлечь не удалось, но Пуаро, похоже, был вполне удовлетворен.

Потом мы отправились на пляж — на то место, где было обнаружено тело Бетти Барнард. Там он ходил кругами, в течение нескольких минут внимательно изучая гальку. В этом, по-моему, было мало смысла, поскольку приливы покрывали это место дважды в день.

Однако к этому времени я уже знал, что действия Пуаро, какими бы бессмысленными они ни казались, обычно бывают продиктованы идеей.

Далее он прошел от пляжа до ближайшего места, где могла бы припарковаться машина. Оттуда он снова пошел к тому месту, где истборнские автобусы ждут, пока не отправятся из Бексхилла. И наконец, он повел нас всех в кафе «Рыжая кошка», где мы попили поданный пухлой официанткой Милли Хигли довольно несвежий чай.

Ей он отпустил комплимент в пышном галльском стиле:

— Лодыжки англичанок всегда очень тонки! Но у вас, мадемуазель, они превосходны.

Милли Хигли хихикнула и попросила его не продолжать в том же духе. Она знала французских джентльменов, какие они из себя.

Пуаро и не потрудился возразить на ее ошибку относительно его национальности. Он строил ей глазки с такой откровенностью, что я был убит наповал.

— Так, — сказал Пуаро, — я закончил в Бексхилле. Теперь я еду в Истборн. Небольшое расследование там — и все. Вам не обязательно сопровождать меня. А пока заедем обратно в отель и угостимся коктейлем. Этот карлтонский чай, он отвратителен!

Пока мы потягивали свои коктейли, Франклин Кларк странно произнес:

155

— Я полагаю, мы можем догадаться, что вы преследуете. Вы здесь, чтобы разрушить алиби. Но я не понимаю, чем вы так обрадованы. Вы не получили никаких новых фактов.

— Это правда!

— Ну и что тогда?

— Спокойствие. Все со временем образуется.

— Тем не менее вы, похоже, вполне удовлетворены собой.

— Пока ничего не противоречит моей маленькой мысли — вот почему. — Лицо его стало серьезным. — Мой друг Гастингс рассказал мне однажды, как, еще в молодости, он играл в игру под названием «Правда». В этой игре каждому по очереди задаются три вопроса, на два из которых должен быть правдивый ответ. Третий можно обойти. Вопросы же были самые что ни на есть нескромные. Но с самого начала каждый должен был поклясться, что он на самом деле будет говорить правду, только правду и ничего, кроме правды.

Он сделал паузу.

— Ну? — сказала Меган.

— Я хочу сыграть в эту игру. Только не обязательно задавать три вопроса. Одного будет достаточно. Один вопрос каждому из вас.

— Конечно, — нетерпеливо сказал Кларк, — мы ответим на все, что угодно.

— О, но я хочу, чтобы это было еще серьезнее. Готовы ли вы поклясться говорить правду?

Он так торжественно произнес это, что остальные поклялись, как он и хотел.

— Хорошо, — оживленно сказал Пуаро, — начнем...

— Я готова, — сказала Тора Грей.

— Принцип «леди в первую очередь» на этот раз был бы невежливым. Мы начнем с кого-нибудь другого. — Он повернулся к Франклину Кларку: — Что, мой дорогой Кларк, вы думаете о шляпках, которые носят леди в этом году в Аскоте?[1]

Франклин Кларк уставился на него:

---

[1] А с к о т — ипподром близ Виндзора, где в июне в течение четырех дней проходят ежегодные призовые скачки; впервые были проведены в 1711 году.

— Это шутка?

— Нет, конечно.

— Это в самом деле ваш вопрос?

— Да!

— Ну, мсье Пуаро, я, собственно, не посещаю Аскот, но, насколько я могу судить по тому, в чем проезжают на автомобилях, женские шляпы для Аскота еще нелепее, чем те, которые носят обычно.

— Эксцентричные?

— Довольно эксцентричные.

Пуаро улыбнулся и повернулся к Дональду Фрэзеру:

— Когда в этом году вы брали отпуск, мсье?

Теперь настала очередь Фрэзера застыть.

— Мой отпуск? Две первые недели августа.

Лицо его внезапно задрожало. Я догадался, что вопрос напомнил ему о потере девушки.

Однако Пуаро, похоже, не обратил особого внимания на ответ. Он повернулся к Торе Грей, и я услышал, как слегка изменился его голос. Он стал твердым. Его вопрос прозвучал остро и отчетливо:

— Мадемуазель, в случае смерти леди Кларк вышли бы вы замуж за сэра Кармайкла, если бы он вас попросил об этом?

Девушка вскочила, как пружина:

— Как вы смеете задавать подобные вопросы! Это... это оскорбительно!

— Возможно. Но вы поклялись говорить правду. Ладно, «да» или «нет»?

— Сэр Кармайкл был удивительно добр. Он относился ко мне почти как к дочери. И я к нему питаю нежность и благодарность.

— Извините меня, но это не ответ. «Да» или «нет», мадемуазель?

Она заколебалась.

— Ответ, конечно, — нет!

Пуаро оставил это без внимания.

— Спасибо, мадемуазель.

Он обратился к Меган Барнард. Лицо девушки было очень бледным. Она тяжело дышала, будто собиралась с силами для Божьего Суда.

Голос Пуаро прозвучал как удар хлыстом:

— Мадемуазель, какими вы надеетесь видеть результаты моего расследования? Хотите вы, чтобы я отыскал истину, или нет?

Голова ее гордо откинулась назад. Я был совершенно уверен в ее ответе. Я знал, что у Меган фанатичная страсть к правде.

Ответ ее прозвучал ясно... и ошеломил меня.

— Нет!

Мы все вскочили. Пуаро наклонился вперед, изучая ее лицо.

— Мадемуазель Меган, — сказал он, — вы можете не желать правды, но, клянусь честью, вам дано говорить ее!

Он направился к двери, но вернулся и подошел к Мэри Дроуэр.

— Скажите, дитя мое, у вас есть молодой человек?

Мэри выглядела испуганной и покраснела от страха.

— О, мистер Пуаро. Я... я... я не уверена.

Пуаро улыбнулся:

— Тогда это хорошо, дитя мое.

Он оглянулся на меня:

— Пойдемте, Гастингс, нам надо отправляться в Истборн.

Машина ждала, и вскоре мы уже ехали вдоль побережья по дороге, ведущей через Певенси в Истборн.

— Стоит ли вас сейчас спрашивать о чем-то, Пуаро?

— Не сейчас. Сосредоточьте внимание на том, что я делаю.

Я умолк.

Пуаро, который, по-видимому, был доволен собой, мурлыкал мотивчик. Когда мы проезжали Певенси, он предложил остановиться и осмотреть замок.

Возвращаясь к машине, мы на минутку задержались посмотреть на группу детей — десятилетних девочек-скаутов, судя по стилю их одежды. Пронзительными голосами они, фальшивя, пели песенку...

— Что это они там поют, Гастингс? Не могу разобрать.

Я прислушался, пока не уловил один припев:

> ...Лису словить,
> И в ящик засадить,
> И не давать сбежать...

— Лису словить, и в ящик засадить, и не давать сбежать! — повторил Пуаро. Внезапно его лицо помрачнело, стало суровым. — Это ужасно, Гастингс. — Он с минуту помолчал. — Вы охотитесь на лис?

— Я — нет. У меня никогда не было возможности позволить себе охотиться. И я не думаю, чтобы в этом уголке была хорошая охота.

— Я имел в виду охоту в Англии вообще. Странный вид спорта. Ожидание в лесной чаще... затем они кричат «ату!», не так ли?.. и начинается преследование... через всю страну... через завал и канавы... а лиса бежит... и порой делает петли, запутывает след... но собаки...

— Гончие!

— ...гончие держат след и, наконец, хватают ее, и она погибает: быстро и ужасно.

Я полагаю, что это и впрямь звучит жестоко, но, в самом деле...

— Лиса получает удовольствие? Не говорите, что это глупости, друг мой. Все-таки лучше так: быстрая, жестокая смерть, чем то, о чем пели те дети... Быть заключенным... в ящик... навсегда... Нет, это не хорошо, так вот. — Он покачал головой. Затем сказал изменившимся тоном: — Завтра я навещу мистера Каста, — и добавил, обращаясь к шоферу: — Обратно в Лондон.

— Разве вы не собираетесь в Истборн? — воскликнул я.

— С какой стати? Я знаю... вполне достаточно для своих целей.

Глава 33

АЛЕКСАНДР БОНАПАРТ КАСТ

Я не присутствовал на беседе Пуаро с тем странным человеком — Александром Бонапартом Кастом. Благодаря связям в полиции и своеобразным обстоятельствам этого дела у Пуаро не было сложностей с получением ордера министерства внутренних дел, но этот ордер не распространялся на меня. В любом случае, по мнению Пуаро, было важно, чтобы беседа носила абсолютно частный характер: два человека с глазу на глаз.

Он предоставил мне, однако, настолько подробный отчет о том, что произошло между ними, что я поместил его с той же уверенностью, как если бы сам присутствовал там.

Мистер Каст, похоже, избегал общества. Его сутулость стала еще заметнее.

Некоторое время, как я понял, Пуаро молчал.

Он смотрел на человека, сидящего напротив.

Очевидно, то был драматический момент. На месте Пуаро я бы почувствовал волнение. Пуаро, однако, был поглощен лишь тем, чтобы произвести определенный эффект.

Наконец он мягко произнес:

— Вы знаете, кто я такой?

Тот отрицательно покачал головой:

— Нет... нет... Не могу сказать, что знаю. Если только вы не мистера Лукаса... как это называется?.. младший. Или, возможно, вы пришли от мистера Мэйнарда? («Мэйнард и Коул» были поверенными защиты.)

Он говорил вежливо, но не очень заинтересованно. Похоже, он был охвачен какой-то внутренней рассеянностью.

— Я — Эркюль Пуаро...

Пуаро произнес слова очень мягко... и наблюдал за произведенным эффектом.

Мистер Каст немного приподнял голову:

— Неужели?

Он произнес это так же естественно, как мог бы произнести инспектор Кроум, но без высокомерия. Он поднял голову и посмотрел на Пуаро.

Эркюль Пуаро поймал его взгляд и кивнул один-два раза.

— Да, — сказал он, — я тот человек, которому вы писали письма.

Сразу же контакт был нарушен. Мистер Каст опустил глаза и заговорил раздраженным голосом:

— Я никогда вам не писал. Те письма были написаны не мной. Я устал это повторять.

— Я знаю, — сказал Пуаро, — но раз их писали не вы, то кто?

— Враг. У меня должен быть враг. Они все против меня. Полиция... каждый... все против меня. Это гигантский заговор.

Пуаро не ответил.

Мистер Каст сказал:

— Всегда чья-нибудь рука против меня.

— Даже когда вы были ребенком?

Мистер Каст задумался.

— Нет... нет... не совсем. Моя мама очень любила меня. Но она была очень честолюбива. Вот почему она дала мне эти нелепые имена. У нее была некая абсурдная идея, что я смогу стать известной личностью. Она всегда призывала меня отстаивать свои права, говорила мне о силе воли... Она говорила, что я смогу сделать все, что угодно! — Он на минуту умолк. — Она сильно ошиблась, конечно. Я понял это очень скоро. Я был не из тех людей, кто чего-то добивается в жизни. Я всегда делал глупости, становясь нелепым. И я стал очень робок, боялся людей. В школе для меня были тяжелые времена... мальчишки узнали мои имена... они постоянно дразнили меня по этому поводу... Все шло плохо в школе: в играх, в занятиях и во всем. — Он покачал головой. — Вдобавок умерла бедная мама. Даже когда я был в коммерческом колледже, мне требовалось больше времени, чем кому-либо, чтобы изучить машинопись и стенографию. И я еще не *чувствовал*, что я глуп, — если вы понимаете, что я имею в виду.

Он бросил неожиданно призывающий взгляд на собеседника.

— Я понимаю, что вы имеете в виду, — сказал Пуаро, — продолжайте.

— Это было просто ощущением, будто все *думают*, что я глупый. Очень парализующее действие. То же самое было и в офисе.

— А позднее — и на войне? — подсказал Пуаро.

Лицо мистера Каста внезапно просияло.

— Вы знаете, — сказал он, — я наслаждался войной. То есть тем, что я имел от нее. Поначалу я ощущал себя наравне со всеми. Мы все были в одной упряжке. Я был таким же, как любой другой. — Его улыбка исчезла. — А потом я получил то самое ранение в голову. Очень легкое. Они обнаружили у меня припадки...

Конечно, были случаи, когда я не был вполне уверен в том, что я делал. Провалы, знаете ли. И конечно, однажды или дважды я падал. Но я не считаю, что меня должны были из-за этого демобилизовать.

— А потом? — спросил Пуаро.

— Я получил место клерка. Конечно, я мог получать впоследствии хорошие деньги. И у меня не так плохо получалось после войны. Конечно, меньшее жалованье... Я не был достаточно энергичным. Меня всегда обходили повышением. Рост был очень трудным, действительно очень трудным... Особенно когда наступил кризис. По правде говоря, я с трудом сохранял душевное равновесие. Потом это предложение относительно работы с чулками... Жалованье и комиссионные!

Пуаро спокойно сказал:

— Но вы в курсе, не так ли, что фирма, которая, как вы говорите, наняла вас, отрицает этот факт?

Мистер Каст снова стал возбужденным.

— Это потому, что они в заговоре, они должны быть в заговоре. — Он продолжал: — У меня есть письменные доказательства. У меня есть их инструкции, в какое место направляться, и списки людей, к которым заходить.

— Не *письменные* доказательства, если быть точным, а *напечатанные* доказательства.

— Это то же самое. В самом деле, крупная фирма по оптовой торговле печатает свои письма.

— Разве вы не знаете, мистер Каст, что пишущую машинку можно идентифицировать? Все эти письма были напечатаны на одной машинке.

— Ну и что из этого?

— И эта машинка ваша собственная — та, что была найдена в вашей комнате.

— Она была прислана мне фирмой в начале работы.

— Да, но те письма были получены *после*. Поэтому это выглядит, будто бы *вы печатали их сами и отправляли самому себе.*

— Нет, нет! Это все часть замысла против меня! — Он неожиданно добавил: — Кроме того, их письма *могли быть* напечатаны на машинке того же типа.

— Того же типа, но не на той же самой.

Мистер Каст упрямо повторил:

— Это заговор!

— И справочники «АВС», которые были найдены в шкафу?

— Я ничего не знаю о них. Я думал, что все это чулки.

— Почему вы пометили галочкой фамилию миссис Ашер в том первом списке людей в Андовере?

— Потому что я решил начать с нее. С кого-то надо начинать.

— Да, это так. *С кого-то надо начинать.*

— Я не это имел в виду! — сказал мистер Каст. — Не то, что вы!..

— *Но вы знаете, что я имел в виду?*

Мистер Каст ничего не ответил. Он дрожал.

— Я не делал этого! — сказал он. — Я совершенно невиновен! Это все ошибка. Вот, посмотрите на то второе преступление — то, в Бексхилле. Я играл в домино в Истборне. Вы должны признать это!

Его голос звучал торжествующе.

— Да, — сказал Пуаро. Его голос звучал размеренно, вкрадчиво. — Но это очень просто, не так ли, ошибиться на один день? И если вы настойчивый, самоуверенный человек, подобно мистеру Стрейнджу, то никогда не примете во внимание возможность быть неправым. Вы сказали, что будете настаивать... Он такого же склада. И в книге регистраций в отеле очень просто перепутать и написать неправильную дату, когда расписываетесь, — вероятно, никто сразу не заметит этого.

— Я в тот вечер играл в домино!

— Вы, наверное, очень хорошо играете в домино.

Мистер Каст немного оживился.

— Я... я... да, думаю, хорошо.

— Это очень затягивающая игра, не так ли, и требует большого умения?

— О, в ней столько вариантов, столько вариантов! Нам приходилось много играть в Сити, в обеденный перерыв. Вас бы поразило то, как совершенно незнакомые люди сходятся за игрой в домино. — Он усмехнулся. — Я помню одного человека, — я всегда помнил его, потому что он кое-что мне рассказал, — мы просто разговаривали за чашкой кофе и начали играть в домино. Да, спустя двадцать минут я почувствовал, что знаю этого человека всю жизнь.

— А что он вам рассказал?

Лицо мистера Каста помрачнело.

— Во мне все изменилось, отвратительно изменилось. Он предсказывал судьбу по рисунку на руке. И он показал мне свою руку и те линии, которые говорили, что он дважды будет тонуть, а он действительно дважды чуть не утонул. А затем он посмотрел на мою и предсказал мне удивительные вещи: что мне предстоит стать одним из самых знаменитых людей в Англии еще до того, как я умру. Сказал, что обо мне будет говорить вся страна. Но он сказал... он сказал...

Мистер Каст замолк, запнувшись...

— Да?

От пристального взгляда Пуаро исходил магнетизм. Мистер Каст посмотрел на него, оглянулся, потом еще раз оглянулся, словно зачарованный кролик.

— Он сказал... он сказал... похоже на то, что я могу умереть насильственной смертью, потом засмеялся и сказал, что это было просто шуткой с его стороны... — Он неожиданно замолчал. Глаза его уже не смотрели на Пуаро, а бегали по сторонам... — Моя голова... Я очень сильно страдаю от головной боли... Иногда боли бывают очень жестокими. А потом наступает пора, когда я не знаю... когда я не знаю...

Он замолк.

Пуаро наклонился вперед. Он говорил спокойно, но очень уверенно.

— *Но вы знаете, не так ли, что вы совершили убийства?*

Мистер Каст поднял глаза. Взгляд его был вполне спокоен и прям. Силы противодействия оставили его. Он выглядел странным в этом спокойствии.

— Да, — сказал он. — Я знаю.

— Но я прав, не так ли, — вы не знаете, почему прикончили их?

Мистер Каст покачал головой.

— Нет, — сказал он. — Не знаю.

Глава 34
ПУАРО ОБЪЯСНЯЕТ

Мы сидели в напряжении и внимательно слушали заключительное объяснение Пуаро по этому делу.

— На всем протяжении этого дела, — говорил он, — меня беспокоил вопрос: *почему*. Гастингс сказал мне как-то, что дело закончено. Я ответил ему, что дело заключается *в человеке!* Эта тайна заключалась не *в тайне убийств, а в тайне АВС*. Почему он считал, что необходимо было совершать эти убийства? Почему он выбрал *меня* в качестве соперника?

Это не ответ, что человек был сумасшедшим. Сказать, что человек совершает безумство, потому что он безумен, — это просто невежественно и глупо. Сумасшедший так же логичен и рассудителен в своих действиях, как и нормальный человек: *привержен своей индивидуальной, пристрастной точке зрения*. Например, если человек настаивает на том, чтобы выйти и сесть на корточки в одной только набедренной повязке, то его поведение будет выглядеть крайне эксцентрично. Но стоит вам только узнать, что сам человек твердо убежден, что он Махатма Ганди, как его поведение становится совершенно приемлемым и логичным.

Что было важно в этом деле, так это представить ум, устроенный так, *чтобы для него было логично и приемлемо совершить четыре или более убийств* и заявить о них заранее письмами, адресованными Эркюлю Пуаро!

Мой друг Гастингс подтвердит вам, что с того момента, как я получил первое письмо, я был расстроен и обеспокоен. Мне сразу же показалось, что с этим письмом что-то не так.

— Вы были совершенно правы, — сухо произнес Франклин Кларк.

— Да. Но тогда, в самом начале, я совершил ошибку. Я позволил своим предчувствиям, моим очень сильным предчувствиям остаться на уровне простого впечатления. Я относился к ним, как будто это была интуиция. У уравновешенного здравомыслящего ума не бывает такой вещи, как интуиция — вдохновенная догадка! Вы, конечно, *можете* догадываться, — и догадка будет либо верная, либо ложная. Если она верна, то вы называете это интуицией. Если она ложная, то вы обычно больше не упоминаете о ней. Но то, что часто называют интуицией, на самом деле является *впечатлением, основанным на логической дедукции или на опыте*. Когда знаток чувствует, что что-то не так с картиной, или элементом мебели, или с подписью на чеке, он на самом деле основывает свое ощущение на множестве признаков и деталей. Ему нет необходимости вникать в них подробно, — его опыт избавляет его от этого, а результатом является *определенное впечатление, что что-то не так*. Но это не догадка — это *впечатление, основанное на опыте*.

Ну ладно, я признаю, что не оценил должным образом письмо. Оно встревожило меня. Я был убежден, что, как и утверждалось, убийство в Андовере произойдет. Я не ошибся. Не было никаких оснований и средств узнать, *кто* был тем *человеком*, который это совершил. Единственной возможностью было попытаться понять, *что за человек* это совершил.

У меня были определенные отправные точки: письмо, стиль преступления, жертва. Необходимо было выяснить мотив преступления, мотив написания письма.

— Огласка, — предположил Кларк.

— Разумеется, комплекс неполноценности это объясняет, — добавила Тора Грей.

— Конечно, это очевидная линия, по которой следует мысль. Но почему *мне*? *Почему Эркюлю Пуаро?* Бульшую огласку можно было обеспечить, послав письма в Скотленд-Ярд. Бульшую, опять же, послав их в газету. Газета могла не напечатать первое письмо, но к моменту второго преступления АВС мог быть уверен в самой широкой огласке, на какую только способна пресса. Тогда почему Эркюлю Пуаро? По каким-то *личным* причинам? В письме было заметно легкое предупреждение против иностранцев, но этого объяснения было недостаточно, чтобы удовлетворить меня.

Далее пришло второе письмо, после чего последовало убийство Бетти Барнард в Бексхилле. Тогда стало ясно (хотя я об этом уже подозревал), что убийства продолжаются в алфавитном порядке. Но этот факт, который казался окончательным для большинства людей, для меня оставался вопросом. Почему АВС *нужно* совершать эти убийства?

Меган Барнард поерзала в кресле.

— Разве это не жажда крови?.. — сказала она.

Пуаро повернулся к ней.

— Вы совершенно правы, мадемуазель, — жажда убивать. Но это не вполне соотносится с фактами. Маньяк-убийца, который хочет убивать, обычно хочет убить *как можно больше жертв*. Это часто повторяющееся страстное желание. Главная мысль такого убийцы — замести следы, а не *рекламировать их*. Когда мы внимательнее посмотрим на выбранные жертвы, поймем, что он мог покончить с ними, не навлекая на себя подозрений. Франц Ашер, Дональд Фрэзер или Меган Барнард, возможно, мистер Кларк — это те люди, которых подозревала бы полиция, даже если бы не располагала прямыми уликами. О неизвестном маньяке-убийце и не подумали бы! Почему тогда убийца почувствовал, что необходимо привлечь к себе внимание? Была ли необходимость оставлять у каждого тела экземпляр железнодорожного справочника «АВС»? Было ли это принуждением? Существовал ли какой-то комплекс, связанный с *железнодорожным справочником?*

Представив себя на месте убийцы, я счел это немыслимым. Не великодушие же это? Страх перед ответственностью за преступление, приписанное невиновному?

Хотя я не мог ответить на главный вопрос, но я чувствовал, что узнаю об убийце определенные вещи.

— Какие, например? — спросил Фрэзер.

— Начнем с того, что он обладал табличным умом. Его преступления были составлены в алфавитном порядке — это, безусловно, было для него важно. С другой стороны, он был довольно неразборчив в жертвах: миссис Ашер, Бетти Барнард, сэр Кармайкл Кларк — все они сильно отличаются друг от друга. Это не был ни сексуальный комплекс, ни определенный возрастной комплекс, и этот факт показался мне очень любопытным. Если человек убивает неразборчиво, то это обычно оттого, что он устраняет всякого, кто стоит у него на пути или раздражает его. Но *алфавитный порядок показывает*, что это не тот случай. Убийца другого типа обычно выбирает *определенный тип жертв* — почти всегда противоположного пола. Что-то было случайное в образе действий АВС и, как мне показалось, противоречило алфавитному отбору.

Я позволил себе сделать одно небольшое умозаключение. Свой образ, который АВС предложил мне, я мог бы назвать *железнодорожномыслящим* человеком. Это более присуще мужчинам, нежели женщинам. Мальчики любят поезда больше, чем девочки. Это мог бы быть также признак в некотором роде недоразвитого ума. Мотив «мальчика» еще преобладал.

Смерть Бетти Барнард и ее характер дали мне другие конкретные направления. Характер ее смерти вызывал определенные мысли (да простит меня мистер Фрэзер). Начнем с того, что она была задушена собственным поясом, следовательно, она почти наверняка была убита кем-то, с кем она была в дружеских или любовных отношениях. Когда я узнал кое-что о ее характере, у меня в голове сложилась картина.

Бетти Барнард была кокетка. Она любила, когда на нее обращали внимание красивые мужчины. Следовательно, для того, чтобы уговорить ее пройтись вместе, АВС необходимо было иметь определенную *привлекательность*, — сексуальную притягательность! Он должен уметь, как вы, англичане, говорите, «откалывать всякое». Он должен был произвести впечатление, иметь успех! Я мысленно представляю себе сцену на пляже таковой: человек восхищается поясом. Она снимает его. Он играючи обвивает его вокруг ее шеи, говорит, возможно: «Я сейчас тебя задушу». Все очень игриво. Она хихикает — и он затягивает...

Дональд Фрэзер вскочил, побагровев.

— Мсье Пуаро — ради Бога.

Пуаро жестом остановил его:

— Все. Я больше ничего не скажу. Закончили. Мы переходим к следующему убийству — сэра Кармайкла Кларка. Здесь убийца возвращается к своему первому способу — удару по голове. Тот же самый алфавитный комплекс, но один факт немного беспокоит меня. Чтобы быть последовательным, убийца должен был бы выбирать города в строгом порядке.

Если Андовер стоит на сто пятьдесят пятом месте буквой «А», то город на «В» должен быть тоже на сто пять-

168

десят пятом, или же на сто пятьдесят шестом, а «С» — на сто пятьдесят седьмом... Здесь опять же получается, что города выбраны довольно беспорядочным образом.

— Не оттого ли это, что вы слегка зациклились на этом предмете, Пуаро? — предположил я. — Вы сами обычно методичны и аккуратны. Это у вас почти болезнь!

— Нет, это *не* болезнь! Какая мысль! Но я допускаю, что могу здесь перегибать. Продолжим. Убийство в Черстоне мало помогло мне. Нам с ним не повезло, так как письмо, объявляющее его, заплутало. Следовательно, невозможно было подготовиться.

Но ко времени, когда было объявлено убийство «D», была развернута очень грозная система защиты. Стало очевидным, что АВС не мог более надеяться выйти сухим из воды.

Более того, именно в этот момент у меня в руках оказалась ниточка — чулки. Было совершенно ясно, что наличие индивидуальной продажи чулок вблизи сцены каждого преступления не могло быть совпадением. Следовательно, продавец чулок и может быть убийцей. Должен сказать, что описание его внешности, данное мне мисс Грей, не вполне соответствовало моему представлению о человеке, который задушил Бетти Барнард.

Следующий этап я пройду быстро. Было совершено четвертое убийство — убийство человека по имени Джордж Эрлсфилд, — предположительно по ошибке, вместо человека по имени Даунз, который был примерно того же телосложения и сидел в кинотеатре рядом.

Теперь, наконец, прилив поворачивает обратно. События играют против АВС, вместо того чтобы быть у него в руках. Он замечен, выслежен и, наконец, арестован.

Дело, как говорит Гастингс, завершено!

Ровно настолько, насколько заинтересована общественность. Человек в тюрьме и, без сомнения, вскоре отправится в Бродмур. Больше не будет убийств. Выходит! Конец! RIP![1]

Но не для меня! Я ничего не знаю — совершенно ничего! Ни *почему*, ни *по какой причине*.

---

[1] RIP! — Requiescat in pace! *(лат.)* — Да почиет с миром!

И плюс еще один досадный факт. У этого Каста есть алиби относительно ночи, когда произошло убийство в Бексхилле.

— Это меня все время беспокоит, — сказал Франклин Кларк.

— Да. Это беспокоило и меня. Поскольку алиби смахивает на подлинное. Но оно не может быть подлинным, если... вот мы и подходим к двум очень интересным теориям.

Допустим, друзья мои, что в то время, как Каст совершил три преступления: преступления А, С и D, — он *не совершал преступления В.*

— Мсье Пуаро. Это не...

Пуаро своим взглядом заставил замолчать Меган Барнард.

— Спокойно, мадемуазель. Я за правду! Да! Я вытерпел много лжи. Допустим, говорю я, *что АВС не совершал второго* преступления. Оно произошло, помните, в первые часы 25-го — в день, когда он прибыл для совершения преступления. Допустим, что кто-то опередил его, а? Что ему оставалось делать при этих обстоятельствах? Совершить *второе* убийство или залечь *и принять этот своего рода подарок?*

— Мсье Пуаро! — сказала Меган. — Это фантастическая мысль! Все убийства *должны* были быть совершены одним лицом!

Пуаро не обратил на нее внимания и спокойно продолжал:

— Подобная гипотеза имеет достоинство в том, что объясняет один факт: *противоречие между личностью Александра Бонапарта Каста* (который ни за что бы не смог понравиться девушке) *и личностью убийцы Бетти Барнард.* Давно уже известно, что предполагаемые убийцы используют преступления, совершенные другими людьми. Например, не все преступления Джека Потрошителя были совершены самим Джеком Потрошителем. Пока все хорошо.

Но тогда я упираюсь в известную трудность.

До убийства Барнард *не были преданы огласке факты, касающиеся АВС.* Андоверское убийство вызвало большой интерес. Инцидент с раскрытым железнодорожным справочником даже не был упомянут в прессе. Из этого следует, что, кто бы ни убил Бетти Барнард, он *должен был иметь доступ к фактам, известным только определенному кругу лиц*: мне, полиции, а также родственникам и соседям миссис Ашер.

Это направление расследования, похоже, привело меня в тупик.

Мы были озадачены.

Дональд Фрэзер задумчиво произнес:

— Полиция, в конце концов, тоже состоит из людей. И они симпатичные люди...

Он остановился, вопросительно глядя на Пуаро.

Пуаро мягко покачал головой:

— Нет, все гораздо проще. Я вам говорил, что есть вторая теория.

Допустим, что Каст не ответствен за убийство Бетти Барнард. Допустим, что *кто-то* другой убил ее. Может ли тогда тот другой быть ответственным также и за другие убийства?

— Но в этом нет смысла! — воскликнул Кларк.

— Разве? Я тогда проделал то, *что обязан был проделать с самого начала*. Я с разных сторон исследовал полученные письма и сразу почувствовал, что с ними что-то не так, — подобно тому, как эксперт по живописи осознает, что картина поддельная... Я предположил, не вдаваясь в размышления, что этим «не тем» был *тот факт, что они были написаны здравомыслящим человеком!*

— Что? — воскликнул я.

— Вот именно — в точности так! Они были поддельными, как бывают поддельными картины, *потому что являлись самой настоящей фальшивкой!* Они претендовали на письма сумасшедшего лунатика-убийцы, а на самом деле ничего общего с таковым не имели.

— В этом нет смысла, — повторил Франклин Кларк.

— Вот именно! Всему должна быть причина. Что может быть целью написания подобных писем? Сконцентрировать внимание на авторе, привлечь внимание к убийствам! На первый взгляд это не имеет смысла. Но потом я прозрел. Это делалось для того, чтобы сконцентрировать внимание на нескольких убийствах — *на группе* убийств... Не у вашего ли великого Шекспира сказано: «За деревьями леса не видать».

Я не стал исправлять литературные реминисценции Пуаро. Я старался понять его. Он продолжал:

— Когда вы менее всего замечаете булавку? Когда она воткнута, как и все, в подушечку! Когда вы менее всего замечаете отдельное убийство? Когда оно является одним из *серии связанных убийств*.

Мне пришлось иметь дело с чрезвычайно умным, находчивым убийцей — до мозга костей отчаянным, дерзким игроком. Не с мистером Кастом! Он ни за что бы не совершил этих убийств! Нет, мне пришлось иметь дело с человеком совсем другого склада — человеком с мальчишеским темпераментом (свидетельством тому письма, словно написанные школьником, и железнодорожный справочник), человеком, привлекательным для женщин, человеком, обладающим безжалостным пренебрежением к человеческой жизни, человеком, который непременно фигурировал в одном из этих преступлений!

Смотрите: когда убивают мужчину или женщину, какие вопросы задает полиция? Предоставленная возможность. Где все находились в момент убийства? Мотив. Кому была выгодна смерть покойного? Если и мотив и удобный случай совершенно очевидны, что делает мнимый убийца? Фабрикует алиби, то есть каким-то образом манипулирует со временем. Но это всегда было рискованным предприятием. Наш убийца додумался до более причудливой защиты. Создал *маньяка*-убийцу!

Мне оставалось только пройтись по различным преступлениям и найти возможного виновника. Андоверское убийство? Наиболее вероятным подозреваемым был Франц Ашер, но я не мог представить, что Ашер изобрел и внедрил столь выверенную схему, как вообще то, что он запланировал преднамеренное убийство. Дональд Фрэзер имел возможность это сделать. Он умный и способный, его уму присуща методичность. Но мотивом убийства своей возлюбленной может быть только ревность, а ревность не имеет склонности к преднамеренности. Я узнал также, что у него был отпуск в *начале* августа, что делает маловероятным то, что он как-то связан с убийством в Черстоне. Мы подходим теперь к черстонскому убийству — и сразу же оказываемся на почве, которая безгранично благодатнее.

172

Сэр Кармайкл Кларк был очень богат. Кто наследует деньги? Его жена, которая умирает, а потом все переходит к *его брату Франклину*. — Пуаро не спеша повернулся, пока глаза его не встретились с глазами Франклина Кларка. — И тогда у меня не осталось сомнений. Человек, который долгое время был известен мне подсознательно, *соединился с человеком, которого я знал лично. АВС и Франклин Кларк были одним и тем же лицом!* Дерзкий, предприимчивый характер, жизнь кочевника, пристрастие к Англии, очень незаметно проявившееся в насмешке над иностранцами. Легкие, свободные и привлекательные манеры: для него нет ничего легче, чем познакомиться с девушкой в кафе. Методичный, табличный ум — однажды он составил список, выделив начала: АВС. И наконец, мальчишеский образ мыслей, упомянутый леди Кларк, который даже проглядывается в его любви к фантастике. Я выяснил, что в его библиотеке есть книга Э. Несбита под названием «Дети железной дороги». У меня не оставалось больше сомнений: АВС, человек, который написал те письма и совершил преступления, — это *Франклин Кларк*.

Внезапно Кларк расхохотался:

— Очень остроумно! А как насчет нашего друга Каста, пойманного с окровавленными руками? Как насчет крови на его пальто? И ножа, который он прятал в своем жилище? Он может сколько угодно отрицать, что совершил преступления...

Пуаро прервал его:

— Вы совершенно не правы. Он признает этот факт.

— Что? — Кларк был в самом деле поражен.

— О да, — мягко сказал Пуаро, — я поговорил с ним не раньше, чем убедился, что Каст *верит в свою виновность*.

— И даже это не удовлетворило мсье Пуаро? — спросил Кларк.

— Нет. Потому что, как только я увидел его, *я сразу понял, что он не может быть виновен!* У него нет ни крепких нервов, ни решительности, ни, смею добавить, ума для того, чтобы составить план! На всем протяжении я убеждался в раздвоении личности убийцы. Теперь я вижу, в чем она состояла. Были замешаны двое: настоящий убийца — хитрый, находчивый, смелый, и псевдоубийца — глупый, нерешительный и поддающийся внушению.

Поддающийся внушению — именно в этих словах заключается тайна мистера Каста! Для вас не было достаточно, мистер Кларк, изобрести план для отвлечения внимания от единичного убийства. Вам понадобился еще и козел отпущения.

Думаю, впервые эта идея пришла к вам после случайной встречи в городской кофейне со странным человеком, носящим напыщенные имена. Тогда вы проворачивали в голове различные планы убийства своего брата.

— В самом деле? А зачем?

— Потому что вы были серьезно обеспокоены будущим. Не знаю, осознали вы это, мистер Кларк, или нет, но вы сыграли мне на руку, когда показали письмо, написанное вам вашим братом. В нем он четко выказывал свою привязанность и увлечение мисс Торой Грей. Его отношение, может быть, было отеческим, или же он так предпочитал об этом думать. Тем не менее существовала реальная опасность, что после смерти своей жены он мог, принимая во внимание его одиночество, повернуться в поисках сочувствия и поддержки к этой прекрасной девушке, что могло кончиться, как это часто случается с пожилыми мужчинами, женитьбой на ней. Ваши опасения выросли из-за мисс Грей. Вы, мне представляется, превосходный, в некоторой степени циничный знаток характеров. Вы сделали вывод, не знаю, правильный или нет, что мисс Грей из того типа женщин, которые «себе на уме». У вас не было сомнений, что она не упустит случая стать леди Кларк. Ваш брат был чрезвычайно богатым и бодрым человеком. Могли появиться дети, и тогда ваши шансы на унаследование состояния брата испарились бы.

Вы, мне представляется, были, в сущности, человеком, разочарованным своей жизнью. Про таких, как вы, говорят: «Кому на месте не сидится, тот добра не наживет». Вы горько завидовали состоянию вашего брата.

Возвращаюсь к тому, как вы прокручивали в голове различные схемы и как встреча с мистером Кастом навела вас на мысль. Его напыщенные имена, его эпилептические припадки и головные боли, его полная замкнутость и принижение себя — все это осенило вас: вот подходящее вам орудие. Весь алфавитный план возник в вашей голове: инициалы Каста, тот факт, что имя вашего брата начинается с английской «С», и то, что он живет в Черстоне, были стержнем схемы. Вы даже дошли до того, что намекнули Касту на его возможный конец, хотя вряд ли надеялись, что ваше внушение принесет такие богатые плоды!

Ваши приготовления были превосходны. От имени Каста вы выписали большую партию чулочных изделий. Сами вы послали несколько справочников «АВС», которые выглядели как схожая посылка. Вы послали ему запечатанное письмо якобы от той же фирмы, предложив ему хорошее жалованье и комиссионные. Ваши планы так хорошо были заранее проработаны, что вы напечатали сразу все письма, которые впоследствии разослали, и *затем преподнесли машинку, на которой печатали, ему в подарок.*

Теперь вам надо было выбрать две жертвы, чьи имена начинались соответственно с «А» и «В» и которые жили в местах, начинающихся с тех же букв.

Вы нашли Андовер вполне подходящим местом, и ваша предварительная рекогносцировка привела к выбору лавки миссис Ашер в качестве места первого преступления. Ее имя было четко написано над дверью, и вы путем эксперимента выяснили, что обычно она бывала в лавке одна. Для убийства ее нужны были нервы, решительность и немного везения.

Что касается буквы «В», то вам пришлось изменить тактику. Одиноких женщин в лавках могли предупредить. Могу представить, сколько вы обошли кафе и чайных, веселясь и отпуская шутки с девушками, выискивая тех, чьи имена начинаются с нужной буквы и которые подошли бы для ваших целей.

В Бетти Барнард вы нашли то, что искали. Вы пару раз пригласили ее куда-нибудь, объяснив, что вы женаты и, следовательно, прогулки должны проходить тайно.

Итак, ваши приготовления были закончены, и вы принялись за работу! Вы послали Касту список андоверских клиентов, приказав ему отправиться туда в определенный день, и послали первое письмо от АВС мне.

В назначенный день вы поехали в Андовер и убили миссис Ашер — при этом ничто не помешало вашим планам осуществиться.

Убийство номер 1 было успешно выполнено.

Что касается второго убийства, то вы приняли меры предосторожности и на самом деле совершили его *на день раньше*. Я совершенно уверен, что Бетти Барнард была убита до полуночи 24 июля.

Теперь мы подходим к убийству номер 3 — самому важному, *настоящему* убийству, с вашей точки зрения.

И вот здесь надо отдать должное Гастингсу, сделавшему простое и очевидное замечание, на которое мы не обратили внимание.

Он предположил, что третье письмо заплутало умышленно!

И он был прав!..

В этом одном простом факте лежит ответ на вопрос, который все это время мучил меня. Почему эти три письма были в первую очередь адресованы Эркюлю Пуаро, частному детективу, а не полиции?

Ошибочно я предполагал некую личную причину.

Вовсе нет! Письма были посланы мне, потому что стержнем вашего плана было то, что одно из них *должно было быть адресовано неправильно и заплутать*. Но вы не могли устроить так, чтобы письмо, адресованное отделу по расследованию уголовных преступлений Скотленд-Ярда, вдруг заплутало! Необходимо было иметь частный адрес. Вы выбрали меня как личность, хорошо известную, и личность, которая несомненно отнесет письма в полицию; а также в своем довольно островном сознании вы наслаждались победой над иностранцем.

Вы очень сообразительно надписали конверт: Уайтхэйвн — Уайтхорс — очень достоверная описка. Только Гастингс был достаточно проницательным, чтобы не пройти мимо уловки и направиться прямо к очевидному!

Конечно, письму было *предназначено* заплутать! Полиции надо было позволить напасть на след *только после того, как убийство успешно совершится*. Удобным случаем для вас послужили вечерние прогулки вашего брата. А террор АВС настолько успешно овладел сознанием общественности, что возможность вашей вины никому и в голову не пришла.

После смерти вашего брата, конечно, цель была достигнута. У вас не было желания еще совершать убийства. С другой стороны, если бы убийства прекратились без причины, то кто-нибудь мог заподозрить правду.

Ваш козел отпущения, мистер Каст, так удачно воплотился в роль невидимки, поскольку был малоприметным; и никто не заметил, что один и тот же человек мелькал вблизи сцены трех убийств! К вашему разочарованию, даже его визит в Комбесайд не был упомянут. Это дело полностью вылетело из головы мисс Грей.

Будучи всегда решительны, вы сочли, что должно произойти еще одно убийство, но на этот раз путь должен быть проложен очень тщательно.

Местом действия вы выбрали Донкастер.

План ваш был очень прост. Сами вы будете на месте по разумеющимся обстоятельствам. Мистера Каста направит в Донкастер фирма. Вашим намерением было следовать за ним повсюду и ждать удобного случая. Все вышло замечательно. Мистер Каст отправился в кино. Это упростило вашу задачу. Вы сели рядом через несколько мест от него. Когда он встал, чтобы уйти, вы сделали то же самое. Вы притворились, что споткнулись, наклонились и закололи человека, дремавшего на переднем ряду. Опустили ему на колени «АВС» и удачно столкнулись в темном дверном проеме с мистером Кастом, вытерев при этом нож о его рукав и опустив его ему в карман.

Вас ничуть не трогало, что надо выбрать жертву с именем на букву «D». Можно любого! Вы посчитали — и совершенно верно, — что это будет расценено как ошибка. Там неподалеку наверняка должен был оказаться кто-то на букву «D». И все посчитали бы, что он-то и предназначался в жертву.

А теперь, друзья мои, давайте рассмотрим это дело с точки зрения ложного АВС — с точки зрения мистера Каста.

Андоверское убийство ничего для него не означало. Он был поражен и удивлен бексхиллским: почему он сам оказался там в это время? Потом случилось убийство в Черстоне, и запестрели заголовки в газетах. Преступление АВС в Андовере, когда он там был, преступление АВС в Бексхилле, и вот теперь еще одно рядом... Три преступления, *и он был на месте каждого из них*. Люди, страдающие эпилепсией, часто не могут вспомнить, что они делали... Помните, что Каст был нервным, очень невротическим субъектом и легко поддающимся внушению.

Потом он получает указание ехать в Донкастер.

Донкастер! И следующее преступление АВС должно быть в Донкастере. Он, должно быть, почувствовал, что это судьба. У него сдают нервы, он воображает, что его хозяйка посматривает на него подозрительно, и говорит, что едет в Челтенхэм.

Он едет в Донкастер, потому что это его обязанность. Днем он идет в кино. Возможно, он на одну-две минуты задремал. Представьте его чувства, когда по возвращении в свою гостиницу он обнаруживает *кровь на рукаве пальто, а в кармане — запачканный кровью нож.* Все его смутные дурные предчувствия превращаются в уверенность.

Он — он сам — убийца! Он вспоминает свои головные боли, свои провалы в памяти. Он совершенно уверен в истине: *он, Александр Бонапарт Каст — лунатик-убийца.*

Его поведение впоследствии — это поведение преследуемого животного. Он возвращается в свое жилище в Лондоне. Он там в безопасности. Они думают, что он был в Челтенхэме. Нож все еще у него — совершенно глупо так поступать, конечно. Он прячет его за вешалкой в холле.

Потом, в один прекрасный день, его предупреждают, что придет полиция. Это конец! *Они знают!*

Преследуемое животное делает последний рывок...

Я не знаю, почему он поехал в Андовер, — патологическое желание, мне кажется, пойти и посмотреть на то место, где было совершено преступление, которое совершил *он,* хотя ничего об этом не может вспомнить.

У него не осталось денег, он изможден... Ноги добровольно несут его к полицейскому участку.

Но даже загнанный в угол зверь продолжает бороться. Мистер Каст полностью верит в то, что он совершил убийства, но упорно настаивает на своей невиновности. И он хватается за алиби при втором убийстве. По крайней мере, его нельзя в этом обвинить.

Как я уже сказал, когда я увидел его, то сразу понял, что он не убийца и что мое имя *ему ни о чем не говорит.* Я также знал, что он *считает* себя убийцей!

После того как он *признался мне* в своей виновности, я более чем когда-либо убедился в правоте моей теории.

— Ваша теория, — сказал Франклин Кларк, — это абсурд!

Пуаро отрицательно покачал головой:

— Нет, мистер Кларк. Вы были в безопасности до тех пор, *пока вас никто не подозревал*. Как только вы *стали* подозреваться, раздобыть доказательства оказалось легко.

— Доказательства?

— Да. Я нашел в шкафу в Комбесайде трость, которой вы пользовались при совершении убийств в Андовере и Черстоне. Обыкновенная трость с тяжелым набалдашником. Часть дерева была удалена и залита расплавленным свинцом. Вашу фотографию выбрали из полдюжины других двое людей, которые видели, как вы выходили из кинотеатра в то время, когда предполагалось, что вы находитесь на донкастерском ипподроме. В Бексхилле вас опознали Милли Хигли и девушка из «Скарлет Раннер Роудхаус», куда вы приводили ужинать Бетти Барнард в тот фатальный для нее вечер. И наконец, наиболее непростительное из всех — вы пренебрегли *самыми элементарными мерами предосторожности*. Вы оставили отпечатки пальцев на машинке Каста — той самой машинке, которую, если вы невиновны, вы никогда не могли держать в руках.

Кларк с минуту сидел спокойно и затем произнес:

— Красное, течет, мимо![1] Вы выиграли, мсье Пуаро! Но ведь стоило рискнуть!

Невероятно быстрым движением он выхватил из кармана небольшой пистолет и приставил к своему виску.

Я вскрикнул и невольно вздрогнул, ожидая выстрела. Но боек щелкнул вхолостую.

Кларк застыл в изумлении и издал проклятия.

— Нет, мистер Кларк, — сказал Пуаро, — вы, должны быть, заметили, что сегодня у меня новый слуга, мой друг, искусный вор-карманник. Он вытащил ваш пистолет из кармана, разрядил его и вернул на прежнее место, да так, что вы об этом и не узнали.

— Вы — неописуемый, жалкий выскочка-иностранец! — выпалил Кларк, багровый от гнева.

— Да, да, это по-вашему. Нет, мистер Кларк, не видать вам легкой смерти. Вы сказали мистеру Касту, что

_____
[1] Термины игры в рулетку.

чуть было не утонули. Вы знаете, что это значит: то, что вас ждет иная судьба.

— Вы...

Лицо его было мертвенно-бледным. Кулаки угрожающе сжались.

Два детектива из Скотленд-Ярда появились из соседней комнаты. Одним из них был Кроум. Он прошел вперед и произнес свойственную данному моменту фразу:

— Я предупреждаю вас, что все, что вы скажете, может быть использовано как свидетельство.

— Он сказал уже достаточно, — произнес Пуаро и добавил, обращаясь к Кларку: — Вы слишком переполнены чувством островного превосходства, но я лично считаю ваше преступление совсем не английским, не спортивным...

Глава 35
ФИНАЛ

Печально сознавать, но, когда дверь за Франклином Кларком закрылась, я истерически захохотал.

Пуаро взглянул на меня с легким удивлением.

— Вы ему сказали, что преступление не спортивно, — задыхался я.

— Это правда. Оно отвратительно — не столько убийством брата, сколько жестокостью, с которой к смерти заживо был приговорен несчастный человек. *Лису словить, и в ящик засадить, и не давать сбежать!* Это не спортивно!

Меган Барнард тяжело вздохнула:

— Не могу поверить... не могу. Это правда?

— Да, мадемуазель. Кошмар окончен.

Она взглянула на него, и ее румянец стал ярче.

Пуаро повернулся к Фрэзеру:

— Мадемуазель Меган все время преследовал страх, что это вы совершили второе преступление.

Дональд Фрэзер спокойно ответил:

— Я сам представил себе это однажды.

— Из-за вашего сна? — Он придвинулся ближе к молодому человеку и доверительно понизил голос: —

Ваш сон имеет очень естественное объяснение. Вы признали, что образ одной сестры уже исчез из вашей памяти и его место заняла другая сестра. Мадемуазель Меган заменила в вашем сердце свою сестру, но, поскольку вы не допускали мысли, что стали неверным мертвой так скоро, вы старались подавить эти мысли, убить их! Вот и объяснение вашему сну.

Глаза Фрэзера остановились на Меган.

— Не бойтесь забыть, — мягко произнес Пуаро, — она не слишком достойна воспоминаний. В лице мадемуазель Меган вы имеете одну из ста — у нее *великолепное* сердце!

Глаза Фрэзера просияли.

— Думаю, вы правы.

Мы все окружили Пуаро, задавая вопросы, проясняя тот или иной факт.

— Те вопросы, Пуаро, которые вы задавали каждому? Был в них какой-нибудь смысл?

— Некоторые из них были просто чепухой. Но я выяснил одну вещь, которую хотел знать, — *что Франклин Кларк был в Лондоне в момент отправления первого письма*. А также я хотел посмотреть на его реакцию, когда задавал вопросы мадемуазель Торе. Он был застигнут врасплох. В его глазах я увидел злобу и гнев.

— Нельзя сказать, что вы пощадили мои чувства, — сказала Тора Грей.

— Я и не воображал, что вы дадите мне правдивый ответ, мадемуазель, — сухо произнес Пуаро. — Теперь и вторая ваша надежда не сбывается. Франклин Кларк не унаследует деньги брата.

Она вскинула голову.

— Должна ли я оставаться здесь и выслушивать оскорбления?

— Ни в коей мере, — ответил Пуаро и вежливо распахнул перед ней дверь.

— Те отпечатки пальцев окончательно решили дело, Пуаро, — произнес я задумчиво. — Он совсем сдался, когда вы упомянули об этом.

— Да, от них есть польза — от отпечатков. — Он многозначительно добавил: — Я вставил это, чтобы порадовать вас, друг мой.

— Но, Пуаро! — воскликнул я. — Разве это не правда?

— Ни в малейшей степени, друг мой, — сказал Эркюль Пуаро.

Необходимо упомянуть и о визите, который несколькими днями позже нанес нам мистер Александр Бонапарт Каст. Он усердно пожал руку Пуаро и приложил старания, чтобы очень несвязно и безуспешно отблагодарить его. Мистер Каст пришел в себя и сказал:

— Вы знаете, ведь газеты предложили мне сотню фунтов, — сотню фунтов за короткий рассказ о моей жизни и этой истории. Я... я просто не знаю, что с этим делать.

— Я бы не принял сотню, — сказал Пуаро, — будьте непреклонны. Скажите, что ваша цена — пять сотен. И не ограничивайтесь одной газетой.

— Вы и в самом деле думаете... что я мог бы...

— Вы должны усвоить, — сказал Пуаро, улыбаясь, — что вы сегодня самый известный человек в Англии.

Мистер Каст воспрянул еще больше. Лицо его засияло.

— Вы знаете, я думаю, вы правы! Известный! Во всех газетах. Я воспользуюсь вашим советом, мсье Пуаро. Деньги очень приемлемые, очень приемлемые. Я возьму небольшой отпуск... А потом я хочу преподнести красивый свадебный подарок Лили Марбери... милой девушке... очень милой девушке, мсье Пуаро!

Пуаро ободряюще похлопал его по плечу:

— Вы совершенно правы. Живите в свое удовольствие. И... на два слова... как насчет визита к окулисту? Эти головные боли... вероятно, это от того, что вам нужны новые очки.

— Вы думаете, что они от этого?

— Я думаю.

Мистер Каст горячо пожал ему руку:

— Вы великий человек, мсье Пуаро!

Пуаро, как обычно, не пренебрег комплиментом. Ему даже не удалось изобразить скромника.

Когда мистер Каст с достоинством вышел, мой старый друг улыбнулся.

— Итак, Гастингс, мы снова хорошо поохотились, не так ли? Да здравствует спорт!

Рождество Эркюля Пуаро

Роман

Hercule Poirot's Christmas

Мой дорогой Джеймс![1]

Ты всегда был одним из самых
преданных и доброжелательных
моих читателей, поэтому я всерьез
огорчилась, получив твои крити-
ческие замечания.

Ты жаловался, что мои убийства становятся чересчур рафини-
рованными — иными словами,
анемичными. Тебе хотелось бы
«настоящего жестокого убийства с
большим количеством крови»,
когда ни у кого не возникало бы
сомнения, что это убийство!

Эта история написана специально для тебя. Надеюсь, она тебе
понравится.

Твоя любящая свояченица

Агата.

Часть первая
22 ДЕКАБРЯ

1

Стивен поднял воротник пальто и быстро зашагал по
платформе. Вокзал был окутан густым туманом. Парово-
зы громко гудели, выбрасывая клубы пара в сырой холодный воздух. Все вокруг было в грязи и дыму.

«Какая грязная страна, — с отвращением подумал
Стивен, — и какой грязный город!»

Первое впечатление о Лондоне с его магазинами, ре-
сторанами, хорошо одетыми, привлекательными женщи-

---

[1] Джеймс Уоттс — муж старшей сестры Агаты Кристи. *(Здесь и
далее примеч. перев.)*

нами успело потускнеть. Теперь город казался ему сверкающим, но фальшивым бриллиантом, да еще в скверной оправе.

Что, если вернуться в Южную Африку? Стивен ощущал острую тоску по родине. Солнце, голубое небо, сады, полные цветов, живые изгороди, синие вьюнки на стенах каждой лачуги...

А здесь повсюду грязь и суетящиеся толпы людей, которые снуют туда-сюда, словно муравьи вокруг своего муравейника.

«Лучше бы я не приезжал сюда», — подумал Стивен.

Но он тут же вспомнил о цели своего путешествия и плотно сжал губы. Нет, черт возьми, нужно продолжать! Ведь он несколько лет планировал то, что собирался сделать...

Все эти колебания, мучительные вопросы: «Стоит ли ворошить прошлое? Почему бы не забыть обо всем?» — всего лишь проявление слабости. Ведь он уже не мальчик, чтобы действовать под влиянием минутного настроения, а сорокалетний мужчина, целеустремленный и уверенный в себе. Он должен осуществить то, ради чего прибыл в Англию.

Стивен поднялся в вагон и двинулся по коридору, ища свободное место. От носильщика он отказался и сам тащил чемодан из сыромятной кожи, заглядывая в одно купе за другим. Поезд был переполнен. До Рождества оставалось всего три дня. Стивен Фэрр с отвращением взирал на битком набитые купе.

Всюду люди — и притом все выглядят так бесцветно, так похоже друг на друга! Одни напоминают овец, другие — кроликов, а грузные, пыхтящие старики — свиней. Даже стройные девушки с продолговатыми лицами и алыми губами казались удручающе одинаковыми.

С тоской Стивен подумал о высушенных солнцем просторах вельда...[1]

Заглянув в очередное купе, он внезапно затаил дыхание. Эта девушка была совсем другой. Черные волосы, бархатная кожа кремового цвета, глаза, глубокие и темные, как ночь, — печальные, гордые глаза юга...

---

[1] В е л ь д — южноафриканская степь.

то она делает среди этих унылых и безликих людей,
чем едет в глубь страны, где все наверняка так же
ро и тоскливо? Ей бы следовало стоять на балконе,
ржа во рту розу, с черным кружевным платком на
рдой головке, дышать воздухом, напоенным зноем,
ылью и запахом крови — запахом боя быков, — а не
деть втиснутой в угол купе третьего класса.

Стивен был наблюдательным человеком. От его взгля-
 не ускользнули поношенные кофта и юбка девушки,
шевые матерчатые перчатки, ветхие туфли и вызыва-
щий огненно-красный оттенок сумочки. Но несмотря
 это, в ней ощущалось какое-то экзотическое велико-
епие.

Какого дьявола ей понадобилось в этой стране ту-
анов, сырости и суетящихся муравьев?

«Я должен узнать, кто она и что она здесь делает», —
одумал Стивен.

2

Пилар съежившись сидела у окна и размышляла о
транных английских запахах. Пока что это было ее са-
ым сильным впечатлением от Англии. Здесь не пахло
и чесноком, ни пылью и даже почти не пахло духами.
оздух в вагоне был холодным и спертым — в нем ощу-
ался типичный для поездов запах серы, мыла и еще
акой-то неприятный запах, исходивший, как ей каза-
ось, от мехового воротника сидевшей рядом толстой
енщины. Пилар принюхалась, с отвращением ощущая
апах нафталина. «Странно, что люди надевают на себя
ещи, которые так скверно пахнут», — подумала она.

Раздался гудок паровоза, зычный голос что-то крик-
ул, и поезд медленно тронулся в путь.

Сердце Пилар забилось быстрее. Правильно ли она
оступает? Удастся ли ей выполнить задуманное? Должно удаться — ведь она так тщательно все спланиро-
ала, подготовилась к любой неожиданности...

Уголки алых губ Пилар слегка приподнялись. Те-
ерь ее рот казался злым и алчным, как у ребенка или
отенка, знающих только собственные желания и еще
е способных на жалость.

Пилар огляделась вокруг с чисто детским любопытством. Семь человек, находившихся в купе, казались вполне обеспеченными, судя по их одежде и обуви. Она слышала, что Англия — очень богатая страна. Вот только выглядели они почему-то совсем не весело.

А вот мужчина, стоящий в коридоре, показался Пилар очень красивым. Ей понравились его загорелое лицо, орлиный нос, широкие плечи. Куда быстрее, чем это удалось бы любой английской девушке, Пилар поняла, что этот человек ею восхищается. Она ни разу не взглянула прямо на него, но точно знала, когда и каким взглядом он на нее смотрит.

Все эти факты Пилар отмечала почти равнодушно. Она прибыла из страны, где мужчины не стесняются разглядывать женщин. Ее лишь интересовало, был ли незнакомец англичанином, и, подумав, она ответила на этот вопрос отрицательно.

«Он слишком живой, слишком реальный для англичанина. С другой стороны, он блондин — возможно, американец». Мужчина казался ей похожим на актеров, которых она видела в фильмах о Диком Западе.

По коридору пробирался проводник.

— Первый ленч! Пожалуйста, займите места для первого ленча!

У всех семи соседей Пилар оказались билеты на первый ленч. Они вышли, и в купе стало пусто и тихо.

Пилар быстро подняла окно, которое успела опустить на пару дюймов воинственная на вид седовласая леди, сидевшая в противоположном углу. После этого она поудобнее расположилась на сиденье и стала разглядывать в окно северные пригороды Лондона, даже не обернувшись при звуке открываемой двери. Это был незнакомец из коридора, и Пилар не сомневалась, что он вошел в купе, чтобы поговорить с ней.

Она продолжала задумчиво смотреть в окно.

— Может быть, хотите открыть окно? — предложил Стивен Фэрр.

— Напротив, — возразила Пилар. — Я только что его закрыла.

Она говорила по-английски безупречно, но с легким акцентом.

«Какой чудесный голос! — подумал Стивен в паузе. — еплый, как летняя ночь...»

«Мне нравится его голос — сильный и уверенный, — умала Пилар. — И вообще он очень привлекатель-ый...»

— Поезд битком набит, — заметил Стивен.

— Да, в самом деле. Очевидно, люди уезжают из ондона, потому что там так мрачно.

Пилар отнюдь не считала преступлением разговор незнакомым мужчиной в поезде. Она могла позабо-иться о себе не хуже любой другой девушки, но ее оспитание не налагало каких-либо строгих табу.

Если бы Стивен вырос в Англии, ему было бы не так егко завязать беседу с молодой девушкой. Но он был ружелюбен от природы и считал вполне естественным азговаривать с тем, с кем ему хотелось.

— Лондон — ужасное место, не так ли? — осведо-ился он с непринужденной улыбкой.

— Да. Мне он совсем не нравится.

— Мне тоже.

— Вы не англичанин? — спросила Пилар.

— Англичанин, но я приехал из Южной Африки.

— Тогда все понятно.

— Вы тоже прибыли из-за границы?

Пилар кивнула:

— Да, из Испании.

— Из Испании, вот как? — переспросил заинтере-сованный Стивен. — Значит, вы испанка?

— Только наполовину. Моя мать была англичанка. Вот почему я так хорошо говорю по-английски.

— В Испании все еще бушует война?

— Да, это ужасно. Столько разрушений.

— И какую же сторону вы поддерживаете?

Политические убеждения Пилар казались весьма неопределенными. По ее словам, в деревне, откуда она прибыла, никто не обращал особого внимания на войну.

— Понимаете, она была далеко от нас. Мэр, как госу-дарственный служащий, конечно, поддерживал прави-тельство, а священник — генерала Франко, но большин-ство жителей занимались землей и виноградниками — на политику им не хватало времени.

— Вероятно, поблизости от вас не было военных действий?

— Не было. Но когда я ехала через страну на машине, то видела много разрушений. Одна бомба попала в автомобиль, другая уничтожила целый дом. Зрелище было захватывающее!

Стивен Фэрр криво усмехнулся:

— Выходит, вам это показалось увлекательным?

— Не совсем, — ответила Пилар. — Водитель моей машины погиб, а мне нужно было ехать дальше.

— И его смерть вас не огорчила? — спросил Стивен, наблюдая за ней.

Темные глаза Пилар широко открылись.

— Каждый должен умереть, не так ли? Смерть, которая обрушивается с неба — бах! — ничуть не хуже любой другой. Сегодня человек жив, а завтра мертв. Так уж заведено в этом мире.

Стивен Фэрр рассмеялся:

— Вас не назовешь пацифисткой!

— Меня не назовешь... кем? — Пилар казалась озадаченной словом, ранее не входившим в ее лексикон.

— Вы прощаете ваших врагов, сеньорита?

Пилар покачала головой:

— У меня нет врагов. Но если бы были...

— Ну?

Он смотрел на девушку, словно зачарованный притягательной и в то же время жестокой складкой ее рта.

— Если бы кто-то ненавидел меня, а я ненавидела его, — серьезно ответила Пилар, — то я бы перерезала моему врагу горло — вот так! — Она сделала выразительный жест — настолько быстрый и свирепый, что Стивен Фэрр был ошеломлен.

— Вы на редкость кровожадная особа! — заметил он.

— А как бы вы поступили с вашим врагом? — обыденным тоном осведомилась Пилар.

Стивен изумленно уставился на нее и громко расхохотался.

— Право, не знаю!

— Конечно знаете, — с неодобрением промолвила Пилар.

Стивен перестал смеяться.

— Да. Знаю, — тихо сказал он и спросил, переменив тему: — Что заставило вас приехать в Англию?

— Я собираюсь погостить у моих английских родственников, — довольно сдержанно ответила Пилар.

— Понятно.

Стивен откинулся на сиденье, размышляя, что собой представляют эти английские родственники и как они отнесутся к незнакомой испанской девушке, пытаясь представить себе ее в чопорном британском семействе во время Рождества.

— А в Южной Африке очень красиво? — спросила Пилар.

Стивен начал говорить о Южной Африке. Она слушала с напряженным вниманием ребенка, которому рассказывают сказку. Он наслаждался ее наивными и в то же время проницательными вопросами и с удовольствием отвечал, щедро приукрашивая описания.

Возвращение пассажиров положило конец этой беседе. Стивен с улыбкой поднялся и направился в коридор.

У двери он шагнул назад, пропуская пожилую леди, и его взгляд упал на бирку, прикрепленную к явно импортной соломенной дорожной сумке девушки. Стивен с интересом прочитал имя — «мисс Пилар Эстравадос», однако при виде адреса — «Горстон-Холл, Лонгдейл, Эддлсфилд» — его глаза расширились от удивления и какого-то другого чувства.

Полуобернувшись, Стивен снова посмотрел на девушку, но теперь его взгляд был озадаченным и подозрительным. Выйдя в коридор, он закурил сигарету и нахмурился...

3

Сидя в большой голубой с золотом гостиной Горстон-Холла Элфред Ли и его жена Лидия обсуждали планы на Рождество. Элфред был довольно плотным мужчиной средних лет с приветливым выражением лица и мягкими карими глазами. Говорил он негромко, но четко выговаривая слова. Втянутая в плечи голова, да и весь его облик свидетельствовали о вялости и инертности. Лидия, напротив, была худощавой энергичной женщиной, похожей на борзую. Ее движения отличались грацией и изяществом.

Ее усталое лицо не было красивым, зато голос был очаровательным.

— Отец настаивает! — сказал Элфред. — Значит, ничего не поделаешь.

Лидия с трудом сдержала возглас раздражения.

— Неужели ты должен всегда ему уступать? — спросила она.

— Он уже очень стар, дорогая...

— Знаю!

— И привык все делать по-своему.

— Естественно, раз он поступал так всю жизнь, — сухо промолвила Лидия. — Но рано или поздно, Элфред, тебе придется сопротивляться.

— Что ты имеешь в виду, Лидия?

Элфред уставился на нее с таким явным испугом, что она закусила губу, сомневаясь, стоит ли ей продолжать.

— Что ты имеешь в виду? — повторил Элфред Ли.

Лидия пожала худыми, стройными плечами.

— У твоего отца, — ответила она, тщательно подбирая слова, — проявляются тиранические наклонности.

— Я уже говорил, что он очень стар.

— И с возрастом эти наклонности усиливаются. Когда же это кончится? Он буквально диктует, как нам жить. Мы не можем самостоятельно строить планы, а если пытаемся, то их тут же расстраивают.

— Отец считает, что мы должны считаться с его мнением, — сказал Элфред. — Не забывай, что он очень добр к нам.

— Ничего себе, добр!

— Очень добр. — В голосе Элфреда послышались строгие нотки.

— Ты имеешь в виду, в смысле финансов?

— Да. Его собственные желания крайне просты. Но нам он никогда не отказывает в деньгах. Ты можешь тратить сколько угодно на платья и на дом, и отец без разговоров оплачивает все счета. Только на прошлой неделе он подарил нам новую машину.

— Согласна — когда речь идет о деньгах, твой отец очень щедр, — сказала Лидия. — Но взамен он требует от нас рабского подчинения.

— Рабского?

— Вот именно. Ты его раб, Элфред. Если бы мы решили уехать, а твой отец внезапно воспротивился, ты бы отменил все приготовления и безропотно остался здесь! А если ему взбредет в голову выставить нас, мы тут же уедем. У нас нет собственной жизни, нет независимости.

— Мне не нравится, что ты так говоришь, Лидия, — с огорчением произнес ее муж. — Это неблагодарность. Мой отец все делает для нас...

С усилием удержавшись от возражения, Лидия снова пожала плечами.

— Ты ведь знаешь, Лидия, — продолжал Элфред, — что старик очень любит тебя.

— Зато я не люблю его, — твердо заявила она.

— Лидия, мне неприятно слышать такие вещи. Это так жестоко...

— Возможно. Но иногда приходится говорить правду.

— Если бы отец догадывался...

— Твой отец отлично знает, что я не люблю его. Думаю, это его забавляет.

— Я уверен, Лидия, что ты не права. Он часто говорил мне, что у тебя очаровательные манеры.

— Естественно, я всегда с ним вежлива. Просто я хочу, чтобы ты знал о моих подлинных чувствах. Твой отец мне очень не нравится, Элфред. По-моему, он злой и деспотичный старик. Он тиранит тебя, полагаясь на твою привязанность. Тебе уже давно следовало бы воспротивиться...

— Довольно, Лидия, — резко прервал Элфред. — Хватит об этом.

Она вздохнула.

— Прости. Возможно, я была не права... Давай поговорим о планах на Рождество. Думаешь, твой брат Дэвид действительно приедет?

— Почему бы и нет?

Лилия задумчиво покачала головой.

— Дэвид такой... странный. Он ведь уже много лет не был в Горстон-Холле — ему неприятен этот дом, так как он был очень привязан к вашей матери.

— Дэвид всегда действовал отцу на нервы своей музыкой и мечтательным видом, — отозвался Элфред. — Возможно, отец иногда бывал с ним слишком суров. Но я думаю, Дэвид и Хильда обязательно приедут — все-таки это Рождество...

— Ну да, любовь и всеобщее примирение, — иронически усмехнулась Лидия. — Джордж и Мэгдалин сообщили, что, возможно, прибудут завтра. Боюсь, что Мэгдалин будет смертельно скучать.

— Не могу понять, почему мой брат Джордж женился на девушке на двадцать лет моложе его! — с раздражением сказал Элфред. — Впрочем, Джордж никогда не отличался умом.

— Зато он успешно сделал карьеру, — заметила Лидия. — Избиратели им довольны. По-моему, Мэгдалин очень помогает ему в политической деятельности.

— Не могу сказать, что она мне нравится, — медленно произнес Элфред. — Конечно, Мэгдалин хорошенькая, но напоминает мне красивую грушу — румяную и золотистую снаружи...

— И гнилую внутри, — закончила Лидия. — Забавно, что ты так говоришь, Элфред.

— Почему?

— Потому что ты обычно такой мягкосердечный — никогда ни о ком не скажешь худого слова. Мне иногда досадно, что ты... ну, никого ни в чем не подозреваешь — совсем не от мира сего!

Ее супруг улыбнулся:

— Я всегда думал, что мир таков, каким ты сам его делаешь.

— Нет! — резко возразила Лидия. — Зло существует не только в чьей-либо душе, но и само по себе! Ты не чувствуешь зла вокруг себя, но я всегда его ощущала. Здесь, в этом доме... — Она закусила губу и отвернулась.

— Лидия... — начал Элфред.

Но она предостерегающе подняла руку, глядя на что-то поверх его плеча. Элфред посмотрел туда же.

Темноволосый мужчина с гладко выбритым лицом застыл в исполненной почтения позе.

— В чем дело, Хорбери? — резко осведомилась Лидия.

Голос Хорбери походил на негромкое почтительное бормотание.

— Мистер Ли, мадам, просил передать вам, что на Рождество прибудут еще два гостя и чтобы вы приготовили для них комнаты.

— Еще два гостя? — переспросила Лидия.

— Да, мадам, джентльмен и молодая леди.

— Молодая леди? — В голосе Элфреда звучало удивление.

— Так сказал мистер Ли, сэр.

— Я поднимусь к нему и все выясню, — заявила Лидия.

Хорбери сделал всего лишь маленький шажок вперед, но это сразу же остановило Лидию.

— Простите, мадам, но у мистера Ли сейчас послеполуденный сон. Он специально просил, чтобы его не беспокоили.

— Понятно, — кивнул Элфред. — Конечно, мы не будем его беспокоить.

— Благодарю вас, сэр. — И Хорбери удалился.

— Терпеть не могу этого типа! — воскликнула Лидия. — Крадется по дому бесшумно, как кот! Никогда не слышишь, как он входит.

— Мне он тоже не слишком нравится. Но Хорбери знает свою работу. Не так-то легко найти слугу-мужчину для ухода за больным. К тому же он нравится отцу, а это самое главное.

— Тут ты прав, — усмехнулась Лидия. — Элфред, что это за молодая леди?

Ее муж покачал головой:

— Понятия не имею. Не могу себе представить, кто она.

Они посмотрели друг на друга.

— Знаешь, что я думаю, Элфред? — заговорила Лидия, скривив губы.

— Что?

— Я думаю, что твой отец заскучал и планирует для себя небольшую рождественскую забаву.

— Пригласив двух посторонних на семейное сборище?

— Не знаю, но чувствую, что твой отец готовится... развлечься.

— Надеюсь, это доставит ему удовольствие, — серьезно промолвил Элфред. — Бедный старик — стать инвалидом после жизни, полной приключений!

— После жизни... полной приключений, — медленно повторила Лидия.

Пауза перед двумя последними словами придавала им особый, таинственный смысл. Казалось, Элфред это почувствовал. Он покраснел и выглядел смущенным.

— Не могу понять, каким образом у него появился такой сын, как ты! — внезапно воскликнула Лидия. — Вы двое — полная противоположность друг другу. И при этом ты его просто обожаешь.

— По-моему, ты заходишь слишком далеко, Лидия, — с легким раздражением сказал Элфред. — Для сына вполне естественно любить своего отца.

— В таком случае, большинство членов этой семьи ведут себя неестественно, — отозвалась Лидия. — Ладно, не возмущайся. Прости меня. Я знаю, что оскорбила твои чувства, Элфред, но поверь, я этого не хотела. Я восхищаюсь твоей... твоей преданностью. В наши дни это редкая добродетель. Считай, что я просто ревную. Женщины часто ревнуют мужа к свекрови — почему я не могу приревновать тебя к свекру?

Элфред обнял ее за талию.

— Твой язык подводит тебя, Лидия. У тебя нет никаких причин для ревности.

Она чмокнула его в кончик уха.

— Знаю. Тем не менее, Элфред, я не думаю, что стала бы ревновать тебя к твоей матери. Мне очень жаль, что я ее не знала.

Элфред вздохнул:

— Она была жалким существом.

Жена с любопытством посмотрела на него:

— Значит, вот какой казалась тебе мать? Интересно...

— Я помню ее почти всегда больной, часто в слезах... — Элфред покачал головой. — У нее не было ни капли мужества.

— Как странно... — пробормотала Лидия, все еще глядя на мужа.

Но когда он вопросительно посмотрел на нее, она сразу переменила тему:

— Так как нам не сообщили, кто наши таинственные гости, я закончу работу над моим садом.

— Сейчас холодно, дорогая. Очень сильный ветер.

— Я оденусь потеплее.

Лидия вышла из комнаты. Оставшись один, Элфред Ли какое-то время стоял неподвижно, нахмурив брови, затем направился к большому окну в конце комнаты. Снаружи находилась терраса, тянущаяся вдоль дома. Через пару минут он увидел, как туда вышла Лидия с плоской корзиной. На ней была просторная шерстяная кофта. Поставив корзину, она начала работать у квадратной каменной раковины, слегка возвышающейся над землей.

Несколько секунд муж наблюдал за ней, потом взял пальто и шарф, вышел на террасу через боковую дверь и зашагал мимо других каменных раковин, в каждой из которых опытные руки Лидии создали миниатюрный пейзаж.

Одна композиция изображала пустыню с желтым песком, горсткой зеленых пальм из подкрашенной жести, процессией верблюдов, сопровождаемой двумя фигурками арабов, и примитивными домиками из пластилина. В другой находился итальянский сад с террасами и цветочными клумбами из разноцветного сургуча. Третья воплощала собой полярный пейзаж с пингвинами и айсбергами из зеленого стекла. Рядом помещался японский сад с низкорослыми деревцами, прудом из зеркала и пластилиновыми мостиками.

Подойдя к Лидии, Элфред остановился рядом с ней. Она прикрывала голубую бумагу куском стекла. Вокруг громоздились миниатюрные скалы. Высыпав из маленькой сумочки гальку, Лидия изобразила пляж. Между скалами виднелись крошечные кактусы.

— Да, это именно то, что я хотела, — пробормотала Лидия себе под нос.

— Что означает твое последнее творение? — осведомился Элфред.

Она вздрогнула, так как не слышала его шагов.

— Это Мертвое море. Тебе нравится, Элфред?

— Выглядит довольно мрачно, — ответил он. — Не стоит ли прибавить растительности?

Лидия покачала головой:

— Именно так я представляю себе Мертвое море. Оно ведь недаром так называется.

— Этот пейзаж не так привлекателен, как другие.

— А он и не должен быть особенно привлекательным.

На террасе послышались шаги. Пожилой дворецкий, седовласый и слегка сутулый, направлялся к ним.

— Звонит миссис Джордж Ли, мадам. Она спрашивает, будет ли удобно, если они с мистером Джорджем прибудут завтра поездом в пять двадцать?

— Да, скажите ей, чтобы приезжали.

— Благодарю вас, мадам.

Дворецкий поспешил назад. Лидия посмотрела ему вслед. Ее лицо смягчилось.

— Добрый старый Трессилиан для нас колоссальная поддержка. Не знаю, что бы мы без него делали.

— Да, он дворецкий старой школы, — кивнул Элфред. — Трессилиан служит у нас почти сорок лет и очень нам предан.

— Он в самом деле похож на преданных слуг из книг. Думаю, он костьми ляжет, если понадобится защитить кого-нибудь из членов семьи.

— Пожалуй, — согласился Элфред.

Лидия поправила последний кусочек гальки.

— Теперь все готово, — удовлетворенно сказала она.

— Готово? — Элфред выглядел озадаченным.

— К Рождеству, глупый! — рассмеялась Лидия. — К сентиментальному семейному Рождеству, которое нам предстоит.

4

Прочитав письмо, Дэвид скомкал его и отшвырнул в сторону, но потом подобрал, разгладил и стал читать снова.

Его жена Хильда молча наблюдала за ним. Она заметила пульсирующую жилку на его виске, легкое дрожание длинных тонких пальцев, судорожные подергивания тела. Когда он в очередной раз стряхнул со лба прядь светлых волос и устремил на нее умоляющий взгляд голубых глаз, она уже была готова к его вопросу.

— Как, по-твоему, мы должны поступить?

Хильда немного поколебалась перед ответом. Она слышала мольбу в голосе мужа, знала, что он со дня свадьбы во всем полагался на нее, и прекрасно понимала, что в состоянии повлиять на его решение. Но именно по этой причине Хильда остерегалась высказывать определенное мнение.

— Это зависит от тебя, Дэвид, — произнесла она успокаивающим тоном, каким разговаривают опытные няни в детской.

Хильда Ли не отличалась красотой, но тем не менее обладала магнетическими свойствами, присущими портретам голландских живописцев. В ее голосе ощущались теплота и дружелюбие, а во всем облике — скрытая жизненная сила, которая так притягательна для слабых. Именно сила привлекала внимание к этой толстой, не блещущей умом женщине средних лет.

Дэвид встал и начал ходить взад-вперед. Его волосы были лишь чуть тронуты сединой, а во внешности чувствовалось что-то мальчишеское. Кроткое выражение лица напоминало рыцаря с картины Бёрн-Джонса[1]. Оно казалось каким-то нереальным...

— Ты знаешь мое мнение, Хильда, — с тоской сказал Дэвид.

— Я в этом не уверена.

— Но я ведь говорил тебе снова и снова, как я ненавижу этот дом и это место! С ними у меня ничего не связано, кроме горя! Я ненавижу каждую минуту, проведенную там! Когда я думаю, как страдала моя мать...

Хильда сочувственно кивнула.

— Она была так добра и терпелива! — продолжал Дэвид. — Постоянно болела, часто не могла подняться с постели, но терпела все. А отец... — Его лицо помрачнело. — Он все время унижал ее, изменял ей и не только этого не скрывал, но даже похвалялся своими любовными связями!

— Ей не следовало с этим мириться, — заметила Хильда Ли. — Она должна была оставить его.

— Мама была слишком благородна, чтобы так поступить, — укоризненно отозвался Дэвид. — Она считала своим долгом быть рядом с мужем. А кроме того, там был ее дом — куда еще она могла пойти?

---

[1] Бёрн-Джонс Эдвард Коули (1833—1898) — английский художник.

— Она могла начать жить своей жизнью.

— Только не в то время! — горячо возразил Дэвид. — Ты не понимаешь. Женщины тогда не вели себя так. Им приходилось все терпеть. К тому же мама должна была думать о нас. Если бы она развелась с отцом, он, возможно, женился бы снова, у него появилась бы вторая семья, и это отрицательно сказалось бы на наших интересах. Ей нужно было все это учитывать.

Хильда не ответила.

— Нет, мама поступила правильно, — не унимался Дэвид. — Она была святая! Терпела все до конца и никогда не жаловалась.

— Едва ли никогда, иначе ты бы не знал обо всем этом, — резонно указала Хильда.

Лицо Дэвида просветлело.

— Да, мама многое мне рассказывала... Она знала, как я люблю ее. Когда она умерла... — Он не окончил фразу и провел ладонью по волосам. — Это было ужасно, Хильда! Мама была еще молодой — она могла прожить долго. Отец убил ее! Он виноват в ее смерти! Он разбил ей сердце! И тогда я решил, что не стану жить с ним под одной крышей. Я бросил все и уехал.

— Ты правильно поступил, — кивнула Хильда.

— Отец хотел, чтобы я занялся бизнесом, — продолжал Дэвид. — Но тогда мне пришлось бы остаться дома, а я бы не смог этого вынести. Не знаю, как Элфред выдержал все эти годы.

— И он ни разу не взбунтовался? — с интересом спросила Хильда. — Кажется, ты говорил, что ему пришлось отказаться от какой-то карьеры.

Дэвид кивнул:

— Элфред собирался в армию. Отец спланировал наше будущее. Дэвид-старший должен был поступить в кавалерийский полк, Харри и я — заняться бизнесом, а Джордж — заниматься политикой.

— Но получилось совсем не так?

Дэвид покачал головой:

— Харри все испортил. Он всегда был необузданным — влезал в долги и в другие неприятности. В один прекрасный день Харри уехал, прихватив с собой несколько сотен фунтов, не принадлежавших ему, и оставив записку, что не желает торчать целыми днями в офисе и намерен повидать мир.

— И вы больше никогда о нем не слышали?

— Еще как слышали! — рассмеялся Дэвид. — Харри телеграфировал буквально со всех концов света, прося денег, и обычно добивался своего!

— А Элфред?

— Отец заставил его уйти из армии, вернуться домой и заняться бизнесом.

— И он не возражал?

— Поначалу очень возражал. Но отец всегда мог обвести Элфреда вокруг пальца. Думаю, он до сих пор у отца под каблуком.

— А тебе удалось избежать этого?

— Да. Я приехал в Лондон и стал учиться живописи. Отец ясно дал мне понять, что если я займусь таким бесполезным делом, то могу рассчитывать лишь на маленькое содержание, покуда он жив, и ни на что после его смерти. Я ответил, что меня это не волнует. Он назвал меня молодым ослом, и с тех пор мы не виделись.

— И ты никогда об этом не сожалел? — мягко спросила Хильда.

— Никогда. Я понимаю, что не стану великим художником, но мы с тобой счастливы в этом коттедже, и у нас есть все необходимое. А если я умру, ты получишь страховку. — Помолчав, он добавил: — И вот теперь — это! — Дэвид хлопнул ладонью по письму.

— Мне жаль, что твой отец написал тебе, если это тебя так огорчает, — сказала Хильда.

Дэвид продолжал, как будто не слышал ее:

— Он приглашает меня приехать с женой и выражает надежду, что вся семья соберется вместе на Рождество! Что это значит?

— Разве в этом обязательно должен иметься какой-то скрытый смысл? — спросила Хильда.

Дэвид недоуменно посмотрел на нее.

— Я имею в виду, — улыбаясь объяснила она, — что твой отец стареет и начинает испытывать сентиментальные чувства относительно семейных связей. Такое часто случается.

— Пожалуй, — согласился Дэвид.

— Он стар и одинок.

Дэвид бросил на нее быстрый взгляд:

— Ты хочешь, чтобы я поехал, не так ли, Хильда?

— Мне кажется, следует принять приглашение, — медленно ответила она. — Может быть, я старомодна, но почему бы не провести Рождество мирно, в семейном кругу?

— После всего, что я тебе рассказал?

— Знаю, дорогой, но все это в прошлом. С этим покончено.

— Только не для меня!

— Да, потому что ты не позволяешь прошлому умереть.

— Я не могу забыть.

— Вернее, не хочешь, Дэвид.

Он упрямо сжал губы.

— Мы, Ли, все таковы. Никогда ничего не забываем.

— По-твоему, тут есть чем гордиться? Мне так не кажется.

Дэвид задумчиво посмотрел на нее:

— Ты не придаешь особого значения верности памяти, не так ли?

— Я верю в настоящее, а не в прошлое! Цепляясь за прошлое, мы искажаем его и начинаем видеть в преломленном свете — так сказать, в ложной перспективе.

— Я могу припомнить каждое слово... каждое событие, происшедшее тогда! — горячо воскликнул Дэвид.

— Можешь, но не должен, дорогой! Это неестественно! Ты смотришь на прошлое глазами мальчика, каким был тогда, а не более умеренным взглядом зрелого мужчины.

— Что это меняет? — спросил Дэвид.

Хильда колебалась. Она понимала, что неразумно развивать эту тему, но хотела многое сказать.

— По-моему, — продолжала она, — ты рассматриваешь своего отца как пугало и делаешь из него воплощение зла. Возможно, если бы ты увидел его теперь, то понял бы, что он обычный человек, который, конечно, поддавался своим страстям и вел далеко не безупречную жизнь, но тем не менее человек, а не монстр!

— Ты не понимаешь! Его обращение с моей матерью...

202

— Иногда кротость и покорность пробуждают в мужчине худшее, — серьезно сказала Хильда. — Столкнувшись с твердостью и решительностью, он, возможно, был бы совсем другим человеком.

— Значит, по-твоему, это ее вина...

— Конечно нет! — прервала его Хильда. — Я не сомневаюсь, что твой отец очень дурно обращался с твоей матерью, но брак — странная вещь, и я не думаю, что посторонний — даже дитя этого брака — имеет право судить. Кроме того, весь твой гнев не в силах помочь твоей матери. Ты уже ничего не можешь изменить — все ушло. Остался лишь больной старик, который просит сына приехать домой на Рождество.

— И ты хочешь, чтобы я поехал?

Хильда внезапно приняла решение.

— Да, хочу, — твердо ответила она. — Я хочу, чтобы ты поехал и избавился от воображаемого пугала раз и навсегда.

5

Джордж Ли, член парламента от Уэстерингема, был довольно полным джентльменом сорока одного года, со слегка выпуклыми светло-голубыми глазами, с подозрением смотревшими на окружающих, тяжелым подбородком и педантичной медленной речью.

— Я уже говорил тебе, Мэгдалин, — веско произнес он, — что считаю своим долгом поехать туда.

Его жена раздраженно пожала плечами.

Это была стройная платиновая блондинка с выщипанными бровями и гладким продолговатым лицом, которое иногда — в том числе и сейчас — казалось лишенным всякого выражения.

— Я уверена, дорогой, что там будет очень скучно, — сказала она.

— К тому же, — продолжал Джордж Ли, чье лицо просветлело, благодаря пришедшей на ум весьма привлекательной идее, — это даст нам возможность сэкономить немалую сумму. Рождество всегда дорого обходится. А так мы только оставим слугам деньги на пропитание.

— В конце концов, — вздохнула Мэгдалин, — Рождество скучно везде.

— Полагаю, — не унимался Джордж, думая о своем, — они рассчитывают на рождественский обед? Что, если обойтись вместо индейки хорошим куском говядины?

— Ты о слугах? Перестань суетиться, Джордж. Вечно ты беспокоишься из-за денег.

— Кто-то должен об этом беспокоиться, — отозвался Джордж.

— Да, но нелепо экономить по мелочам. Почему ты не потребуешь, чтобы отец давал тебе побольше денег?

— Он и так выплачивает мне недурное содержание.

— Ужасно вот так полностью зависеть от отца! Он должен сразу выделить тебе крупную сумму.

— Это не в его стиле.

Мэгдалин посмотрела на мужа. Взгляд ее карих глаз внезапно стал острым и проницательным, а невыразительное яйцевидное лицо — осмысленным.

— Твой отец ведь очень богат — почти миллионер, верно, Джордж?

— Думаю, даже дважды миллионер.

Мэгдалин завистливо вздохнула:

— И откуда у него столько денег? Из Южной Африки, не так ли?

— Да, в молодости он сколотил там большое состояние. В основном алмазы.

— Как интересно! — воскликнула Мэгдалин.

— Потом он перебрался в Англию, занялся бизнесом и удвоил это состояние, если не утроил.

— А что будет после его смерти?

— Отец редко говорил на эту тему, а я не мог его расспрашивать. Полагаю, большая часть денег отойдет Элфреду и мне. Элфред, конечно, получит основную долю.

— Но ведь у тебя есть и другие братья, верно?

— Да, есть Дэвид. Не думаю, что ему много достанется. Он уехал, чтобы заняться живописью или какой-то другой чепухой. Кажется, отец предупредил, что вычеркнет его из завещания, но Дэвид ответил, что это его не волнует.

— Как глупо! — с презрением промолвила Мэгдалин.

204

— У меня еще была сестра Дженнифер, которая уехала с иностранцем — испанским художником, приятелем Дэвида. Но она умерла чуть больше года назад. По-моему, у нее осталась дочь. Отец мог завещать ей какую-то сумму, но очень небольшую. Конечно, есть еще Харри... — Он умолк, слегка смутившись.

— Харри? — удивленно переспросила Мэгдалин. — Кто это?

— Э-э... мой брат.

— Никогда не знала, что у тебя есть еще один брат.

— Дорогая, он... не делал нам особой чести, поэтому мы о нем не упоминаем. Его поведение было постыдным. Мы не слышали о нем уже несколько лет. Возможно, он умер.

Неожиданно Мэгдалин рассмеялась.

— В чем дело? Почему ты смеешься?

— Мне просто показалось забавным, что у тебя, Джордж, есть беспутный братец! — объяснила Мэгдалин. — Ты ведь такой респектабельный.

— Надеюсь, — холодно произнес Джордж.

— Зато твой отец не слишком респектабельный, верно?

— Право, Мэгдалин!

— Иногда он такое говорит, что мне становится не по себе.

— Ты удивляешь меня, Мэгдалин. Неужели Лидия чувствует то же самое?

— Ей он такие вещи не говорит, — сердито сказала Мэгдалин. — Не понимаю почему.

Джордж бросил на нее быстрый взгляд.

— Нужно делать скидку на возраст, — промямлил он. — Да и со здоровьем у отца неважно...

— Он действительно тяжело болен? — спросила его жена.

— Ну, я бы так не сказал. Отец еще достаточно крепок. Но я думаю, он прав, что хочет собрать на Рождество всю семью. Возможно, это его последнее Рождество.

— Это ты так говоришь, — резко сказала Мэгдалин, — но, полагаю, он может прожить еще годы.

Джордж выглядел озадаченным.

— Да, конечно может, — неуверенно отозвался он.

Мэгдалин отвернулась.

— Очевидно, мы в самом деле должны туда поехать, — вздохнула она.

— Я в этом не сомневаюсь.

— Но мне так не хочется! Элфред ужасный зануда, а Лидия меня унижает.

— Чепуха.

— Вовсе не чепуха. И я ненавижу этого мерзкого слугу.

— Старого Трессилиана?

— Нет, Хорбери. Крадется, как кот, и ухмыляется!

— Не понимаю, Мэгдалин, какое тебе дело до Хорбери.

— Он действует мне на нервы. Но я знаю, что ехать придется. Не стоит обижать старика.

— То-то и оно. Что касается рождественского обеда для слуг...

— Не теперь, Джордж. Я позвоню Лидии и сообщу ей, что мы приедем завтра поездом в пять двадцать.

Мэгдалин быстро вышла из комнаты. Позвонив в Горстон-Холл, она поднялась к себе, села за письменный стол, откинула крышку и стала рыться в отделениях для бумаг. Оттуда посыпались целые каскады счетов. Мэгдалин начала сортировать их, пытаясь создать некое подобие порядка, но в итоге, тяжело вздохнув, запихнула их назад и провела рукой по платиновым волосам.

— Что же мне делать? — пробормотала она.

6

На втором этаже Горстон-Холла длинный коридор вел к большой комнате, окна которой выходили на парадную подъездную аллею. Комната была меблирована в пышном старомодном стиле. Обои под парчу, кожаные кресла, большие вазы, разрисованные драконами, бронзовые статуи... Все выглядело величавым, дорогим и солидным.

В самом массивном кресле сидел тощий, сморщенный старик. Его длинные руки, похожие на когтистые лапы, покоились на подлокотниках. Рядом стояла трость с золотым набалдашником. На старике был старый, выцветший голубой халат, на ногах — матерчатые шлепанцы.

Волосы у него были седыми, а кожа на лице — желтоватой.

На первый взгляд старик мог показаться убогим и жалким. Но гордый орлиный нос и темные, необычайно живые глаза заставили бы наблюдателя изменить мнение. В хрупком теле ощущались жизненная сила и энергия.

Неожиданно старый Симеон Ли усмехнулся.

— Вы передали мое сообщение миссис Элфред? — осведомился он.

— Да, сэр, — почтительно отозвался стоящий рядом с креслом Хорбери.

— Слово в слово? Ничего не напутали?

— Да, сэр. Я не ошибся.

— Лучше не ошибайтесь и впредь, иначе вы об этом пожалеете! А что она ответила, Хорбери? И что сказал мистер Элфред?

Хорбери повторил разговор лишенным эмоций тоном. Старик снова захихикал, довольно потирая руки.

— Превосходно! Теперь они весь день будут ломать себе голову! Приведите их, Хорбери.

— Да, сэр.

Слуга бесшумно пересек комнату и вышел.

— Погодите, Хорбери! — Старик обернулся, но было уже поздно. — Парень двигается, как кот! Никогда не знаешь, где он.

Симеон Ли неподвижно сидел в кресле, поглаживая подбородок, пока в дверь не постучали и не вошли Элфред и Лидия.

— А, вот и вы! Садись рядом со мной, Лидия. Какой у тебя приятный румянец!

— Я выходила на террасу, а там очень холодно.

— Хорошо отдохнул, папа? — спросил Элфред.

— Отлично. Вспоминал былое — те дни, когда я еще не обосновался здесь и не стал столпом общества.

Он опять захихикал.

Его невестка сидела молча и вежливо улыбалась.

— Что это за два лишних гостя на Рождество, папа? — спросил Элфред.

— Ах да, я должен рассказать вам об этом. У меня будет поистине великолепное Рождество. Приедут Джордж и Мэгдалин...

— Да, они прибывают поездом в пять двадцать, — кивнула Лидия.

— Конечно, Джордж — никчемный пустозвон, — продолжал старый Симеон, — но все же он мой сын.

— Избирателям он нравится, — заметил Элфред.

Симеон захихикал вновь:

— Возможно, они считают его честным. Ха-ха! Еще не родился честный Ли!

— Это уж слишком, папа!

— Разумеется, кроме тебя, мой мальчик.

— А Дэвид? — спросила Лидия.

— Мне было бы любопытно взглянуть на Дэвида после стольких лет. Он всегда был размазней. Интересно, что из себя представляет его жена? Во всяком случае, он не женился на девчонке моложе его на двадцать лет, как этот болван Джордж!

— Хильда прислала очень приятное письмо, — сказала Лидия. — А только что я получила от нее телеграмму, подтверждающую, что они приедут завтра.

Свекор внимательно посмотрел на нее и усмехнулся:

— Мне никогда не выведать, о чем ты думаешь на самом деле, Лидия. Впрочем, это говорит в пользу твоего воспитания. Порода всегда дает о себе знать — уж мне-то это хорошо известно. Забавная вещь — наследственность. У меня куча детей, а только один пошел в меня. — В его глазах заплясали искорки. — Как по-вашему, кто еще приедет на Рождество? Бьюсь об заклад, что не угадаете!

Он переводил взгляд с одного лица на другое.

Элфред нахмурился:

— Хорбери сообщил, что ты ожидаешь молодую леди.

— И это тебя заинтриговало, верно? Пилар прибудет с минуты на минуту. Я послал автомобиль на станцию.

— Пилар? — резко спросил Элфред.

— Пилар Эстравадос, — кивнул Симеон. — Дочь Дженнифер — моя внучка. Интересно, как она выглядит.

— Господи, папа! — воскликнул Элфред. — Ты никогда не говорил мне...

— Конечно, — ухмыльнулся старик. — Я все держал в секрете. Велел Чарлтону написать ей и все устроить.

— Ты никогда не говорил мне... — с укором повторил Элфред.

Его отец продолжал злорадно усмехаться.

— Это испортило бы сюрприз! Разве не любопытно, что получится, если в доме вновь заиграет молодая кровь? Я ни разу не видел Эстравадоса. Как ты думаешь, в кого пошла девочка — в отца или в мать?

— Ты действительно считаешь это разумным, папа? — снова заговорил Элфред. — Учитывая все обстоятельства...

Старик прервал его:

— Ты всегда был слишком осторожен, Элфред. Но это не по мне. Мой девиз — делай, что хочешь, даже если будешь за это проклят! Пилар — моя внучка, других внуков у меня нет! Мне плевать, кто ее отец и что он натворил! Она моя плоть и кровь и приедет жить в моем доме!

— Она останется здесь жить? — резко осведомилась Лидия.

Симеон метнул на нее быстрый взгляд:

— У тебя есть возражения?

Лидия покачала головой и улыбнулась:

— Я не могу возражать против того, чтобы вы приглашали кого-то в ваш собственный дом. Меня просто интересует...

— Что именно?

— Будет ли она здесь счастлива.

Старый Симеон вскинул голову:

— У нее за душой ни пенни. Она должна быть благодарна!

Лидия пожала плечами.

Симеон обернулся к Элфреду:

— Теперь понимаешь, какое это будет замечательное Рождество? Все мои дети соберутся вокруг меня! Все дети — вот тебе ключ к разгадке, Элфред. Теперь угадай, кто другой гость.

Элфред внезапно побледнел.

— Неужели... неужели Харри? — запинаясь произнес он.

— Харри собственной персоной!

— Но мы думали, что он умер!

— Только не он!

— И ты... пригласил его сюда? После всего, что было?

— Блудный сын, а? Ты прав, Элфред. Мы должны заколоть откормленного теленка![1] Нужно устроить ему пышный прием.

— Но Харри обошелся с тобой... со всеми нами... просто недостойно! — воскликнул Элфред. — Он...

— Незачем перечислять его проступки — слишком длинный получится список. Но не забывай, что Рождество — время прощения грехов. Блудного сына нужно встретить радушно.

Элфред поднялся.

— Это... это настоящий шок, — пробормотал он. — Я и представить не мог, что Харри когда-нибудь снова перешагнет порог этого дома.

Симеон склонился вперед.

— Ты никогда не любил Харри, верно? — негромко спросил он.

— После того, как он с тобой обошелся...

— Кто старое помянет, тому глаз вон, — хихикнул Симеон. — Хороший девиз для Рождества, не так ли, Лидия?

Лидия тоже казалась бледной.

— Вижу, — сухо промолвила она, — в этом году вы особенно тщательно готовились к Рождеству.

— Я хочу, чтобы вокруг меня собралась вся семья и чтобы в доме царили мир и согласие. Ведь я старик. Элфред, ты уже уходишь?

Элфред быстро зашагал в двери. Лидия задержалась у кресла.

Симеон кивнул вслед удаляющейся фигуре.

— Это его расстроило. Он и Харри никогда не ладили. Харри дразнил его — говорил, что Элфред, прежде чем сделать шаг, несколько раз проверит, как бы не споткнуться.

Лидия собиралась ответить, но передумала. Видя, что ее сдержанность разочаровала старика, она сказала:

— Не забывайте, что черепаха сумела обогнать зайца.

— Так бывает не всегда, моя дорогая Лидия, — заметил Симеон.

---

[1] Намек на притчу о блудном сыне, в честь возвращения которого отец велел заколоть откормленного теленка. (Евангелие от Луки, 15:11 — 32.)

Лидия улыбнулась:

— Простите, я должна идти к Элфреду. Внезапное волнение выбивает его из колеи.

— Да, — усмехнулся Симеон. — Элфред не любит перемен. Он всегда был степенным педантом.

— Элфред вам очень предан, — сказала Лидия.

— Тебе это кажется странным, не так ли?

— Иногда кажется, — ответила Лидия.

Она вышла из комнаты.

Симеон посмотрел ей вслед и ухмыльнулся, потирая руки.

— Становится все забавнее. Я буду наслаждаться Рождеством!

Он с усилием встал и, опираясь на палку, заковылял по комнате.

Подойдя к большому сейфу в углу, Симеон набрал комбинацию. Дверца открылась.

Дрожащей рукой старик извлек из сейфа кожаный мешочек и раскрыл его, пропуская сквозь пальцы струйку неотшлифованных алмазов.

— Вот они, мои красавцы!.. Мои старые друзья... Это были славные деньки... Не бойтесь, вас не будут гранить и шлифовать. Вы не будете блестеть на шеях, пальцах или в ушах женщин. Вы мои — только мои! Мы с вами знаем кое-что. Говорят, что я стар и болен, но со мной еще не покончено! Старый пес еще поживет и получит удовольствие от жизни! Он еще позабавится...

Часть вторая
23 ДЕКАБРЯ

1

В дверь позвонили, и Трессилиан пошел открывать. Звонок звучал необычайно агрессивно, и, пока дворецкий медленно пересекал холл, он раздался снова.

Трессилиан покраснел от негодования. Что за дурные манеры — так трезвонить в дом джентльмена! Если это очередные исполнители рождественских гимнов, он им покажет!

Через матовое стекло верхней половины двери дворецкий разглядел силуэт высокого мужчины в шляпе с опущенными полями. Он открыл дверь. Так и есть — кривляво, но дешево одетый незнакомец. Наверняка нахальный попрошайка!

— Будь я проклят, если это не Трессилиан! — воскликнул незнакомец. — Как поживаете, Трессилиан?

Дворецкий уставился на него. Дерзкий подбородок, орлиный нос, бесшабашный взгляд — такие же, как много лет назад...

— Мистер Харри! — ахнул он.

Харри Ли засмеялся:

— Чего ради вы так удивились? Ведь меня ожидали, верно?

— Да, сэр, конечно...

— Тогда к чему изображать удивление? — Харри шагнул на пару футов назад и окинул взглядом дом — весьма прозаичное, но солидное сооружение из красного кирпича. — Тот же самый безобразный домина.

Хотя он до сих пор стоит — а это самое главное. Как там мой отец, Трессилиан?

— Он практически инвалид, сэр. Почти не выходит из своей комнаты, но не падает духом.

— Старый греховодник!

Харри Ли вошел внутрь, позволив Трессилиану забрать у него шарф и театрального вида шляпу.

— А как поживает мой дорогой братец Элфред?

— Очень хорошо, сэр.

Харри усмехнулся:

— Ему наверняка не терпится меня увидеть, а?

— Я в этом уверен, сэр.

— А я — нет! Совсем наоборот — держу пари, что мое появление придется ему чертовски не по душе. Мы с Элфредом никогда не ладили. Вы когда-нибудь читаете Библию, Трессилиан?

— Иногда, сэр.

— Помните историю о возвращении блудного сына? Его благонравному старшему брату это совсем не понравилось! Бьюсь об заклад, старый домосед Элфред прореагирует точно так же.

Трессилиан молчал, опустив глаза. Его напряженная спина выражала протест. Харри похлопал его по плечу:

— Пошли, старина! Меня ждет откормленный теленок! Ведите меня к нему.

— Пожалуйста, пройдите в гостиную, сэр, — сказал дворецкий. — Не знаю, где сейчас все. Они никого не послали вас встретить, так как не знали времени вашего прибытия.

Харри кивнул и двинулся за Трессилианом через холл, глядя по сторонам.

— Все прежние экспонаты на месте, — заметил он. — По-моему, здесь ничего не изменилось с тех пор, как я уехал отсюда двадцать лет назад.

Харри последовал за дворецким в гостиную

— Попробую найти мистера или миссис Элфред, — пробормотал старик и поспешил прочь.

Сделав несколько шагов, Харри застыл как вкопанный и уставился на фигуру, сидящую на одном из подоконников. Его взгляд недоверчиво скользнул по черным волосам и кремовой коже.

— Господи! — воскликнул он. — Неужто вы седьмая и самая красивая жена моего отца?[1]

Пилар соскользнула вниз и шагнула ему навстречу.

— Я Пилар Эстравадос, — представилась она. — А вы, должно быть, мой дядя Харри — мамин брат?

— Так вы дочка Дженнифер! — догадался Харри.

— А почему вы подумали, будто я седьмая жена вашего отца? — спросила Пилар. — У него действительно было шесть жен?

Харри рассмеялся.

— Нет, только одна — во всяком случае, законная. Как, говорите, вас зовут? Пил...

— Пилар.

— Ну, Пилар, я никак не ожидал встретить кого-нибудь вроде вас в этом мавзолее.

— В этом мавзо... как-как?

— В этом музее набитых опилками чучел! Я всегда считал этот дом паршивым, а теперь он кажется мне еще паршивее, чем когда-либо!

Пилар казалась шокированной.

— Что вы! Здесь так красиво! Хорошая мебель, мягкие ковры, много разных украшений. Все очень дорогое и хорошего качества!

— Тут вы правы, — усмехнулся Харри. — Знаете, вы очень приятно смотритесь среди...

Он умолк, так как в комнату вошла Лидия и направилась прямо к нему.

— Здравствуйте, Харри. Я Лидия — жена Элфреда.

— Здравствуйте, Лидия. — Харри пожал ей руку, окинув быстрым взглядом ее смышленое подвижное лицо и отметив изящную походку, чем могли похвастаться немногие женщины.

Лидия, в свою очередь, разглядывала его.

«Выглядит грубоватым, но привлекательным, — подумала она. — Я бы не доверяла ему ни на грош...»

— Каким вам кажется дом после стольких лет? — улыбаясь спросила Лидия. — Совсем другим или почти таким же?

---

[1] Имеются в виду семь жен Синей Бороды из сказки Шарля Перро.

— В общем почти таким же. — Харри снова огляделся. — Эта комната была переделана.

— И не раз.

— Я имею в виду, переделана вами. Благодаря вам она стала... другой.

— Очевидно.

На лице Харри мелькнула озорная усмешка, внезапно напомнившая Лидии старика наверху.

— Теперь в ней куда больше вкуса. Кажется, я слышал, что старина Элфред женился на девушке, чьи предки прибыли сюда вместе с Вильгельмом Завоевателем[1].

— Вполне возможно, — улыбнулась Лидия. — Но с тех пор они изрядно деградировали.

— Как поживает Элфред? — спросил Харри. — Все такой же твердолобый консерватор?

— Не знаю, покажется он вам изменившимся или нет.

— А остальные? Разбросаны по всей Англии?

— Нет. Все собрались здесь на Рождество.

Харри выпучил глаза:

— Традиционное рождественское семейное сборище? Что случилось со стариком? Раньше он не отличался сентиментальностью и особой привязанностью к семье. Должно быть, он здорово изменился!

— Возможно. — Голос Лидии звучал сухо.

— А как старина Джордж? — продолжал Харри. — Все такой же скряга? Как же он скулил, когда ему приходилось расстаться с полпенни из его карманных денег!

— Джордж сейчас член парламента от Уэстерингема, — отозвалась Лидия.

— Что?! Пучеглазый в парламенте? Ну и ну!

Харри захохотал, откинув голову назад.

Громкий смех казался грубым и несдержанным в стенах гостиной. Пилар громко вздохнула, а Лидия слегка вздрогнула.

Почувствовав за спиной какое-то движение, Харри перестал смеяться и резко повернулся. Он увидел Элфреда, который молча смотрел на него со странным выражением лица.

---

[1] В и л ь г е л ь м   З а в о е в а т е л ь (1028—1087) — герцог Нормандский, ставший в 1066 г. английским королем Вильгельмом I, когда под его предводительством норманны завоевали Англию.

Губы Харри медленно расплылись в улыбке.

— Да ведь это Элфред! — воскликнул он, шагнув к брату.

— Привет, Харри, — кивнул Элфред.

Они стояли, глядя друг на друга. Лидия затаила дыхание.

«Как нелепо! — подумала она. — Уставились, как два пса перед дракой!»

Глаза Пилар расширились.

«Как же глупо они выглядят! Почему бы им не обняться? Хотя англичане так не делают. Но они могли бы что-нибудь сказать, а не просто глазеть друг на друга», — думала она.

— Забавно снова оказаться здесь, — промолвил наконец Харри.

— Еще бы. Прошло столько лет с тех пор, как ты... уехал.

Харри вскинул голову и провел пальцем по подбородку привычным жестом, означавшим вызов.

— Да, — сказал он. — Я рад, что вернулся... — Помедлив, он закончил фразу многозначительным тоном: — Домой.

2

— Полагаю, я был большим грешником, — промолвил Симеон Ли.

Он откинулся в кресле, задумчиво поглаживая пальцем подбородок. Перед ним в камине плясали языки пламени. Рядом сидела Пилар, держа в руках маленький экранчик из папье-маше, которым она прикрывала лицо от огня. Иногда она обмахивалась им, сгибая запястье. Симеон с удовольствием смотрел на нее, продолжая разговаривать скорее с самим собой, чем с девушкой, воодушевленный ее присутствием.

— Да, — повторил он. — Я был грешником. Что ты об этом думаешь, Пилар?

Девушка пожала плечами:

— Монахини говорят, что все люди грешники — поэтому за них нужно молиться.

— Да, но я был куда более грешен, чем многие. — Симеон засмеялся. — Тем не менее я ни о чем не сожалею. Я наслаждался каждой прожитой минутой! Говорят, что в старости начинаешь каяться. Чепуха! Я ни в чем не раскаиваюсь, хотя и повинен во всех смертных грехах — лгал, мошенничал, воровал. Не говоря уже о женщинах! Кто-то рассказывал мне об арабском шейхе, у которого телохранителями были сорок его сыновей — все примерно одного возраста! Не знаю насчет сорока, но я тоже мог бы составить неплохую гвардию, если бы разыскал всех своих ублюдков! Что скажешь, Пилар? Ты шокирована?

Пилар уставилась на него:

— Почему я должна быть шокирована? Мужчины всегда желают женщин. Мой отец не был исключением. Поэтому женщины так часто бывают несчастными, ходят в церковь и молятся.

Старый Симеон нахмурился.

— Я сделал Аделаиду несчастной, — пробормотал он себе под нос. — Боже, какая она была хорошенькая, когда я на ней женился, — прямо кровь с молоком! А потом? Все время ныла и жаловалась. В мужчине просыпается дьявол, когда его жена постоянно плачет... Беда Аделаиды была в том, что ей не хватало мужества. Если бы она мне возражала — но она никогда так не делала! А я-то верил, что, обзаведясь семьей, смогу покончить с прежней жизнью...

Его голос замер. Несколько секунд он молча смотрел на пламя в очаге.

— Семья... Ничего себе, семья! — Симеон злобно усмехнулся. — Только посмотри на них! Ни у кого нет детей! Что с ними такое? Неужели в их жилах нет ни капли моей крови? Никто не в состоянии произвести на свет сына — законного или незаконного. Возьмем к примеру Элфреда — как же он мне наскучил! Смотрит на меня глазами преданного пса и готов сделать все, о чем бы я ни попросил. Господи, что за дурень! А вот его жена мне нравится — у нее есть характер. Правда, я ей не нравлюсь, но она вынуждена меня терпеть ради этого олуха Элфреда. — Он снова посмотрел на девушку. — Запомни, Пилар, нет ничего скучнее преданности.

Она улыбнулась, и Симеон продолжал, словно согреваемый ее юностью и женственностью.

— А Джордж? Напыщенный пустозвон, безмозглый и бесхарактерный, да еще при этом трясется над каждым пенни! Дэвид? Он всегда был дураком и мечтателем. Типичный маменькин сынок! Единственный его разумный поступок — женитьба на этой спокойной, солидной женщине. — Он хлопнул ладонью по подлокотнику кресла. — Харри лучший из них! Конечно, он паршивая овца, но хотя бы живой!

— Да, Харри симпатичный, — согласилась Пилар. — Он так приятно смеется, откидывая голову назад. Да, мне он очень нравится.

Старик бросил на нее взгляд.

— Харри всегда умел нравиться девушкам — тут он весь в меня. — Симеон хрипло засмеялся. — Да, я хорошо пожил. Чего у меня только не было!

— В Испании есть пословица, — сказала Пилар. — «Бог говорит: «Бери, что хочешь, но плати за это».

Симеон вновь одобрительно хлопнул по подлокотнику.

— Это мне нравится. «Бери, что хочешь...» Я всю жизнь так поступал — брал, что хотел...

— И платили за это? — спросила Пилар, слегка изменившимся тоном.

Симеон перестал усмехаться. Он выпрямился в кресле и уставился на нее:

— Что ты сказала?

— Я спросила — платили ли вы за это, дедушка?

— Не знаю... — медленно произнес Симеон Ли. Внезапно он опустил кулак на подлокотник кресла и сердито крикнул: — Почему ты об этом спрашиваешь?

— Просто мне интересно.

Ее рука, держащая экранчик, застыла в воздухе, а темные глаза стали загадочными. Она сидела, откинув голову назад и прекрасно сознавая свою женственность.

— Ты дьявольское отродье! — воскликнул Симеон.

— Но я нравлюсь вам, дедушка, — мягко сказала Пилар. — Вам приятно, что я сижу здесь рядом с вами.

— Да, приятно, — признал Симеон. — Уже давно я не видел таких молодых и красивых девушек. Это идет мне

218

а пользу — согревает мои старые кости... К тому же ты оя плоть и кровь. Спасибо Дженнифер — в конце концов, она оказалась лучшей из всех!

Пилар молча улыбнулась.

— Но тебе меня не одурачить, — продолжал Симеон. — Я знаю, почему ты сидишь здесь и терпеиво слушаешь мое брюзжание. Все из-за денег! Или ы будешь притворяться, что любишь своего старого еда?

— Нет, я вас не люблю, — ответила Пилар. — Но ы мне очень нравитесь — можете в этом не сомневаться. Конечно, вы большой грешник, но это мне тоже равится. Вы живее всех остальных в этом доме. И вам сть что рассказать. Вы много путешествовали, вели изнь, полную приключений. Будь я мужчиной, я бы оже этого хотела.

Симеон кивнул:

— Да, я тебе верю... Всегда говорили, что в нас теет цыганская кровь. В моих детях, кроме Харри, она е слишком давала себя знать, но, думаю, она провится в тебе. Уверяю тебя, я умею быть терпеливым, огда это необходимо. Однажды я ждал пятнадцать ет, чтобы свести счеты с человеком, причинившим не вред. Это еще одна черта всех Ли — они ничего е забывают и мстят за обиду, даже если приходится дать годы! Тот человек обманул меня, и я ждал пятадцать лет, пока мне не представился шанс, а потом азорил его дотла!

Он негромко захихикал.

— Это было в Южной Африке? — спросила Пилар.

— Да. Прекрасная страна!

— Вы когда-нибудь возвращались туда?

— В последний раз я был там спустя пять лет после енитьбы.

— А до того? Вы прожили там много лет?

— Да.

— Расскажите!

Симеон начал рассказывать. Пилар слушала, прирыв лицо экранчиком.

Постепенно речь старика становилась все более меденной и усталой.

— Сейчас я покажу тебе кое-что, — сказал он.

Осторожно поднявшись и опираясь на палку, Симе он медленно заковылял по комнате, подошел к сейфу и открыл его. Повернувшись, он поманил к себе де вушку.

— Посмотри-ка на них. Потрогай, пропусти сквозь пальцы. — При виде ее удивленного лица, старик рассмеялся. — Ты не знаешь, что это такое? Это алмазы малышка!

Пилар широко открыла глаза:

— Но ведь это просто маленькие камешки!

— Это неотшлифованные алмазы, — объяснил Си меон. — Такими их находят.

— А если их отшлифовать, они становятся на стоящими бриллиантами? — недоверчиво спросила Пилар.

— Разумеется.

— И будут сверкать и переливаться?

— Еще как!

— Не могу в это поверить! — с детским упрямством заявила Пилар.

— Тем не менее это правда.

— И они ценные?

— Очень ценные. Правда, их цену трудно определить до шлифовки, но эта маленькая кучка стоит несколько тысяч фунтов.

— Несколько... тысяч... фунтов? — переспросила Пилар, делая интервалы между словами.

— Тысяч девять или десять — они довольно крупные.

— Тогда почему вы их не продаете?

— Потому что мне нравится иметь их у себя.

— Но они стоят столько денег...

— Я не нуждаюсь в деньгах.

— Вот как?.. — Слова старика явно произвели на нее впечатление. — Но почему вы их не отшлифуете и не сделаете красивыми?

— Потому что предпочитаю видеть их такими. — Его лицо помрачнело. Отвернувшись, он продолжал, словно обращаясь к самому себе: — Когда я трогаю их, ко мне возвращается прошлое — солнце, запах вельда, волы старина Эб, все ребята...

В дверь негромко постучали.

— Положи их назад в сейф и захлопни его, — велел Симеон девушке и отозвался: — Войдите!

Появился Хорбери, как всегда преисполненный почтения.

— Чай подан внизу, — сообщил он.

3

— Вот ты где, Дэвид, — сказала Хильда. — Я всюду тебя искала. Зря ты торчишь в этой комнате — здесь ужасно холодно.

Несколько секунд Дэвид стоял молча, глядя на низкое кресло с выцветшей атласной обивкой.

— Это ее кресло, — заговорил он наконец. — Она всегда в нем сидела... Оно совсем такое же — только обивка потускнела...

Хильда слегка нахмурилась.

— Вижу, — отозвалась она. — Пойдем отсюда, Дэвид. Здесь жуткий холод.

Дэвид не обратил на нее внимания.

— Помню, я сидел на этом табурете, — продолжал он, оглядевшись вокруг, — а она читала мне «Джека — истребителя великанов»[1]. Тогда мне было лет шесть.

Хильда решительно взяла его за руку.

— Пойдем в гостиную, дорогой. В этой комнате нет центрального отопления.

Дэвид покорно повернулся, но она почувствовала, как его тело сотрясла дрожь.

— Все то же самое, — пробормотал он. — Как будто время с тех пор стояло на месте...

Хильда выглядела обеспокоенной.

— Интересно, где все остальные? — нарочито бодро сказала она. — Уже почти время чая.

Дэвид высвободил руку и открыл другую дверь.

— Здесь раньше стоял рояль... Да, вот он! Любопытно, хорошо ли он настроен...

Подняв крышку, он сел и пробежал пальцами по клавишам.

---

[1] Английская народная сказка.

— Да, инструмент держат настроенным.

Дэвид начал играть. У рояля был приятный звук — мелодия легко лилась из-под его пальцев.

— Что это? — спросила Хильда. — Кажется, я знаю эту пьесу, но не могу вспомнить.

— Я не играл ее много лет, — ответил Дэвид. — Мама часто играла ее. Это одна из «Песен без слов» Мендельсона.

Сладостная мелодия словно наполнила комнату.

— Сыграй что-нибудь Моцарта, — попросила Хильда.

Но Дэвид покачал головой и начал другую пьесу Мендельсона.

Внезапно он сыграл резкий диссонирующий аккорд и поднялся, дрожа всем телом.

Хильда подошла к нему.

— Дэвид...

— Это ничего... — прервал он.

4

В дверь снова позвонили. Трессилиан поднялся со стула в буфетной и медленно пошел открывать.

Звонок повторился. Дворецкий нахмурился, увидев сквозь матовое дверное стекло силуэт мужчины в шляпе с опущенными полями.

Трессилиан провел рукой по лбу. Он выглядел обеспокоенным. Это уже происходило сегодня, а теперь повторяется снова...

Дворецкий отодвинул засов и открыл дверь.

Чары разрушились.

— Здесь живет мистер Симеон Ли? — спросил мужчина, стоящий на пороге.

— Да, сэр.

— Я бы хотел его повидать.

В Трессилиане пробудилось эхо воспоминаний. Интонации этого голоса он помнил с тех дней, когда мистер Ли впервые приехал в Англию.

Дворецкий с сомнением покачал головой:

— Мистер Ли — инвалид, сэр. Он почти никого не принимает. Если вы...

Незнакомец достал конверт и протянул Трессилиану.

— Пожалуйста, передайте это мистеру Ли.

— Да, сэр.

5

Симеон Ли взял конверт и вынул оттуда лист бумаги. Он удивленно приподнял брови, но потом улыбнулся.

— Это просто чудесно! — Старик обернулся к дворецкому. — Проводите мистера Фэрра сюда, Трессилиан.

— Да, сэр.

— Я как раз вспоминал о старом Эбенезере Фэрре, — сказал Симеон внучке. — Он был моим партнером в Кимберли. А теперь его сын приехал сюда!

Трессилиан появился вновь.

— Мистер Фэрр, — доложил он.

Вошел Стивен Фэрр. Он явно нервничал и пытался скрыть это некоторой развязностью.

— Мистер Ли? — Южноафриканский акцент в его голосе на мгновение стал сильнее обычного.

— Рал вас видеть. Значит, вы сын Эба?

Стивен Фэрр довольно глуповато усмехнулся.

— Это мой первый визит в Англию, — сказал он. — Отец всегда говорил мне, чтобы я навестил вас, если приеду сюда.

— И он был прав. — Старик оглянулся. — Это моя внучка, Пилар Эстравадос.

— Здравствуйте, — скромно произнесла Пилар.

«Хладнокровная маленькая чертовка! — с восхищением подумал Стивен. — Она удивилась при виде меня, но показала это лишь на момент».

— Рад с вами познакомиться, мисс Эстравадос, — чопорно отозвался он.

— Благодарю вас, — сказала Пилар.

— Присаживайтесь и расскажите о себе, — предложил Симеон Ли. — Вы надолго в Англию?

Стивен засмеялся, откинув голову назад.

— Теперь, когда я уже здесь, мне спешить некуда!

— И правильно, — одобрил Симеон. — Погостите немного у нас.

— Я не могу вам навязываться, сэр. Осталось всего два дня до Рождества.

— Можете провести Рождество с нами, если у вас нет других планов.

— Вообще-то нет, но мне неудобно...

— Тогда все решено, — прервал Симеон и обернулся. — Пилар!

— Да, дедушка?

— Пойди к Лидии и скажи ей, что у нас будет еще один гость. Попроси ее подняться сюда.

Пилар вышла из комнаты. Симеон с усмешкой наблюдал, как Стивен провожает ее взглядом.

— Вы прибыли прямо из Южной Африки? — спросил он.

— Да, сэр.

— Отлично.

Они начали говорить об этой стране.

Спустя несколько минут пришла Лидия.

— Это Стивен Фэрр, сын моего старого друга и партнера Эбенезера Фэрра, — представил гостя Симеон. — Он останется у нас на Рождество, если ты найдешь для него комнату.

Лидия улыбнулась.

— Конечно. — Она внимательно смотрела на незнакомца — на его загорелое лицо, голубые глаза, гордо вскинутую голову...

— Моя невестка, — представил ее Симеон.

— Мне неловко вот так вторгаться на семейный праздник, — сказал Стивен.

— Считайте себя членом семьи, мой мальчик, — успокоил его Симеон.

— Вы очень добры, сэр.

В комнату вернулась Пилар и села у камина, взяв в руку экранчик. Она использовала его как веер, медленно обмахиваясь им и скромно опустив глаза.

Часть третья
24 ДЕКАБРЯ

1

— Ты действительно хочешь, папа, чтобы я остался здесь? — вскинув голову, спросил Харри. — Ты ведь знаешь, что я расшевелил осиное гнездо?

— Что ты имеешь в виду? — резко осведомился Симеон.

— Доброго братца Элфреда, — ответил Харри. — Его, если так можно сказать, возмущает мое присутствие.

— Подумаешь! — фыркнул Симеон. — В этом доме хозяин я.

— Тем не менее думаю, что ты во многом зависишь от Элфреда. Я не хочу вмешиваться...

— Ты сделаешь так, как я тебе скажу, — прервал его отец.

Харри зевнул.

— Едва ли я смогу превратиться в домоседа. Такая жизнь не для того, кто привык болтаться по свету.

— Тебе лучше жениться и обзавестись семьей, — посоветовал Симеон.

— И на ком же мне жениться? — осведомился Харри. — Жаль, что нельзя вступить в брак с собственной племянницей. Юная Пилар чертовски привлекательна.

— Ты это заметил?

— Кстати, о женитьбе. Толстяку Джорджу как будто повезло. Кто она такая?

Симеон пожал плечами:

— Откуда мне знать? Кажется, Джордж подцепил ее на показе мод. Она утверждает, что ее отец был отставным офицером флота.

— Возможно, помощником капитана с каботажного парохода. Джорджу придется туго с этой дамочкой, если он не будет за ней присматривать.

— Джордж — осел, — заявил Симеон Ли.

— Чего ради она вышла за него замуж? — спросил Харри. — Из-за денег?

Симеон снова пожал плечами.

— Думаешь, тебе удастся договориться насчет меня с Элфредом? — продолжал Харри.

— Сейчас мы это уладим, — мрачно ответил Симеон.

Он позвонил в колокольчик, стоящий на столе рядом с ним.

Хорбери появился почти сразу же.

— Попросите мистера Элфреда прийти сюда, — велел ему Симеон.

Слуга вышел.

— Этот парень подслушивает у дверей, — предупредил Харри.

— Возможно. — Симеон пожал плечами в третий раз.

В комнату быстро вошел Элфред. При виде брата он не удержался от гримасы.

— Ты звал меня, папа? — спросил он, игнорируя Харри.

— Да. Садись. Я думаю, нам придется кое-что изменить, так как в доме будут жить еще двое.

— Двое?

— Пилар, естественно, останется здесь. И Харри вернулся навсегда.

— Харри будет здесь жить?

— Почему бы и нет, старина? — осведомился Харри.

Элфред резко повернулся к нему.

— Мне кажется, ты сам должен это понимать!

— Прости, но я не понимаю.

— После всего происшедшего? Твоего постыдного поведения, скандала...

Харри махнул рукой:

— Все это в прошлом, старина.

— Ты отвратительно вел себя с отцом, который столько для тебя сделал...

— По-моему, Элфред, это касается отца, а не тебя. Если он желает все простить и забыть...

— Желаю, — подтвердил Симеон. — В конце концов, Харри мой сын.

— Да, но...

— Харри останется здесь! Я так хочу! — прервал Симеон. — Я очень люблю Харри. — И он положил руку на плечо последнего.

Смертельно побледнев, Элфред поднялся и вышел из комнаты. Харри тоже встал и с усмешкой последовал за ним.

Симеон сидел, довольно ухмыляясь. Внезапно он здрогнул и обернулся.

— Кто здесь, черт возьми? А, это вы, Хорбери. Сколько раз я вам говорил, чтобы вы не подкрадывались бесшумно!

— Прошу прощения, сэр.

— Ладно, это не важно. У меня для вас несколько поручений. Я хочу, чтобы все пришли сюда после ленча — повторяю, все.

— Да, сэр.

— И еще кое-что. Вы придете вместе с ними и, пройдя полпути по коридору, крикните что-нибудь так, чтобы я услышал. Под любым предлогом. Понятно?

— Да, сэр.

Спустившись вниз, Хорбери сказал Трессилиану:

— Если хотите знать мое мнение, сэр, нас ожидает веселенькое Рождество.

— Что вы имеете в виду? — резко спросил дворецкий.

— Подождите и сами увидите, мистер Трессилиан. Сегодня Сочельник, но я что-то не ощущаю в доме рождественского настроения.

2

Вошедшие задержались в дверях.

Симеон говорил по телефону. Он махнул им рукой:

— Садитесь. Я освобожусь через минуту.

Старик снова заговорил в трубку:

— Фирма «Чарлтон, Ходжкинс и Брюс»? Это вы, Чарлтон? Говорит Симеон Ли. Да, не так ли?.. Да...

Нет, я хочу, чтобы вы составили для меня новое завещание... Да, последнее я составил не так давно, но обстоятельства изменились... Нет, не спешите. Не хочу портить вам Рождество. Скажем, в День подарков[1] или днем позже. Приходите, и я сообщу вам мои намерения. Нет, все в порядке — я еще не умираю.

Положив трубку, Симеон окинул взглядом восьмерых членов своей семьи и хихикнул.

— Что-то вы мрачно выглядите. В чем дело?

— Ты послал за нами... — начал Элфред.

— Да, но в этом нет ничего особенного, — быстро прервал Симеон. — Вы подумали, что будет семейный совет? Нет, я просто сегодня устал — вот и все. После обеда можете ко мне не подниматься — я лягу в постель. Хочу отдохнуть перед Рождеством.

Он снова усмехнулся.

— Конечно, — энергично закивал Джордж.

— Все-таки Рождество — великий праздник, — продолжал Симеон. — Укрепляет семейную солидарность. Как по-твоему, Мэгдалин, дорогая моя?

Мэгдалин Ли вздрогнула. Ее маленький ротик открылся и закрылся вновь. Вид у нее был весьма глуповатый.

— Да-а... — неуверенно протянула она.

— Хотя ты ведь жила с отставным морским офицером... — Симеон сделал паузу. — Твоим отцом. Вряд ли вы пышно отмечали Рождество. Для этого нужна большая семья.

— Ну... э-э... да, вероятно...

Взгляд Симеона переместился на ее мужа.

— Не хочется говорить неприятные вещи в такое время, Джордж, но боюсь, придется немного урезать твое содержание. Домашнее хозяйство в будущем станет обходится мне дороже.

Джордж побагровел.

— Папа, ты не можешь так поступить!

— Вот как? Не могу? — вкрадчиво осведомился Симеон.

---

[1] День подарков — первый будний день после Рождества, когда принято дарить подарки слугам и работникам сферы обслуживания — почтальонам и прочим.

— Мои расходы и без того очень велики. Мне с трудом удается сводить концы с концами. Приходится экономить во всем...

— Позволь твоей жене этим заниматься, — посоветовал Симеон. — У женщин это превосходно получается. Они часто экономят там, где мужчине и в голову не придет. Некоторые женщины сами шьют себе одежду. Помню, моя жена отлично управлялась с иглой. У нее вообще были золотые руки, но, к сожалению, куриные мозги.

Дэвид вскочил на ноги.

— Сядь, мальчик, — сказал ему отец, — а то что-нибудь опрокинешь.

— Моя мать... — начал Дэвид.

— Твоя мать была глупа как пробка! — рявкнул Симеон. — И по-моему, она передала это качество своим детям. — Внезапно он выпрямился. На его щеках вспыхнули красные пятна, а голос стал высоким и пронзительным. — Никто из вас не стоит ломаного гроша! Меня тошнит от вас! Вы не мужчины, а компания никчемных хлюпиков! Пилар стоит двоих из вас, вместе взятых! Бьюсь об заклад, что где-то в мире у меня найдется сын, получше любого из вас, пусть даже и незаконный!

— Полегче, папа! — сердито сказал Харри.

Он тоже поднялся — его добродушное лицо нахмурилось.

— Это и к тебе относится! — напустился на него Симеон. — Что хорошего ты сделал за свою жизнь? Писал мне со всех концов земного шара и выклянчивал деньги? Повторяю, мне тошно смотреть на вас! Убирайтесь!

Он откинулся в кресле, тяжело дыша.

Медленно, один за другим, его сыновья и их жены стали выходить из комнаты. Джордж покраснел от негодования. Мэгдалин выглядела испуганной. Дэвид побледнел и дрожал всем телом. Элфред шел как во сне. Только Харри пулей вылетел в коридор. Хильда задержалась в дверях и повернулась.

Открыв глаза, старик вздрогнул при виде невестки. В ее неподвижной позе было нечто угрожающее.

— В чем дело? — раздраженно спросил он.

— Когда пришло ваше письмо, — заговорила Хильда, — я поверила, что вы хотите собрать на Рождество всю семью, и уговорила Дэвида приехать...

— Ну и что?

— Вы действительно хотели всех собрать, — медленно продолжала Хильда, — но только для того, чтобы перессорить друг с другом. Господи, неужели это вас забавляет?

Симеон ухмыльнулся.

— У меня всегда было своеобразное чувство юмора, — сказал он. — Я наслаждаюсь шуткой, не ожидая, что ее оценит кто-нибудь еще.

Хильда молчала. Симеона Ли охватило смутное чувство тревоги.

— О чем вы думаете? — резко осведомился он.

— Я боюсь... — ответила она.

— Боитесь меня?

— Не вас, а за вас!

Словно судья, произнесший приговор, Хильда повернулась и вышла медленным, тяжелым шагом.

Симеон сидел, уставясь на дверь.

Потом он встал и направился к сейфу, бормоча себе под нос:

— Посмотрим на моих красавцев...

3

Примерно без четверти восемь в дверь снова позвонили.

Трессилиан пошел открывать. Вернувшись в буфетную, он обнаружил там Хорбери, поднимающего с подноса кофейные чашки и разглядывающего на них фабричное клеймо.

— Кто это был? — спросил Хорбери.

— Суперинтендант полиции мистер Сагден... Эй, поосторожнее!

Хорбери уронил одну чашку, которая со звоном разбилась.

— Что вы наделали! — рассердился Трессилиан. — Одиннадцать лет я мыл эти чашки и ни разу не разбил ни одной, а теперь вы трогаете вещи, которые к вам не имеют никакого отношения, и вот результат!

— Простите, мистер Трессилиан, — извинился слуга. Его лицо покрылось потом. — Сам не знаю, как это случилось. Вы сказали, приходил полицейский суперинтендант?

— Да, мистер Сагден.

Хорбери облизнул побелевшие губы.

— Что ему было нужно?

— Собирает пожертвования на сиротский приют для детей полицейских.

— А-а! — Слуга расправил плечи и спросил с явным облегчением: — Он получил что-нибудь?

— Я отнес подписной журнал старому мистеру Ли, и он велел проводить суперинтенданта к нему и подать шерри.

— На Рождество попрошайничают все кому не лень, — сказал Хорбери. — Должен признать, что старик щедр, несмотря на его прочие недостатки.

— Мистер Ли всегда был великодушным джентльменом, — с достоинством произнес Трессилиан.

Хорбери кивнул:

— Это лучшее из его качеств. Ну, я пошел.

— Собираетесь в кино?

— Да, если получится. Пока, мистер Трессилиан.

Он вышел через дверь в холл для слуг.

Трессилиан посмотрел на часы, висящие на стене, потом отправился в столовую и положил булочки на салфетки.

Убедившись, что все в порядке, он ударил в гонг, стоящий в холле.

Когда звук гонга затих, суперинтендант Сагден спустился по лестнице. Это был крупный, красивый мужчина в застегнутом на все пуговицы синем костюме, двигающийся с сознанием собственной значительности.

— Думаю, к ночи подморозит, — заметил он. — Это хорошо, а то в последнее время погода совсем не по сезону.

— От сырости у меня разыгрывается ревматизм, — отозвался Трессилиан.

Суперинтендант выразил ему сочувствие, и Трессилиан выпустил его через парадную дверь.

Старый дворецкий запер дверь, медленно вернулся в холл, провел рукой по глазам и вздохнул, но сразу выпрямился, увидев Лидию, идущую в гостиную. Джордж Ли только что спустился с лестницы.

Трессилиан ждал остальных. Когда последняя из гостей, Мэгдалин, вошла в гостиную, он последовал за ней и доложил:

— Обед подан.

В своем роде Трессилиан был знатоком дамских нарядов. Он всегда обращал внимание на платья леди, когда обходил стол с графином в руке.

Дворецкий отметил, что миссис Элфред надела новое платье из черно-белой тафты. Рисунок был довольно вызывающим, но она, в отличие от многих других леди, могла себе это позволить. На миссис Джордж было модельное платье, по-видимому стоившее немало денег. Интересно, какое лицо было у мистера Джорджа, когда ему пришлось за него платить? Мистер Джордж никогда не любил расставаться с деньгами. Миссис Дэвид — приятная леди, но совершенно не умеет одеваться. Ее фигуре лучше всего подошел бы черный бархат, а алый, да еще узорчатый, был неудачным выбором. А вот мисс Пилар все равно что носить — с ее волосами и фигурой она прекрасно выглядит даже в дешевом белом платьице. Ничего, скоро мистер Ли позаботится о ее одежде. Он сразу к ней привязался. Так всегда бывает с пожилыми джентльменами — хорошенькие девушки могут из них веревки вить!

— Рейнвейн или кларет? — почтительно пробормотал Трессилиан на ухо миссис Джордж. Краем глаза он заметил, что лакей Уолтер снова подает овощи раньше подливки, хотя ему много раз говорили, что нужно делать наоборот.

Трессилиан обошел стол, подавая суфле. Теперь, когда его интерес к туалетам леди и недовольство оплошностью Уолтера отошли в прошлое, ему стало казаться, что сегодня все очень молчаливы. Впрочем, это не совсем точно — мистер Харри говорил за всех прочих. Хотя это не мистер Харри, а южноафриканский джентльмен. Остальные тоже разговаривали, но только время от времени. Они выглядели немного странно.

Мистер Элфред кажется совсем больным — как будто недавно перенес сильный шок. Ковыряет вилкой пищу, но ничего не ест. Хозяйку это тревожит —

она все время исподтишка поглядывает на него через стол. Мистер Джордж сидит с красным лицом и заглатывает еду, не разбирая вкуса. Если он не будет соблюдать осторожность, в один прекрасный день его хватит удар. Миссис Джордж ничего не ест — наверное, хочет похудеть. Зато мисс Пилар уплетает вовсю и при этом весело болтает с южноафриканским джентльменом. Вроде бы она ему приглянулась. Уж у этих-то двоих явно легко на душе!

Мистер Дэвид? Трессилиан беспокоился из-за него. Он так похож на мать и удивительно молодо выглядит, но нервничает из-за чего-то — даже опрокинул бокал. Дворецкий быстро убрал его и промокнул стол. Мистер Дэвид, казалось, не замечает, что делает, — просто сидит весь бледный, глядя перед собой.

Кстати, о бледности — забавно, как побледнел Хорбери в буфетной, когда услышал о приходе полицейского офицера. Можно подумать, будто он...

Поток мыслей Трессилиана резко застопорился — Уолтер уронил грушу с блюда. Слуги в наши дни никуда не годятся! Им самое место на конюшне!

Он начал разливать портвейн. Мистер Харри кажется немного рассеянным и все время посматривает на мистера Элфреда. Эти двое и в детстве друг друга не жаловали. Еще бы — мистер Харри всегда был любимчиком отца, и это раздражало мистера Элфреда. Мистер Ли никогда не испытывал особой привязанности к старшему сыну. Жаль — мистер Элфред так ему предан...

Миссис Элфред встала и двинулась вокруг стола. Тафта у нее с очень приятным рисунком, да и накидка ей идет. Удивительно изящная леди...

Трессилиан направился в буфетную, закрыв за собой дверь столовой, где оставались джентльмены с их портвейном.

Дворецкий отнес поднос с кофе в гостиную, где молча сидели четыре леди. Возвращаясь в буфетную, он услышал, как открылась дверь столовой. Оттуда вышел Дэвид Ли и зашагал через холл к гостиной.

В буфетной Трессилиан прочитал нотацию Уолтеру, который слушал его с весьма дерзким выражением лица. Оставшись один, он устало опустился на стул.

Ему было не по себе. Сочельник — а в доме такая напряженная атмосфера... Не к добру это!

С усилием поднявшись, дворецкий пошел в гостиную собрать кофейные чашки. Там не было никого, кроме Лидии, которая стояла в дальнем конце комнаты, наполовину скрытая оконной портьерой, и смотрела в темноту.

В соседней комнате слышались звуки рояля. Это мистер Дэвид. Но почему он играет похоронный марш? Да, все идет не так, как надо...

Трессилиан медленно побрел по холлу назад в буфетную.

Именно тогда он услышал шум наверху — звуки бьющегося фарфора и опрокидывающейся мебели, глухие удары.

«Господи! — подумал Трессилиан. — Ведь там хозяин! Что там происходит?»

И затем послышался громкий крик — жуткий, пронзительный визг, перешедший в хриплое吧 бульканье.

Какой-то момент Трессилиан стоял, словно парализованный, потом выбежал в холл и стал быстро подниматься по широкой лестнице. К нему присоединились остальные. Крик был слышен во всем доме.

Пройдя мимо ниши с призрачно белеющими статуями, они поспешили по коридору к комнате Симеона Ли. У двери уже стояли мистер Фэрр и миссис Дэвид. Она прислонилась к стене, а он теребил ручку.

— Дверь заперта! — сказал Стивен.

Харри Ли оттолкнул его и сам взялся за ручку.

— Папа, открой нам! — крикнул он и поднял руку, призывая к молчанию. Все прислушались, но ответа не последовало. Из комнаты не доносилось ни звука.

У парадного входа позвонили, но никто не обратил на это внимания.

— Нужно взломать дверь, — сказал Стивен Фэрр. — Больше ничего не остается.

— Придется здорово потрудиться, — предупредил Харри. — Эти двери сделаны на совесть. Давай, Элфред.

Они навалились на дверь, пыхтя и напрягая силы, потом принесли дубовую скамью и использовали ее, как таран. Наконец петли затрещали, и дверь упала в комнату.

Несколько секунд все молча смотрели внутрь, столпившись в проеме. То, что они увидели, никто из них не мог забыть до конца своих дней...

В комнате явно произошла жестокая схватка. Тяжелая мебель была перевернута. На полу валялись осколки фарфоровых ваз. На коврике перед горящим камином в луже крови лежал Симеон Ли. Вокруг все было забрызгано кровью.

Сначала послышались судорожные вздохи, затем два голоса заговорили по очереди. Как ни странно, оба произнесли цитаты.

— «Жернова Господни мелют медленно...» — сказал Дэвид Ли.

Голос Лидии походил на дрожащий шепот:

— Кто бы мог подумать, что в этом старике так много крови?..

4

Суперинтендант Сагден позвонил трижды. Наконец, отчаявшись, он воспользовался дверным молотком.

Дверь открыл испуганный Уолтер. На его лице сразу отразилось облегчение.

— Я как раз собирался звонить в полицию, — сказал он.

— Зачем? — резко осведомился суперинтендант Сагден. — Что здесь происходит?

— Старого мистера Ли прикончили! — прошептал Уолтер.

Суперинтендант оттолкнул его и помчался вверх по лестнице. Никто не заметил его появления. Войдя, он увидел Пилар, быстро подбирающую что-то с пола, и Дэвида Ли, который стоял, закрыв лицо руками.

Остальные столпились чуть поодаль. Только Элфред Ли стоял возле тела отца, глядя вниз с отсутствующим выражением лица.

— Помните, что ничего нельзя трогать до прибытия полиции, — веско произнес Джордж Ли. — Это очень важно!

— Простите, — сказал Сагден и двинулся вперед, деликатно отодвинув в сторону дам.

Элфред Ли узнал его.

— А, это вы, суперинтендант Сагден. Вы прибыли очень быстро.

— Да, мистер Ли. — Суперинтендант не тратил времени на объяснения. — Что все это значит?

— Мой отец убит... — ответил Элфред. Его голос дрогнул.

Внезапно Мэгдалин истерически зарыдала.

Суперинтендант Сагден поднял руку и потребовал властным тоном:

— Будьте любезны, покиньте комнату все, кроме мистера Элфреда Ли и... э-э... мистера Джорджа Ли.

Медленно и неохотно, словно стадо овец, они двинулись к двери. Неожиданно суперинтендант остановил Пилар.

— Прошу прощения, мисс, — вежливо сказал он, — но здесь ничего не следует трогать.

Девушка уставилась на него.

— Разумеется, — с раздражением отозвался Стивен Фэрр. — Она отлично это понимает.

— Однако, мисс, — тем же любезным тоном продолжал Сагден, — вы только что подобрали что-то с пола.

Пилар широко открыла глаза.

— Разве? — недоверчиво осведомилась она.

— Я сам это видел, — произнес суперинтендант чуть более твердо. — Пожалуйста, отдайте мне этот предмет. Он у вас в руке.

Пилар медленно разжала руку. На ее ладони лежали клочок резины и маленькая деревянная вещица. Суперинтендант Сагден взял их у нее, положил в конверт и спрятал его в нагрудный карман.

— Благодарю вас.

Он отвернулся. На момент в глазах Стивена Фэрра мелькнули удивление и уважение — словно он понял, что недооценил красивого, высокого суперинтенданта.

Все, кроме Элфреда и Джорджа, вышли из комнаты, слыша, как за спиной у них Сагден заговорил сугубо официальным тоном:

— А теперь, если вы будете так любезны...

— Нет ничего лучше дровяного камина, — сказал полковник Джонсон, подбрасывая в очаг очередное полено и придвигая свой стул поближе к огню. — Налейте себе, — добавил он, радушно привлекая внимание гостя к стоящим рядом с ним графину и сифону.

Гость поднял руку в вежливом отказе и также придвинул стул ближе к горящим поленьям, хотя он придерживался мнения, что возможность поджарить ступни (как при средневековой пытке) нисколько не компенсировала холодный сквозняк, дующий ему в спину.

Полковник Джонсон, главный констебль Миддлшира, мог считать, что нет ничего лучше дровяного камина, но Эркюль Пуаро нисколько не сомневался, что центральное отопление во много раз лучше!

— Удивительная история — это дело Картрайта[1], — заметил хозяин дома. — Необычайный человек! Какое поразительное обаяние! Когда он пришел сюда с вами, все были буквально готовы есть у него из рук. — Полковник покачал головой. — Такого дела у нас больше никогда не будет! К счастью, отравление никотином встречается редко.

— В былые времена любое отравление считали неанглийским преступлением, — усмехнулся Эркюль Пуаро. — Абсолютно неспортивным изобретением иностранцев!

— Едва ли, — возразил главный констебль. — Отравлений мышьяком у нас более чем достаточно — возможно, о многих случаях мы даже не подозреваем.

— Весьма вероятно.

— Дела об отравлении всегда самые запутанные, — продолжал Джонсон. — Противоречивы показания экспертов, да и врачи крайне осторожны в своих заключениях. Такое дело нелегко представить суду присяжных. Нет, если уж убийство обязательно должно произойти (упаси Боже!), то подавайте мне такое, где не будет никаких сомнений относительно причины смерти.

Пуаро кивнул:

---

[1] См. роман «Трагедия в трех актах».

— Пулевое ранение, перерезанное горло, проломленный череп... Таковы ваши предпочтения?

— Не называйте это предпочтениями, дружище! Не думаете же вы, что мне доставляют удовольствие дела об убийствах. Надеюсь, больше мне не придется с ними сталкиваться. Во всяком случае, во время вашего визита мы в полной безопасности.

— Моя репутация... — скромно начал Пуаро.

Но Джонсон не дал ему закончить фразу.

— На Рождество повсюду воцаряются мир и покой, — сказал он.

Эркюль Пуаро откинулся на спинку стула, соединил кончики пальцев и задумчиво посмотрел на хозяина дома.

— Значит, по-вашему, — осведомился он, — Рождество — неподходящее время для преступления?

— Вот именно.

— Почему?

— Почему? — Джонсон был слегка сбит с толку. — Ну, как я только что сказал, повсюду мир, покой, веселье и все в таком роде.

— Англичане так сентиментальны! — вздохнул Эркюль Пуаро.

— Ну и что? — с вызовом откликнулся Джонсон. — Что, если нам нравятся наши старые традиционные праздники? Какой в этом вред?

— Вреда никакого. Напротив, это очаровательно. Но давайте обратимся к фактам. Вы сказали, что Рождество — время веселья. Это подразумевает много еды и питья, не так ли? Иными словами, переедание! Но переедание влечет за собой несварение, а несварение, в свою очередь, чувство раздражения.

— Раздражение, — заметил полковник Джонсон, — не является причиной преступления.

— Я в этом не уверен! Теперь другой момент. На Рождество воцаряются мир и покой, все старые ссоры забываются, и наступает примирение — во всяком случае, временное.

— Да, топор войны зарывают в землю, — кивнул Джонсон.

— И родственники, жившие порознь весь год, — продолжал Пуаро, — вновь собираются вместе. Вы должны признать, друг мой, что в таких условиях часто возникает напряженная атмосфера. Люди, не испытывающие дружелюбия к окружающим, изо всех сил стараются выглядеть дружелюбными! Таким образом, Рождество — время лицемерия, пускай вполне достойного, к которому прибегают pour le bon motif, c'est entendu[1], но тем не менее остающегося таковым.

— Ну, я бы не ставил вопрос таким образом, — с сомнением произнес полковник Джонсон.

— Нет-нет, — улыбнулся Пуаро. — Это я его ставлю, а не вы. Я указываю вам, что при подобных обстоятельствах — душевном напряжении, физическом malaise[2] — легкая неприязнь и тривиальные разногласия могут внезапно принять более серьезный характер. Притворяясь более дружелюбным, благожелательным и великодушным, чем он есть на самом деле, человек постепенно начинает вести себя куда более неприятно и даже жестоко, чем в обычных условиях! Если вы воздвигаете преграду естественному поведению, mon ami[3], плотина рано или поздно прорывается, и наступает катастрофа!

Полковник Джонсон с подозрением посмотрел на гостя.

— Никогда не знаешь, когда вы шутите, а когда говорите серьезно, — проворчал он.

— Разумеется, я шучу, — улыбнулся Пуаро. — Но то, что искусственные условия вызывают естественную реакцию — чистая правда.

В комнату вошел слуга полковника.

— Звонит суперинтендант Сагден, сэр.

— Сейчас подойду.

Извинившись, главный констебль вышел из комнаты.

Вернулся он минуты через три. Его лицо было серьезным и озабоченным.

— Черт возьми! Убийство, да еще в Сочельник!

Пуаро поднял брови:

[1] Из лучших побуждений, разумеется (*фр.*).
[2] Недомогание (*фр.*).
[3] Мой друг (*фр.*).

— А это точно убийство?

— На сей раз не может быть никаких сомнений. Это убийство, и притом зверское!

— Кто жертва?

— Старый Симеон Ли. Один из богатейших людей в этих краях! Сколотил первоначальный капитал в Южной Африке — золото... нет, кажется, алмазы, — а потом заработал огромное состояние, производя какое-то хитроумное приспособление для горнопромышленного оборудования. По-моему, его собственное изобретение. Говорят, он дважды миллионер.

— И он пользовался популярностью? — спросил Пуаро.

— Не думаю, чтобы его особенно любили, — медленно ответил Джонсон. — Симеон Ли — довольно странный тип. Последние несколько лет он был инвалидом. Я не слишком много о нем знаю. Но, конечно, он был одной из крупнейших фигур в графстве.

— Значит, из-за его убийства поднимется шум?

— Безусловно. Я должен как можно скорее быть в Лонгдейле.

Полковник с сомнением посмотрел на гостя. Пуаро откликнулся на его немой вопрос:

— Вы бы хотели, чтобы я вас сопровождал?

— Мне неловко просить вас об этом, — смущенно сказал Джонсон. — Суперинтендант Сагден — отличный полисмен — солидный, толковый, усердный — но... ему не хватает воображения. Поэтому, раз уж вы здесь, я бы хотел воспользоваться вашими советами.

В конце своего монолога он начал немного запинаться, отчего его речь приобрела несколько телеграфный стиль.

— Буду рад помочь вам, — живо отозвался Пуаро. — Можете рассчитывать на меня. Только мы не должны оскорблять чувства достойного суперинтенданта. Это его дело, а не мое. Я всего лишь неофициальный консультант.

— Вы славный парень, Пуаро, — тепло сказал полковник Джонсон.

И двое мужчин отправились в путь.

Констебль открыл им парадную дверь, отдав честь. Следом за ним в холле появился суперинтендант Сагден.

— Рад вас видеть, сэр, — приветствовал он начальника. — Давайте пройдем в ту комнату слева — кабинет мистера Ли. Я хотел бы изложить вам основные факты. Дело очень странное.

Суперинтендант проводил их в маленькую комнату с телефоном и письменным столом, заваленным бумагами. Стены были уставлены книжными полками.

— Сагден, это мсье Эркюль Пуаро, — представил своего компаньона главный констебль. — Возможно, вы слышали о нем. Он как раз гостил у меня. Мсье Пуаро, это суперинтендант Сагден.

Пуаро поклонился и окинул взглядом стоящего перед ним человека. Он увидел высокого, широкоплечего мужчину с военной выправкой, орлиным носом, агрессивным подбородком и лихо закрученными каштановыми усами. Роскошь последних, казалось, очаровала Пуаро.

— Конечно, я слышал о вас, мистер Пуаро, — сказал суперинтендант. — Если я правильно помню, вы были в этих краях несколько лет назад в связи со смертью сэра Бартоломью Стрейнджа. Отравление никотином. Это не мой участок, но, разумеется, мне все известно об этом деле.

— Давайте перейдем к фактам, Сагден, — нетерпеливо прервал полковник Джонсон. — Вы говорите, что это, безусловно, убийство?

— Да, сэр, тут не может быть никаких сомнений. Мистеру Ли перерезали горло — яремную вену, как я понял со слов доктора. Но во всей этой истории есть нечто очень странное. Обстоятельства таковы, сэр. Сегодня около пяти вечера мистер Ли позвонил в эддлсфилдский полицейский участок и попросил меня прийти к нему ровно в восемь. Он несколько раз назвал это время и велел мне сказать дворецкому, будто я собираю пожертвования для какого-то полицейского благотворительного мероприятия.

— Ему был нужен благовидный предлог, чтобы заполучить вас к себе в дом? — уточнил главный констебль.

— Совершенно верно, сэр. Ну, мистер Ли был важной персоной, и я, естественно, согласился. Я прибыл сюда без нескольких минут восемь и сказал, что собираю деньги для приюта сирот из семей полицейских. Дворецкий отошел и, вернувшись, сообщил, что мистер Ли меня примет. Он проводил меня в комнату мистера Ли, которая находится на втором этаже, прямо над столовой.

Суперинтендант Сагден сделал паузу, чтобы перевести дыхание, и продолжил свой рассказ в несколько официальной манере:

— Мистер Ли сидел в халате в кресле у камина. Когда дворецкий вышел и закрыл дверь, он попросил меня сесть рядом и довольно неуверенно сказал, что хочет сообщить о краже. Я спросил, что именно было украдено. Мистер Ли ответил, что у него есть причины полагать, будто из его сейфа похищены бриллианты (кажется, он сказал «неотшлифованные алмазы») стоимостью в несколько тысяч фунтов.

— Алмазы? — переспросил главный констебль.

— Да, сэр. Я задал несколько обычных вопросов, но мистер Ли держался очень неуверенно, а его ответы были весьма неопределенными. «Вы должны понимать, суперинтендант, — сказал он наконец, — что я могу ошибаться». «Мне не вполне ясно, сэр, — отозвался я. — Либо алмазы исчезли, либо — нет». «Алмазы, безусловно, исчезли, — ответил он, — но это может оказаться всего лишь грубой шуткой». Ну, мне это показалось странным, но я промолчал. «Мне трудно объяснить все подробности, — продолжал мистер Ли, — но, в общем, все сводится к следующему. Насколько я понимаю, камни могут быть только у двоих. Один из них мог взять их в шутку, но если они у другого, то это, несомненно, кража». «Что именно вы хотите от меня, сэр?» — спросил я. «Я хочу, суперинтендант, — быстро ответил он, — чтобы вы вернулись сюда через час... нет, чуть позже — скажем, в четверть десятого. К тому времени я смогу вам точно сообщить, обокрали меня или нет». Я был немного озадачен, но согласился и ушел.

— Действительно, странно, — заметил полковник Джонсон. — Что скажете, Пуаро?

— Могу я узнать, суперинтендант, — спросил Эркюль Пуаро, — к каким выводам пришли вы сами?

Суперинтендант погладил подбородок.

— Ну, мне в голову пришли разные идеи, — осторожно ответил он, — но в целом ситуация представлялась мне следующим образом. О грубой шутке не могло быть и речи — алмазы украли. Но старый джентльмен не был уверен, кто это сделал. По-моему, он говорил правду, заявив, что это могли быть только двое. Я считаю, что один из этих двоих — слуга, а другой — член семьи.

Пуаро одобрительно кивнул:

— Très bien[1]. Да, это хорошо объясняет его позицию.

— Отсюда его пожелание, чтобы я вернулся позже. В промежутке мистер Ли рассчитывал побеседовать с подозреваемыми и предупредить их, что он уже сообщил о пропаже полиции, но если алмазы вернут, то сможет замять дело.

— А если бы подозреваемые не откликнулись на предложение? — спросил полковник Джонсон.

— В таком случае он намеревался передать расследование в наши руки.

Главный констебль нахмурился и покрутил усы.

— Но ведь он мог поговорить с подозреваемыми, прежде чем вызвать вас, — возразил он.

— Нет-нет, сэр. — Суперинтендант покачал головой. — В таком случае это выглядело бы куда менее убедительно и могло показаться блефом. Вор бы подумал: «Старик не станет вызывать полицию, что бы он ни подозревал!» Но предположим, старый джентльмен сказал ему: «Я уже говорил с суперинтендантом, который только что ушел». Вор мог бы обратиться к дворецкому, и тот бы подтвердил, что суперинтендант был здесь перед обедом. Тогда вор убедился бы, что старый джентльмен говорил серьезно, и мог бы вернуть камни.

— Понятно, — промолвил полковник Джонсон. — А у вас есть идея, Сагден, кто может быть этим «членом семьи»?

— Нет, сэр.

---

[1] Отлично (фр.).

243

— И ничто не указывает на это?

— Ничто.

Джонсон покачал головой:

— Продолжайте.

Суперинтендант Сагден вернулся к своему официальному стилю.

— Я подошел к дому, сэр, ровно в девять пятнадцать. Собираясь позвонить в дверь, я услышал вопль изнутри, а потом крики и звуки суеты. Я позвонил еще несколько раз, а потом воспользовался дверным молотком. Прошло минуты три-четыре, прежде чем мне открыл слуга. При виде его я сразу понял, что что-то произошло. Парень весь дрожал и выглядел так, будто вот-вот свалится в обморок. Он сообщил мне, что мистер Ли убит. Я помчался наверх и обнаружил в комнате мистера Ли чудовищный беспорядок. Там явно происходила жестокая борьба. Сам мистер Ли лежал у камина в луже крови с перерезанным горлом.

— А он никак не мог сделать это сам? — спросил Джонсон.

Сагден покачал головой:

— Это невозможно, сэр. Стулья и столы были перевернуты, вазы разбиты, и нигде не было никаких признаков орудия преступления — ножа или бритвы.

— Да, это выглядит убедительно, — задумчиво промолвил главный констебль. — Кто-нибудь еще был в комнате?

— Почти вся семья, сэр. Они стояли вокруг.

— Ну и какие у вас предположения, Сагден?

— Дело скверное, сэр, — медленно ответил суперинтендант. — По-моему, старика прикончил один из домашних. Не вижу, каким образом кто-то посторонний мог убить его и вовремя смыться.

— Как насчет окна? Оно было открыто или закрыто?

— В комнате два окна, сэр. Одно было закрыто и заперто. Другое открыто на несколько дюймов снизу[1], но закреплено винтом в таком положении. Я попробовал приподнять его, но оно заело напрочь — очевидно, его годами не открывали. Наружная стена абсолют-

---

[1] В Англии окна поднимаются и опускаются.

но гладкая — на ней нет ни плюща, ни других ползучих растений. Не думаю, чтобы убийца мог покинуть комнату через окно.

— А сколько там дверей?

— Всего одна. Комната расположена в конце коридора. Дверь была заперта изнутри. Когда они услышали звуки борьбы и крик умирающего старика и прибежали наверх, им пришлось взломать дверь, чтобы войти.

— И кто же был в комнате? — быстро спросил Джонсон.

— Никого, сэр, — ответил суперинтендант Сагден, — кроме старика, которого убили всего несколько минут назад.

7

Полковник Джонсон изумленно уставился на Сагдена.

— Вы имеете в виду, суперинтендант, что это одно из дел, про которые читаешь в детективных романах — когда человека убивают в запертой комнате каким-то сверхъестественным способом?

Легкая усмешка тронула усы суперинтенданта.

— Не думаю, что все обстоит настолько скверно, сэр, — серьезно ответил он.

— Тогда это должно быть самоубийством, — заявил Джонсон.

— Если так, то где оружие? Нет, сэр, это не самоубийство.

— В таком случае, как скрылся убийца? Через окно? Сагден покачал головой:

— Готов поручиться, что нет.

— Но вы сами сказали, что дверь была заперта изнутри.

Кивнув, суперинтендант вынул из кармана ключ и положил его на стол.

— На нем нет отпечатков пальцев, сэр, но посмотрите на него через эту лупу.

Пуаро склонился вперед. Он и Джонсон вместе обследовали ключ.

245

— Черт возьми! — воскликнул главный констебль. — Кажется, я вас понял. Видите мелкие царапины на кончике бородки, Пуаро?

— Разумеется. Они означают, что ключ повернули снаружи при помощи специального приспособления, которое вставили в скважину, ухватив им ключ, — быть может, простых щипчиков.

Суперинтендант кивнул:

— Вполне возможно.

— Значит, — продолжал Пуаро, — идея состояла в том, что смерть сочтут самоубийством, так как дверь заперта и в комнате никого не оказалось?

— По-моему, это несомненно.

Пуаро покачал головой:

— А как же перевернутая мебель, разбитые вазы и прочее? Как вы сказали, это само по себе опровергает версию самоубийства. В первую очередь убийца должен был привести комнату в порядок.

— Но ему не хватило на это времени, мистер Пуаро, — возразил Сагден. — По-видимому, он рассчитывал застигнуть старого джентльмена врасплох, но это ему не удалось. Завязалась борьба — ее звуки отлично слышали внизу, — более того, мистер Ли позвал на помощь, и все побежали наверх. Убийца успел только выскользнуть из комнаты и повернуть ключ снаружи.

— Это верно, — согласился Пуаро. — Убийца мог замешкаться. Но почему он хотя бы не оставил оружие? Ведь если нет оружия, то нет и речи о самоубийстве! Это куда более серьезная ошибка.

— Мы знаем по опыту, что преступники обычно совершают ошибки, — заметил суперинтендант.

— Однако этому преступнику, несмотря на ошибки, удалось ускользнуть.

— Не думаю, чтобы он далеко убежал.

— Вы имеете в виду, что он все еще в доме?

— Не вижу, где еще он может быть. Это «внутренняя» работа.

— Но tout de même[1], — мягко указал Пуаро, — он ускользнул в определенном смысле слова. Вы не знаете, кто он.

---

[1] Тем не менее (*фр.*).

— Думаю, что скоро узнаем, — вежливо, но твердо отозвался суперинтендант. — Мы ведь еще никого не опрашивали.

— Мне кое-что пришло в голову, Сагден, — вмешался полковник Джонсон. — Кто бы ни повернул ключ снаружи, он должен был знать, как это делается. Иными словами, возможно, он обладает криминальным опытом. Такое проделать не так просто.

— Вы имеете в виду, что это профессиональная работа, сэр?

— Вот именно.

— На первый взгляд похоже на то, — согласился суперинтендант. — Если среди слуг имеется вор-профессионал, это объяснило бы кражу бриллиантов, логическим следствием которой стало убийство.

— Ну а чем вам не подходит эта теория?

— Сначала я и сам так думал. Но тут возникают затруднения. В доме восемь слуг — шесть из них женщины, пять из которых служат здесь четыре года и более. Кроме них дворецкий и лакей. Дворецкий служит в доме почти сорок лет — по-моему, это рекордный срок. Лакей из местных — он сын садовника и вырос здесь. Не вижу, каким образом он мог стать профессиональным преступником. Остается личный слуга мистера Ли. Он сравнительно новое лицо, но его не было и все еще нет в доме — ушел незадолго до восьми.

— А у вас есть перечень тех, кто находился в доме? — спросил полковник Джонсон.

— Да, сэр. Я получил его у дворецкого. — Сагден вынул записную книжку. — Прочитать его вам.

— Да, пожалуйста.

— Мистер и миссис Элфред Ли. Мистер Джордж Ли, член парламента, и его жена. Мистер Генри Ли. Мистер и миссис Дэвид Ли. Мисс... — суперинтендант сделал небольшую паузу, стараясь не ошибиться, — Пилар... — (он произнес это имя, как архитектурное сооружение)[1], — Эстравадос. Мистер Стивен Фэрр. Далее слуги. Эдуард Трессилиан, дворецкий. Уолтер Чемпион, лакей. Эмили Ривс, кухарка. Куини Джонс, судомойка. Глэдис Спент, старшая горничная. Грейс

---

[1] Pillar — колонна (англ.).

Бест, вторая горничная. Битрис Москум, третья горничная. Джоан Кенч, служанка. Сидни Хорбери, личный слуга.

— Это все?

— Да, сэр.

— Вам известно, кто где находился во время убийства?

— Только приблизительно. Как я уже говорил, я еще никого не допрашивал. По словам Трессилиана, джентльмены все еще были в столовой, а леди перешли в гостиную. Трессилиан подал им кофе. Дворецкий вернулся в буфетную и сразу услышал шум наверху. Потом раздался крик. Он выбежал в холл и поспешил наверх следом за остальными.

— Кто из семьи живет здесь, а кто гостит?

— Здесь живут только мистер и миссис Элфред Ли. Остальные просто гостят.

Джонсон кивнул:

— Где они сейчас?

— Я попросил их оставаться в гостиной, пока я не буду готов выслушать их показания.

— Понятно. Ну, нам лучше подняться и посмотреть на место преступления.

Суперинтендант повел их вверх по широкой лестнице и по коридору.

— Жуткое зрелище, — заметил Джонсон, войдя в комнату, где произошло убийство.

С минуту он стоял, глядя на опрокинутые стулья, осколки фарфора и пятна крови.

Пожилой, худощавый мужчина, стоявший на коленях возле трупа, поднялся и кивнул.

— Здравствуйте, Джонсон. Прямо как на бойне, верно?

— Пожалуй. Что-нибудь выяснили, доктор?

Врач пожал плечами и усмехнулся:

— Научную терминологию приберегу для дознания. Тут нет ничего сложного. Ему перерезали горло, как свинье, и он истек кровью менее чем за минуту. Никаких следов оружия.

Пуаро подошел к окнам. Как говорил суперинтендант, одно из них было закрыто и заперто, а другое открыто дюйма на четыре снизу. Толстый винт, которым испокон веков предохранялись от взломщиков, надежно удерживал его в этом положении.

— По словам дворецкого, — сказал Сагден, — это окно никогда не закрывали, независимо от погоды. На полу под ним циновка из линолеума на случай дождя, но вода сюда практически не попадает благодаря нависающей крыше.

Пуаро кивнул.

Подойдя к трупу, он посмотрел на него.

Оттянутые губы обнажали бескровные десны словно в момент рычания. Пальцы были изогнуты, как когти.

— Он не выглядит сильным, — заметил Пуаро.

— Думаю, он был достаточно крепок, — отозвался доктор. — Пережил несколько тяжелых заболеваний, из которых большинство бы не выкарабкалось.

— Я имел в виду, — объяснил Пуаро, — что он не был крупным, физически сильным мужчиной.

— Да, сложение у него хрупкое.

Отвернувшись от мертвеца, Пуаро склонился над перевернутым большим стулом красного дерева. Рядом находились круглый стол из такого же дерева и осколки большой фарфоровой лампы. Неподалеку валялись два стула поменьше. Осколки графина и двух стаканов, уцелевшее стеклянное пресс-папье, несколько книг, большая японская ваза, разбитая на мелкие кусочки, и бронзовая статуэтка обнаженной женщины дополняли картину беспорядка.

Пуаро тщательно осмотрел все предметы, не прикасаясь к ним, потом нахмурился, словно чем-то озадаченный.

— Вас что-нибудь удивляет, Пуаро? — спросил главный констебль.

Эркюль Пуаро глубоко вздохнул.

— Такой хрупкий высохший старичок — и все это... — пробормотал он.

Недоуменно пожав плечами, Джонсон обратился к сержанту, все еще занятому работой:

— Как насчет отпечатков пальцев?

— Их очень много во всей комнате, сэр.

— А на сейфе?

— Там отпечатки только старого джентльмена.

Джонсон повернулся к доктору:

— Здесь столько кровавых пятен. Очевидно, убийца должен был перепачкаться кровью.

— Необязательно, — с сомнением отозвался доктор. — Кровотечение было в основном из яремной вены. Оттуда кровь не должна была бить фонтаном, как из артерии.

— Тем не менее в комнате много крови.

— Очень много, — кивнул Пуаро. — Даже удивительно.

— Это наводит вас на какие-то мысли, мистер Пуаро? — почтительно осведомился суперинтендант.

Пуаро огляделся вокруг и озадаченно покачал головой.

— Все здесь наводит на мысли о насилии... — Помедлив, он продолжил: — Повсюду кровь — ее даже слишком много. Кровь на стульях, на столах, на ковре... Какой-то ритуал? Жертвенная кровь? Кто знает... Такой хрупкий, сморщенный, высохший старик — и столько крови...

Суперинтендант Сагден уставился на него круглыми от удивления глазами.

— Странно, — с благоговейным трепетом произнес он. — Леди сказала то же самое.

— Какая леди? — быстро спросил Пуаро. — Что она сказала?

— Миссис Элфред Ли, — объяснил Сагден. — Она прошептала это, стоя у двери. Мне ее слова показались бессмысленными.

— Какие именно слова?

— Что-то насчет того, кто бы мог подумать, что у старого джентльмена столько крови...

— «Кто бы мог подумать, что в этом старике так много крови?» — негромко процитировал Пуаро. — Это слова леди Макбет... Весьма любопытно...

8

Элфред Ли и его жена вошли в маленький кабинет, где их ожидали Пуаро, Сагден и главный констебль. Полковник Джонсон шагнул вперед.

— Здравствуйте, мистер Ли. Моя фамилия Джонсон. Мы с вами никогда не встречались, но, как вам известно, я главный констебль графства. Не могу выразить, как огорчен происшедшим.

Взгляд Элфреда напоминал взгляд больной собаки.

— Благодарю вас, — хрипло отозвался он. — Это ужасно. Я... это моя жена.

— Для всех нас это было страшным потрясением, — сказала Лидия, — но особенно для моего мужа. — Она положила ему руку на плечо.

— Садитесь, миссис Ли, — предложил полковник Джонсон. — Позвольте представить вам мсье Эркюля Пуаро.

Пуаро отвесил поклон. Его взгляд с интересом перебегал от мужа к жене.

Лидия слегка надавила на плечо мужа:

— Садись, Элфред.

Элфред Ли повиновался.

— Эркюль Пуаро... — пробормотал он. — Но кто?.. — Элфред озадаченно провел рукой по лбу.

— Полковник Джонсон хочет задать тебе несколько вопросов, Элфред, — сказала Лидия.

Главный констебль одобрительно посмотрел на нее. Он радовался, что миссис Элфред Ли оказалась такой благоразумной и толковой женщиной.

— Конечно, — кивнул Элфред.

«Шок, кажется, полностью выбил его из колеи, — подумал Джонсон. — Надеюсь, ему удастся хоть немного взять себя в руки».

— У меня здесь список всех, находящихся в доме этим вечером, — произнес он вслух. — Возможно, вы скажете мне, мистер Ли, все ли в нем верно.

Полковник подал знак Сагдену. Последний вынул записную книжку и снова прочитал перечень имен.

Деловая процедура, казалось, слегка привела в себя Элфреда Ли. Взгляд его уже не был ошеломленным и неподвижным. Когда Сагден закончил чтение, он утвердительно кивнул.

— Все правильно.

— Вы не возражаете побольше рассказать мне о ваших гостях? Насколько я понимаю, мистер и миссис

Джордж Ли и мистер и миссис Дэвид Ли — ваши родственники?

— Два моих младших брата и их жены.

— Они здесь только в гостях?

— Да, приехали к нам на Рождество.

— Мистер Генри Ли тоже ваш брат?

— Да.

— А два других гостя — мисс Эстравадос и мистер Фэрр?

— Мисс Эстравадос — моя племянница. Мистер Фэрр — сын партнера моего отца в Южной Африке.

— Ага, старый друг.

— Нет, — вмешалась Лидия. — Мы никогда не видели его раньше.

— Понятно. Но вы пригласили его провести с вами Рождество?

Элфред заколебался и посмотрел на жену.

— Мистер Фэрр прибыл вчера абсолютно неожиданно, — ответила она. — Он случайно оказался неподалеку и пришел повидать моего свекра. Узнав, что мистер Фэрр сын его старого друга и партнера, мой свекор настоял, чтобы он остался с нами на Рождество.

— Все ясно, — кивнул полковник Джонсон. — Перейдем к слугам. Вы считаете их всех надежными, миссис Ли?

Лидия немного подумала.

— Да, — ответила она. — Я уверена, что все они абсолютно надежны. Большинство из них пробыли с нами много лет. Трессилиан, дворецкий, служит здесь с тех пор, когда мой муж еще был мальчиком. Новичками являются только служанка Джоан и личный слуга моего свекра.

— И что вы о них думаете?

— Джоан довольно глупая девушка. Это худшее, что можно о ней сказать. О Хорбери я мало знаю. С работой он хорошо справлялся, и мой свекор казался вполне им удовлетворенным.

— Но вы, мадам, не настолько им удовлетворены? — проницательно осведомился Пуаро.

Лидия пожала плечами:

— Меня это никак не касалось.

— Но ведь вы хозяйка дома, мадам, так что прислуга находится у вас в подчинении.

— Да, конечно. Но Хорбери был личным слугой моего свекра. Он не попадал, так сказать, под мою юрисдикцию.

— Понятно, — кивнул Джонсон. — Перейдем к событиям этого вечера. Боюсь, это будет мучительным для вас, мистер Ли, но я бы хотел выслушать ваш отчет о происшедшем.

— Конечно, — отозвался Элфред.

— Для начала, когда вы в последний раз видели вашего отца?

Судорога боли исказила лицо Элфреда.

— После чая, — тихо ответил он. — Я пробыл с ним недолго, пожелал ему доброй ночи и ушел... дайте подумать... около без четверти шесть.

— Вы пожелали ему доброй ночи? — спросил Пуаро. — Значит, вы не ожидали снова увидеть его этим вечером?

— Да. Легкий ужин отцу всегда подавали в семь. После этого он ложился спать или сидел в кресле, но никто из членов семьи его уже не беспокоил, если только он сам не посылал за ними.

— А он часто это делал?

— Иногда, если ему хотелось.

— Но это не было обычной процедурой?

— Нет.

— Пожалуйста, продолжайте, мистер Ли.

— Мы пообедали в восемь. Потом моя жена и другие леди перешли в гостиную... — Его голос дрогнул, а взгляд снова стал неподвижным. — Мы сидели за столом, и внезапно наверху послышался грохот. Переворачивались стулья, трещала мебель, звенели бьющиеся стекло и фарфор, а потом... О Боже! — Он содрогнулся. — У меня до сих пор в ушах крик моего отца — протяжный вопль человека в предсмертной агонии...

Элфред закрыл лицо трясущимися руками. Лидия мягко коснулась его плеча.

— А затем? — спросил полковник Джонсон.

— На момент мы были ошарашены. Потом вскочили и помчались наверх — к комнате отца. Дверь была заперта, и ее пришлось взломать. Войдя, мы увидели... — Элфред не договорил.

— Нет нужды останавливаться на этом, мистер Ли, — поспешно сказал полковник Джонсон. — Вернемся немного назад — ко времени, когда вы были в столовой. Кто был там с вами, когда вы услышали крик?

— Кто был? Ну, мы все... Хотя нет — мой брат Харри.

— И больше никого?

— Да.

— А где же были остальные джентльмены?

Элфред нахмурился, напрягая память.

— Дайте подумать... кажется, будто это произошло много лет назад... Джордж отошел к телефону, мы начали говорить о семейных делах, и Стивен Фэрр тактично удалился.

— А ваш брат Дэвид?

— Дэвид? Разве его там не было? Да, действительно. Не знаю, когда он вышел.

— Итак, вы обсуждали семейные дела? — осведомился Пуаро.

— Э-э... да.

— И обсуждали их только с одним членом вашей семьи?

— Что вы имеете в виду, мсье Пуаро? — вмешалась Лидия.

Он быстро обернулся к ней:

— Мадам, ваш муж заявил, что мистер Фэрр тактично удалился, услышав, что обсуждаются дела семьи. Но это не был conseil de famille[1], так как мсье Дэвид и мсье Джордж отсутствовали. Следовательно, обсуждение вели только два члена семьи.

— Мой деверь Харри, — объяснила Лидия, — много лет провел за границей. Естественно, ему и моему мужу было о чем поговорить.

— Ах вот оно что!

Она бросила на него быстрый взгляд и отвернулась.

— Ну, тут все как будто ясно, — сказал полковник Джонсон. — Вы заметили кого-нибудь, когда бежали к комнате вашего отца?

---

[1] Семейный совет (фр.).

— Я... Право, не знаю. Думаю, что да. Мы все шли с разных сторон. Нет, боюсь, я никого не заметил — я был слишком встревожен. Этот ужасный крик...

Полковник быстро переменил тему.

— Благодарю вас, мистер Ли. Насколько я понял, в распоряжении вашего отца находились ценные алмазы.

Элфред казался удивленным.

— Да, — подтвердил он.

— Где он их хранил?

— В сейфе у себя в комнате.

— Вы можете описать их?

— Это были неотшлифованные камни.

— Почему ваш отец хранил их там?

— Это была его причуда. Он привез алмазы из Южной Африки и так и не стал их шлифовать. Ему просто нравилось хранить их у себя.

— Понятно, — промолвил главный констебль, хотя, судя по его тону, это не соответствовало действительности. — Они были очень ценными?

— Отец определял их стоимость приблизительно в десять тысяч фунтов.

— Странная идея — хранить такие дорогие камни в сейфе спальни.

Лидия вмешалась снова:

— Мой свекор, полковник Джонсон, был весьма странным человеком. Его идеи никак не назовешь традиционными. Ему явно доставляло удовольствие перебирать эти алмазы.

— Возможно, они напоминали ему прошлое, — заметил Пуаро.

Она бросила на него оценивающий взгляд.

— Пожалуй.

— Алмазы были застрахованы? — спросил главный констебль.

— Думаю, что нет.

Джонсон склонился вперед:

— Вам известно, мистер Ли, что камни были украдены?

— Что?! — Элфред уставился на него.

— Ваш отец ничего не говорил вам об их исчезновении?

— Ни единого слова.

255

— И вы не знали, что он вызвал суперинтенданта Сагдена и сообщил ему о пропаже?

— Не имел об этом ни малейшего представления!

Главный констебль перевел взгляд на Лидию.

— А вы, миссис Ли?

Лидия покачала головой:

— Я ничего об этом не слышала.

— Значит, вы считали, что камни все еще в сейфе?

— Да. — Поколебавшись, она спросила: — Его убили из-за этих алмазов?

— Это мы и намерены выяснить, — ответил полковник Джонсон. — У вас есть предположение, миссис Ли, кто мог совершить эту кражу?

Лидия снова покачала головой:

— Нет. Я уверена в честности слуг. К тому же им было бы нелегко проникнуть в сейф. Мой свекор всегда находился в своей комнате — он никогда не спускался вниз.

— А кто убирал в комнате?

— Хорбери. Он стелил постель и подметал. Вторая горничная каждое утро приходила убирать золу из камина и разводить огонь, а всем остальным занимался Хорбери.

— Выходит, у него было больше всего возможностей? — спросил Пуаро.

— Да.

— Вы думаете, что это он украл алмазы?

— Вполне вероятно. Возможности у него действительно были... О, я не знаю, что и думать!

— Ваш муж дал нам отчет о сегодняшнем вечере, — вновь заговорил полковник Джонсон. — Не могли бы вы сделать то же самое, миссис Ли? Когда вы в последний раз видели вашего свекра?

— Перед чаем мы все побывали у него в комнате. Больше я его не видела.

— И вы не приходили позже пожелать ему доброй ночи?

— Нет.

— А обычно вы это делали? — осведомился Пуаро.

— Нет, — кратко ответила Лидия.

— Где вы были, когда произошло убийство? — возобновил расспросы главный констебль.

— В гостиной.

— Вы слышали звуки борьбы?

— По-моему, я слышала, как упало что-то тяжелое. Конечно, комната моего свекра находится над столовой, а не над гостиной, поэтому я не могла слышать многое.

— Но вы слышали крик?

Лидия вздрогнула.

— Да. Это было ужасно — словно вопль грешной души в аду. Я сразу поняла, что произошло что-то страшное, и побежала наверх следом за мужем и Харри.

— Кто еще в тот момент был в гостиной?

Лидия нахмурилась:

— Право, не помню. Дэвид был в музыкальной комнате — играл Мендельсона. Думаю, Хильда пошла к нему.

— А две другие леди?

— Мэгдалин отошла к телефону, — медленно отозвалась Лидия. — Не помню, вернулась она или нет. Не знаю, где была Пилар.

— Фактически, — мягко уточнил Пуаро, — вы могли находиться в гостиной одна?

— Да. Пожалуй, так оно и было.

— Теперь насчет этих алмазов, — заговорил полковник Джонсон. — Нам нужно убедиться, что кража действительно имела место. Вы знаете комбинацию цифр сейфа вашего отца, мистер Ли? Кажется, это старомодная модель.

— Комбинация записана в книжечке, которую отец держал в кармане халата.

— Отлично. Вскоре мы этим займемся. Возможно, нам лучше сначала побеседовать с другими членами семьи и гостями. Дамы, наверное, хотят поскорее лечь спать.

Лидия поднялась:

— Пойдем, Элфред. — Она повернулась к полковнику: — Мне прислать остальных?

— Если вас не затруднит, мисс Ли. Только по очереди.

— Разумеется.

Лидия направилась к двери. Элфред последовал за ней.

В последний момент он повернулся:

— Ну конечно! — Элфред быстро подошел к Пуаро. — Вы Эркюль Пуаро! Не знаю, где были мои мозги. Мне сразу следовало понять... — Его речь стала быстрой и возбужденной. — Вы посланы самим Богом, мсье Пуаро! Вы должны узнать правду. Не считайтесь с расходами — я все оплачу. Моего отца зверски убили — он должен быть отомщен!

— Могу заверить вас, мистер Ли, — спокойно ответил Пуаро, — что я готов сделать все от меня зависящее, чтобы помочь полковнику Джонсону и суперинтенданту Сагдену.

— Я хочу, чтобы вы работали на меня! — настаивал Элфред Ли. — Отец должен быть отомщен!

Он задрожал всем телом. Лидия подошла к нему и взяла его под руку.

— Пошли, Элфред, — сказала она. — Мы должны прислать других.

Ее взгляд встретился со взглядом Пуаро. Эти глаза умели хранить тайны.

— «Кто бы мог подумать, что в этом старике...» — тихо начал Пуаро.

— Нет! — прервала его Лидия. — Не говорите этого!

— Но это сказали вы, мадам, — заметил Пуаро.

— Да, я помню. — Лидия вздохнула. — Это было так страшно...

И она быстро вышла из комнаты вместе с мужем.

9

Джордж Ли был серьезен и корректен.

— Ужасное дело, — промолвил он, качая головой. — Могу лишь предполагать, что это... э-э... работа маньяка.

— Такова ваша теория? — вежливо осведомился полковник Джонсон.

— Разумеется. Маньяк-убийца. Возможно, бежавший из сумасшедшего дома поблизости.

— А как, по-вашему, этот маньяк мог проникнуть в дом, мистер Ли? — вмешался суперинтендант Сагден. — И как он отсюда вышел?

Джордж покачал головой.

— Узнать это — задача полиции, — твердо заявил он.

— Мы сразу же обошли весь дом, — продолжал Сагден. — Все окна были закрыты и заперты. Парадная и боковая двери — тоже. Никто не мог пройти через кухню не замеченным прислугой.

— Но это абсурд! — воскликнул Джордж Ли. — Сейчас вы скажете, что мой отец вообще не был убит!

— К сожалению, он действительно убит, — отозвался суперинтендант. — В этом не может быть сомнений.

Главный констебль откашлялся и приступил к расспросам:

— Где вы находились во время убийства, мистер Ли?

— В столовой. Это произошло сразу после обеда. Хотя нет, кажется, в этой комнате. Я только что закончил телефонный разговор.

— Вы говорили по телефону?

— Да. Я звонил по неотложному делу представителю консервативной партии в Уэстерингеме — это мой избирательный округ.

— И после этого вы услышали крик?

Джордж Ли поежился:

— Да, жуткий звук. У меня мороз пробежал по коже. Крик перешел в хрип или бульканье.

Он вынул носовой платок и вытер пот со лба.

— И тогда вы поспешили наверх?

— Да.

— Вы заметили ваших братьев — мистера Элфреда и мистера Харри Ли?

— Нет. Должно быть, они поднялись раньше меня.

— Когда вы в последний раз видели вашего отца, мистер Ли?

— Во второй половине дня, когда мы все были у него в комнате.

— А после этого вы его не видели?

— Нет.

— Вам было известно, — осведомился после паузы главный констебль, — что ваш отец хранил в сейфе своей спальни ценные неотшлифованные алмазы?

Джордж Ли кивнул.

— Весьма неразумная затея, — напыщенно произнес он. — Я часто говорил ему это. Возможно, из-за них его и убили. Я имею в виду...

— Вы знаете, что эти камни исчезли? — прервал полковник Джонсон.

Челюсть Джорджа отвисла, а глаза стали еще более выпуклыми.

— Значит, его в самом деле убили из-за них?

— Он знал об их пропаже, — отозвался главный констебль, — и сообщил об этом полиции за несколько часов до смерти.

— Тогда... я не понимаю... — сбивчиво начал Джордж.

— И мы тоже, — мягко произнес Эркюль Пуаро.

10

Харри Ли вошел в комнату с самоуверенным видом. Несколько секунд Пуаро, нахмурившись, рассматривал его. У него возникло ощущение, что он уже видел этого человека. Глядя на орлиный нос, гордо вскинутую голову, линии подбородка, он осознал, что, хотя Харри был высоким мужчиной, а его отец — всего лишь среднего роста, между ними было немалое сходство.

Пуаро отметил еще кое-что. Несмотря на свою самоуверенность, Харри Ли нервничал. Он умело это скрывал, но его явно что-то беспокоило.

— Ну, джентльмены, — сказал Харри, — чем я могу вам помочь?

— Мы были бы рады, если бы вы смогли пролить хоть какой-то свет на события этого вечера, — ответил полковник Джонсон.

Харри Ли покачал головой:

— Я ничего не знаю. Все это ужасно и абсолютно неожиданно.

— Кажется, вы недавно вернулись из-за границы, мистер Ли? — спросил Пуаро.

Харри быстро повернулся к нему:

— Да, я высадился в Англии неделю назад.

— И долго вы отсутствовали?

Харри Ли выпятил подбородок и засмеялся:

260

— Лучше ответить прямо — все равно кто-нибудь вам сообщит. Я блудный сын, джентльмены! Прошло почти двадцать лет с тех пор, как я покинул этот дом.

— Но теперь вы вернулись. Почему? — допытывался Пуаро.

— Все та же старая притча, — откровенно ответил Харри. — Я устал от рожков, которые едят свиньи[1], — или не едят, точно не помню — и решил, что откормленный теленок станет недурной заменой. Получив от отца письмо с предложением вернуться домой, я повиновался — вот и все.

— Вы здесь с кратким визитом или надолго? — спросил Пуаро.

— Я приехал домой навсегда, — заявил Харри.

— Ваш отец этого хотел?

— Старик был в восторге. — Харри снова засмеялся, забавно прищурившись. — С Элфредом ему было тоскливо. Элфред хоть и в высшей степени респектабелен, но жуткий зануда! Отец провел бурную молодость — вот ему и захотелось моего общества.

— А ваш брат и его жена были довольны тем, что вы решили поселиться здесь?

Пуаро задал этот вопрос, слегка приподняв брови.

— Элфред? Да он чуть не лопнул от злости! Не знаю насчет Лидии. Возможно, она расстроилась из-за Элфреда, но я не сомневаюсь, что в конце концов мы с ней поладим. Лидия славная женщина — она мне нравится. Но Элфред совсем другое дело. Он с детства мне завидовал. Элфред всегда был послушным, почтительным сыном и в итоге получил то, что всегда достается послушным мальчикам, — пинок в зад. Поверьте мне, джентльмены, добродетель не вознаграждается. — Харри переводил взгляд с одного лица на другое. — Надеюсь, вы не шокированы моей откровенностью. Ведь вам нужна правда. Вы ведь все равно вытащите на свет Божий все семейное грязное белье. Свое я могу продемонстрировать сразу. Я не убит горем по случаю смерти отца — в конце концов, я не видел старика с юношеских лет, — но тем не менее он мой отец и его

---

[1] «И он рад был наполнить чрево свое рожками, которые ели свиньи, но никто не давал их ему» (Евангелие от Луки, 15:16).

убили, поэтому я хочу отомстить убийце. — Он погладил подбородок, наблюдая за их реакцией. — Никто из Ли не прощает обид. Я намерен убедиться, что убийца моего отца будет пойман и повешен.

— Можете не сомневаться, что мы сделаем все от нас зависящее, — заверил его Сагден.

— Если нет, то я возьму правосудие в собственные руки, — предупредил Харри Ли.

— Значит, у вас есть предположения относительно личности убийцы, мистер Ли? — резко осведомился главный констебль.

Харри покачал головой.

— Нет, — медленно отозвался он. — Самое скверное то, что это едва ли может быть делом рук кого-то постороннего.

Сагден молча кивнул.

— А если так, — продолжал Харри Ли, — то его убил кто-то из домашних. Но кто мог это сделать? Я не могу подозревать слуг. Трессилиан здесь с незапамятных времен. Придурок-лакей? Никогда в жизни! Хорбери, конечно, скользкий тип, но Трессилиан сказал мне, что он был в кино. Кто же у нас остается? За исключением Стивена Фэрра (а какого дьявола ему тащиться сюда из Южной Африки и убивать незнакомого человека?), — только наша семья. Но я никак не могу представить себе, чтобы кто-то из нас сделал такое. Элфред? Он обожал отца. Джордж? У него кишка тонка. Дэвид? Он всегда был рассеянным мечтателем и упал бы в обморок, порезав себе палец. Жены? Женщина не в состоянии хладнокровно перерезать человеку горло. Тогда кто? Будь я проклят, если знаю. Но это не дает мне покоя.

Полковник Джонсон откашлялся, следуя приобретенной на службе привычке.

— Когда вы в последний раз видели вашего отца сегодня вечером? — спросил он.

— После чая. Он как раз поругался с Элфредом из-за вашего покорного слуги. Старик был вне себя от радости — всегда обожал сеять раздоры. Думаю, именно поэтому он держал мой приезд в секрете от других. Хотел посмотреть, какая поднимется буча, когда я неожиданно появлюсь. Потому он и заговорил об изменении завещания.

262

Пуаро встрепенулся:

— Ваш отец упоминал о завещании?

— Да, в присутствии всех нас, наблюдая за нашей реакцией, как кот за мышью. Он сказал, что после Рождества к нему придет адвокат.

— И какие изменения он планировал? — спросил Пуаро.

Харри Ли усмехнулся:

— Старый лис этого не сообщил. Но я полагаю — вернее, надеюсь, — что изменения должны были произойти в пользу вашего покорного слуги. Очевидно, в прежних завещаниях я не фигурировал вовсе, а теперь меня собирались включить. Жестокий удар для родственничков! Думаю, старик намеревался включить в завещание и Пилар — вроде бы он к ней привязался. Вы еще не видели мою испанскую племянницу? Очаровательное существо — со всей теплотой и красотой юга и со всей его жестокостью. Жаль, что я ее дядя!

— Вы говорите, ваш отец привязался к ней?

Харри кивнул:

— Пилар сумела обвести старика вокруг пальца. Сидела с ним часами. Держу пари, она знала, что делает! Но теперь он мертв, и никакое завещание не может быть изменено ни в пользу Пилар, ни, что самое худшее, в мою. — Он сделал паузу и продолжал другим тоном: — Но я отвлекся от темы. Вы хотели знать, когда я в последний раз видел отца? Как я уже говорил, после чая — вероятно, в самом начале седьмого. Старик был в хорошем настроении, хотя, возможно, немного усталым. Я вышел, оставив отца с Хорбери. Больше я его не видел.

— Где вы были во время его смерти?

— В столовой с братцем Элфредом. Не слишком приятное послеобеденное времяпрепровождение. Мы были в самом разгаре спора, когда услышали шум наверху. Казалось, будто там дерутся десять человек. А потом бедный отец закричал — так визжит свинья, когда ее режут. Крик парализовал Элфреда — он застыл с отвисшей челюстью. Мне пришлось встряхнуть его, чтобы привести в чувство, и мы помчались наверх. Дверь была заперта, и нам пришлось ее взламывать — та еще работенка. Понять не могу, каким образом она оказалась запертой!

В комнате никого не было, кроме отца, и будь я проклят, если кто-нибудь мог выбраться оттуда через окна.

— Дверь заперли снаружи, — сообщил суперинтендант Сагден.

— Что?! — Харри уставился на него. — Но я могу поклясться, что ключ был вставлен изнутри!

— Так вы это заметили? — осведомился Пуаро.

— Я все замечаю, — резко отозвался Харри. — У меня такая привычка. — Он окинул взглядом собеседников. — У вас есть еще вопросы, джентльмены?

Джонсон покачал головой:

— В данный момент нет. Благодарю вас, мистер Ли. Может быть, вы пришлете сюда следующего члена семьи?

— Разумеется.

Харри направился к двери и вышел не оборачиваясь.

Трое мужчин посмотрели друг на друга.

— Что вы о нем думаете, Сагден? — спросил полковник Джонсон.

Суперинтендант с сомнением покачал головой:

— Он чего-то боится. Интересно, чего именно?

11

Мэгдалин Ли эффектно остановилась в дверном проеме, касаясь длинными пальцами блестящих платиновых волос. Зеленое бархатное платье облегало стройную фигуру. Она выглядела очень молодой и слегка испуганной.

Трое мужчин на момент застыли, глядя на нее. В глазах Джонсона читалось явное восхищение. Сагден обнаруживал только нетерпение человека, стремящегося продолжить работу. Взгляд Эркюля Пуаро был оценивающим, и Мэгдалин это видела, но она не знала, что он оценивает не ее красоту, а умение эффективно ею пользоваться.

«Jolie mannequin, la petite. Mais elle a les yeux durs»[1], — подумал Пуаро.

---

[1] Хорошенькая куколка. Только взгляд у нее жесткий (*фр.*).

«Чертовски хорошенькая девушка! — размышлял полковник Джонсон. — Джорджу Ли придется с ней нелегко, если он не будет за ней присматривать. Она явно знает толк в мужчинах».

«Пустоголовая тщеславная бабенка! — думал суперинтендант Сагден. — Надеюсь, мы быстро с ней покончим».

— Садитесь, пожалуйста, миссис Ли, — заговорил полковник Джонсон. — По-видимому, вы...

— Миссис Джордж Ли.

Она села с признательной улыбкой. «В конце концов, — казалось, говорил ее взгляд, — хоть вы и полицейский, но не такой уж страшный».

Край улыбки предназначался Пуаро. Иностранцы так восприимчивы к женским чарам! Суперинтендант Сагден ее не заботил.

— Все это так ужасно! — томно замурлыкала Мэгдалин, выразительно жестикулируя. — Я так напугана!

— Ну-ну, миссис Ли, — успокаивающе произнес полковник Джонсон. — Я знаю, что это был сильный шок, но теперь все позади. Мы только хотим, чтобы вы рассказали нам о происшедшем этим вечером.

— Но я ничего об этом не знаю, честное слово! — воскликнула она. — Мы прибыли только вчера вечером. Джордж заставил меня ехать сюда на Рождество. Лучше бы мы этого не делали. Теперь я уже никогда не буду чувствовать себя так, как прежде!

— Да, все это крайне прискорбно.

— Понимаете, я едва знаю семью Джорджа. Мистера Ли я видела только дважды — на нашей свадьбе и один раз после этого. Конечно, Элфреда и Лидию я видела чаще, но все они остаются для меня посторонними людьми.

Снова тот же взгляд испуганного ребенка. И снова в голове Эркюля Пуаро мелькнула мысль:

«Elle joue très bien la comédie, cette petite...»[1]

— Да-да, — кивнул полковник Джонсон. — А теперь просто скажите, когда вы в последний раз видели живым вашего свекра.

— Во второй половине дня. Это было ужасно!

---

[1] Она отлично ломает комедию, эта малышка... (*фр.*)

— Ужасно? Почему?

— Они были такие злые!

— Кто?

— Все. Я не имею в виду Джорджа. Отец ничего ему не говорил. Но все остальные...

— Что именно произошло?

— Ну, когда мы пришли в комнату мистера Ли — он сам позвал нас, — он говорил по телефону с адвокатом о своем завещании. А потом мистер Ли спросил у Элфреда, почему он выглядит таким мрачным. Думаю, это было из-за того, что Харри решил остаться здесь жить. По-моему, это очень расстроило Элфреда. Понимаете, Харри давным-давно совершил какой-то ужасный поступок. А потом мистер Ли заговорил о своей жене — она умерла много лет назад, — сказал, что у нее были куриные мозги. Дэвид вскочил с таким видом, словно собирался его убить... О! — Она внезапно умолкла, и в ее глазах мелькнул испуг. — Я не это имела в виду!..

— Да, разумеется, — успокоил ее Джонсон. — Вы просто выразились фигурально.

— Хильда, жена Дэвида, угомонила его и... Ну, думаю, это все. Мистер Ли заявил, что этим вечером больше не желает никого видеть. Поэтому мы все ушли.

— И это был последний раз, когда вы видели его?

— Да. До тех пор, пока... — Она вздрогнула.

— Да, понятно, — кивнул полковник Джонсон. — Где вы находились во время убийства?

— Дайте вспомнить... По-моему, в гостиной.

— Но вы в этом не уверены?

Глаза Мэгдалин забегали — она поспешно опустила веки.

— Ну конечно! Как глупо с моей стороны! У меня все смешалось в голове... Я отходила к телефону.

— Вы звонили по телефону? В этой комнате?

— Да, это единственный телефон, кроме того, который находится в комнате свекра наверху.

— Кто-нибудь еще был здесь с вами? — спросил суперинтендант Сагден.

Глаза Мэгдалин расширились.

— Нет, я была одна.

— И долго вы тут пробыли?

— Ну... какое-то время. Вечером соединяют далеко не сразу.

— Значит, это был междугородный разговор?

— Да... с Уэстерингемом.

— Понятно. А потом?

— Потом раздался этот жуткий вопль, и все побежали наверх. Дверь оказалась запертой, и ее пришлось ломать. Все это как ночной кошмар! Я никогда не смогу этого забыть!

— Ну-ну... — Очередное утешение полковника Джонсона казалось машинальным. — Вы знаете, что ваш свекор хранил в сейфе ценные алмазы?

— Нет! — В ее голосе слышалось искреннее возбуждение. — Настоящие алмазы?

— Да, — кивнул Эркюль Пуаро. — Стоимостью около десяти тысяч фунтов.

— О! — В этом возгласе звучала чисто женская алчность.

— Ну, — снова заговорил полковник, — пожалуй, на данный момент это все. Мы больше не будем вас беспокоить, миссис Ли.

— Благодарю вас.

Мэгдалин поднялась, одарила Пуаро и Джонсона чисто детской улыбкой, полной признательности, и вышла с высоко поднятой головой.

— Пожалуйста, пришлите сюда вашего деверя, мистера Дэвида Ли! — крикнул ей вслед полковник Джонсон. Закрыв за ней дверь, он вернулся к столу. — Как вам это нравится? Когда раздался крик, Джордж Ли звонил по телефону и его жена делала то же самое! Тут что-то не клеится. Что вы об этом думаете, Сагден?

— Мне не хочется оскорбительно отзываться о леди, — медленно ответил суперинтендант, — но, по-моему, эта дамочка без колебаний вытянула бы из джентльмена деньги. Однако она едва ли стала бы перерезать ему горло. Не в ее это стиле.

— Кто знает, mon vieux[1], — пробормотал Пуаро.

Главный констебль повернулся к нему.

— А что вы думаете, Пуаро?

---

[1] Старина (*фр.*).

Склонившись вперед, Пуаро поправил блокнот с промокательной бумагой и стряхнул микроскопическую пылинку с подсвечника.

— Я бы сказал, что перед нами начинает вырисовываться характер покойного мистера Симеона Ли, — ответил он. — Думаю, что в этом деле самое главное — характер жертвы.

Суперинтендант Сагден озадаченно посмотрел на него.

— Я не вполне вас понимаю, мистер Пуаро, — сказал он. — Какое отношение характер жертвы имеет к ее убийству?

— Характер жертвы всегда имеет отношение к убийству, — мечтательно произнес Пуаро. — Искренность и доверчивость Дездемоны явились причиной ее смерти. Более подозрительная женщина смогла бы разгадать козни Яго и вовремя их расстроить[1]. Нечистоплотность Марата привела к его гибели в ванне[2]. В результате темперамента Меркуцио его жизнь пресек удар шпагой[3].

Полковник Джонсон потянул себя за ус.

— К чему вы клоните, Пуаро?

— К тому, что характер Симеона Ли привел в действие определенные силы, которые в свою очередь привели его к гибели.

— Значит, вы не думаете, что тут замешаны алмазы?

Пуаро улыбнулся при виде недоумения на лице Джонсона.

— Mon cher[4], именно в силу особенностей характера Симеон Ли хранил в своем сейфе неотшлифованные алмазы стоимостью в десять тысяч фунтов! Обычный человек так бы не поступил.

---

[1] В трагедии У. Шекспира «Отелло» Яго обманом пробуждает в Отелло ревность, приведшую его к убийству Дездемоны.

[2] М а р а т Жан-Поль (1743—1793) — один из вдохновителей кровавого террора во время французской революции. Страдая кожным заболеванием, он принимал просителей, сидя в ванне, где и был заколот Шарлоттой Корде.

[3] В трагедии У. Шекспира «Ромео и Джульетта» острый язык Меркуцио приводит к смертельному для него поединку с Тибальтом.

[4] Мой дорогой (*фр.*).

— Истинная правда, мистер Пуаро, — кивнул суперинтендант Сагден с видом человека, понявшего наконец, о чем говорит его собеседник. — Мистер Ли был очень странным. Он хранил эти камни в сейфе, чтобы иметь возможность прикасаться к ним и чувствовать, что к нему возвращается прошлое. Поэтому он и не отдавал их отшлифовать.

Пуаро энергично закивал.

— Вот именно. Вы необычайно сообразительны, суперинтендант.

Комплимент явно показался Сагдену сомнительным, но тут вмешался полковник Джонсон.

— Есть еще кое-что, Пуаро. Не знаю, обратили ли вы внимание...

— Mais oui[1], — прервал Пуаро. — Я знаю, что вы имеете в виду. Миссис Джордж Ли проболталась, сама того не понимая. Рассказывая о последней семейной встрече, она с очаровательной наивностью отметила, что Элфред сердился на отца, а Дэвид выглядел так, «словно собирался его убить». Думаю, оба заявления правдивы. Но благодаря им мы можем по-своему реконструировать происшедшее. Для чего Симеон Ли собрал всю семью? Почему, когда они пришли, он разговаривал по телефону с адвокатом? Parbleu[2], это не было оплошностью! Он хотел, чтобы они это слышали! Прикованный к креслу, бедный старик лишился развлечений своей молодости, поэтому придумал новые. Он забавлялся, играя на алчности, свойственной человеческой натуре, на ее эмоциях и страстях! Но из этого можно сделать еще один вывод. Возбуждая алчность и эмоции своих детей, старик не стал бы пренебрегать никем из них, в том числе и мистером Джорджем Ли! Супруга последнего об этом благоразумно умолчала. К тому же Симеон Ли мог и в нее выпустить одну-две отравленные стрелы. Думаю, мы узнаем от других, что он говорил Джорджу Ли и его жене...

Пуаро умолк, так как дверь открылась и вошел Дэвид Ли.

---

[1] Ну да (*фр.*).
[2] Черт возьми (*фр.*).

Дэвид Ли полностью держал себя в руках. Он выглядел почти неестественно спокойным. Подойдя к столу, он придвинул себе стул, сел и вопросительно посмотрел на полковника Джонсона.

Свет лампы падал на прядь волос у него на лбу, подчеркивая выпуклые скулы. Дэвид казался слишком молодым, чтобы быть сыном высохшего старика, чей труп лежал наверху.

— Чем я могу помочь вам, джентльмены? — осведомился он.

— Насколько я понимаю, мистер Ли, — заговорил полковник Джонсон, — сегодня в комнате вашего отца состоялось нечто вроде семейной встречи?

— Да, но абсолютно неформальной. Я имею в виду, это не было семейным советом или чем-нибудь в таком роде.

— И что же там произошло?

— Мой отец был в плохом настроении, — спокойно ответил Дэвид Ли. — Конечно, приходилось делать скидку на его преклонный возраст и инвалидность. Казалось, будто он собрал нас для того, чтобы... ну, излить на нас свою злость.

— Вы можете припомнить, что именно он говорил?

— Все это звучало довольно глупо. Отец сказал, что от нас всех — его сыновей — нет никакого толку, что в семье нет ни одного настоящего мужчины и что Пилар — моя испанская племянница — стоит двоих из нас. Он добавил... — Дэвид умолк.

— Если можно, мистер Ли, повторите слово в слово, — попросил Пуаро.

— Его замечание было весьма вульгарным, — неохотно сказал Дэвид. — Отец выразил надежду, что где-то в мире у него имеются лучшие сыновья — пусть даже незаконнорожденные...

На его чувственном лице было написано отвращение к передаваемым словам. Суперинтендант Сагден внезапно встрепенулся и склонился вперед.

— Ваш отец говорил что-нибудь непосредственно вашему брату, мистеру Джорджу Ли? — спросил он.

— Джорджу? Не припоминаю. Ах да, кажется, отец посоветовал ему сократить расходы, так как он намерен урезать его содержание. Джордж очень рассердился, покраснел как рак и заявил, что не в состоянии тратить меньше. Отец хладнокровно заявил, что ему придется как-нибудь справляться и что жена должна помочь ему экономить. Это был довольно ехидный намек — Джордж всегда дрожал над каждым пенни, а Мэгдалин, по-моему, наоборот, склонна к расточительности.

— И она тоже рассердилась? — поинтересовался Пуаро.

— Да. Кроме того, мой отец добавил еще одну грубость — упомянул, что она жила с морским офицером. Конечно, он имел в виду ее отца, но это прозвучало двусмысленно. Мэгдалин вся побагровела. Я ее не осуждаю.

— Ваш отец упоминал свою покойную жену — вашу матушку? — спросил Пуаро.

Кровь бросилась в лицо Дэвиду, лежащие на столе руки сжались в кулаки.

— Да, — ответил он сдавленным голосом. — Отец оскорбил ее.

— Что он сказал? — осведомился полковник Джонсон.

— Не помню. Отпустил какое-то пренебрежительное замечание.

— Ваша мать умерла несколько лет назад? — мягко спросил Пуаро.

— Она умерла, когда я еще был мальчиком, — ответил Дэвид.

— Возможно, ее жизнь здесь была... не очень счастливой?

Дэвид презрительно усмехнулся:

— Кто мог быть счастлив с таким человеком, как мой отец? Моя мать была святая. Она умерла с разбитым сердцем.

— И ваш отец был огорчен ее смертью? — допытывался Пуаро.

— Не знаю, — резко отозвался Дэвид. — Я ушел из дому. — Помолчав, он добавил: — Возможно, вы не знаете, что до теперешнего визита я не видел отца почти двадцать лет. Так что едва ли я могу сообщить вам многое о его привычках, врагах и о том, что здесь происходило.

— Вы знали, что ваш отец хранил ценные алмазы в сейфе своей спальни? — спросил полковник Джонсон.

— В самом деле? — равнодушно произнес Дэвид. — Выглядит довольно нелепо.

— Пожалуйста, опишите ваши передвижения этим вечером, — продолжал Джонсон.

— Передвижения? Ну, я быстро покинул столовую — мне надоело сидеть, потягивая портвейн. Кроме того, я видел, что Элфред и Харри начинают ссориться, а я ненавижу скандалы. Поэтому я потихоньку ускользнул в музыкальную комнату и стал играть на рояле.

— Музыкальная комната — соседняя с гостиной? — спросил Пуаро.

— Да. Я играл. Пока... пока это не произошло.

— Что именно вы слышали?

— Звуки опрокидываемой наверху мебели, а потом этот жуткий вопль. — Он снова сжал кулаки. — Как душа грешника в аду! Это было ужасно!

— Вы были один в музыкальной комнате? — спросил Джонсон.

— Что? Нет, со мной была моя жена Хильда. Она пришла из гостиной. Мы... мы поднялись наверх с остальными. — Он нервно добавил: — Надеюсь, вы не хотите, чтобы я описывал то, что там увидел?

— Нет, в этом нет надобности, — ответил Джонсон. — Благодарю вас, мистер Ли, это все. Полагаю, у вас нет предположений, кто мог желать смерти вашему отцу?

— Думаю, очень многие, — отозвался Дэвид. — Но я не знаю, кто конкретно.

Он быстро вышел, захлопнув за собой дверь.

13

Полковник Джонсон едва успел прочистить горло, как дверь снова открылась и вошла Хильда Ли.

Эркюль Пуаро с любопытством разглядывал ее. Жены сыновей Симеона Ли казались ему интересным объектом для изучения. Быстрый ум и изящество Лидии, мишурный блеск Мэгдалин, а теперь сила и надежность, исходящие от Хильды. Он сразу заметил, что она моложе, чем выглядит, из-за невзрачной прически и немодной одежды. Ее каштановые волосы еще не тронула седина, а спокойные карие глаза на довольно пухлом лице блестели, как маяки доброты и сердечности. «Приятная женщина», — подумал Пуаро.

— Конечно, это стало страшным потрясением для всех вас, — говорил между тем полковник Джонсон. — Из слов вашего мужа, миссис Ли, я понял, что вы впервые в Горстон-Холле?

Она молча кивнула.

— А до этого вы были знакомы с вашим свекром, мистером Ли?

— Нет, — ответила Хильда. — Мы поженились вскоре после того, как Дэвид ушел из дому. Он не хотел иметь ничего общего со своей семьей. До сих пор мы не виделись ни с кем из них.

— А каким образом состоялся этот визит?

— Мой свекор написал Дэвиду. Он ссылался на свой возраст и выражал желание, чтобы все его дети были с ним на Рождество.

— И ваш муж откликнулся на этот призыв?

— Боюсь, что только благодаря мне, — сказала Хильда. — Я... неверно понимала ситуацию.

— Не могли бы вы объяснить подробнее, мадам? — вмешался Пуаро. — Думаю, ваше сообщение может оказаться важным.

Она повернулась к нему.

— Тогда я еще не знала моего свекра и понятия не имела, каковы его подлинные мотивы. Мне казалось, что он стар, одинок и действительно хочет примириться со своими детьми.

— Каковы же, по-вашему, были его подлинные мотивы?

Хильда немного поколебалась.

— Я не сомневаюсь, — медленно ответила она, — что мой свекор хотел не установить мир, а возбудить вражду.

— В каком смысле?

— Его забавляло пробуждать худшие инстинкты в человеческой натуре. В нем была... как бы получше выразиться... какая-то дьявольская проказливость. Он хотел перессорить друг с другом всех членов семьи.

— И ему это удалось? — осведомился Джонсон.

— Вполне, — ответила Хильда Ли.

— Нам уже сообщили, мадам, о сцене, происшедшей сегодня в его комнате, — снова заговорил Пуаро. — Кажется, сцена была весьма напряженная.

Хильда кивнула.

— Не могли бы вы описать ее нам как можно подробнее?

Она задумалась.

— Когда мы вошли, мой свекор разговаривал по телефону.

— Насколько я понял, со своим адвокатом?

— Да, он просил мистера... кажется, Чарлтона — точно не помню фамилию — приехать сюда для составления нового завещания. Прежнее, по его словам, устарело.

— Как вам кажется, мадам, — спросил Пуаро, — ваш свекор намеренно устроил так, чтобы вы все слышали этот разговор, или же это произошло случайно?

— Я почти уверена, что подстроил это сознательно.

— Дабы посеять среди вас сомнения и подозрения?

— Да.

— Значит, в действительности он, возможно, не собирался изменять свое завещание?

— Нет, — возразила Хильда, — думаю, его намерение было вполне искренним. Но ему хотелось подчеркнуть этот факт в нашем присутствии.

— Мадам, — продолжал Пуаро, — у меня нет никакого официального статуса, и, возможно, мои вопросы совсем не те, какие стал бы задавать английский полицейский. Но мне хотелось бы знать, как бы, по-вашему, могло выглядеть новое завещание. Я прошу не фактов, а всего лишь вашего мнения. Les femmes[1] формируют его достаточно быстро, Dieu merci[2].

Хильда Ли улыбнулась:

---

[1] Женщины (*фр.*).
[2] Слава Богу (*фр.*).

— Охотно поделюсь с вами своими соображениями. Сестра моего мужа, Дженнифер, вышла замуж за испанца, Хуана Эстравадоса. Ее дочь Пилар недавно прибыла сюда. Она очень красивая девушка и к тому же единственная внучка в семье. Старый мистер Ли был ею очарован и сразу к ней привязался. Думаю, он собирался по новому завещанию оставить Пилар солидную сумму. По старому ей, возможно, доставались гроши или вообще ничего.

— Вы были знакомы с вашей золовкой?

— Нет, я ни разу с ней не встречалась. Ее муж-испанец, по-моему, погиб при трагических обстоятельствах вскоре после свадьбы. Сама Дженнифер умерла год назад, и Пилар осталась сиротой. Вот почему мистер Ли захотел, чтобы она приехала и жила с ним в Англии.

— А другие члены семьи были довольны ее приездом?

— Думаю, Пилар нравилась всем, — ответила Хильда. — Приятно, когда в дом приходит молодость и жизнерадостность.

— А ей самой здесь нравилось?

— Не знаю, — медленно произнесла Хильда. — Девушке, выросшей на юге — в Испании, Англия должна была показаться чужой и холодной.

— Сейчас жить в Испании не слишком приятно, — заметил полковник Джонсон. — А теперь, миссис Ли, мы хотели бы услышать ваш рассказ о разговоре в комнате старого мистера Ли.

— Прошу прощения, — извинился Пуаро. — Я вас отвлек.

— Окончив говорить по телефону, — начала Хильда, — мой свекор окинул нас взглядом, засмеялся и сказал, что мы все выглядим очень мрачно. Потом он добавил, что устал и хочет рано лечь спать, и попросил не беспокоить его после обеда, так как хочет на Рождество быть в хорошей форме. После этого... — она сдвинула брови, напрягая память, — мой свекор заметил, что только большая семья может по-настоящему оценить Рождество, и заговорил о деньгах. Он сказал, что в будущем содержать этот дом станет куда дороже, поэтому Джорджу и Мэгдалин придется экономить, и посоветовал Мэгдалин самой шить себе платья. Боюсь, что идея была несколько старомодной. Неудивительно, что это ее рассердило. Свекор добавил, что его жена хорошо управлялась с иглой.

— И это все, что он о ней сказал? — спросил Пуаро.

Хильда покраснела:

— Он сделал пренебрежительное замечание насчет ее ума. Мой муж очень любил свою мать, и это сильно его расстроило. А затем мистер Ли вдруг стал кричать на всех нас. Он сам себя взвинчивал. Конечно, я могу понять, что он чувствовал...

— Что же? — прервал Пуаро.

Хильда спокойно посмотрела на него:

— Мой свекор был разочарован тем, что у него нет внуков — я имею в виду, мальчиков — и что род Ли должен угаснуть. Думаю, это давно его мучило. Он не смог больше сдерживаться и обратил гнев на сыновей, назвав их никчемными хлюпиками. Мне было жаль его, потому что я понимала, как страдает его гордость.

— А потом?

— А потом, — ответила Хильда, — мы все ушли.

— И больше вы его не видели?

Она кивнула.

— Где вы были, когда произошло убийство?

— С моим мужем в музыкальной комнате. Он играл для меня.

— А после этого?

— Мы услышали, как наверху опрокидывают столы и стулья и бьют фарфор, словно там происходит жестокая борьба. А затем раздался ужасный вопль, когда ему перерезали горло...

— Было ли это похоже на вопль «души грешника в аду»? — спросил Пуаро.

— Куда хуже! — отозвалась Хильда.

— В каком смысле, мадам?

— Это был вопль существа, у которого вообще нет души... Абсолютно нечеловеческий, как у животного!

— Значит, вот каково ваше мнение о покойном, мадам? — серьезно промолвил Пуаро.

Хильда молчала, уставившись в пол.

Пилар вошла в комнату с настороженностью зверя, опасающегося ловушки. Ее глаза быстро бегали из стороны в сторону. Вид у нее был не столько испуганный, сколько подозрительный.

Полковник Джонсон встал и придвинул ей стул.

— Надеюсь, вы понимаете по-английски, мисс Эстравадос? — спросил он.

Пилар широко открыла глаза.

— Конечно, — ответила она. — Моя мать была англичанкой. И я сама даже очень англичанка.

На губах полковника мелькнула улыбка, когда его взгляд скользнул по глянцевым черным волосам, гордым темным глазам и алым губам девушки. «Даже очень англичанка»! Такое определение никак не подходило к Пилар Эстравадос.

— Ваш дедушка, мистер Ли, пригласил вас к себе, — продолжал Джонсон. — Вы прибыли из Испании несколько дней назад. Это верно?

Пилар кивнула:

— Верно. Ох, сколько же у меня было приключений, пока я выбралась из Испании! Бомба убила шофера — у него вся голова была в крови. Я не умею водить машину, поэтому мне пришлось долго идти пешком, а я этого очень не люблю — у меня болят ноги.

Полковник улыбнулся:

— Как бы то ни было, вы приехали сюда. Ваша мать часто рассказывала вам о дедушке?

— Да, — весело отозвалась Пилар. — Она говорила, что он старый черт.

— А что вы сами о нем думали, когда познакомились с ним, мадемуазель? — спросил Эркюль Пуаро.

— Конечно, дедушка был очень-очень старый, — ответила Пилар. — У него все лицо было в морщинах, и ему приходилось все время сидеть в кресле. Но все равно он мне очень нравился. Наверное, в молодости он был очень красивый — совсем как вы, — добавила она, повернувшись к Сагдену. Ее глаза с наивным удовольствием смотрели на красивое лицо суперинтендантта, ставшее в результате комплимента кирпично-красным.

Полковник Джонсон с трудом удержался от усмешки. Это был один из немногих случаев, когда он видел замешательство своего невозмутимого подчиненного.

— Но, конечно, — с сожалением продолжала Пилар, — дедушка не был таким высоким, как вы.

Пуаро печально вздохнул.

— Выходит, вам нравятся высокие мужчины, сеньорита? — осведомился он.

— Разумеется, — с энтузиазмом согласилась Пилар. — Мне нравятся высокие, широкоплечие и очень сильные.

— Вы часто видели вашего деда в эти дни? — спросил Джонсон.

— Да, — кивнула Пилар. — Я сидела с ним, а дедушка рассказывал мне, каким он был грешником и что он делал в Южной Африке.

— А он когда-нибудь говорил, что хранит алмазы в сейфе своей спальни?

— Да, он показывал их мне. Но они были очень некрасивые — похожие на обычные камешки.

— Он часом не подарил вам один-два из них? — вмешался Сагден.

Пилар покачала головой:

— Нет. Я думала, что, возможно, подарит когда-нибудь, если я буду с ним ласкова и почаще с ним сидеть. Старые джентльмены очень любят молоденьких девушек.

— Вам известно, что эти алмазы были украдены? — спросил полковник Джонсон.

Глаза Пилар стали еще шире.

— Украдены?

— Да. У вас есть предположение насчет того, кто мог их взять?

Пилар кивнула:

— Должно быть, это Хорбери.

— Хорбери? Вы имеете в виду слугу?

— Да.

— Почему вы так думаете?

— Потому что у него лицо вора и глаза бегают туда-сюда. К тому же он подслушивает у дверей и ходит бесшумно, как кот, а все коты — воры.

— Хм! — произнес полковник Джонсон. — Ладно, пока оставим это. Насколько я понимаю, сегодня вся семья собралась в комнате вашего дедушки, и там состоялся... э-э... крупный разговор.

Пилар кивнула и улыбнулась:

— Это было так забавно. Ух, как же дедушка их разозлил!

— И вы наслаждались этим, не так ли?

— Мне очень нравится смотреть, как люди ссорятся. Но в Англии они ссорятся совсем не так, как в Испании. Там кричат, ругаются и хватаются за ножи, а здесь только становятся красными и стискивают зубы.

— Вы помните, что они говорили?

На лице Пилар отразилось сомнение.

— Я не уверена. Дедушка сказал, что они все никуда не годятся, так как у них нет детей, и что я лучше любого из них. Я ему очень нравилась.

— Он говорил что-нибудь о деньгах или о завещании?

— О завещании? По-моему, нет. Я не помню.

— Что было потом?

— Они все ушли, кроме Хильды — толстой жены Дэвида. Она осталась.

— Вот как?

— Да. Дэвид выглядел так забавно — побледнел и весь дрожал. Казалось, он вот-вот упадет в обморок.

— А потом?

— Потом я нашла Стивена, и мы танцевали под патефон.

— Стивена Фэрра?

— Да. Он из Южной Африки — сын дедушкиного партнера. Стивен тоже очень красивый — загорелый, высокий, а глаза у него...

— Где вы находились во время убийства? — прервал ее Джонсон.

— Я пошла с Лидией в гостиную, а потом поднялась в комнату привести себя в порядок, так как собиралась снова танцевать со Стивеном. Затем я услышала крик, все побежали наверх, и я тоже. Харри и Стивен начали взламывать дедушкину дверь — они оба большие и сильные...

— Да-да, — снова прервал полковник. — Что было дальше?

— Дверь рухнула, и мы заглянули внутрь. Ну и зрелище — все разбито, перевернуто, а дедушка лежит в луже крови, и горло у него перерезано вот так... — она драматическим жестом провела ребром ладони по шее, — до самого уха!

Пилар сделала паузу, явно наслаждаясь повествованием.

— И вам не стало дурно при виде крови? — спросил Джонсон.

Девушка уставилась на него.

— А почему мне должно было стать дурно? Когда людей убивают, всегда бывает кровь. Только там ее было очень много.

— Кто-то из остальных сказал что-нибудь? — осведомился Пуаро.

— Дэвид сказал такую забавную вещь. Сейчас вспомню... «Жернова Господни...» Что это значит? Жернова мелют зерно, не так ли?

— Ну, думаю, пока это все, мисс Эстравадос, — промолвил Джонсон.

Пилар встала и одарила очаровательной улыбкой всех по очереди.

— Тогда я пойду. — Она вышла из комнаты.

— «Жернова Господни мелют медленно, но верно», — произнес полковник Джонсон. — И Дэвид Ли сказал это!

15

Дверь открылась снова. На момент полковнику Джонсону показалось, что в комнату опять вошел Харри Ли, но, когда Стивен Фэрр шагнул вперед, он понял свою ошибку.

— Садитесь, мистер Фэрр, — предложил Джонсон.

Стивен сел, окинув троих мужчин холодным смышленым взглядом.

— Боюсь, я мало чем смогу быть вам полезен, — заговорил он. — Но, пожалуйста, задавайте мне любые вопросы. Возможно, мне лучше для начала объяснить, кто я такой. Мой отец, Эбенезер Фэрр, более сорока лет тому назад был партнером Симеона Ли в Южной Африке. — Стивен сделал паузу. — Папа много рассказывал мне о Симеоне Ли. Они оба сорвали недурной куш — Симеон Ли уехал в Англию с целым состоянием, да и мой отец заработал порядочно. Папа всегда говорил мне, что когда я буду в Англии, то обязательно должен повидать мистера Ли. Я как-то сказал ему, что прошло очень много лет и мистер Ли, возможно, не поймет, кто я, но папа только рукой махнул. «Когда два человека вместе переживают то, что довелось пережить нам с Симеоном, они этого не забывают», — сказал он. Отец умер два года назад, а в этом году я впервые приехал в Англию и решил последовать его совету — повидать мистера Ли. — Стивен добавил с улыбкой: — Я немного нервничал по пути сюда, но оказалось, что совершенно напрасно. Мистер Ли оказал мне радушный прием и просто настоял, чтобы я остался с его семьей на Рождество. Я не хотел навязываться, но он и слышать не желал об отказе. Мистер и миссис Элфред Ли тоже были со мной необычайно любезны. Мне очень жаль, что на них обрушилось такое несчастье.

— Когда вы прибыли сюда, мистер Фэрр?

— Только вчера.

— Сегодня вы видели мистера Ли?

— Да, поболтал с ним утром. Он был в хорошем настроении и хотел услышать о том, где мне приходилось бывать и с кем встречаться.

— Это был последний раз, когда вы его видели?

— Да.

— Он упоминал, что хранит в сейфе неотшлифованные алмазы?

— Нет. — Стивен осведомился, прежде чем полковник успел задать следующий вопрос: — Вы имеете в виду, что это было убийство с целью ограбления?

— Мы еще не вполне уверены, — ответил Джонсон. — Пожалуйста, сообщите, что вы делали этим вечером.

— Когда дамы вышли из столовой, я остался там и выпил бокал портвейна. Потом я понял, что Ли хотят обсудить семейные дела и мое присутствие их стесняет, поэтому извинился и вышел.

— Куда?

Стивен Фэрр откинулся на спину стула и погладил подбородок указательным пальцем.

— Я... э-э... направился в большую комнату с паркетным полом — вроде бального зала, — помедлив, ответил он. — Там были патефон и танцевальные пластинки. Я поставил одну из них.

— Возможно, вы рассчитывали, что кто-то к вам присоединится? — спросил Пуаро.

На губах Стивена мелькнула улыбка.

— Всегда надеешься на лучшее, — отозвался он.

— Сеньорита Эстравадос очень красива, — заметил Пуаро.

— Я не видел никого красивее с тех пор, как прибыл в Англию.

— Мисс Эстравадос составила вам компанию в танцевальной комнате? — осведомился полковник Джонсон.

Стивен покачал головой:

— Я все еще был там, когда услышал шум, выбежал узнать, что происходит, и помог Харри Ли взломать дверь.

— И это все, что вы можете нам сообщить?

— Боюсь, что да.

Эркюль Пуаро склонился к нему.

— Думаю, мистер Фэрр, — мягко сказал он, — вы могли бы сообщить нам еще многое, если бы захотели.

— Что вы имеете в виду? — резко спросил Фэрр.

— Вы можете рассказать нам о самом важном в этом деле — характере мистера Ли. По вашим словам, ваш отец много говорил о нем. Каким он вам его описывал?

— Думаю, я понимаю, куда вы клоните, — медленно произнес Стивен Фэрр. — Каким был Симеон Ли в молодости? Полагаю, вы хотите, чтобы я говорил откровенно?

— Если вы будете так любезны.

— Ну, прежде всего, я не думаю, что Симеон Ли был высоконравственным членом общества. Конечно, он не был мошенником в полном смысле слова, но не так уж далеко от этого ушел. Короче говоря, моральными принципами он никак не мог похвастаться. Но при этом Симеон был очень обаятельным и фантастически щедрым. Если кто-нибудь обращался к нему за помощью, то всегда ее получал. Он пил, но не слишком много, нравился женщинам, обладал чувством юмора, но в то же время отличался злопамятностью и мстительностью. Поговорка, что слоны ничего не забывают, в полной мере относилась и к Симеону Ли. Отец рассказывал мне о нескольких случаях, когда Ли выжидал целые годы, чтобы свести счеты с кем-то, кто скверно с ним обошелся.

— Кто-то мог сыграть с ним в ту же игру, — заметил суперинтендант Сагден. — Вы, случайно, не знаете, мистер Фэрр, кто именно мог затаить злобу на Симеона Ли? Какой-нибудь случай из прошлого, который мог бы объяснить сегодняшнее преступление?

Стивен Фэрр покачал головой:

— Конечно, у него были враги — у такого человека их просто не могло не быть. Но я не знаю никаких конкретных случаев. Кроме того, — он слегка прищурился, — со слов Трессилиана я понял, что этим вечером ни в доме, ни около него не было замечено никаких посторонних.

— Кроме вас, мсье Фэрр, — указал Эркюль Пуаро.

Стивен повернулся к нему:

— Вот оно что! Подозрительный незнакомец в доме! Ну, тут вам ничего не светит. Вам не удастся раскопать никаких историй о том, как Симеон Ли подвел Эбенезера Фэрра и сын Эба отправился в Англию мстить за отца. Нет, — он покачал головой, — Симеон и Эбенезер ничего не имели друг против друга. Как я уже говорил, я приехал сюда из чистого любопытства. Более того, патефон — алиби не хуже других. Я не переставал ставить пластинки — кто-нибудь наверняка это слышал — и никак не смог бы, пока играет одна пластинка, пробежать по этим коридорам длиной в милю, подняться наверх, перерезать старику горло, смыть с себя кровь и вернуться, прежде чем туда примчались остальные. Это просто нелепо!

— Мы не выдвигаем никаких инсинуаций в отношении вас, мистер Фэрр, — заметил полковник Джонсон.

— Мне не слишком понравился тон мистера Эркюля Пуаро, — отозвался Стивен.

— Это крайне досадно, — промолвил Пуаро с благодушной улыбкой.

Стивен ответил ему сердитым взглядом.

— Благодарю вас, мистер Фэрр, — быстро вмешался полковник Джонсон. — Пока это все. Разумеется, вы не должны покидать этот дом.

Кивнув, Стивен поднялся и вышел из комнаты размашистой походкой.

— Вот вам и Икс — неизвестная величина, — сказал полковник Джонсон, когда дверь за Стивеном закрылась. — Хотя его рассказ выглядит правдоподобно, он темная лошадка. Он мог явиться сюда с выдуманной историей и украсть алмазы. Вам лучше взять у него отпечатки пальцев, Сагден, и проверить, не известен ли он полиции.

— Я уже снял отпечатки, — сухо ответил суперинтендант.

— Отлично. Вы ничего не упускаете. Полагаю, вы наметили основные направления работы?

Суперинтендант Сагден начал перечислять, загибая пальцы:

— Проверить телефонные звонки — время и так далее. Проверить Хорбери — когда он ушел и кто это видел. Проверить все входы и выходы. Проверить всю прислугу. Проверить финансовое положение членов семьи. Связаться с адвокатами и проверить завещание. Обыскать дом — не спрятаны ли где-нибудь оружие, окровавленная одежда или, возможно, алмазы.

— Пожалуй, это охватывает все, что можно, — одобрительно кивнул Джонсон. — Вы можете что-нибудь предложить, мсье Пуаро?

Эркюль Пуаро покачал головой:

— По-моему, суперинтендант учел все с поразительной тщательностью.

— Искать в таком доме исчезнувшие алмазы — нешуточное дело, — мрачно произнес Сагден. — В жизни не видел такого количества разных украшений и безделушек.

— Да, спрятать камни можно где угодно, — согласился Пуаро.

— Неужели вы действительно не в состоянии ничего предложить, Пуаро? — Главный констебль выглядел разочарованным, как человек, чья собака отказалась выполнять очередной трюк.

— Вы позволите мне вести расследование по-своему?

— Разумеется! — воскликнул Джонсон.

— Как это — по-вашему? — с подозрением осведомился суперинтендант Сагден.

— Я бы хотел, — ответил Эркюль Пуаро, — еще раз побеседовать с членами семьи.

— Вы имеете в виду, что хотели бы снова допросить их? — озадаченно спросил полковник.

— Нет-нет, не допросить — побеседовать!

— Зачем? — спросил Сагден.

Пуаро выразительно взмахнул рукой.

— В беседах многое выясняется. Если человек много разговаривает, ему нелегко скрыть правду!

— Значит, вы думаете, что кто-то из них лжет? — допытывался суперинтендант.

— Mon cher, отчасти лгут все, — вздохнул Пуаро. — Важно отделить безобидную ложь от преступной.

— Все это выглядит просто невероятным, — сказал полковник Джонсон. — Перед нами грубое и жестокое убийство — и кто же фигурирует в качестве подозреваемых? Элфред Ли и его жена — спокойные, очаровательные, хорошо воспитанные люди. Джордж Ли — член парламента и воплощение респектабельности. Его жена — обычная современная красотка. Дэвид Ли выглядит мягким и безобидным — к тому же, по словам его брата Харри, он не выносит вида крови. Его жена кажется обыкновенной женщиной, приятной и благоразумной. Остаются испанская племянница и человек из Южной Африки. У испанских красавиц бурный темперамент, но я не представляю, чтобы эта очаровательная девушка хладнокровно перерезала старику горло, тем более что, судя по известным фактам, в ее интересах было, чтобы он прожил подольше — по крайней мере, пока не подписал бы новое завещание. Стивен Фэрр — другое дело. Возможно, он профессиональный вор, приехавший сюда за алмазами. Старик обнаружил пропажу, и Фэрр заставил его умолкнуть навеки. К тому же патефонное алиби не выглядит надежным.

Пуаро покачал головой.

— Дорогой друг, — промолвил он, — сравните физические данные мсье Стивена Фэрра и старого Симеона Ли. Если бы Фэрр решил убить старика, он проделал бы это в минуту — Симеон Ли не смог бы оказать никакого сопротивления. Неужели вы в состоянии представить, чтобы немощный старик и этот сильный мужчина — великолепный образец человеческой породы — боролись несколько минут, опрокидывая стулья и разбивая вазы? Это выглядит фантастично!

Полковник прищурился.

— Вы имеете в виду, — осведомился он, — что Симеона Ли мог убить только слабый мужчина?

— Или женщина! — уточнил суперинтендант.

16

Полковник Джонсон взглянул на часы:

— Здесь я больше ничего не могу сделать. Теперь все в ваших руках, Сагден. Да, осталось еще кое-что. Нужно повидать дворецкого. Я знаю, что вы уже его допрашивали, но теперь мы знаем немного больше, и нам важно получить подтверждение показаний всех о том, где они находились во время убийства.

Трессилиан вошел медленным шагом. Главный констебль предложил ему сесть.

— Благодарю вас, сэр. Мне что-то не по себе — ноги и голова...

— Конечно, — ведь вы перенесли шок, — мягко произнес Пуаро.

Дворецкий вздрогнул:

— Такое ужасное событие в этом доме! Здесь всегда было так спокойно...

— В доме был порядок, но не было счастья, не так ли? — спросил Пуаро.

— Я бы не хотел об этом говорить, сэр.

— А в прошлом, когда здесь жила вся семья, счастья было больше?

— Семью нельзя было назвать особенно дружной, сэр, — медленно ответил Трессилиан.

— Покойная миссис Ли часто болела, верно?

— Увы, да, сэр.

— Дети любили ее?

— Мистер Дэвид был очень ей предан — скорее как дочь, чем как сын. Когда она умерла, он не смог здесь жить.

— А мистер Харри? — спросил Пуаро. — Что он собой представлял?

— Он всегда был довольно буйным молодым джентльменом, но добродушным. Господи, как же я удивился, когда в дверь позвонили — потом еще раз, с таким нетерпением, — я открыл и увидел незнакомого мужчину, а потом услышал голос мистера Харри, совсем такой же, как прежде: «Привет, Трессилиан. Все еще здесь?»

— Должно быть, это странное ощущение, — сочувственно произнес Пуаро.

Щеки дворецкого слегка порозовели.

— Иногда кажется, сэр, как будто прошлое никуда не исчезло! — продолжал он. — По-моему, в Лондоне шла пьеса про что-то вроде этого. Вдруг накатывает чувство, словно все это уже было. Звонит звонок, я иду открывать, а там мистер Харри... Я говорю себе, что все это уже делал, а потом оказывается, что это мистер Фэрр или еще кто-нибудь...

— Очень интересно, — заметил Пуаро.

Трессилиан с признательностью посмотрел на него. Джонсон нетерпеливо откашлялся и взял на себя инициативу.

— Нам всего лишь нужно проверить кое-какие данные, — сказал он. — Насколько я понял, когда наверху начался шум, в столовой были только мистер Элфред Ли и мистер Харри Ли. Это так?

— Право, не знаю, сэр. Все джентльмены находились в столовой, когда я подавал кофе, но это было минут на пятнадцать раньше.

— Мистер Джордж Ли разговаривал по телефону. Вы можете это подтвердить?

— Думаю, кто-то говорил по телефону, сэр. Звонок отзывается в моей буфетной, а когда снимают трубку, чтобы назвать номер, только слегка позвякивает. Помню, что я слышал такое позвякивание, но не обратил внимания.

— Не знаете, когда именно это было?

— Нет, сэр. Могу только сказать, что после того, как я подал кофе джентльменам.

— А где в это время находились леди?

— Миссис Элфред была в гостиной, сэр, когда я пришел за кофейным подносом — за минуту-две до того, как я услышал крик наверху.

— Что она делала? — спросил Пуаро.

— Стояла у дальнего окна, сэр, немного отодвинув портьеру, и смотрела наружу.

— Никого из других леди не было в комнате?

— Нет, сэр.

— Вы знаете, где они были?

— Не знаю, сэр.

— А остальные мужчины?

— Мистер Дэвид, по-моему, играл на рояле в комнате, соседней с гостиной.

— Вы слышали его игру?

— Да, сэр. — Старик снова вздрогнул. — Потом я подумал, что это был знак. Он играл похоронный марш. Помню, даже тогда у меня мурашки по коже забегали.

— Любопытно, — сказал Пуаро.

— Теперь что касается этого парня, Хорбери, — продолжал главный констебль. — Вы готовы поклясться, что в восемь он уже ушел из дому?

— Да, сэр. Хорбери ушел сразу после прихода мистера Сагдена. Я помню это, потому что он разбил кофейную чашку.

— Хорбери разбил чашку? — встрепенулся Пуаро.

— Да, сэр, из вустерского сервиза. Одиннадцать лет я их мою и ни одной не разбил!

— А что Хорбери делал с кофейной чашкой? — спросил Пуаро.

— Ну, сэр, вообще-то ему было незачем их трогать. Он просто подобрал одну из них и рассматривал, а когда я сообщил о приходе мистера Сагдена, сразу уронил.

— Вы сказали «мистер Сагден» или произнесли слово «полиция»

Трессилиан выглядел удивленным.

— Теперь я припоминаю, сэр, что упомянул о приходе полицейского суперинтенданта.

— И Хорбери уронил чашку, — задумчиво произнес Пуаро.

— Наводит на размышление, верно? — заметил главный констебль. — Хорбери задавал какие-нибудь вопросы о визите суперинтенданта?

— Да, сэр, спросил, что ему здесь понадобилось. Я ответил, что он пришел собирать деньги на приют

288

для сирот из семей полицейских и поднялся к мистеру Ли.

— И Хорбери испытал облегчение, услышав это?

— Пожалуй, да, сэр. Его поведение сразу изменилось. Он довольно фамильярно отозвался о мистере Ли — сказал, что он щедрый старикан, — и ушел.

— Через какую дверь?

— Через дверь в холл для прислуги.

— Все правильно, сэр, — вмешался Сагден. — Хорбери прошел через кухню, где его видели кухарка и судомойка, и вышел через заднюю дверь.

— Теперь слушайте внимательно, Трессилиан. Мог Хорбери вернуться в дом так, чтобы его никто не заметил?

Старик покачал головой:

— Не вижу, как бы он мог это сделать, сэр. Все двери запираются изнутри.

— Предположим, у него был ключ?

— Двери закрываются и на засов.

— Тогда как же он вообще входит в дом?

— У него есть ключ от задней двери, сэр. Вся прислуга входит таким образом.

— Значит, Хорбери мог вернуться этим путем?

— Только пройдя через кухню, сэр. А в кухне должны были находиться люди до половины десятого или даже до без четверти десять.

— Звучит убедительно, — кивнул полковник Джонсон. — Благодарю вас, Трессилиан.

Старик поднялся и с поклоном вышел из комнаты. Однако спустя одну-две минуты он появился снова.

— Хорбери только что вернулся, сэр. Хотите его повидать?

— Да, пожалуйста, пришлите его сразу же.

17

Сидни Хорбери представлял собой не слишком приятное зрелище. Войдя в комнату, он остановился, потирая руки и бросая острые взгляды на присутствующих.

— Вы Сидни Хорбери? — заговорил Джонсон.

— Да, сэр.

— Личный слуга покойного мистера Ли?

— Да, сэр. Ужасная трагедия. Я едва на ногах удержался, когда услышал об этом от Глэдис. Бедный старый джентльмен...

— Пожалуйста, просто отвечайте на мои вопросы, — оборвал его Джонсон.

— Да, сэр, конечно.

— Когда вы ушли из дому сегодня вечером и где вы были?

— Я ушел незадолго до восьми, сэр, — был в кинотеатре «Суперб» в пяти минутах ходьбы отсюда. Фильм назывался «Любовь в старой Севилье».

— Кто-нибудь видел вас там?

— Кассирша, сэр, — она меня знает. И билетер у дверей тоже знает меня в лицо. К тому же я... э-э... был там с одной молодой леди — мы договорились заранее.

— В самом деле? Как ее имя?

— Дорис Бакл, сэр. Она работает в молочной на Маркем-роуд, 23.

— Хорошо, мы это проверим. Оттуда вы пошли прямо домой?

— Сначала я проводил молодую леди, сэр, а потом вернулся сюда. Вы убедитесь, что я говорю правду, сэр. Я не имею к этому никакого отношения. Я...

— Вас ни в чем не обвиняют, — снова прервал полковник Джонсон.

— Конечно нет, сэр. Но не очень-то приятно, когда в доме происходит убийство.

— Никто и не говорит, что это приятно. Сколько вы пробыли в услужении у мистера Ли?

— Чуть больше года, сэр.

— Вы были довольны вашей работой?

— Да, сэр, вполне. Жалованье было хорошее. Конечно, с мистером Ли бывало трудновато, но я привык ухаживать за инвалидами.

— У вас имеется опыт?

— Да, сэр. Я служил у майора Уэста и достопочтенного[1] Джаспера Финча...

---

[1] Достопочтенный (the Honourable) — в Англии титул детей пэров.

— Эти подробности вы можете позднее собщить Сагдену. Я только хочу знать, когда вы в последний раз видели мистера Ли сегодня вечером.

— Около половины восьмого, сэр. В семь вечера мистеру Ли всегда подавали легкий ужин, а потом я готовил его ко сну. Обычно он сидел в халате у камина, пока его не начинало клонить ко сну.

— В какое время это бывало?

— По-разному, сэр. Иногда мистер Ли ложился в восемь — если чувствовал усталость, а иногда засиживался до одиннадцати и даже еще позже.

— Что он делал, когда хотел лечь?

— Обычно звонил мне, сэр.

— И вы укладывали его в постель?

— Да, сэр.

— Но этот вечер у вас был выходной. Так бывало каждую пятницу?

— Да, сэр. По пятницам у меня свободные вечера.

— А кто же тогда помогал ложиться мистеру Ли?

— Он звонил, и приходил либо Трессилиан, либо Уолтер.

— Мистер Ли не был беспомощен? Он мог передвигаться по комнате?

— Да, сэр, но не без труда. Он страдал ревматическим артритом, и ему становилось все хуже и хуже.

— А днем он никогда не ходил в другие комнаты?

— Нет, сэр. Он предпочитал оставаться у себя. Мистер Ли не гонялся за роскошью. Ему было достаточно его просторной спальни, где много света и воздуха.

— Вы говорите, мистер Ли сегодня ужинал в семь?

— Да, сэр. Я забрал поднос и поставил на бюро графин с шерри и два стакана.

— Почему вы это сделали?

— По распоряжению мистера Ли.

— Так бывало всегда?

— Иногда. Вечерами никто из членов семьи не приходил к мистеру Ли, если только он сам их не приглашал. В некоторые вечера ему хотелось побыть одному, а в другие он посылал кого-нибудь вниз с просьбой, чтобы мистер Элфред, миссис Элфред или они оба поднялись к нему после обеда.

— Но, насколько вам известно, сегодня он так не делал? Не передавал кому-то из членов семьи просьбу о его присутствии?

— Через меня — нет, сэр.

— Значит, он никого из них не ожидал?

— Он мог пригласить кого-то из них лично, сэр.

— Да, разумеется.

— Я убедился, что все в порядке, — продолжал Хорбери, — пожелал мистеру Ли доброй ночи и вышел из комнаты.

— Вы развели огонь в камине перед уходом? — спросил Пуаро.

Слуга заколебался.

— В этом не было надобности, сэр. Огонь уже был разведен.

— Мог мистер Ли сделать это сам?

— О нет, сэр. Думаю, это сделал мистер Харри Ли.

— Он был там, когда вы вошли перед ужином?

— Да, сэр. Мистер Харри ушел после моего прихода.

— Как вам показалось — в каком они были настроении?

— Мистер Харри Ли — в превосходном. То и дело вскидывал голову и смеялся.

— А мистер Ли?

— Он казался спокойным и задумчивым.

— Понятно. Теперь я хотел бы узнать еще кое-что, Хорбери. Что вы можете рассказать нам об алмазах, которые мистер Ли хранил в своем сейфе?

— Об алмазах, сэр? Я никогда не видел никаких алмазов.

— Мистер Ли держал там несколько неотшлифованных камней. Вы должны были видеть, как он их перебирает.

— Эти забавные маленькие камешки, сэр? Да, я видел его с ними один или два раза. Но я не знал, что это алмазы. Мистер Ли показывал их иностранной молодой леди только вчера — или это было позавчера?

— Эти камни были украдены, — сказал полковник Джонсон.

— Надеюсь, вы не думаете, сэр, что я имею к этому отношение?! — воскликнул Хорбери.

— Я не предъявляю никаких обвинений, — ответил Джонсон. — Можете сообщить нам что-нибудь еще об этом деле?

— Об алмазах, сэр? Или об убийстве?

— И о том, и о другом.

Хорбери задумался, проводя языком по бледным губам. Наконец он снова устремил на собеседников вороватый взгляд.

— Пожалуй, нет, сэр.

— Быть может, вы в процессе исполнения ваших обязанностей случайно услышали что-нибудь, что могло бы нам помочь? — предположил Пуаро.

Веки слуги слегка дрогнули.

— Едва ли, сэр. Правда, возникли кое-какие трения между мистером Ли и... и некоторыми членами семьи.

— Какими именно?

— Как я понял, причиной было возвращение мистера Харри Ли. Мистера Элфреда Ли это возмущало. У них с отцом вышел крупный разговор — но это все. Мистер Ли и не думал обвинять сына в краже алмазов. И я уверен, что мистер Элфред никогда бы такого не сделал.

— Но этот разговор состоялся после того, как мистер Элфред обнаружил пропажу алмазов, не так ли? — быстро осведомился Пуаро.

— Да, сэр.

Пуаро склонился вперед.

— Мне казалось, Хорбери, — заметил он, — что вы не знали о краже алмазов, пока мы только что не сообщили вам об этом. Каким же образом вам известно, что мистер Ли обнаружил потерю до разговора с сыном?

Хорбери покраснел как рак.

— Лгать бесполезно. Выкладывайте, — приказал Сагден. — Когда вы узнали о краже?

— Я слышал, как мистер Ли говорил с кем-то об этом по телефону, — угрюмо отозвался Хорбери.

— Но вы не были в комнате?

— Нет, за дверью. Я слышал всего несколько слов.

— Что именно вы слышали? — вежливо осведомился Пуаро.

— Слова «кража» и «алмазы». Потом мистер Ли сказал: «Не знаю, кого подозревать» и добавил что-то насчет восьми вечера.

— Он говорил со мной, — кивнул суперинтендант Сагден. — Это было около десяти минут шестого?

— Да, сэр.

— А когда вы потом вошли к нему в комнату, он выглядел расстроенным?

— Только слегка, сэр. Мистер Ли казался рассеянным и обеспокоенным.

— Настолько обеспокоенным, что вы сразу испугались?

— Послушайте, мистер Сагден, вы не имеете права так говорить. Я пальцем не трогал никаких алмазов. У вас нет никаких доказательств. Я не вор.

Монолог не произвел особого впечатления на суперинтенданта.

— Это мы еще посмотрим. — Он посмотрел на главного констебля и, когда тот кивнул, добавил: — Ладно, приятель, пока можете идти.

Хорбери поспешно вышел.

— Неплохая работа, мсье Пуаро, — одобрительно произнес Сагден. — Вы ловко заманили его в западню. Не знаю, вор он или нет, но лжец он первостатейный!

— Не особенно приятная личность, — заметил Пуаро.

— Скользкий тип, — согласился Джонсон. — Вопрос в том, что нам делать с его показаниями.

Сагден подвел итог ситуации:

— Мне кажется, тут есть три возможности: первая — Хорбери вор и убийца, вторая — Хорбери вор, но не убийца, и третья — Хорбери ни в чем не виновен. Кое-что свидетельствует в пользу первой. Он подслушал телефонный разговор, узнал, что кража обнаружена, понял по поведению старика, что его подозревают, и действовал соответственно — демонстративно ушел из дому в восемь и состряпал себе алиби. Ему ничего не стоило выскользнуть из кинотеатра и незаметно вернуться — очевидно, не сомневался, что девушка его не выдаст. Посмотрим, что мне завтра удастся из нее вытянуть.

— Как же он смог вернуться в дом? — спросил Пуаро.

— Это потруднее, — признал Сагден. — Но он мог найти какой-то способ. Допустим, одна из служанок отперла для него заднюю дверь.

Пуаро насмешливо приподнял брови:

— Выходит, он отдал себя на милость двух женщин? Даже с одной риск был немалый, а с двумя он стал бы просто фантастическим!

— Некоторые преступники уверены, что всегда могут выйти сухими из воды. Теперь рассмотрим вторую возможность, — продолжал Сагден. — Хорбери украл алмазы, вынес их вечером из дома и, скажем, передал сообщнику. Это достаточно просто и весьма вероятно. Но тогда нам придется признать, что кто-то другой выбрал именно этот вечер для убийства мистера Ли и этот кто-то не знал о похищении алмазов. Такое нельзя исключить, но это маловероятное совпадение. Наконец, третья возможность — Хорбери не виновен. Кто-то другой украл алмазы и прикончил старого джентльмена. Нам остается выяснить, кто именно.

Полковник Джонсон зевнул, посмотрел на часы и встал.

— Ну, — сказал он, — думаю, на сегодня хватит. Только перед уходом нам лучше заглянуть в сейф. Будет забавно, если эти чертовы алмазы лежат на своем месте.

Но алмазов в сейфе не оказалось. Как и говорил им Элфред Ли, они обнаружили комбинацию в книжечке, взятой из кармана халата убитого. В сейфе они нашли пустой замшевый мешочек. Среди бумаг только одна представляла интерес.

Это было завещание пятнадцатилетней давности. Помимо мелких посмертных даров, условия выглядели достаточно просто. Половина состояния Симеона Ли должна была отойти Элфреду, а другую половину следовало разделить поровну между четырьмя остальными детьми — Харри, Джорджем, Дэвидом и Дженнифер.

Часть четвертая
25 ДЕКАБРЯ

1

Солнечным рождественским полднем Пуаро бродил по саду Горстон-Холла. Само здание выглядело построенным на совесть и не отличалось архитектурными излишествами.

На южной стороне находилась широкая терраса с изгородью из подстриженного тиса. Между каменными плитками зеленела трава, а вдоль террасы располагались каменные раковины с имитациями миниатюрных садов.

Пуаро с одобрением их разглядывал.

— C'est bien imaginé, ça![1] — пробормотал он себе под нос.

На некотором расстоянии Пуаро увидел две фигуры, идущие в сторону декоративного пруда ярдов в трехстах от него. В одной из них он без труда узнал Пилар, а другую сначала принял за Стивена Фэрра, но потом понял, что это Харри Ли. Харри, казалось, был очень внимателен к своей хорошенькой племяннице. Время от времени он вскидывал голову и смеялся, затем вновь склонялся к ней.

«Этот, во всяком случае, не выглядит скорбящим», — подумал Пуаро.

Негромкий звук позади заставил его обернуться. Там стояла Мэгдалин Ли, тоже смотревшая на удаляющиеся фигуры мужчины и девушки. Повернув голову, она очаровательно улыбнулась Пуаро.

— Какой чудесный солнечный день! С трудом можно поверить во вчерашние ужасы, верно, мсье Пуаро?

---

[1] Хорошо придумано! (*фр.*)

— Абсолютно верно, мадам.

Мэгдалин вздохнула.

— Я еще никогда не была замешана в такой трагедии. Очевидно, я слишком долго оставалась ребенком — практически только сейчас повзрослела. В этом ничего хорошего... — Она снова вздохнула. — У Пилар удивительное самообладание — полагаю, благодаря испанской крови. Это очень странно, не так ли?

— Что именно странно, мадам?

— То, как она оказалась здесь. Словно с неба свалилась!

— Я узнал, что мистер Ли уже некоторое время разыскивал ее, — сказал Пуаро. — Он переписывался с британским консульством в Мадриде и с вице-консулом в Аликаре, где умерла ее мать.

— Мистер Ли никому об этом не рассказывал, — заметила Мэгдалин. — Ни Элфред, ни Лидия ничего не знали.

— В самом деле?

Мэгдалин подошла ближе, и Пуаро ощутил тонкий аромат ее духов.

— Знаете, мсье Пуаро, с Эстравадосом — мужем Дженнифер — связана какая-то тайна. Он умер вскоре после свадьбы. Элфред и Лидия в курсе дела. По-моему, там была какая-то некрасивая история...

— Это весьма печально, — промолвил Пуаро.

— Мой муж считает — и я с ним согласна, — продолжала Мэгдалин, — что семье следует больше знать о прошлом этой девушки. В конце концов, если ее отец был преступником...

Она сделала паузу, но Эркюль Пуаро хранил молчание. Казалось, он восхищается красотами зимней природы на территории Горстон-Холла.

— Не могу отделаться от мысли, — сказала Мэгдалин, — что в том, как умер мой свекор, есть нечто многозначительное. Это так... не по-английски.

Пуаро медленно обернулся и вопросительно посмотрел на нее.

— Вы имеете в виду, что тут есть испанский элемент?

— Ну, испанцы ведь очень жестокие, — с детской убежденностью отозвалась Мэгдалин. — Все эти бои быков и тому подобное!

— По-вашему, — любезно осведомился Пуаро, — сеньорита Эстравадос перерезала горло своему дедушке?

— О нет, мсье Пуаро! — Мэгдалин выглядела шокированной. — Я ничего такого не говорила!

— Ну, может быть, и нет, — согласился Пуаро.

— Но я думаю, что она... что в ней есть нечто подозрительное. Например, то, как она тайком что-то подобрала вчера вечером в комнате мистера Ли.

Поведение Пуаро сразу изменилось.

— Вчера вечером? — быстро переспросил он.

Мэгдалин кивнула, злобно скривив детский рот.

— Да, как только мы вошли в комнату. Она быстро огляделась, чтобы проверить, не смотрит ли на нее кто-нибудь, а потом подняла что-то с пола. К счастью, суперинтендант это заметил и заставил ее отдать эту вещь.

— А вам известно, мадам, что это была за вещь? ·

— Нет. Я стояла недостаточно близко, — с сожалением ответила Мэгдалин. — Это было что-то совсем маленькое.

Пуаро нахмурился.

— Интересно... — пробормотал он.

— Мне казалось, вам следует об этом знать, — продолжала Мэгдалин. — В конце концов, нам ничего не известно о прошлом Пилар. Элфред никогда не отличался подозрительностью, а Лидия и вовсе ничего не замечает. — Помолчав, она добавила: — Схожу посмотреть, не могу ли я чем-нибудь помочь Лидии. Может быть, надо написать какие-то письма...

Мэгдалин пошла к дому со злорадной улыбкой на губах.

Пуаро остался на террасе, погруженный в свои мысли.

2

К нему подошел Сагден. Суперинтендант выглядел мрачно.

— Доброе утро, мистер Пуаро, — поздоровался он. — Кажется, время неподходящее, чтобы желать веселого Рождества?

— Mon cher collègue[1], на вашем лице я определенно не вижу никаких признаков веселья. Если бы вы пожелали мне веселого Рождества, я бы не смог ответить: «Побольше бы таких!»

— Да уж, еще одно подобное мне никак не нужно, — согласился Сагден.

— Вам удалось продвинуться в расследовании?

— Да, я многое проверил. С алиби Хорбери все в порядке. Билетер в кинотеатре видел, как он вошел с девушкой и вышел, когда закончился сеанс, и уверен, что Хорбери не мог выйти и вернуться во время фильма. Девушка клянется, что в кино он не отходил от нее.

Брови Пуаро приподнялись.

— Вроде бы тут говорить больше не о чем.

— Кто знает этих девушек! — цинично промолвил Сагден. — Ради мужчины они способны лгать вам в лицо не моргнув глазом.

— Это делает честь их сердцам, — заметил Пуаро.

— Чисто иностранная точка зрения, — проворчал Сагден. — Она сводит на нет цели правосудия.

— Правосудие — странная штука. Вы когда-нибудь задумывались над этим?

Сагден уставился на него:

— По-моему, это вы странный человек, мсье Пуаро.

— Вовсе нет. Я следую логическим умозаключениям. Но не будем устраивать диспут по этому поводу. Значит, вы полагаете, что мадемуазель из молочной лавки говорит неправду?

Суперинтендант покачал головой:

— Не похоже. Думаю, она сказала правду. Она девушка простая, и, если бы стала мне лгать, я бы сразу это заметил.

— У вас есть опыт, не так ли?

— Вот именно, мистер Пуаро. Когда много лет выслушиваешь показания, начинаешь понимать, когда свидетель лжет, а когда нет. По-моему, показания девушки правдивы, а если так, Хорбери не мог убить старого мистера Ли, и это возвращает нас к находившимся в доме. — Он глубоко вздохнул. — Один из них сделал это, мистер Пуаро. Но кто?

---

[1] Мой дорогой коллега (*фр.*).

— У вас имеются новые данные?

— Да. Мне повезло с телефонными разговорами. Мистер Джордж Ли звонил в Уэстерингем без двух минут девять. Разговор продолжался около шести минут.

— Ага!

— Вот именно! Более того, никаких других звонков не было — ни в Уэстерингем, ни куда-либо еще.

— Очень интересно, — одобрительно кивнул Пуаро. — Мсье Джордж Ли утверждает, что только закончил разговор, когда услышал шум наверху, но в действительности он закончил разговор почти на десять минут раньше. Где же он был в эти десять минут? Миссис Джордж Ли заявляет, что тоже говорила по телефону, но на самом деле она вообще никуда не звонила. Где же она была?

— Я видел, как вы разговаривали с ней, мсье Пуаро. — В голосе Сагдена слышались вопросительные интонации.

— Вы ошибаетесь, — возразил Пуаро.

— То есть как?

— Не я с ней разговаривал, а она со мной.

Казалось, Сагден собирался нетерпеливо отмахнуться от этого уточнения, но, поняв его смысл, переспросил:

— Она разговаривала с вами?

— Вот именно. С этой целью она сюда и приходила.

— И что она вам сказала?

— Миссис Джордж Ли хотела подчеркнуть несколько моментов: неанглийский характер преступления, возможность нежелательных эпизодов в биографии отца мисс Эстравадос, а также тот факт, что вчера вечером мисс Эстравадос что-то тайком подобрала с пола в комнате жертвы.

— Она рассказала вам об этом? — с интересом осведомился Сагден.

— Да. Так что же подобрала сеньорита?

Сагден вздохнул:

— Вы могли бы гадать до бесконечности, но я покажу это вам. В детективных романах такие вещи служат ключом к разгадке. Если вам удастся что-нибудь из этого вытянуть, я подам в отставку!

— Ну, показывайте.

Сагден вынул из кармана конверт, высыпал его содержимое на ладонь и усмехнулся.

— Вот. Что вы об этом думаете?

На широкой ладони суперинтенданта лежали треугольный кусочек розовой резины и маленький деревянный колышек.

Пуаро взял оба предмета и нахмурился.

— Что скажете, мистер Пуаро?

— Этот кусочек, возможно, вырезали из мешочка для туалетных принадлежностей.

— Вы правы. Кто-то отрезал острыми ножницами треугольный кусочек резины от мешочка в комнате мистера Ли. Конечно, мистер Ли мог сделать это сам, но зачем? Хорбери не в состоянии это объяснить. Что касается колышка, то он одинакового размера с колышками для крибиджа[1], но те обычно сделаны из слоновой кости, а этот — обычная грубо выструганная деревяшка.

— Весьма примечательно, — пробормотал Пуаро.

— Оставьте их себе, если хотите, — любезно предложил Сагден. — Мне они не нужны.

— Mon ami, я бы ни за что на свете не стал бы лишать вас их!

— Они вам ни о чем не говорят?

— Должен признаться, абсолютно ни о чем.

— Великолепно! — с тяжеловесным сарказмом произнес Сагден, пряча предметы в карман. — Здорово же мы продвигаемся!

— Миссис Джордж Ли утверждает, что юная леди украдкой наклонилась и подобрала эти мелочи. По-вашему, это правда?

Сагден задумался.

— Н-нет, — неуверенно отозвался он. — Не вполне. Девушка не выглядела виноватой, но проделала это быстро и без лишнего шума, если вы понимаете, о чем я. И она не знала, что я на нее смотрю, — я в этом уверен. Она вздрогнула, когда я к ней обратился.

— Выходит, была какая-то причина, — задумчиво произнес Пуаро. — Но какая? Кусочек резины абсо-

---

[1] К р и б и д ж — карточная игра, в которой используется доска с колышками.

лютно свежий — его не использовали ни для чего. Конечно, это может ничего не означать, и все же...

— Ломайте над этим голову, если хотите, мистер Пуаро, — нетерпеливо прервал Сагден. — Я должен думать о других вещах.

— На какой стадии сейчас расследование? — спросил Пуаро.

Суперинтендант вынул записную книжку:

— Давайте обратимся к фактам. Прежде всего, имеются люди, которые не могли совершить убийство. Мы можем их вычеркнуть из числа подозреваемых.

— Кто же они?

— Элфред и Харри Ли. У них железное алиби. А также миссис Элфред Ли, так как Трессилиан видел ее в гостиной всего за минуту до того, как начался шум наверху. Этих троих мы вычеркиваем. Теперь что касается остальных. Для ясности я изложил все здесь. — Он протянул книжечку Пуаро.

«КТО ГДЕ НАХОДИЛСЯ ВО ВРЕМЯ ПРЕСТУПЛЕНИЯ:
Джордж Ли — ?
М-с Джордж Ли — ?
Дэвид Ли — играл на рояле в музыкальной комнате (подтверждено его женой).
М-с Дэвид Ли — в музыкальной комнате (подтверждено мужем).
Мисс Эстравадос — в своей спальне (подтверждений нет).
Стивен Фэрр — ставил пластинки в танцевальном зале (подтверждено тремя слугами, которые слышали граммофон в холле для прислуги)».

— И следовательно? — осведомился Пуаро, возвращая книжечку.

— И следовательно, — ответил Сагден, — Джордж Ли, его жена и Пилар Эстравадос могли убить старика. Мистер или миссис Дэвид Ли тоже могли это сделать, но только не вдвоем.

— Значит, вы не принимаете их алиби?

Суперинтендант решительно покачал головой:

— Ни в коем случае! Разве можно полагаться на алиби, которое обеспечивают друг другу любящие супруги?

Возможно, они оба замыслили убийство, а если это работа одного из них, то второй с готовностью подтвердит его алиби. Я смотрю на это следующим образом. Кто-то играл на рояле в музыкальной комнате. Это мог быть Дэвид Ли, так как он пианист, но ничто не подтверждает, что его жена тоже там находилась, кроме показаний их обоих. Точно так же на рояле могла играть Хильда, пока Дэвид прокрался наверх и убил отца. Братья в столовой — совсем другое дело. Элфред и Харри Ли не любят друг друга. Никто из них не стал бы лжесвидетельствовать ради другого.

— А как насчет Стивена Фэрра?

— Он возможный подозреваемый, так как патефонное алиби выглядит ненадежно. С другой стороны, оно может оказаться солиднее самого железного алиби, которое зачастую бывает сфальсифицированным заранее.

Пуаро задумчиво кивнул:

— Я знаю, что вы имеете в виду. Это алиби человека, который не предвидел, что оно ему понадобится.

— Вот именно! К тому же я не верю, что тут замешан посторонний.

— Согласен с вами, — быстро сказал Пуаро. — Это семейное дело, яд, таящийся в крови. По-моему, всему причина — ненависть. — Он выразительно взмахнул руками. — Разумеется, трудно быть полностью уверенным...

Суперинтендант слушал с почтительным вниманием, но особого впечатления слова Пуаро на него не произвели.

— Очень трудно, мистер Пуаро, — подтвердил он. — Но не бойтесь — с помощью логики и метода исключения мы доберемся до истины. Мы разобрались с возможностями — они были у Джорджа, Мэгдалин, Дэвида и Хильды Ли, у Пилар Эстравадос и у Стивена Фэрра. Теперь перейдем к мотиву. У кого имелся мотив для устранения старого мистера Ли? Мы снова можем исключить несколько человек. Прежде всего, мисс Эстравадос. Как я понимаю, по нынешнему завещанию ей не достается ничего. Если бы Симеон Ли умер раньше ее матери, то доля Дженнифер Эстравадос перешла бы к дочери (если бы только она не распорядилась ею по-другому), но так как Дженнифер скончалась раньше своего отца, эта доля делится между его сыновьями. Так что мисс Эстравадос была заинтересована, чтобы старик жил подольше. Он привязался к ней и наверняка оставил бы ей изрядную сумму, если бы подписал новое завещание. С его убийством она все потеряла и ничего не приобрела. Вы согласны?

— Полностью.

— Конечно, существует возможность, что девушка перерезала ему горло в пылу ссоры, но мне это кажется крайне маловероятным. Они были в наилучших отношениях, и она провела здесь слишком мало времени, чтобы так на него разозлиться. Следовательно, мисс Эстравадос едва ли имеет отношение к убийству, если не считать аргумента, что перерезание горла — неанглийское преступление, как утверждает ваша приятельница миссис Джордж.

— Не называйте ее моей приятельницей, — запротестовал Пуаро. — Иначе я назову вашей приятельницей мисс Эстравадос, которая находит вас очень красивым мужчиной!

Он не без злорадства отметил, что официальная невозмутимость суперинтенданта поколебалась вновь. Сагден покраснел как рак.

— Ваши усы в самом деле великолепны, — не без зависти добавил Пуаро. — Скажите, вы пользуетесь специальным кремом?

— Кремом? Господи, конечно нет!

— Тогда чем же?

— Ничем. Они... просто растут.

Пуаро печально вздохнул.

— Природа к вам благосклонна. — Он погладил свои роскошные черные усы. — Даже самые дорогие препараты, восстанавливающие натуральный цвет, ухудшают качество волос.

— Говоря о мотиве, — продолжал Сагден, которого мало интересовали проблемы косметики, — по-видимому, следует исключить и мистера Стивена Фэрра. Правда, возможно, его отец пострадал от какой-то мошеннической проделки мистера Ли, но я в этом сомневаюсь. Фэрр держался слишком уверенно, упоминая эту тему. Не думаю, что его спокойствие было притворным. Нет, тут мы вряд ли что-то обнаружим.

— Я снова с вами согласен, — сказал Пуаро.

— Еще один человек, заинтересованный в том, чтобы старый мистер Ли был жив, — его сын Харри. Конечно, он получает крупную сумму по завещанию, но ему вряд ли было об этом известно. Ведь все считали, что Харри был лишен наследства после ухода из дому. А теперь он начинал вновь входить в милость! Ему было выгодно, чтобы его отец составил новое завещание. Харри не так глуп, чтобы убить его теперь. К тому же, как мы выяснили, он просто не мог этого сделать. Как видите, мы продвигаемся — нам удалось уже многих исключить.

— Верно. Очень скоро в списке не останется никого.

Сагден усмехнулся:

— Нам незачем заходить так далеко. У нас остаются Джордж и Дэвид Ли с их женами. Они все выигрывают финансово от смерти старика, а Джордж Ли, насколько я мог понять, жаден до денег. К тому же отец грозился урезать ему содержание. Так что у Джорджа Ли имеется и мотив, и возможность!

— Продолжайте, — сказал Пуаро.

— То же самое относится и к миссис Джордж. Она любит деньги, как кошка — сливки, и я готов держать пари, что она по уши в долгах! Миссис Джордж завидовала Пилар в том, что та имеет влияние на старика. Она слышала, как он приглашал к себе адвоката, и быстро нанесла удар. Убедительно, не так ли?

— Возможно.

— Затем Дэвид Ли и его жена. Они наследуют по нынешнему завещанию, но я не думаю, чтобы в их случае был силен денежный мотив.

— Вот как?

— Да. Дэвид Ли едва ли корыстолюбив — он скорее мечтатель. Тем не менее он... ну, странный тип. Насколько я понимаю, у этого убийства три возможных мотива: алмазы, завещание и... ненависть.

— Значит, вы это понимаете?

— Естественно. Я все время это учитывал. Если Дэвид Ли убил своего отца, то вряд ли из-за денег. Но

305

если преступник он, это может объяснить... э-э... кровопролитие.

Пуаро с одобрением посмотрел на него:

— Меня интересовало, когда вы примете это в расчет. «Так много крови», как сказала миссис Элфред. Это наводит на мысль о древних ритуалах, помазании кровью жертвы...

Сагден нахмурился:

— Вы имеете в виду, что это дело рук безумца?

— Mon cher, в человеке скрываются всевозможные инстинкты, о которых он и не подозревает. Жажда крови, потребность жертвоприношения...

— Дэвид Ли выглядит тихим, безобидным парнем, — с сомнением произнес Сагден.

— Вы не понимаете психологии. Дэвид Ли — человек, который живет в прошлом, в чьей памяти его мать все еще жива. Он много лет не виделся с отцом, потому что не мог простить ему обращения с матерью. Допустим, Дэвид приехал сюда, чтобы простить, но не смог этого сделать. Мы знаем одно — когда Дэвид Ли стоял у мертвого тела своего отца, какая-то часть его души испытывала удовлетворение. «Жернова Господни мелют медленно, но верно». Расплата! Воздаяние! Грех стерт искуплением!

Сагден неожиданно вздрогнул:

— Не говорите так, мистер Пуаро. От ваших слов мне не по себе. Возможно, вы правы. Если так, то миссис Дэвид все знает и намерена до последнего защищать мужа. Это я могу себе представить. А вот в роли убийцы я ее никак не представляю. Она кажется такой заурядной женщиной — домашней и уютной, если вы понимаете, что я имею в виду...

Пуаро с любопытством взглянул на него:

— Отлично понимаю. Значит, вот как вы о ней думаете...

Сагден в свою очередь посмотрел на собеседника:

— У вас наверняка тоже есть идеи, мистер Пуаро. Выкладывайте!

— Идеи есть, — медленно отозвался Пуаро, — но довольно туманные. Давайте сначала послушаем ваше резюме.

— Ну, как я говорил, здесь три возможных мотива: ненависть, деньги и алмазы. Рассмотрим факты в хронологическом порядке. В три тридцать семья собирается в комнате мистера Ли и слышит его телефонный разговор с адвокатом. Потом старик набрасывается на них и велит всем убираться. Они убегают, как испуганные кролики.

— Хильда Ли осталась, — напомнил Пуаро.

— Да, но ненадолго. Затем около шести у Элфреда происходит неприятный разговор с отцом. Харри собирается обосноваться дома, и Элфреду это не нравится. Конечно, Элфреда нам следовало бы подозревать прежде всего — у него был самый сильный мотив. Следующим к старику приходит Харри. Он в бодром настроении, так как получил от отца то, что хотел. Но перед этими двумя беседами Симеон Ли обнаружил пропажу алмазов и позвонил мне. Он не упомянул о потере ни одному из двух сыновей. Почему? Да потому, что был уверен в невиновности обоих. По-моему, как я уже говорил, старик подозревал Хорбери и еще одного человека. И мне кажется, я знаю, что он намеревался делать. Помните, он сказал, что вечером не желает никого видеть? Почему? Потому что готовился к моему визиту и визиту второго подозреваемого. Наверняка Симеон Ли попросил его зайти к нему сразу после обеда. Возможно, этим подозреваемым был Джордж Ли, а еще более вероятно — его жена. И тут на сцену возвращается еще один персонаж — Пилар Эстравадос. Он показывал ей бриллианты и сообщил их стоимость. Откуда мы знаем, что эта девушка не воровка? Помните таинственные намеки на недостойное поведение ее отца? Возможно, он был профессиональным вором и в итоге угодил за решетку.

— Итак, Пилар Эстравадос, по вашим словам, возвращается на сцену... — медленно произнес Пуаро.

— Да, но только в роли воровки. Она могла потерять голову, узнав, что разоблачена, и наброситься на деда.

— Да, это возможно... — рассеянно сказал Пуаро.

Суперинтендант внимательно посмотрел на него:

— Но это не ваша идея? Тогда, мистер Пуаро, что же вы предполагаете?

— Я всегда возвращаюсь к одному и тому же — к характеру жертвы. Что за человек был Симеон Ли?

— В этом нет особой тайны, — с удивлением заметил Сагден.

— Если так, то расскажите мне о нем с местной точки зрения.

Суперинтендант Сагден с сомнением провел пальцем по подбородку. Он выглядел озадаченным.

— Сам я не местный, — сказал он. — Я прибыл из Рившира — соседнего графства. Но конечно, старый мистер Ли был хорошо известен в этих краях. Я все о нем знаю с чужих слов.

— Вот как? И что же вы знаете с чужих слов?

— Ну, старик был хитер — немногие могли обвести его вокруг пальца. Но при этом он был щедр — никому не отказывал в деньгах. Понятия не имею, каким образом мистер Джордж Ли стал полной противоположностью своему отцу.

Но в этой семье четко заметны две линии. Элфред, Джордж и Дэвид напоминают мать — по крайней мере, внешне. Этим утром я рассматривал семейные портреты в галерее.

— Симеон Ли обладал вспыльчивым нравом, — продолжал Сагден, — и имел дурную репутацию в том, что касалось женщин. Конечно, это относится к молодым годам — он уже давно был инвалидом. Но если девушка оказывалась беременной, мистер Ли всегда щедро ей платил и старался пристроить замуж. Хоть он и грешил вовсю, но скрягой не был. С женой Симеон Ли обращался скверно — пренебрегал ею и бегал за другими женщинами. Говорят, что она умерла от разбитого сердца. Удобная фраза, но думаю, бедная леди действительно была очень несчастна — всегда болела и почти не выходила из дома. К тому же мистер Ли отличался невероятной мстительностью. Если кто-нибудь дурно с ним обходился, он всегда сводил с ним счеты, как бы долго ему ни приходилось ждать.

— «Жернова Господни мелют медленно, но верно», — пробормотал Пуаро.

— Скорее жернова дьявола! В Симеоне Ли не было ничего праведного. Такой человек мог бы продать душу цьяволу и наслаждаться сделкой. Тем более что он был горд, как Люцифер.

— Горд, как Люцифер, — повторил Пуаро. — Это наводит на размышления.

— Вы не имеете в виду, что его убили, потому что он был гордым? — озадаченно спросил суперинтендант.

— Я имею в виду, — отозвался Пуаро, — что существует такая вещь, как наследственность. Симеон Ли передал эту гордость своим сыновьям...

Он оборвал фразу. Хильда Ли вышла из дома и остановилась, глядя на террасу.

3

— Я вас искала, мсье Пуаро.

Суперинтендант Сагден извинился и вернулся в дом.

— Я не знала, что суперинтендант с вами, — сказала Хильда, глядя ему вслед. — Он производит впечатление вежливого и приятного человека.

Ее негромкий голос звучал успокаивающе.

— Вы хотели меня видеть? — спросил Пуаро.

Она кивнула:

— Да. Я думаю, вы сумеете мне помочь.

— Буду рад это сделать, мадам.

— Вы очень умный человек, мсье Пуаро, — я поняла это вчера вечером. Вы многое способны понять. Поэтому я хочу, чтобы вы поняли моего мужа.

— Да, мадам?

— Я не стала бы говорить об этом с суперинтендантом Сагденом. Он бы меня не понял. Но вы должны понять.

Пуаро поклонился:

— Я польщен, мадам.

— В течение многих лет после того, как мы поженились, — спокойно продолжала Хильда, — мой муж страдал от тяжелой душевной травмы.

— Вот как?

— Травмы физические причиняют шок и боль, но это постепенно проходит — плоть заживает, кости срастаются. Может остаться легкая слабость или маленький

309

шрам, но не более. Но мой муж, мсье Пуаро, перенес жестокую душевную травму в самом впечатлительном возрасте. Он обожал мать, видел, как она умирает, и считал отца морально виновным в ее смерти. От этого шока Дэвид так и не оправился. Его гнев против отца никогда не утихал. Это я убедила Дэвида приехать сюда на Рождество и помириться с отцом. Я сделала это ради него — мне хотелось, чтобы его душевная рана наконец зажила. Но теперь я понимаю, что наш приезд был ошибкой. Симеон Ли забавлялся, растравляя эту старую рану. Это было очень... рискованно.

— Вы хотите сказать, мадам, что ваш муж убил своего отца? — осведомился Пуаро.

— Я говорю вам, мсье Пуаро, что он легко мог это сделать. Но Дэвид этого не делал! Во время убийства Симеона Ли его сын играл похоронный марш. Желание убить жило в его сердце, но выходило из-под пальцев и умирало в звуках.

Несколько секунд Пуаро молчал.

— Каков же ваш вердикт, мадам, по поводу этой давней драмы? — спросил он.

— Вы имеете в виду смерть жены Симеона Ли?

— Да.

— Я достаточно знаю жизнь, — медленно произнесла Хильда, — чтобы не судить ни о чем по внешним признакам. Судя по всему, Симеон Ли действительно скверно обходился с женой. В то же время я не сомневаюсь, что в ней была та покорность и склонность к мученичеству, которые пробуждают худшие инстинкты в мужчинах определенного типа. Думаю, Симеон Ли восхищался бы мужеством и силой характера, а терпение и слезы его только раздражали.

Пуаро кивнул:

— Вчера вечером ваш муж сказал: «Моя мать никогда не жаловалась». Это правда?

— Конечно нет! — воскликнула Хильда Ли. — Она постоянно жаловалась Дэвиду, перекладывая все бремя своих несчастий на его плечи! А он был слишком юн, чтобы это вынести!

Пуаро задумчиво посмотрел на нее. Под его взглядом она покраснела и закусила губу.

— Понимаю, — сказал он наконец.

— Что вы понимаете? — резко осведомилась Хильда.

— Понимаю, что вам пришлось быть матерью вашему мужу, в то время как вы предпочли бы быть женой.

Она молча отвернулась.

В этот момент Дэвид вышел на террасу и направился к ним.

— Прекрасный день, не так ли, Хильда? — бодро заговорил он. — Скорее весенний, чем зимний.

Дэвид подошел к ним, вскинув голову. Прядь светлых волос падала на его лоб, голубые глаза блестели. Он выглядел удивительно юным, словно излучая мальчишескую энергию и беззаботную радость. Эркюль Пуаро затаил дыхание.

— Пойдем к пруду, Хильда, — предложил Дэвид.

Улыбнувшись, она взяла его под руку и отошла вместе с ним.

Наблюдая за ними, Пуаро увидел, как Хильда обернулась и бросила на него быстрый взгляд. Ему показалось, что в нем мелькнуло беспокойство — или, возможно, это был страх?

Пуаро медленно побрел на другой конец террасы, бормоча себе под нос:

— Я всегда говорил, что вынужден играть роль отца-исповедника! А так как женщины ходят к исповеди чаще мужчин, они и пришли ко мне этим утром. Интересно, не появится ли вскоре еще одна?

Дойдя до края террасы и снова повернувшись, он получил ответ на свой вопрос. Лидия Ли направлялась к нему.

4

— Доброе утро, мсье Пуаро, — поздоровалась Лидия. — Трессилиан сказал, что я найду вас здесь с Харри, но я рада, что вы один. Моему мужу рассказывали о вас. Он очень хочет с вами побеседовать.

— В самом деле? Может быть, мне сразу пойти к нему?

— Нет. Прошлой ночью Элфред почти не спал. В конце концов, я дала ему снотворное. Он все еще спит, и я не хочу его беспокоить.

— Это весьма благоразумно. Вчера вечером я заметил, что он испытал страшное потрясение.

— Дело в том, мсье Пуаро, — серьезно отозвалась Лидия, — что Элфред любил отца гораздо больше, чем остальные.

— Понимаю.

— У вас или у суперинтенданта есть какая-нибудь идея насчет того, кто совершил это ужасное преступление? — спросила Лидия.

— У нас есть определенные идеи, мадам, относительно того, кто его не совершил, — осторожно ответил Пуаро.

— Это как ночной кошмар! — вздохнула Лидия. — Я все еще не верю, что это произошло на самом деле! — Она сделала небольшую паузу. — А Хорбери? Он действительно был в кино?

— Да, мадам, его показания проверили. Он говорил правду.

Лидия остановилась и оторвала тисовую веточку. Ее лицо слегка побледнело.

— Но это ужасно! Выходит, остается только... семья!

— Совершенно верно.

— Мсье Пуаро, я не могу в это поверить!

— Можете, мадам, и верите!

Казалось, Лидия собирается протестовать. Но она только печально улыбнулась.

— Какие же мы лицемеры!

Пуаро кивнул.

— Если бы вы были откровенны со мной, мадам, — заметил он, — то признали бы: вам кажется вполне естественным, что вашего свекра убил один из членов его семьи.

— Это просто фантастично, мсье Пуаро! — резко сказала Лидия.

— Конечно. Но ваш свекор сам был фантастической личностью.

— Бедный старик, — промолвила Лидия. — Теперь мне его жаль. А когда он был жив, то ужасно меня раздражал!

— Могу себе представить. — Пуаро склонился над одной из каменных раковин. — Эти композиции весьма изобретательны.

— Я рада, что они вам нравятся. Это одно из моих хобби. Как вам полярный пейзаж с пингвинами и льдом?

— Очарователен. А это что такое?

— О, это Мертвое море — вернее, будет им. Композиция не закончена, так что лучше не смотрите на нее. А вот это Пьяна на Корсике. Взгляните, как красиво розовые скалы сочетаются с синим морем. Пустынный пейзаж тоже интересный, правда?

Лидия увела его в сторону. Когда они подошли к дальнему концу террасы, она посмотрела на часы:

— Пойду взгляну, не проснулся ли Элфред.

Когда Лидия ушла, Пуаро медленно вернулся к раковине с изображением Мертвого моря. Он с интересом рассматривал композицию, потом подобрал несколько камешков и пропустил их между пальцами.

Внезапно его лицо изменилось. Пуаро поднес к глазам камешки.

— Sapristi![1] — воскликнул он. — Вот так сюрприз! Что все это значит?

---

[1] Черт возьми! (фр.)

Часть пятая
26 ДЕКАБРЯ

1

Главный констебль и суперинтендант Сагден недоверчиво уставились на Пуаро. Последний аккуратно вернул горсть камешков в картонную коробочку и передал ее главному констеблю.

— Да, — сказал он. — Это алмазы.

— И где вы их нашли? В саду?

— В одной из маленьких пейзажных композиций, созданных мадам Элфред Ли.

— Миссис Элфред? — Сагден покачал головой. — Это невероятно.

— Полагаю, — осведомился Пуаро, — вам не верится, что миссис Элфред перерезала горло своему свекру?

— Мы знаем, что она этого не делала, — быстро отозвался Сагден. — Маловероятно, что она украла эти алмазы.

— Да, представить ее воровкой нелегко, — согласился Пуаро.

— Кто-то мог спрятать их там, — предположил Сагден.

— Разумеется. В этой композиции, изображающей Мертвое море, были похожие камешки по форме и внешнему виду.

— Вы полагаете, что она приготовила их заранее? — спросил Сагден.

— Я ни на минуту в это не поверю! — горячо воскликнул полковник Джонсон. — Прежде всего, зачем ей красть алмазы?

— Ну, что касается этого... — медленно начал Сагден.

— На это есть возможный ответ, — вмешался Пуаро. — Мадам Элфред взяла алмазы, чтобы представить их мотивом убийства. Следовательно, она знала, что убийство должно произойти, хотя и не принимала в нем активного участия.

Джонсон нахмурился:

— Это абсолютно неубедительно. Вы представляете ее сообщницей — а чьей сообщницей она могла быть? Только своего мужа. Но мы знаем, что он тоже не имеет отношения к убийству, вся теория разлетается вдребезги.

Сагден задумчиво погладил подбородок.

— Да, — сказал он, — это верно. Если миссис Ли действительно взяла алмазы, что весьма сомнительно, то это была обычная кража. Конечно, она могла специально приготовить этот пейзаж в качестве укрытия для камней, покуда не утихнет суматоха. Другая возможность — совпадение. Композиция с камешками, похожими на алмазы, показалась вору идеальным укрытием.

— Вполне возможно, — кивнул Пуаро. — Я всегда готов признать наличие одного совпадения.

Суперинтендант Сагден с сомнением покачал головой.

— Каково ваше мнение, суперинтендант? — спросил Пуаро.

— Миссис Ли — очень приятная леди, — осторожно ответил Сагден. — Не верится, что она может быть замешана в каком-нибудь преступлении. Но конечно, все может быть.

— В любом случае, — сердито сказал Джонсон, — что бы там ни произошло с алмазами, к убийству она не имеет отношения. Дворецкий видел ее в гостиной во время преступления. Вы помните об этом, Пуаро?

— Разумеется, — ответил Пуаро.

Главный констебль обернулся к подчиненному:

— У вас есть свежие данные?

— Да, сэр. Во-первых, насчет Хорбери. У него могла быть причина опасаться полиции.

— Ограбление?

— Нет, сэр. Вымогательство денег под угрозой. Обычный шантаж. Не было доказательств, поэтому ему удалось ответеться, но думаю, за ним числится еще пара подобных историй. Человек с нечистой совестью, он мог подумать, когда Трессилиан вчера вечером упомянул о моем приходе, что мы пронюхали о его грешках, и испугался.

— Хм! Ладно, с Хорбери мы разобрались. Что еще?

Суперинтендант кашлянул.

— Э-э... миссис Джордж Ли, сэр. Мы выяснили кое-что о ее жизни до брака. Она жила с коммандером Джонсоном и считалась его дочерью, но в действительности таковой не являлась. Думаю, старый мистер Ли ее раскусил — в женщинах он хорошо разбирался — и для забавы выстрелил вслепую, но угодил прямиком в больное место!

— Это дает ей еще один мотив — помимо денег, — задумчиво промолвил полковник Джонсон. — Она могла решить, что он располагает конкретными фактами и собирается выдать ее мужу. Тем более что телефонный разговор — выдумка. Никуда она не звонила.

— Почему бы не пригласить ее вместе с мужем и не разобраться в этой истории с телефоном? — предложил Сагден. — Посмотрим, что из этого выйдет.

— Хорошая идея, — одобрил Джонсон.

Он позвонил. Вошел Трессилиан.

— Попросите мистера и миссис Джордж Ли прийти сюда.

— Хорошо, сэр.

Когда старик собрался уходить, Пуаро спросил:

— Листки на настенном календаре не отрывали после убийства?

Трессилиан обернулся:

— Каком календаре, сэр?

— Который висит вон на той стене.

Трое мужчин вновь сидели в маленькой гостиной Элфреда Ли. На одной из стен висел отрывной календарь с датами, напечатанными крупным шрифтом.

Трессилиан посмотрел на календарь и заковылял к стене, остановившись в паре футов от нее.

— Простите, сэр, но листки отрывали, — сказал он. — Сегодня двадцать шестое.

— Кто именно отрывает листки?

— Мистер Ли, сэр, каждое утро. Он очень аккуратный джентльмен.

— Понятно. Благодарю вас.

Трессилиан вышел.

— Что-то не так с этим календарем, мистер Пуаро? — озадаченно спросил Сагден. — Неужели я что-то упустил?

Пуаро пожал плечами:

— Календарь не имеет значения. Я просто провел маленький эксперимент.

— Завтра дознание, — сказал полковник Джонсон. — Разумеется, вердикт будет отложен.

— Да, сэр, — кивнул Сагден. — Я виделся с коронером и обо всем договорился.

2

Джордж Ли вошел в комнату вместе с женой.

— Доброе утро, — поздоровался полковник Джонсон. — Садитесь, пожалуйста. Я хочу задать вам обоим несколько вопросов. Кое-что мне не вполне ясно.

— Буду рад оказать вам любую помощь, — несколько напыщенно произнес Джордж.

— Конечно! — подтвердила Мэгдалин.

Главный констебль кивнул Сагдену.

— Речь идет о телефонных разговорах в тот вечер, когда произошло убийство, — заговорил суперинтендант. — Кажется, вы говорили, что звонили в Уэстерингем, мистер Ли?

— Да, — холодно ответил Джордж. — Моему представителю в избирательном округе. Могу связать вас с ним и...

Сагден поднял руку, остановив этот монолог.

— Мы в этом не сомневаемся, мистер Ли. Разговор начался в восемь пятьдесят девять...

— Ну, я... э-э... не могу назвать точное время.

— Зато мы можем, — сказал Сагден. — Мы тщательно проверяем такие вещи. Разговор начался в восемь пятьдесят девять и закончился в девять ноль четыре. Ваш отец, мистер Ли, был убит около девяти пятнадцати. Я вынужден снова попросить вас отчитаться в ваших передвижениях.

— Я же говорил вам, что разговаривал по телефону!

— Только не во время убийства, мистер Ли.

— Чепуха — должно быть, вы ошиблись! Возможно, я только что закончил разговор и думал, стоит ли делать еще один звонок — подсчитывал... э-э... во сколько это обойдется — когда услышал шум наверху.

— Едва ли вы целых десять минут размышляли, звонить вам или нет.

Джордж побагровел.

— Что, черт возьми, вы имеете в виду? — осведомился он, брызгая слюной. — Вы сомневаетесь в моих словах? Это вопиющая наглость! Не доверять человеку, занимающему такое положение! Почему я должен отчитываться за каждую минуту?

— Таковы правила, — ответил суперинтендант Сагден невозмутимым тоном, восхитившим Пуаро.

Джордж сердито повернулся к главному констеблю.

— Полковник Джонсон, вы поддерживаете эту... эту беспрецедентную позицию?

— Во время расследования убийства, мистер Ли, — ответил полковник, — такие вопросы необходимо задавать и на них следует отвечать.

— Но я ответил! Я закончил говорить по телефону и... э-э... обдумывал следующий звонок.

— Вы были в этой комнате, когда начался шум наверху?

— Да!

Джонсон повернулся к Мэгдалин:

— Кажется, миссис Ли, вы заявили, что разговаривали по телефону, когда поднялась тревога, и были одна в этой комнате?

Мэгдалин затаила дыхание, покосилась сначала на Джорджа, потом на Сагдена и, наконец, устремила умоляющий взгляд на полковника Джонсона.

— Право, не знаю... Я не помню, что говорила... Я была так расстроена...

— Ваши показания записаны, — напомнил ей Сагден.

Мэгдалин использовала свой арсенал — большие умоляющие глаза, дрожащие губы — на суперинтенданте, но в ответ получила лишь холодное равнодушие респектабельного мужчины, не одобряющего женщин ее типа.

318

— Конечно, я говорила по телефону... — неуверенно сказала она. — Просто я не совсем помню, когда...

— Что все это значит? — недоуменно спросил Джордж. — Откуда ты звонила? Во всяком случае, не отсюда.

— Мне кажется, миссис Ли, — снова заговорил суперинтендант, — что вы вообще никуда не звонили. Если так, то где вы были и что делали?

Мэгдалин разразилась слезами.

— Не позволяй им нападать на меня, Джордж! — всхлипывала она. — Ты ведь знаешь, что, если меня запугивают и забрасывают вопросами, я ничего не могу вспомнить! Я не знаю, что говорила вчера вечером — это было так ужасно, я так расстроилась, а они на меня набросились...

Мэгдалин вскочила и выбежала из комнаты, продолжая всхлипывать.

Джордж Ли тоже поднялся.

— Я не позволю, чтобы мою жену преследовали и запугивали до смерти! — заявил он. — Это просто постыдно! Она так чувствительна. Я поставлю вопрос в парламенте о методах полиции!

Он вышел, хлопнув дверью.

Сагден рассмеялся, вскинув голову.

— Здорово мы их достали! Посмотрим, как они выкрутятся.

Джонсон нахмурился.

— Все это очень подозрительно. Придется снова взять у нее показания.

— Не беспокойтесь, — усмехнулся Сагден. — Она вернется через пару минут, когда придумает, что ей говорить. Верно, мистер Пуаро?

Погруженный в свои мысли Пуаро вздрогнул:

— Pardon?

— Я сказал, что она вернется.

— Вполне возможно...

Сагден уставился на него:

— В чем дело, мистер Пуаро? Увидели призрак?

— Знаете, я не уверен, что это не так, — медленно ответил Пуаро.

— Что у вас есть еще, Сагден? — нетерпеливо осведомился полковник Джонсон.

— Я пытался уточнить порядок, в котором все появились на месте преступления, — отозвался суперинтендант. — Абсолютно ясно, что там произошло. Когда крик жертвы поднял тревогу, убийца выскользнул из комнаты, запер дверь с помощью щипчиков или еще чего-нибудь и через несколько секунд присоединился к спешившим в спальню мистера Ли. К сожалению, трудно уточнить, кто кого видел, потому что в такие моменты людская память начинает хромать. Трессилиан говорит, что видел, как Харри и Элфред Ли вышли из столовой, пересекли холл и побежали наверх. Это вроде бы освобождает обоих от подозрений, но мы и так их не подозревали. Насколько я понимаю, мисс Эстравадос добралась туда последней — одной из последних. Судя по всему, первыми были Фэрр, миссис Джордж и миссис Дэвид. Каждый из них утверждает, что видел двух других впереди. Вся сложность в том, что невозможно отличить намеренную ложь от естественной путаницы в воспоминаниях. Все бежали туда, но не так легко разобраться, в каком порядке.

— По-вашему, это важно? — осведомился Пуаро.

— Это временной фактор, — ответил Сагден. — Не забывайте, что все произошло за очень короткое время.

— Согласен с вами, что временной фактор очень важен в этом деле, — кивнул Пуаро.

— Все также осложняет наличие двух лестниц, — продолжал Сагден. — Основная, в холле, находится приблизительно на одинаковом расстоянии от дверей столовой и гостиной. Вторая расположена в другом конце дома — по ней поднялся Стивен Фэрр. Мисс Эстравадос также пришла оттуда по верхней площадке — в том конце здания находится ее комната. Остальные говорят, что поднимались по главной лестнице.

— Конечно, это создает путаницу, — подтвердил Пуаро.

Дверь открылась, и быстро вошла Мэгдалин. Она тяжело дышала, на ее щеках пламенели алые пятна.

— Мой муж думает, что я уже легла, — сказала Мэгдалин, подойдя к столу и с тревогой глядя на главного констебля. — Полковник Джонсон, если я расскажу вам правду, вы сможете избежать огласки?

— Вы имеете в виду, миссис Ли, что-то, не связанное с преступлением? — осведомился полковник.

— Абсолютно не связанное. Это касается только моей... моей личной жизни.

— Вам лучше все сообщить, миссис Ли, и предоставить нам судить об этом.

— Хорошо, — вздохнула Мэгдалин. — Я знаю, что могу вам доверять. Вы кажетесь таким добрым... Понимаете, в тот вечер я хотела позвонить одному человеку... моему другу, но не желала, чтобы Джордж знал об этом. Я понимаю, что это дурно с моей стороны, но тут уж ничего не поделаешь. После обеда, думая, что Джордж в столовой, я пошла сюда, но услышала, что он с кем-то разговаривает по телефону, и решила подождать.

— Где вы ждали, мадам? — спросил Пуаро.

— За лестницей есть маленькое помещение для пальто и других вещей. Я проскользнула туда, так как там темно, и я могла увидеть оттуда, когда выйдет Джордж. Но он никак не выходил, а потом начался шум, мистер Ли закричал, и я побежала наверх.

— Значит, ваш муж не выходил из этой комнаты до убийства?

— Нет.

— А вы сами с девяти до девяти пятнадцати ждали за лестницей? — спросил главный констебль.

— Да, но я не могла об этом рассказать! Понимаете, вы бы захотели узнать, что я там делала, и для меня бы это было очень неловко.

— Безусловно, — сухо произнес Джонсон.

Она одарила его ласковой улыбкой.

— Такое облегчение сообщить вам всю правду! Вы ведь не расскажете об этом моему мужу, не так ли? Уверена, что не расскажете! Я могу доверять всем вам.

Одарив троих мужчин последним умоляющим взглядом, Мэгдалин быстро выскользнула из комнаты.

Полковник Джонсон глубоко вздохнул.

— Конечно, все могло быть именно так, — сказал он. — История достаточно правдоподобная. С другой стороны...

— С другой стороны, все могло быть совсем по-другому, — закончил Сагден. — В том-то все и дело.

Лидия Ли стояла у дальнего окна гостиной. Тяжелая портьера наполовину скрывала ее фигуру. Услышав звук открываемой двери, она повернулась и вздрогнула при виде Эркюля Пуаро.

— Вы напугали меня, мсье Пуаро.

— Прошу прощения, мадам. Я хожу бесшумно.

— Я подумала, что это Хорбери.

Пуаро кивнул:

— Это правда — у него тоже бесшумная походка, как у кота или вора.

Он умолк, наблюдая за ней.

Ее лицо ничего не выражало, но при упоминании Хорбери на нем мелькнула гримаса отвращения.

— Мне никогда не нравился этот человек. С радостью от него избавлюсь.

— Думаю, вы поступите благоразумно, мадам.

Лидия бросила на него быстрый взгляд.

— Что вы имеете в виду? Вам что-то о нем известно?

— Он из тех, которые коллекционируют тайны, — ответил Пуаро, — и используют их в своих интересах.

— Вы думаете, он что-то знает об... убийстве? — резко спросила она.

Пуаро пожал плечами:

— У него тихие ноги и длинные уши. Он мог кое-что услышать и промолчать об этом.

— Вы имеете в виду, что он может попытаться шантажировать кого-то из нас?

— Вполне возможно. Но я пришел поговорить не об этом.

— А о чем?

— Я недавно беседовал с мистером Элфредом Ли, — медленно отозвался Пуаро, — и он сделал мне предложение, которое я хотел бы обсудить с вами, прежде чем принять его или отказаться. Но меня так очаровал рисунок вашего джемпера на фоне алой портьеры, что я остановился, чтобы полюбоваться.

— Право, мсье Пуаро, стоит ли тратить время на комплименты? — недовольно сказала Лидия.

— Прошу прощения, мадам. Так мало английских леди понимают в la toilette[1]. У платья, которое было на вас в тот вечер, когда я впервые вас увидел, был простой, но оригинальный рисунок — оно отличалось изяществом и индивидуальностью.

— И поэтому вы хотели меня видеть?

Пуаро сразу стал серьезным.

— Нет, мадам. Ваш муж просил меня остаться здесь и сделать все возможное, чтобы добраться до истины.

— Ну? — нетерпеливо осведомилась Лидия.

— Я бы не хотел принимать предложение, если его не одобряет хозяйка дома.

— Естественно, я поддерживаю просьбу моего мужа, — холодно сказала она.

— Да, мадам, но мне этого мало. Вы действительно хотите, чтобы я остался здесь?

— Почему бы и нет?

— Давайте будем более откровенны. Вы хотите, чтобы правда выяснилась?

— Естественно.

Пуаро вздохнул:

— И долго вы будете отделываться обычными фразами?

— Я самая обычная женщина, — ответила Лидия. Поколебавшись, она добавила: — Пожалуй, лучше в самом деле говорить откровенно. Конечно, я вас понимаю. Положение не из приятных. Моего свекра зверски убили, и, если не удастся предъявить обвинение в убийстве с целью ограбления самому вероятному подозреваемому, Хорбери, — а похоже, это действительно не удастся, — значит, это сделал кто-то из членов его семьи. Отдать этого человека под суд означает навлечь стыд и позор на всех нас... Честно говоря, я не хочу, чтобы это случилось.

— Вы предпочитаете, чтобы убийца остался безнаказанным? — спросил Пуаро.

— Очевидно, многие убийцы остаются неразоблаченными.

— Безусловно.

— Тогда какое имеет значение, если их станет одним больше?

---

[1] Наряды (фр.).

— А как же другие члены семьи? — осведомился Пуаро. — Невиновные?

Лидия уставилась на него:

— При чем тут они?

— Вы понимаете, что, если правда никогда не выяснится, тень подозрения будет по-прежнему падать на всех?

— Об этом я не подумала, — медленно произнесла Лидия.

— Если никто никогда не узнает, кто убийца... А может быть, вы уже это знаете, мадам?

— Вы не имеете права так говорить! — вскрикнула Лидия. — Это неправда! О, если бы только это мог быть посторонний, а не член семьи...

— Возможно и то и другое одновременно, — заметил Пуаро.

— Что вы имеете в виду? — удивленно спросила она.

— Это может быть член семьи — и в то же время посторонний... Не понимаете? Eh bien[1], это всего лишь идея, пришедшая на ум Эркюлю Пуаро. — Он посмотрел на нее. — Итак, мадам, что же мне ответить мистеру Ли?

Лидия подняла руку, но тут же беспомощно опустила ее.

— Конечно, вы должны согласиться, — сказала она.

4

Пилар стояла в центре музыкальной комнаты, ее глаза бегали из стороны в сторону, как у загнанного животного.

— Я хочу уехать отсюда! — заявила она.

— Вы не единственная, кто этого хочет, — отозвался Стивен Фэрр. — Но нас отсюда не выпустят, дорогая моя.

— Вы имеете в виду... полицию?

— Вот именно.

— Не очень приятно иметь дело с полицией, — серьезно сказала Пилар. — Такое не должно случаться с респектабельными людьми.

---

[1] Ну (*фр.*).

— Под респектабельными людьми вы подразумеваете себя? — с улыбкой осведомился Стивен.

— Нет, — ответила Пилар, — Элфреда, Лидию, Дэвида, Джорджа, Хильду... ну и Мэгдалин тоже.

Стивен зажег сигарету и некоторое время молча курил.

— Почему вы делаете исключение? — спросил он наконец.

— Какое исключение?

— Почему вы не упомянули братца Харри?

Пилар засмеялась, сверкнув ровными, белыми зубами.

— О, Харри — другое дело! Думаю, ему и раньше приходилось общаться с полицией.

— Возможно, вы правы. Он чересчур колоритен, чтобы вписаться в семейный портрет. — Сделав паузу, он спросил: — Вам нравятся ваши английские родственники, Пилар?

— Они все очень добрые, — с сомнением отозвалась девушка, — но слишком мрачные и почти совсем не улыбаются.

— Девочка моя, в доме только что произошло убийство!

— Да... — неуверенно согласилась Пилар.

— Убийство, — наставительно произнес Стивен, — не такое повседневное событие, как ваше легкомыслие, кажется, изволит предполагать. Не знаю, как в Испании, а в Англии к убийствам относятся очень серьезно.

— Вы смеетесь надо мной, — обиделась Пилар.

— Ошибаетесь. Я отнюдь не в смешливом настроении.

Пилар внимательно посмотрела на него.

— Потому что вам тоже хочется отсюда уехать?

— Да.

— И высокий красивый полицейский вам этого не позволяет?

— Я его не спрашивал. Но если спрошу, то не сомневаюсь, что он ответит «нет». Я должен быть осторожен, Пилар, и следить за каждым своим шагом.

— Это очень утомительно, — кивнула Пилар.

— Более чем утомительно, дорогая моя. К тому же этот чудаковатый иностранец рыщет вокруг. Не думаю, что от него есть какой-то толк, но мне он действует на нервы.

325

Пилар нахмурилась.

— Мой дедушка был очень богатым, верно? — спросила она.

— По-видимому, да.

— А кому достанутся его деньги? Элфреду и остальным?

— В зависимости от его завещания.

— Полагаю, — задумчиво промолвила Пилар, — дедушка мог бы оставить мне какие-то деньги, но боюсь, что он этого не сделал.

— С вами все будет в порядке, — утешил ее Стивен. — В конце концов, вы член семьи. Они должны позаботиться о вас.

— Я член семьи, — со вздохом повторила Пилар. — Звучит забавно, но почему-то это меня совсем не забавляет.

— Вполне понятно.

Пилар вздохнула опять.

— Может быть, поставим пластинку и потанцуем? — предложила она.

— Не знаю, хорошо ли это будет выглядеть, — засомневался Стивен. — Ведь в доме траур, вы, бессердечная испанская плутовка!

Пилар широко открыла глаза.

— Но я не чувствую никакого горя. Ведь я почти не знала дедушку, и, хотя мне нравилось с ним разговаривать, я вовсе не испытываю желания плакать, потому что он умер. Было бы глупо притворяться.

— Вы неподражаемы! — рассмеялся Стивен.

— Мы можем положить в патефон чулки и перчатки, — настаивала Пилар. — Тогда он будет звучать тише, и никто ничего не услышит.

— Ладно, пошли, искусительница.

С радостным смехом Пилар выбежала из комнаты и направилась в сторону танцевального зала в дальнем конце дома.

Добравшись до бокового коридора, ведущего к двери в сад, она застыла как вкопанная. Стивен, догнав ее, также остановился.

Эркюль Пуаро снял со стены портрет и изучал его при свете, проникающем из террасы. Подняв взгляд, он увидел их.

— Ага! — воскликнул Пуаро. — Вы появились в подходящий момент.

— Что вы делаете? — спросила Пилар, подойдя к нему.

— Изучаю нечто очень важное, — серьезно ответил Пуаро, — лицо Симеона Ли в молодости.

— Так это мой дедушка?

— Да, мадемуазель.

Пилар уставилась на портрет.

— Как же он изменился... — медленно произнесла она. — Дедушка был таким старым и сморщенным. А здесь он выглядит так, как мог бы выглядеть Харри лет десять назад.

Пуаро кивнул:

— Да, мадемуазель, Харри Ли очень похож на своего отца. — Он подвел ее к другому портрету. — А это ваша бабушка — кроткое продолговатое лицо, очень светлые волосы, мягкие голубые глаза...

— Как у Дэвида, — сказала Пилар.

— Элфред тоже на нее похож, — добавил Стивен.

— Наследственность — интересная вещь, — продолжал Пуаро. — Мистер Ли и его жена принадлежали к диаметрально противоположным типам. Большей частью их дети похожи на мать. Взгляните сюда, мадемуазель.

Он указал на портрет девушки лет девятнадцати с волосами, как золотые нити, и большими, смеющимися голубыми глазами. Цвета были материнскими, но в лице ощущалась энергия, не свойственная мягким чертам жены Симеона Ли.

— О! — воскликнула Пилар.

Ее лицо покрылось румянцем. Сняв с шеи медальон на длинной золотой цепочке, она нажала пружину и открыла его. Пуаро увидел то же смеющееся лицо.

— Моя мать, — сказала Пилар.

Пуаро кивнул. С другой стороны медальона находился портрет мужчины. Он был молод и красив, с черными волосами и темно-голубыми глазами.

— Ваш отец? — спросил Пуаро.

— Да, — ответила Пилар. — Очень красивый, правда?

— Да, действительно. У испанцев редко бывают голубые глаза, не так ли, сеньорита?

— Иногда встречаются на севере. Кроме того, у отца была мать-ирландка.

— Значит, в вас течет испанская, ирландская, английская и немножко цыганская кровь, — задумчиво произнес Пуаро. — Знаете, что я думаю, мадемуазель? С такой наследственностью вы можете стать опасным врагом.

— Помните, что вы говорили в поезде, Пилар? — смеясь, сказал Стивен. — Что, если бы у вас были враги, вы бы перерезали им горло... О! — Он быстро умолк, осознав значение своих слов.

Эркюль Пуаро быстро сменил тему.

— Ах да, сеньорита, я хотел попросить ваш паспорт. Он нужен моему другу суперинтенданту. В этой стране существуют правила — глупые и утомительные, но обязательные для иностранцев. А по закону вы, разумеется, иностранка.

Пилар подняла брови:

— Мой паспорт? Сейчас принесу — он у меня в комнате.

— Сожалею, что пришлось вас побеспокоить, — виновато сказал Пуаро, идя рядом с ней.

Они дошли до конца длинной галереи, где начиналась лестница. Пилар побежала наверх, Пуаро и Стивен последовали за ней. Спальня Пилар находилась прямо на площадке.

— Я принесу паспорт, — сказала Пилар у двери и вошла в комнату. Пуаро и Стивен Фэрр остались ждать снаружи.

— Конечно, я сморозил глупость, — с сожалением произнес Стивен. — Хотя вряд ли она это заметила, как по-вашему?

Пуаро не ответил. Он слегка склонил голову набок, словно прислушиваясь.

— Англичане очень любят свежий воздух, — заметил он. — Должно быть, мисс Эстравадос унаследовала эту черту.

— Почему? — удивленно спросил Стивен.

— Потому что сегодня очень холодно — жуткий мороз, в отличие от вчерашнего дня, теплого и солнечного. Тем не менее мисс Эстравадос только что приподняла окно. Поразительная привязанность к свежему воздуху.

Внезапно из комнаты донеслось восклицание на испанском языке, и появилась растерянно улыбающаяся Пилар.

— Какая же я неуклюжая! — воскликнула она. — Мой чемоданчик лежал на подоконнике, и когда я рылась в нем, то случайно уронила паспорт в окно. Он лежит внизу на клумбе. Сейчас я его принесу.

— Я могу его принести, — предложил Стивен, но Пилар промчалась мимо него и крикнула через плечо:

— Нет, это моя вина. Идите в гостиную с мсье Пуаро, а я принесу туда паспорт.

Стивен Фэрр собирался последовать за ней, но Пуаро удержал его.

— Пройдемте туда, — предложил он.

Они шли по коридору второго этажа к другому концу дома, пока не добрались до главной лестницы.

— Не будем спускаться сразу, — сказал Пуаро. — Если вы пройдете со мной в комнату, где произошло преступление, я спрошу вас кое о чем.

Они двинулись по коридору, ведущему к комнате Симеона Ли. На левой стороне находился альков с двумя статуями нимф, цепляющихся за свои облачения в судорогах викторианской стыдливости.

Стивен Фэрр бросил на них взгляд:

— При дневном свете они выглядят жутко, — сказал он. — Когда я проходил мимо них позавчера вечером, мне показалось, что их три, но, слава Богу, их только две.

— В наши дни они не вызывают восхищения, — согласился Пуаро. — Но в свое время они стоили немало денег. Думаю, на них лучше смотреть по вечерам.

— Да, когда видишь только смутные белые фигуры.

— Ночью все кошки серы! — пробормотал Пуаро.

В комнате они обнаружили суперинтенданта Сагдена. Он стоял на коленях возле сейфа и обследовал его с помощью лупы. Когда они вошли, Сагден обернулся.

— Сейф открыл ключом некто, знавший комбинацию, — сказал он. — Никаких признаков чего-то еще.

Пуаро подошел к нему, отвел в сторону и что-то прошептал. Суперинтендант кивнул и вышел из комнаты.

Пуаро повернулся к Стивену Фэрру, который стоял, уставившись на кресло Симеона Ли. Его брови сдвинулись, на лбу обозначились вены. Несколько секунд Пуаро молча смотрел на него, потом спросил:

— Вас одолевают воспоминания?

— Два дня назад он сидел здесь живой, — медленно ответил Стивен, — а теперь...— Тряхнув головой, он осведомился: — Вы привели меня сюда, чтобы спросить о чем-то, мсье Пуаро?

— Ах да! Кажется, вы первый оказались здесь в тот вечер?

— Разве? Не помню. Нет, по-моему, одна из леди меня опередила.

— Какая именно?

— Чья-то жена — Джорджа или Дэвида. Они обе прибежали почти одновременно.

— А вы не слышали вот такого звука? — Запрокинув голову, Пуаро внезапно испустил пронзительный вопль.

Это было настолько неожиданно, что Стивен отшатнулся и чуть не упал.

— Вы что, хотите перепугать весь дом? — сердито спросил он. — Нет, в тот вечер я не слышал ничего подобного. Теперь все подумают, что произошло еще одно убийство!

Пуаро выглядел пристыженным.

— Действительно, это было глупо... — пробормотал он. — Нужно поскорее все объяснить.

Он быстро вышел. Лидия и Элфред стояли у подножия лестницы, глядя вверх, Джордж присоединился к ним, выйдя из библиотеки, а Пилар прибежала с паспортом в руке.

— Ничего страшного! — крикнул им Пуаро. — Не пугайтесь. Я провел маленький эксперимент — вот и все.

Элфред выглядел недовольным, а Джордж — возмущенным. Пуаро предоставил Стивену давать объяснения, а сам быстро направился по коридору в другой конец дома.

Суперинтендант Сагден вышел ему навстречу из комнаты Пилар.

— Eh bien? — спросил Пуаро.

Сагден покачал головой:

— Ни звука.

Встретившись взглядом с Пуаро, он кивнул.

5

— Значит, вы согласны, мсье Пуаро? — спросил Элфред Ли.

Его рука, поднесенная к подбородку, слегка дрожала. Мягкие карие глаза светились не свойственным им лихорадочным блеском. Он говорил слегка заикаясь. Стоящая рядом Лидия с беспокойством смотрела на него.

— Вы не знаете... не можете п-представить, что это з-значит для меня, — продолжал Элфред. — Убийца моего отца д-должен быть найден.

— Так как вы уверяете, что все тщательно обдумали, — ответил Пуаро, — то я согласен. Но вы понимаете, мистер Ли, что пути назад быть не может. Я не собака, которую пускают по следу, а потом отзывают, потому что она подняла не ту дичь.

— Конечно... Ваша спальня уже приготовлена. Оставайтесь на любое время, которое вам понадобится...

— Надолго я не задержусь, — мрачно произнес Пуаро.

— Что-что?

— Я сказал, что не задержусь надолго. В этом преступлении такой ограниченный круг подозреваемых, что поиски истины не займут много времени. Думаю, что конец уже близок.

Элфред уставился на него.

— Невозможно! — воскликнул он.

— Вовсе нет. Все факты более-менее четко указывают в одном направлении. Нужно устранить лишь одну незначительную проблему, и тогда правда прояснится сама собой.

— Вы имеете в виду, что знаете...

— О да, — улыбнулся Пуаро. — Я знаю.

— И мой отец... — Элфред отвернулся.

— Однако, мсье Ли, — быстро добавил Пуаро, — я должен выдвинуть два требования.

— Все что угодно... — сдавленным голосом произнес Элфред.

— Во-первых, я прошу повесить портрет мистера Ли в молодости в спальне, которую вы любезно мне отвели.

Элфред и Лидия удивленно на него посмотрели.

— Портрет отца? — переспросил Элфред. — Но зачем?

Пуаро взмахнул рукой:

— Он будет... как бы это сказать... вдохновлять меня.

— Вы намерены, мсье Пуаро, раскрыть преступление с помощью ясновидения? — язвительно осведомилась Лидия.

— Скажем, мадам, что я намерен использовать не только телесное, но и мысленное зрение.

Лидия пожала плечами.

— Во-вторых, мсье Ли, — продолжал Пуаро, — я хотел бы знать подлинные обстоятельства смерти мужа вашей сестры, Хуана Эстравадоса.

— Неужели это необходимо? — спросила Лидия.

— Мне нужны все факты, мадам.

— Хуан Эстравадос в результате ссоры из-за женщины убил в кафе человека, — сказал Элфред.

— Каким образом он убил его?

Элфред бросил умоляющий взгляд на Лидию.

— Он ударил его ножом, — спокойно ответила она. — Так как имела место провокация, Хуана Эстравадоса приговорили не к смерти, а к длительному сроку заключения, и он умер в тюрьме.

— Его дочь знает об этом?

— Не думаю.

— Нет, Дженнифер никогда ей не рассказывала, — добавил Элфред.

— Благодарю вас.

— Вы ведь не думаете, что Пилар... — Лидия не окончила фразу. — Это просто нелепо!

— А теперь, мсье Ли, не сообщите ли вы мне кое-какие факты, касающиеся вашего брата, мсье Харри Ли?

— Что именно вы хотите знать?

— Насколько я понимаю, он был чем-то вроде позора семьи. Почему?

— Это было так давно... — заговорила Лидия, но Элфред перебил ее:

— Да будет вам известно, мсье Пуаро, что Харри украл крупную сумму денег, подделав подпись моего отца на чеке. Естественно, отец не стал обращаться в суд. Харри никогда не отличался честностью. Он попадал в неприятности во всех уголках земного шара и вечно требовал деньги телеграфом, чтобы выкарабкаться из них. И в тюрьме ему не раз пришлось побывать.

— Ты ведь не можешь быть в этом уверен, Элфред, — возразила Лидия.

Руки Элфреда снова задрожали.

— Харри всегда был абсолютно никчемным человеком! — сердито сказал он.

— Вижу, — заметил Пуаро, — вы не испытывали друг к другу особой привязанности?

— Он обманывал моего отца самым постыдным образом! — воскликнул Элфред.

Лидия нетерпеливо вздохнула. Пуаро услышал это и бросил на нее быстрый взгляд.

— Если бы только можно было найти эти алмазы, — сказала она. — Я уверена, что разгадка заключается в них.

— Их уже нашли, мадам, — сообщил Пуаро.

— Что?!

— Да, в вашей миниатюрной композиции, изображающей Мертвое море.

— В моем «Мертвом море»? — воскликнула Лидия. — Как... как удивительно!

— Не правда ли, мадам? — мягко осведомился Пуаро.

Часть шестая
27 ДЕКАБРЯ

1

— Все оказалось легче, чем я ожидал, — со вздохом сказал Элфред Ли.

Они только что вернулись с дознания.

Мистер Чарлтон, старомодный образец семейного авдвоката с осторожным взглядом голубых глаз, тоже присутствовал там и вернулся вместе с ними.

— Я же говорил вам, — заметил он, — что процедура будет чисто формальной и вердикт отложат, чтобы дать возможность полиции собрать дополнительные доказательства.

— Ситуация в высшей степени неприятная! — недовольно произнес Джордж Ли. — Лично я убежден, что преступление совершено маньяком, каким-то образом проникшим в дом. Этот Сагден упрям как мул! Полковнику Джонсону следовало бы обратиться за помощью в Скотленд-Ярд. От местной полиции нет никакого толку. Взять хотя бы этого Хорбери. Я слышал, что у него весьма сомнительное прошлое, но полиция ничего не предпринимает по этому поводу.

— Зато у него как будто вполне удовлетворительное алиби, — отозвался мистер Чарлтон. — У полиции оно не вызывает сомнений.

— Еще бы! — фыркнул Джордж. — Но на их месте я бы отнесся к этому алиби с величайшей осторожностью. Преступник всегда обеспечивает себя алиби, а долг полиции — его опровергнуть, если, конечно, они знают свое дело.

— Ну-ну, — успокаивающе произнес мистер Чарлтон. — Не думаю, что нам следует учить полицию их работе. В целом они достаточно компетентны.

Джордж угрюмо покачал головой:

— Все равно следовало бы обратиться в Скотленд-Ярд. Я не доволен суперинтендантом Сагденом — возможно, он усерден, но отнюдь не блещет умом.

— Я с вами не согласен, — возразил мистер Чарлтон. — Он не подавляет своим авторитетом, но знает свое дело.

— Я уверена, что полиция делает все возможное, — сказала Лидия. — Хотите стакан шерри, мистер Чарлтон?

Адвокат поблагодарил, но вежливо отказался. Затем он откашлялся и в присутствии собравшихся членов семьи приступил к чтению завещания.

Мистер Чарлтон читал его с явным удовольствием, объясняя туманную фразеологию и смакуя юридические подробности.

Дойдя до конца, он снял очки, протер их и окинул присутствующих вопросительным взглядом.

— За всей этой юридической белибердой не уследишь, — сказал Харри Ли. — Изложите нам суть.

— Да ведь это в высшей степени простое завещание, — заметил мистер Чарлтон.

— Господи, как же тогда выглядит сложное? — осведомился Харри.

Мистер Чарлтон посмотрел на него с холодным неодобрением.

— Основные условия весьма просты, — сказал он. — Половина состояния мистера Ли переходит к старшему сыну, мистеру Элфреду Ли; остальное должно быть разделено поровну между другими его детьми.

— Элфреду, как всегда, везет, — неприятно усмехнулся Харри. — Отхватил половину отцовских денежек!

Элфред покраснел, а Лидия резко произнесла:

— Элфред был преданным и почтительным сыном. Он годами руководил бизнесом и нес всю ответственность.

— Ну конечно, — кивнул Харри. — Элфред всегда был пай-мальчиком.

— Думаю, Харри, ты должен радоваться, что отец тебе хоть что-то оставил, — заметил Элфред.

Харри расхохотался, вскинув голову:

— Тебе бы больше понравилось, если бы он вообще вычеркнул меня из завещания, верно? Ты всегда терпеть меня не мог!

Мистер Чарлтон кашлянул. Он привык к неприятным сценам, обычно следовавшим за чтением завещания, и сейчас старался ускользнуть, пока семейная ссора не разгорелась вовсю.

— Думаю... э-э... — пробормотал он, — в моем присутствии больше нет необходимости...

— А как насчет Пилар? — резко осведомился Харри.

Мистер Чарлтон кашлянул снова — на сей раз виновато.

— Э-э... мисс Эстравадос не упомянута в завещании.

— Разве она не получает долю матери? — спросил Харри.

— Если бы сеньора Эстравадос была жива, — объяснил мистер Чарлтон, — то она бы, разумеется, получила равную долю с остальными, но, так как она скончалась, ее доля возвращается в общую сумму, которая будет разделена между вами.

— Значит, я не получаю ничего? — медленно спросила Пилар своим мелодичным южным голосом.

— Дорогая, семья, конечно, об этом позаботится, — быстро сказала Лидия.

— Вы сможете остаться жить здесь — не так ли, Элфред? — заговорил Джордж Ли. — Вы... э-э... наша племянница, и наш долг заботиться о вас.

— Мы будем очень рады, если Пилар поселится у нас, — сказала Хильда.

— Она должна получить долю Дженнифер, — упорствовал Харри.

— Право, я... э-э... должен идти, — пробормотал мистер Чарлтон. — До свидания, миссис Ли. Если я вам понадоблюсь, можете... э-э... в любое время обратиться за консультацией...

Он быстро удалился. Опыт подсказывал ему, что налицо все составляющие семейного скандала.

— Я согласна с Харри, — сказала Лидия, когда дверь за адвокатом закрылась. — Думаю, Пилар должна получить определенную долю. Это завещание было составлено за много лет до смерти Дженнифер.

— Чепуха! — возразил Джордж. — Закон есть закон, Лидия. Мы должны его придерживаться.

— Конечно, нам всем очень жаль Пилар, но Джордж прав, — присоединилась к мужу Мэгдалин. — Как он говорит, закон есть закон.

Лидия встала и взяла Пилар за руку.

— Должно быть, это очень неприятно для тебя, дорогая, — сказала она. — Может быть, ты покинешь нас, пока мы все обсудим? — Лидия подвела девушку к двери. — Не беспокойся. Предоставь это мне.

Пилар медленно вышла из комнаты. Лидия закрыла за ней дверь и повернулась.

Последовала минутная пауза, во время которой все переводили дыхание, и в следующий момент битва разразилась в полную силу.

— Ты всегда был паршивым скрягой, Джордж, — заявил Харри.

— Во всяком случае, — огрызнулся Джордж, — я не был никчемным нахлебником!

— Ты был таким же нахлебником, как и я! Жирел за счет отца все эти годы!

— Ты, кажется, забыл, что я занимаю ответственное положение, которое...

— Черта с два! — прервал его Харри. — Ты просто напыщенный пустозвон!

— Как ты смеешь! — взвизгнула Мэгдалин.

— Не могли бы мы обсудить это без шума? — послышался спокойный голос Хильды.

Лидия с признательностью посмотрела на нее.

— Нужно ли вообще затевать всю эту безобразную суету из-за денег? — с внезапной горячностью осведомился Дэвид.

— Скажите, какое благородство! — накинулась на него Мэгдалин. — Ты ведь не собираешься отказываться от своего наследства, верно? Тебе нужны деньги так же, как и всем нам! Так что нечего притворяться, будто ты не от мира сего!

— По-твоему, я должен отказаться от наследства? — сдавленным голосом произнес Дэвид. — Интересно...

— Конечно, не должен, — быстро прервала Хильда. — Почему мы ведем себя, как дети? Элфред, ты глава семьи...

Казалось, Элфред пробудился ото сна.

— Прошу прощения, — сказал он. — Но вы все так кричите, и это... сбивает меня с толку.

— Хильда права, — вновь заговорила Лидия. — Мы не должны вести себя, как жадные малолетки. Давайте будем рассуждать спокойно, здраво и... — быстро добавила она, — по очереди. Пусть Элфред говорит первым, так как он старший. Как, по-твоему, Элфред, нам следует поступить с Пилар?

— Конечно, она будет жить здесь, — медленно отозвался Элфред. — А мы должны выделить ей содержание. Не думаю, что у нее есть законное право на деньги, которые отошли бы к ее матери. Не забывайте, что Пилар не Ли. Она испанская подданная.

— Законного права нет, — согласилась Лидия. — Но, по-моему, у нее есть моральное право. Насколько я поняла, твой отец, хотя его дочь и вышла замуж за испанца против его воли, признал ее своей наследницей. Джордж, Харри, Дэвид и Дженнифер должны были получить равные доли. Дженнифер умерла только в прошлом году. Уверена, что, посылая за мистером Чарлтоном, мистер Ли намеревался обеспечить Пилар. В новом завещании он в любом случае оставил бы ей долю матери, а быть может, и значительно больше. Не забывайте, что она была его единственной внучкой. Думаю, самое меньшее, что мы можем сделать, это устранить несправедливость, которую твой отец собирался устранить сам.

— Хорошо сказано, Лидия! — кивнул Элфред. — Я был не прав. Согласен, что Пилар должна получить долю Дженнифер.

— Твоя очередь, Харри, — сказала Лидия.

— Вы все уже знаете, что я согласен, — отозвался Харри. — По-моему, Лидия прекрасно все объяснила, и я ею просто восхищаюсь!

— Джордж? — спросила Лидия.

— Разумеется, нет! — фыркнул покрасневший от злости Джордж. — Все это просто нелепо! Дадим ей жилье и достойное содержание — этого более чем достаточно!

— Значит, ты отказываешься от участия? — спросил Элфред.

— Безусловно!

— И он абсолютно прав, — заявила Мэгдалин. — Стыдно даже предполагать, будто он должен так поступить. Учитывая, что Джордж — единственный член семьи, который приносит хоть какую-то пользу обществу, мне кажется позорным, что отец оставил ему так мало!

— Дэвид? — осведомилась Лидия.

— Думаю, ты права, — сказал Дэвид. — Жаль, что из-за этого поднялся совершенно ненужный спор.

— Ты совершенно права, Лидия, — поддержала мужа Хильда. — Это будет только справедливо!

Харри огляделся вокруг.

— Ну, как будто все ясно, — промолвил он. — Элфред, я и Дэвид за предложение Лидии, а Джордж против. Значит, большинство «за».

— Дело не в «за» и «против», — резко возразил Джордж. — Моя доля отцовского состояния принадлежит только мне, и я не расстанусь ни с одним пенни из нее.

— Вот именно! — подтвердила Мэгдалин.

— Если вы не желаете участвовать, это ваше дело, — сказала Лидия. — Мы полностью компенсируем вашу долю.

Она посмотрела на остальных — все кивнули.

— Львиная доля досталась Элфреду, — заметил Харри. — Он должен внести больше других.

— Вижу, скоро от твоего бескорыстного предложения ничего не останется, — отозвался Элфред.

— Не начинайте снова! — твердо заявила Хильда. — Лидия сообщит Пилар о нашем решении. Детали мы можем обсудить позже. — Она добавила в надежде разрядить напряжение: — Интересно, где мистер Фэрр и мсье Пуаро?

— Мы высадили Пуаро в деревне, когда ехали на дознание, — ответил Элфред. — Он сказал, что ему нужно сделать важную покупку.

— А почему он не был на дознании? — осведомился Харри. — Ему бы следовало там присутствовать.

— Возможно, он знал, что это обернется чистой формальностью, — ответила Лидия. — Кто это там в саду — суперинтендант Сагден или мистер Фэрр?

Усилия двух женщин увенчались успехом. Семейный совет закончился.

— Спасибо, Хильда, — шепнула ей Лидия. — Хорошо, что ты меня поддержала. Не знаю, что бы я без тебя делала.

— Странно, — задумчиво промолвила Хильда, — как деньги портят людей.

Остальные вышли из комнаты, и две женщины остались одни.

— Да, — согласилась Лидия, — даже Харри, хотя это было его предложение! А мой бедный Элфред, как истинный британец, не хотел, чтобы деньги Ли достались испанской подданной.

— По-твоему, мы, женщины, более бескорыстны? — улыбнулась Хильда.

Лидия пожала стройными плечами.

— В конце концов, это ведь не наши деньги! Возможно, в этом и есть причина нашего бескорыстия.

— Странная девушка эта Пилар, — задумчиво сказала Хильда. — Интересно, что с ней будет дальше?

Лидия вздохнула:

— Я рада, что она сможет ни от кого не зависеть. Не думаю, чтобы ей понравилось жить здесь и получать денежное содержание. Она слишком горда и слишком... не похожа на нас. — Лидия сделала небольшую паузу. — Как-то я купила в Египте красивое ожерелье из ляпис-лазури. На фоне солнца и песка оно просто сверкало голубизной. Но когда я привезла его домой, оно сразу потускнело, превратившись в обычную нитку бус.

— Да, понимаю... — промолвила Хильда.

— Я рада, что вы с Дэвидом приехали сюда и мне удалось познакомиться с вами поближе, — сказала Лидия.

— Как часто мне хотелось в последние дни, чтобы мы этого не делали! — со вздохом отозвалась Хильда.

— Знаю. Но, по-моему, Хильда, шок оказался для Дэвида не таким уж тяжелым. Он так чувствителен, что это могло окончательно выбить его из колеи. Но на самом деле он стал куда спокойнее после убийства.

Хильда выглядела слегка встревоженной.

— Ты заметила это? — спросила она. — Да, так оно и есть, хотя в каком-то смысле это ужасно...

340

Хильда замолчала, вспоминая то, что только вчера вечером говорил ей муж, откинув со лба светлые волосы: «Помнишь эпизод в «Тоске», когда Скарпиа умирает, Тоска зажигает свечи в его изголовье и поет: «Теперь я могу простить его...»?[1] Я чувствую то же самое насчет отца. Сейчас мне ясно, что все эти годы я хотел его простить, но не мог... Но теперь вся злоба исчезла без следа. И я чувствую, словно с моих плеч сняли тяжелый груз». «Потому что он умер?» — спросила она, отгоняя внезапно нахлынувший страх. «Нет-нет, ты не поняла, — быстро ответил он. — Не потому, что он умер, а потому, что умерла моя глупая детская ненависть к нему...»

Сейчас Хильда думала об этих словах.

Ей хотелось повторить их Лидии, но она инстинктивно чувствовала, что лучше этого не делать.

Следом за Лидией Хильда вышла из гостиной в холл.

У высокого столика стояла Мэгдалин с маленьким пакетом в руке. При виде их она вздрогнула:

— Должно быть, это и есть важная покупка мсье Пуаро. Я видела, как он только что положил пакет на стол. Интересно, что там такое?

Мэгдалин захихикала, но в ее взгляде, который она переводила с Хильды на Лидию, мелькало беспокойство.

Лидия приподняла брови.

— Мне нужно вымыть руки перед ленчем, — сказала она, направляясь к двери.

— Я посмотрю только одним глазом! — произнесла Мэгдалин с детским любопытством, в котором, однако, слышались нотки отчаяния.

Она развернула бумагу и вскрикнула, уставясь на предмет, который держала в руке.

Лидия и Хильда повернулись к ней.

— Это... это фальшивые усы! — озадаченно промолвила Мэгдалин. — Но зачем...

— Для маскировки? — с сомнением предположила Хильда. — Но...

---

[1] Героиня оперы Джакомо Пуччини «Тоска» закалывает ножом начальника полиции, барона Скарпиа, требовавшего, чтобы она заплатила ему любовью за освобождение ее возлюбленного.

— Но у мсье Пуаро есть собственные роскошные усы! — закончила за нее Лидия.

Мэгдалин снова завернула пакет.

— Не понимаю, — сказала она. — Какое-то безумие! Зачем мсье Пуаро покупать фальшивые усы?

2

Выйдя из гостиной, Пилар медленно зашагала по холлу. Стивен Фэрр как раз вошел через дверь в сад.

— Ну? — осведомился он. — Семейный совет окончен? Завещание прочитали?

— Я не получила ничего — совсем ничего! — быстро и сбивчиво заговорила Пилар. — Это завещание составили много лет назад. Дедушка оставил деньги моей матери, но, так как она умерла, они не достанутся мне, а вернутся к ним!

— Сурово! — посочувствовал Стивен.

— Если бы старик был жив, — продолжала Пилар, — он бы составил новое завещание и оставил бы мне много денег — может быть, даже все деньги!

Стивен улыбнулся:

— Это тоже было бы не слишком справедливо.

— Почему? Это означало бы, что он любил меня больше всех — вот и все.

— Какая же вы жадная девчонка, — сказал Стивен. — Настоящая маленькая вымогательница!

— Мир очень жесток к женщинам, — печально промолвила Пилар. — Им приходится всего добиваться, пока они молоды. Когда люди становятся старыми и безобразными, им уже никто не поможет.

— Вы правы, но не совсем, — медленно произнес Стивен. — Например, Элфред Ли искренне любил своего отца, несмотря на его придирки и невыносимый характер.

Пилар выпятила подбородок.

— Элфред — дурак, — заявила она.

Стивен рассмеялся.

— Не беспокойтесь, красавица, — сказал он. — Вы ведь знаете, что Ли обязаны о вас позаботиться.

— Это будет не слишком-то весело, — вздохнула Пилар.

— Боюсь, что да, — согласился Стивен. — Не могу представить вас живущей здесь, Пилар. А вы бы не хотели отправиться в Южную Африку?

Пилар кивнула.

— Там много солнца и простора, — продолжал Стивен, — но приходится тяжело работать. Вы умеете работать, Пилар?

— Не знаю, — с сомнением ответила девушка.

— Вы бы предпочли целыми днями сидеть на балконе и есть сладости, пока не растолстеете и не обзаведетесь тремя двойными подбородками?

Пилар засмеялась.

— Так-то лучше, — одобрил Стивен. — Мне удалось вас рассмешить.

— Я думала, что буду много смеяться в это Рождество, — сказала Пилар. — В книгах я читала, что английское Рождество очень веселое, что там подают горячий пудинг, а в Сочельник сжигают святочное полено.

— Да, но для этого нужно, чтобы под Рождество не происходило убийство, — заметил Стивен. — Пойдем со мной в кладовую Лидии. Она водила меня туда вчера и кое-что показала.

Он отвел ее в тесную комнатушку.

— Смотрите, Пилар, в этих коробках хлопушки, варенье, апельсины, орехи и финики. А здесь...

— О! — Пилар всплеснула руками. — Какие красивые шары! Золотые и серебряные!

— Их вешают на елку вместе с подарками для слуг. А вот этих маленьких снеговиков, сверкающих, словно на морозе, ставят на обеденный стол. А здесь воздушные шарики всех цветов!

— О! — Глаза Пилар сияли от возбуждения. — Можно мы надуем пару? Лидия не будет возражать. Я так люблю воздушные шарики!

— Сущее дитя! — усмехнулся Стивен. — Какой вам нравится?

— Красный, — ответила Пилар.

Они взяли по шару и начали усердно их надувать. Пилар засмеялась, и из ее шарика сразу вышел воздух.

— Вы выглядите так забавно с надутыми щеками!

Она снова принялась за работу. Завязав надутые шарики, они стали подбрасывать их вверх.

— Пошли в холл — там больше места, — предложила Пилар.

Они перебрасывались шарами и весело смеялись, когда в холл вошел Пуаро.

— Играете в les jeux d'enfants?[1] — осведомился он, снисходительно глядя на них. — Симпатичные шарики!

— Мой — красный, — отозвалась запыхавшаяся Пилар. — Он гораздо больше, чем его. Если мы вынесем их из дому, они улетят прямо в небо!

— Давайте отправим их туда и загадаем желание, — предложил Стивен.

— Отличная идея!

Пилар побежала к двери в сад. Стивен последовал за ней. Пуаро тоже вышел, все еще снисходительно улыбаясь.

— Я хочу очень много денег! — объявила Пилар.

Она встала на цыпочки, держа нитку шарика. Подул ветер, и нитка натянулась. Пилар отпустила ее, и шарик поплыл, подгоняемый ветром.

— Вы не должны были объявлять ваше желание, — засмеялся Стивен.

— Почему?

— Потому что тогда оно не исполнится. А теперь я загадаю желание.

Стивен отпустил свой шар, но ему не повезло. Шарик отлетел в сторону, наткнулся на куст остролиста и с шумом лопнул.

Пилар подбежала к нему.

— Шар лопнул! — трагическим тоном возвестила она и добавила, коснувшись носком туфли обрывка резины: — Так вот что я подобрала в комнате дедушки. У него тоже был воздушный шарик, только розовый.

Пуаро издал резкий возглас. Пилар обернулась к нему.

— Ничего страшного, — сказал Пуаро. — Я просто споткнулся. — Он посмотрел в сторону дома. — Как много окон! У дома, мадемуазель, есть свои глаза и уши. Досадно, что англичане так любят открывать окна.

---

[1] Детские игры (*фр.*).

344

На террасу вышла Лидия.

— Ленч подан, — сообщила она. — Пилар, дорогая, все устроилось как нельзя лучше. После ленча Элфред объяснит тебе подробности.

Они вернулись в дом. Пуаро вошел последним. Он выглядел серьезным.

3

Ленч подошел к концу.

Когда все вышли из столовой, Элфред сказал Пилар:

— Пройдемте ко мне в комнату. Я хочу поговорить с вами.

Он повел ее через холл в свой кабинет, закрыв за собой дверь. Остальные направились в гостиную. Только Эркюль Пуаро задержался в холле, задумчиво глядя на закрытую дверь кабинета.

Внезапно он заметил старого дворецкого, стоявшего рядом со смущенным видом.

— В чем дело, Трессилиан? — спросил Пуаро.

Старик выглядел обеспокоенным.

— Я хотел поговорить с мистером Ли, — сказал он, — но решил его не тревожить.

— Что-нибудь произошло?

— Да, странная вещь, сэр. Кажется просто бессмысленной.

— Рассказывайте, — потребовал Эркюль Пуаро.

Трессилиан колебался.

— Дело вот в чем, сэр, — заговорил он. — Вы, должно быть, заметили, что с обеих сторон парадной двери лежали каменные пушечные ядра — большие и тяжелые. Ну, сэр, одно из них исчезло.

Пуаро поднял брови.

— Когда? — спросил он.

— Этим утром оба были на месте, сэр. Могу в этом поклясться.

— Давайте посмотрим.

Они вместе вышли через парадную дверь. Наклонившись, Пуаро обследовал оставшееся ядро. Когда он выпрямился, его лицо было мрачно.

— Кому могло понадобиться красть такую вещь, сэр? — дрожащим голосом спросил Трессилиан. — Какой в этом смысл?

— Мне это не нравится, — сказал Пуаро. — Совсем не нравится...

Трессилиан с беспокойством наблюдал за ним.

— Что творится в доме, сэр? С тех пор как убили хозяина, здесь все не так, как прежде. Я хожу как во сне — все путаю, а иногда мне кажется, что я уже не могу доверять собственным глазам.

— Вы не правы, — возразил Эркюль Пуаро. — Ваши глаза — именно то, чему вы должны доверять.

Дворецкий покачал головой:

— Мое зрение ухудшилось. Я путаю вещи... и людей. Стар я стал для своей работы.

Пуаро похлопал его по плечу:

— Бодритесь!

— Благодарю вас, сэр, вы очень добры. Но ничего не поделаешь — я слишком стар. Все время вспоминаю прежние дни и лица — мисс Дженни, мистера Дэвида и мистера Элфреда. Я представляю их себе молодыми джентльменами и леди. С того вечера, когда мистер Харри вернулся домой...

Пуаро кивнул:

— Так я и думал. Только что вы сказали: «С тех пор как убили хозяина», но ведь это началось раньше, не так ли? С тех пор как мистер Харри вернулся домой, все изменилось и стало казаться нереальным.

— Вы правы, сэр, — ответил дворецкий. — Именно тогда это и началось. Мистер Харри всегда приносил в дом неприятности. — Его взгляд снова устремился на пустой каменный постамент. — Кто же мог взять ядро, сэр? И для чего? Прямо как в сумасшедшем доме!

— Боюсь, безумие тут ни при чем, — сказал Пуаро. — Кое-кто находится в большой опасности.

Он повернулся и вошел в дом.

В этот момент Пилар вышла из кабинета. На ее щеках алели пятна. Она шла с высоко поднятой головой, ее глаза ярко блестели.

Когда Пуаро подошел к ней, она внезапно топнула ногой и заявила:

— Я не возьму их!

Пуаро поднял брови:

— Чего вы не возьмете, мадемуазель?

— Элфред только что сказал, что я должна получить ту часть денег, которую дедушка оставил моей матери.

— Ну?

— Элфред объяснил, что я не могу получить ее по закону, но он, Лидия и остальные считают, что она должна достаться мне. Они говорят, что это вопрос справедливости.

— Ну? — повторил Пуаро.

Пилар снова топнула ногой.

— Неужели вы не понимаете? Они отдают мне эти деньги...

— И это оскорбляет вашу гордость? Но ведь они говорят правду — по справедливости эти деньги должны принадлежать вам.

— Вы не понимаете...

— Напротив — я все отлично понимаю.

Девушка сердито отвернулась.

В дверь позвонили. Бросив взгляд через плечо, Пуаро увидел снаружи силуэт суперинтенданта Сагдена.

— Куда вы идете? — быстро спросил он Пилар.

— В гостиную — к остальным.

— Отлично. Оставайтесь с ними. Не ходите по дому одна — особенно в темноте. Будьте настороже. Вам никогда не будет грозить большая опасность, чем сегодня, мадемуазель.

Пуаро повернулся и пошел навстречу Сагдену.

Последний подождал, пока Трессилиан вернется в свою буфетную, и протянул Пуаро телеграмму.

— Прочтите. Она от южноафриканской полиции.

Телеграмма гласила: «Единственный сын Эбенезера Фэрра умер два года назад».

— Теперь мы все знаем! — сказал Сагден. — Даже забавно — я шел совсем по другому следу...

4

Высоко подняв голову, Пилар вошла в гостиную.

Она направилась прямо к Лидии, которая сидела у окна и что-то вязала.

— Я пришла сообщить вам, Лидия, — сказала она, — что не возьму эти деньги. Я намерена уехать немедленно...

Лидия выглядела удивленной.

— Дитя мое, — заговорила она, отложив вязанье, — должно быть, Элфред очень плохо объяснил. Если тебе кажется, что речь идет о подачке, то это совсем не так. Дело вовсе не в нашей доброте и щедрости, а в том, что правильно и что нет. При обычных обстоятельствах деньги получила бы твоя мать, а ты унаследовала бы их от нее. Это твое право, как ее дочери. Вопрос не в благотворительности, а в справедливости.

— Именно поэтому я не могу принять эти деньги! — яростно возразила Пилар. — Я наслаждалась пребыванием здесь. Это было забавным приключением, но теперь вы все испортили! Я уезжаю сейчас же и больше никогда вас не побеспокою...

Ее душили слезы. Она повернулась и выбежала из комнаты.

Лидия уставилась ей вслед.

— Я и понятия не имела, что девочка так это воспримет! — беспомощно сказала она.

— Малышка кажется расстроенной, — заметила Лидия.

Джордж откашлялся и напыщенно произнес:

— Как я говорил утром, решение было неверным в принципе. Пилар хватило ума понять это. Она отказывается принимать подачку...

— Это не подачка. Это ее право! — резко сказала Лидия.

— По-видимому, она так не думает, — отозвался Джордж.

В гостиную вошли Сагден и Пуаро. Суперинтендант огляделся вокруг.

— Где мистер Фэрр? — спросил он. — Я хочу поговорить с ним.

Прежде чем кто-нибудь успел заговорить, Эркюль Пуаро резко осведомился:

— Где сеньорита Эстравадос?

— Она заявила, что намерена уехать, — с нотками злорадства в голосе ответил Джордж. — Очевидно, с нее достаточно английских родственников.

Пуаро круто повернулся.

— Пошли! — сказал он Сагдену.

Когда двое мужчин вышли в холл, сверху послышались тяжелый удар и крик.

— Скорее! — крикнул Пуаро.

Они побежали через холл и вверх по дальней лестнице. Дверь комнаты Пилар была открыта — в проеме стоял человек. Услышав звук шагов, он обернулся — это был Стивен Фэрр.

— Она жива... — сообщил он.

Пилар прижалась к стене своей комнаты, уставившись в пол, где лежало большое каменное ядро.

— Его прикрепили над дверью, — с трудом вымолвила она. — Оно должно было упасть мне на голову, когда я войду, но моя юбка зацепилась за гвоздь и задержала меня в последний момент.

Пуаро опустился на колени и обследовал гвоздь. На нем висели обрывки пурпурного твида. Он мрачно кивнул.

— Этот гвоздь, мадемуазель, спас вам жизнь.

— Послушайте, — заговорил ошеломленный суперинтендант, — что все это значит?

— Кто-то пытался убить меня! — воскликнула Пилар.

Сагден посмотрел наверх.

— Примитивная ловушка, но она легко могла достичь цели, — сказал он. — А целью было убийство — второе убийство в этом доме! Но на сей раз оно не состоялось.

— Слава Богу, вы живы! — хрипло произнес Стивен Фэрр.

Пилар всплеснула руками.

— Madre de Dios![1] — воскликнула она. — Кому могло понадобиться убивать меня? Что такого я сделала?

— Вам следовало бы спросить: «Что такого я знаю?» — медленно сказал Эркюль Пуаро.

Она уставилась на него:

— Знаю? Я ничего не знаю!

— Тут вы ошибаетесь, — возразил Пуаро. — Скажите, мадемуазель Пилар, где вы были во время убийства? Вы находились не в этой комнате.

---

[1] Матерь Божья! (*исп.*)

349

— В этой! Я уже говорила вам!

— Да, но вы говорили неправду, — с обманчивой мягкостью произнес суперинтендант Сагден. — Вы сказали нам, что слышали крик вашего деда, но отсюда вы никак не могли его слышать — мистер Пуаро и я вчера в этом удостоверились.

— Я... — У Пилар перехватило дыхание.

— Вы находились где-то близко от комнаты мистера Ли, — снова заговорил Пуаро. — Думаю, вы прятались в нише со статуями.

— Откуда вы знаете? — удивленно спросила Пилар. Пуаро улыбнулся:

— Мистер Фэрр видел вас там.

— Это ложь! — резко заявил Стивен. — Я ее не видел!

— Прошу прощения, мистер Фэрр, но вы видели ее. Вспомните ваше впечатление, будто в нише были три, а не две статуи. Только один человек носил в тот вечер белое платье — мадемуазель Эстравадос. Она и была третьей белой фигурой, которую вы видели. Не так ли, мадемуазель?

— Да, это правда, — после недолгого колебания ответила Пилар.

— А теперь расскажите нам всю правду, мадемуазель, — мягко сказал Пуаро. — Почему вы там находились?

— Выйдя из гостиной после обеда, — начала Пилар, — я решила повидать дедушку. Мне казалось, он будет доволен. Но когда я свернула в коридор, то увидела кого-то возле его двери. Я не хотела, чтобы меня заметили, так как дедушка говорил, что не хочет никого видеть, поэтому я скользнула в нишу, боясь, что этот человек обернется. А потом я услышала эти ужасные звуки... — Она взмахнула руками. — Столы, стулья — все опрокидывалось и падало! Я испугалась и не тронулась с места. И затем этот жуткий крик... — Пилар перекрестилась. — У меня сердце перестало биться, и я сразу подумала: «Кто-то умер!»

— А после этого?

— По коридору побежали люди — я выбралась из ниши и присоединилась к ним.

— Когда мы расспрашивали вас в первый раз, вы ничего об этом не сказали, — резко заметил Сагден. — Почему?

Пилар покачала головой:

— Полиции лучше не говорить слишком много. Если бы я сказала, что находилась рядом, вы бы могли подумать, что я убила его. Поэтому я сказала, что была в своей комнате.

— Если вы лжете, это рано или поздно подводит вас под подозрение, — проворчал суперинтендант.

— Пилар... — неожиданно заговорил Стивен Фэрр.

— Да?

— Кого вы видели стоящим у двери мистера Ли?

— Да, кто это был? — осведомился Сагден.

Девушка колебалась.

— Не знаю, — ответила она наконец. — Свет в коридоре был слишком тусклым. Но это была женщина.

5

Суперинтендант Сагден окинул взглядом лица собравшихся и произнес, впервые проявляя раздражение:

— Все это абсолютно не по правилам, мистер Пуаро.

— Это моя маленькая идея, — отозвался Пуаро. — Мне хочется поделиться со всеми тем, что я смог узнать. После этого я обращусь к ним с просьбой о сотрудничестве, и тогда мы доберемся до правды.

— Какие-то фокусы, — пробормотал Сагден, откинувшись на спинку стула.

— Я думаю, прежде всего, — продолжал Пуаро, — вам следует потребовать объяснений у мистера Фэрра.

Складка рта Сагдена стала жесткой.

— Я бы выбрал для этого более приватную обстановку, но у меня нет возражений. — Он протянул телеграмму Стивену. — Возможно, вы объясните это, мистер Фэрр, — если вам нравится так себя именовать?

Приподняв брови, Стивен Фэрр взял телеграмму, прочитал ее вслух и с поклоном вернул суперинтенданту.

— Да, — промолвил он, — тут уж никуда не денешься.

— И это все, что вы скажете? Конечно, вы не обязаны делать никаких заявлений...

— Вам незачем предупреждать меня, суперинтендант, — прервал Стивен. — Я вижу, что традиционная формулировка уже вертится у вас на языке. Да, я дам вам объяснение. Возможно, оно прозвучит не очень убедительно, но тем не менее это правда.

Сделав паузу, он заговорил вновь:

— Я не сын Эбенезера Фэрра, но хорошо знал обоих — отца и сына. Мое настоящее имя — Стивен Грант. А теперь попытайтесь поставить себя на мое место. Я приехал в эту страну впервые, и Англия меня разочаровала — все здесь казалось мне тусклым и безжизненным. Но в поезде я увидел девушку и, скажу откровенно, влюбился в нее! Она была прекраснейшим существом из всех, какие я только видел! Побеседовав с ней в вагоне, я решил не терять ее из виду. Выходя из купе, я заметил наклейку на ее чемодане. Имя девушки ничего мне не говорило, в отличие от адреса, по которому она направлялась. Я слышал о Горстон-Холле и все знал о его хозяине. Когда-то он был партнером Эбенезера Фэрра, и старый Эб частенько о нем рассказывал. Мне пришло в голову отправиться в Горстон-Холл и выдать себя за сына Эба. Как сказано в этой телеграмме, он умер два года назад, но я помнил, как старый Эб говорил, что много лет ничего не слышал о Симеоне Ли, и решил, что Ли не может знать о смерти сына Эба. Как бы то ни было, я чувствовал, что стоит попробовать...

— Однако попробовали вы не сразу, — заметил Сагден. — Вы провели два дня в гостинице «Королевский герб» в Эддлсфилде.

— Я размышлял, как мне поступить, и наконец принял решение. Это казалось мне увлекательным приключением. Все сработало отлично! Старик принял меня, как лучшего друга, и сразу предложил погостить в доме. Я согласился. Вот мое объяснение, суперинтендант. Если оно вас не убеждает, вспомните свою молодость и те глупости, которые вы наверняка совершали. Вы можете запросить обо мне телеграфом в Южной Африке, но уверяю вас, вам ответят, что я абсолютно респектабельный гражданин. Я не мошенник и не вор, промышляющий драгоценностями.

— Я никогда и не считал вас таковым, — негромко сказал Пуаро.

Суперинтендант Сагден осторожно погладил подбородок.

— Конечно, я проверю вашу историю, — промолвил он. — Но сейчас мне бы хотелось узнать следующее. Почему вы не признались во всем после убийства, а наговорили нам три короба лжи?

— Потому что я был дураком! — обезоруживающе ответил Стивен. — Я думал, что смогу как-нибудь выкрутиться, а если признаюсь, что прибыл сюда под чужим именем, то это будет выглядеть подозрительно. Не будь я таким идиотом, то сразу понял бы, что вы обязательно пошлете телеграмму в Йоханнесбург.

— Ну, мистер Фэрр... простите, Грант, я не говорю, что не верю вам, — сказал Сагден. — Ваша история вскоре будет подтверждена или опровергнута.

Он вопросительно посмотрел на Пуаро.

— Думаю, — произнес последний, — мисс Эстравадос тоже есть в чем признаться.

Пилар сильно побледнела.

— Это правда, — заговорила она дрожащим голосом. — Я бы никогда ничего вам не рассказала, если бы не Лидия и не деньги. Приехать сюда и притворяться было забавно, но когда Лидия сказала, что деньги по справедливости должны принадлежать мне, все изменилось и уже не было забавным.

— Не понимаю, дорогая, о чем ты говоришь? — с недоумением спросил Элфред Ли.

— Вы думаете, что я ваша племянница, Пилар Эстравадос, но это не так! Пилар погибла в Испании, когда я ехала с ней в автомобиле. Бомба попала в машину и убила ее, но я не пострадала. Я не слишком хорошо знала Пилар, но она рассказывала мне о себе — о том, как богатый дедушка пригласил ее в Англию. У меня вовсе не было денег — я не знала, куда идти и что делать. И тогда я подумала: «Почему бы мне не взять паспорт Пилар, не отправиться в Англию и не стать очень богатой?» — Ее лицо внезапно осветила широкая улыбка. — Было забавно проверить, удастся ли это мне! Наши лица на фотографиях в общем были похожи, но когда здесь потребовали мой паспорт, я выбросила его в окно, побежала за ним и слегка испачкала фотографию землей. На границе ее рассматривали не слишком внимательно, а здесь — кто знает...

— Ты имеешь в виду, — сердито осведомился Элфред Ли, — что представилась моему отцу как его внучка и играла на его привязанности к тебе?

Пилар кивнула.

— Да, я сразу поняла, что очень ему нравлюсь, — безмятежно отозвалась она.

— Это возмутительно! — брызгая слюной, заявил Джордж Ли. — Преступно! Попытка получения денег при помощи обмана...

— От тебя она ничего не получила, старина! — прервал его Харри Ли. — Я на твоей стороне, Пилар! Меня восхищает твоя смелость. И слава Богу, я тебе больше не дядя! Это дает мне возможность действовать куда свободнее.

Пилар обернулась к Пуаро:

— Вы все знали? Давно?

Пуаро улыбнулся:

— Мадемуазель, если бы вы изучали законы Менделя[1], то знали бы, что у двух голубоглазых супругов не может быть детей с карими глазами. Я не сомневался, что ваша мать была почтенной и респектабельной дамой. Следовательно, вы не Пилар Эстравадос. Когда вы проделали ваш трюк с паспортом, я окончательно в этом убедился. Понимаете, это было изобретательно, но недостаточно.

— Вся история недостаточно изобретательна, — весьма недружелюбно произнес суперинтендант Сагден.

Пилар уставилась на него:

— Не понимаю...

— Вы кое-что нам рассказали, но, думаю, о большем умолчали.

— Оставьте ее в покое! — рявкнул Стивен.

Сагден не обратил на него внимания.

— Вы сказали, — продолжал он, — что после обеда поднялись к комнате вашего деда и что это желание было импульсивным. Но у меня иные предположения.

---

[1] М е н д е л ь Грегор Иоганн (1822—1844) — австрийский ученый, сформулировавший законы наследственности.

Это вы украли алмазы. Вы рассматривали их и, возможно, припрятали, когда клали в сейф, а старик ничего не заметил. Обнаружив пропажу, он сразу понял, что камни могли взять только двое. Одним был Хорбери, который мог узнать шифр сейфа, прокрасться ночью в комнату и взять алмазы. Второй были вы.

Ну, мистер Ли сразу принял меры. Он позвонил мне и попросил прийти. Потом передал вам, чтобы вы явились к нему сразу после обеда. Вы сделали это, и мистер Ли обвинил вас в краже. Вы все отрицали, но он настаивал. Не знаю, что произошло дальше — возможно, он понял, что вы не его внучка, а ловкая профессиональная воровка. Как бы то ни было, вам грозило разоблачение, и вы набросились на него с ножом. Началась борьба, и он закричал. Вы быстро выбежали из комнаты, повернули ключ снаружи и, зная, что не успеете убежать до прихода других, скользнули в нишу со статуями.

— Это неправда! — пронзительно закричала Пилар. — Я не крала алмазы! Я не убивала его! Клянусь Пресвятой Девой!

— Тогда кто? — резко осведомился Сагден. — Вы говорите, что видели фигуру, стоящую у двери мистера Ли. Согласно вашим показаниям, этот человек должен быть убийцей. Больше никто не проходил мимо ниши! Но мы знаем только от вас, что там вообще кто-то стоял. Иными словами, вы выдумали это, чтобы очистить себя от подозрений!

— Конечно, она виновна! — подхватил Джордж Ли. — Это абсолютно ясно! Я всегда говорил, что отца убил посторонний! Нелепо предполагать, будто кто-то из членов его семьи сделал такое! Это... это было бы противоестественно!

Пуаро шевельнулся на стуле.

— Я с вами не согласен, — сказал он. — С учетом особенностей характера Симеона Ли это было бы вполне не естественно.

— Что-что? — У Джорджа отвисла челюсть. Он уставился на Пуаро.

— По-моему, именно это и произошло, — продолжал Пуаро. — Симеон Ли был убит собственной плотью и кровью по причине, которая казалось убийце достаточно веской.

— Один из нас? — воскликнул Джордж. — Я протестую...

Голос Пуаро был твердым как сталь:

— Обвинить можно каждого из присутствующих. Начнем с вас, мистер Джордж Ли. Вы не любили своего отца, но поддерживали с ним хорошие отношения ради денег. В день смерти он угрожал урезать ваше содержание. Вы знали, что в случае его смерти, возможно, унаследуете весьма солидную сумму. Вот вам мотив. Вы заявили, что после обеда пошли звонить по телефону. Звонить-то вы звонили, но разговор продолжался всего пять минут. После этого вы легко могли подняться в комнату отца, завязать с ним разговор, а потом внезапно напасть на него и убить. Вы вышли из комнаты и повернули ключ снаружи, надеясь, что преступление припишут грабителю. Но в панике вы не позаботились о том, чтобы открыть окно, дабы поддержать теорию ограбления. Это было глупо, но вы, простите мою откровенность, довольно глупый человек. Тем не менее, — добавил Пуаро после паузы, во время которой Джордж тщетно пытался заговорить, — многие глупые люди становятся преступниками.

Он устремил взгляд на Мэгдалин.

— У мадам также имелся мотив. Думаю, что она по уши в долгах, к тому же тон некоторых замечаний вашего отца мог... вызвать у нее беспокойство. У нее тоже нет алиби. Она ходила к телефону, но не звонила, а в том, что она делала, мы можем полагаться лишь на ее слова...

Пуаро сделал очередную паузу.

— Перейдем к мистеру Дэвиду Ли. Мы неоднократно слышали о присущих членам семьи Ли мстительности и злопамятности. Мистер Дэвид Ли не забыл и не простил того, как его отец обращался с его матерью. Последняя насмешка отца над покойной леди могла оказаться и последней соломинкой. Дэвид Ли якобы играл на рояле во время убийства. По странному совпадению, он играл похоронный марш. Но предположим, марш играл кто-то другой, знавший о его намерениях и одобрявший их.

— Это постыдное предположение, — спокойно сказала Хильда Ли.

Пуаро повернулся к ней:

— Тогда вот вам другое, мадам. Это вы прокрались наверх, чтобы свершить суд над человеком, которого не могли простить. Такие женщины, как вы, могут быть ужасны в гневе...

— Я не убивала его, — заявила Хильда.

— Мистер Пуаро абсолютно прав, — вмешался суперинтендант Сагден. — Обвинить можно каждого, кроме мистера Элфреда Ли, мистера Харри Ли и миссис Элфред Ли.

— Я бы не исключал даже этих троих, — вежливо возразил Пуаро.

— Ну, знаете, мистер Пуаро... — запротестовал суперинтендант.

— Какие же доводы говорят против меня, мсье Пуаро? — осведомилась Лидия Ли, слегка улыбнувшись и приподняв брови.

— Ваш мотив я опускаю, мадам, — с поклоном отозвался Пуаро. — Он достаточно очевиден. Что до остального, то в тот вечер на вас было платье из тафты с ярким рисунком и накидкой. Напомню, что ваш дворецкий Трессилиан близорук. Предметы на расстоянии кажутся ему смутными и неопределенными. Напомню также, что ваша гостиная очень велика и освещена лампами с тяжелыми абажурами. За две минуты до того, как послышались крики, Трессилиан вошел в гостиную, чтобы забрать кофейные чашки. Ему показалось, что он видит вас в знакомой позе у дальнего окна, наполовину скрытую тяжелыми занавесями.

— Он действительно видел меня, — сказала Лидия Ли.

— А мне кажется возможным, что Трессилиан видел накидку вашего платья, прикрепленную к оконной портьере, чтобы создать впечатление, будто вы там стоите.

— Но я в самом деле там стояла, — возразила Лидия.

— Как вы смеете предполагать... — начал Элфред.

Харри прервал его:

— Пускай продолжает, Элфред. Наша очередь — следующая. Каким образом, мсье Пуаро, Элфред мог убить своего любимого папу, когда мы оба были в гостиной во время преступления?

— Это очень просто, — просиял Пуаро. — Достовернее всего кажутся алиби, которые другие свидетели под-

357

тверждают с неохотой. Всем известно, что вы с вашим братом в плохих отношениях. Вы публично насмехались над ним. Он тоже не говорил о вас доброго слова. Но предположим, что все это — детали хитроумного плана. Предположим, Элфред Ли устал ходить на задних лапках перед придирчивым родителем. Предположим, вы с ним сговорились некоторое время тому назад. Ваш план состоял в следующем. Вы возвращаетесь домой. Элфред притворяется, что возмущен вашим присутствием. Он демонстративно проявляет к вам неприязнь и ревность, а вы — презрение к нему. Наступает вечер убийства, которое вы вдвоем так ловко спланировали. Один из вас остается в столовой, громко и сердито разговаривая, словно там ссорятся двое. Другой поднимается наверх и совершает преступление...

Элфред вскочил на ноги.

— Вы сам дьявол! — крикнул он.

Сагден уставился на Пуаро.

— Вы в самом деле думаете... — начал он.

— Я должен был показать вам все возможности! — В голосе Пуаро внезапно послышались властные нотки. — Все это могло произойти. Но что произошло в действительности, мы узнаем, только перейдя от внешней реальности к внутренней... — Помолчав, он медленно произнес: — Как я уже неоднократно говорил, мы должны обратиться к характеру самого Симеона Ли.

6

Последовала минутная пауза. Как ни странно, негодование и враждебность испарились как по волшебству. Аудитория полностью подчинилась магии личности Эркюля Пуаро. Они, как зачарованные, наблюдали за ним, когда он начал медленно говорить:

— Покойный является центром всей тайны. Мы должны поглубже проникнуть в сердце и ум Симеона Ли и посмотреть, что мы там обнаружим. Ибо человек живет и умирает не сам по себе. То, что он имеет, он передает потомкам.

Что же мог передать Симеон Ли своим сыновьям и дочери? Во-первых, гордость, которая была уязвлена его разочарованием в детях. Во-вторых, терпение. Нам говорили, что Симеон Ли терпеливо ждал много лет, чтобы отомстить тому, кто дурно с ним обошелся. Мы видим, что это свойство его натуры унаследовал сын, меньше других похожий на него внешне. Дэвид Ли также мог годами питать чувство негодования. Внешне же на отца похож только Харри Ли. Это сходство особенно заметно, когда смотришь на портрет Симеона Ли в молодости. Те же орлиный нос, длинный, острый подбородок, высоко поднятая голова. Думаю, что Харри унаследовал и многие отцовские привычки — например, смеяться, вскинув голову, или поглаживать пальцем подбородок.

Держа все это в памяти и будучи убежден, что убийство совершенно кем-то тесно связанным с жертвой, я стал изучать членов семьи с психологической точки зрения. Иными словами, я пытался определить, кто психологически был способен совершить преступление. Я пришел к выводу, что в эту категорию попадают только двое — Элфред Ли и жена Дэвида, Хильда Ли. Самого Дэвида я отверг. Не думаю, что человек, обладающий столь хрупкой, впечатлительной натурой, мог бы перерезать кому-то горло. Точно так же я отверг Джорджа Ли и его жену. Каковы бы ни были их мотивы, они по своему темпераменту не склонны к риску — оба слишком осторожны. Что касается миссис Элфред Ли, то я был уверен, что она вообще не способна на насильственные действия — у нее для этого слишком ироничный склад ума. Насчет Харри Ли я колебался. Конечно, в его натуре есть определенная агрессивность, но я был почти уверен, что Харри, несмотря на все его выходки, человек слабый и безвольный. Теперь я знаю, что его отец придерживался такого же мнения — он говорил, что Харри ничуть не лучше остальных. Оставались двое, которых я уже упомянул. Элфред Ли был способен на бескорыстную преданность — в течение многих лет он безропотно подчинялся воле отца. В таких обстоятельствах всегда возможен внезапный взрыв. Более того, Элфред вполне мог таить на отца злобу, которая, не находя выхода, постепенно усиливалась. Самые тихие и мягкие люди часто способны на неожиданные вспышки насилия, так как если их самоконтроль отказывает, то полностью! Другой персоной, которую я считал вероятным кандидатом, была Хильда Ли. Она принадлежит к людям, которые при определенных обстоятельствах могут взять закон в собственные руки, хотя и не по эгоистичным мотивам. Такие люди сами судят и сами казнят. Многие персонажи Ветхого Завета относятся к этому типу — например, Иаиль[1] и Юдифь[2].

Разумеется, при этом я расследовал и обстоятельства самого преступления. Первое, что бросалось в глаза, — необычные условия, в которых произошло убийство. Вспомните комнату, где лежал мертвый Симеон Ли. Массивные стул и кресло опрокинуты, лампа, стаканы, посуда разбиты. Особенно удивляли стол и кресло из тяжелого красного дерева. Было трудно представить, что они перевернулись во время борьбы немощного старика с его противником. Все это выглядело нереальным. Но никому бы в здравом уме не могло прийти в голову инсценировать подобное — разве только убийцей Симеона Ли был сильный мужчина, который хотел создать впечатление, что преступник был слаб физически или вовсе являлся женщиной.

Однако подобная идея выглядела крайне неубедительно, так как грохот мебели должен был поднять тревогу и убийце оставалось бы очень мало времени, чтобы скрыться. Безусловно, в интересах преступника было перерезать Симеону Ли горло как можно тише.

Другой необычной деталью был поворот ключа в замке снаружи. И снова для этого как будто не было никаких причин. Это не могло способствовать версии самоубийства, так как ей противоречили все обстоятельства. Это также не могло навести на мысль о бегстве убийцы через окно, ибо положение окон делало бегство невозможным. Более того, процедура опять-таки требовала времени, которое должно быть драгоценным для убийцы!

Была и третья необъяснимая деталь — кусочек резины, отрезанной от мешочка для туалетных принад-

---

[1] И а и л ь — израильтянка, убившая ханаанского военачальника Сисару (Книга Судей Израилевых, 4:17—22).

[2] Ю д и ф ь — богатая иудейская вдова, которая спасла осажденный вавилонянами город Ветилую, хитростью проникнув в шатер вавилонского полководца Олоферна и убив его (Книга Юдифи).

лежностей Симеона Ли, и маленький деревянный колышек, которые показал мне суперинтендант Сагден. Их подобрала мисс Эстравадос, появившаяся в комнате одной из первых. И снова это казалось бессмысленным! Эти предметы как будто ничего не означали! Но тем не менее они там находились.

Преступление становилось все более непонятным. В нем не было ни порядка, ни метода, ни, enfin[1], смысла.

Далее мы столкнулись еще с одной трудностью. Покойный вызвал к себе суперинтенданта Сагдена, сообщил ему о краже и попросил вернуться через полтора часа. Зачем? Если Симеон Ли подозревал свою внучку или другого члена семьи, почему он не попросил суперинтенданта подождать внизу, пока он не переговорит с подозреваемым? При наличии в доме полицейского офицера он мог бы оказать куда более сильное давление на виновного.

Таким образом, необычным выглядит не только поведение убийцы, но и поведение самого Симеона Ли!

И тогда я сказал себе: «Все было совсем не так! Мы смотрим на происшедшее с неправильной точки зрения — с той, которую стремится навязать нам убийца!»

Перед нами три момента, не имеющие смысла: борьба, повернутый снаружи ключ и обрывок резины. Но должна была существовать точка зрения, при которой они обретут смысл! Я постарался забыть об обстоятельствах преступления и рассмотреть эти моменты сами по себе. Что предполагает борьба? Насилие, шум, поломанные вещи... Зачем поворачивают ключ? Чтобы никто не мог войти? Но ключ этого не предотвратил, так как дверь взломали почти сразу же. Чтобы задержать кого-то внутри или снаружи? А клочок резины? Обрывок туалетного мешочка, и ничего более...

Итак, во всем этом как будто ничего нет. Но это не совсем так — остаются три впечатления: шум, изоляция и, наконец, полная бессмыслица.

Соответствуют ли эти впечатления двум моим подозреваемым? Нет, не соответствуют. Для Элфреда и Хильды было бы куда предпочтительнее тихое убий-

---

[1] Наконец (*фр.*).

ство, трата времени на запирание двери снаружи нелепа, а обрывок мешочка по-прежнему ничего не означает.

И все же меня не покидало чувство, что в этом преступлении нет ничего абсурдного — что оно, напротив, великолепно спланировано и безукоризненно осуществлено. Следовательно, все факты должны что-то означать...

Обдумав их вновь, я увидел первые проблески света.

Кровь — она повсюду, алая, свежая, влажная... Так много крови — даже слишком много...

Эта мысль влечет за собой другую. Перед нами кровное преступление. На Симеона Ли ополчилась его же собственная кровь!..

Эркюль Пуаро склонился вперед:

— Две фразы, сказанные разными людьми, стали важнейшими ключами к разгадке, хотя эти люди произнесли их, ни о чем не догадываясь. Первой была строка из «Макбета», процитированная миссис Элфред Ли: «Кто бы мог подумать, что в этом старике так много крови?» Другой была фраза дворецкого Трессилиана. Он жаловался на путаницу в голове, на то, что ему кажется, будто происходящее теперь уже происходило раньше. Причиной странного чувства явился простой случай. Услышав звонок, Трессилиан открыл дверь Харри Ли, а на следующий день сделал то же самое для Стивена Фэрра.

Почему же у него возникло такое чувство? Посмотрите на Харри Ли и Стивена Фэрра, и вы поймете почему. Они поразительно похожи! Поэтому дворецкому показалось, будто он дважды открывает дверь одному и тому же человеку. Только сегодня Трессилиан сетовал на то, что путает людей друг с другом. Неудивительно! У Стивена Фэрра такой же нос с горбинкой, как у Харри Ли, и те же привычки смеяться, вскинув голову, и поглаживать подбородок указательным пальцем. Посмотрите внимательно на портрет Симеона Ли в молодости, и вы увидите в нем сходство не только с Харри Ли, но и со Стивеном Фэрром!

Стивен зашевелился, скрипнув стулом.

— Помните гневную тираду Симеона Ли по адресу своих детей? — продолжал Пуаро. — Он заявил, что у него наверняка имеются где-то сыновья получше — пусть даже незаконные. Мы снова возвращаемся к характеру Симеона Ли. Того Симеона Ли, который пользовался успехом у женщин и разбил сердце своей жены! Симеона Ли, который похвалялся Пилар, что мог бы создать целую гвардию из сыновей почти одного возраста! Поэтому я пришел к выводу: в доме присутствовали не только законные сыновья Симеона Ли, но и кто-то из незаконных — не признанный и не узнанный им.

Стивен медленно поднялся.

— Это и было вашей подлинной причиной, не так ли? — осведомился Пуаро. — Романтическая влюбленность в девушку, которую вы встретили в поезде, тут ни при чем! Когда вы познакомились с ней, вы уже направлялись сюда посмотреть, что за человек ваш отец.

Лицо Стивена стало белым как мел, а голос — хриплым и прерывистым.

— Да, меня всегда это интересовало... Мать иногда говорила о нем. Желание увидеть отца стало для меня чем-то вроде навязчивой идеи! Поэтому я заработал кое-какие деньги и приехал в Англию. Я не собирался сообщать ему, кто я такой, и выдал себя за сына старого Эба...

— Господи, я же был слеп! — почти шепотом произнес суперинтендант Сагден. — Но теперь я наконец прозрел. Дважды я принимал вас за мистера Харри Ли, потом понимал свою ошибку, но все равно ни о чем не догадывался!

Он повернулся к Пилар:

— Значит, вот в чем дело? В тот вечер вы видели у двери Стивена Фэрра? Я помню, как вы колебались и смотрели на него, прежде чем сказать, что это была женщина. Вы видели Фэрра и не желали его выдавать!

— Вы не правы, — внезапно заговорила Хильда Ли. — Пилар видела меня.

— Вас, мадам? — переспросил Пуаро. — Да, я так и думал...

— Самосохранение — любопытная штука, — спокойно сказала Хильда. — Я бы никогда не поверила, что могу быть такой трусихой. Молчать только потому, что я боялась!

363

— А теперь вы нам все расскажете? — осведомился Пуаро.

Она кивнула:

— Я была с Дэвидом в музыкальной комнате. Дэвид играл — он был в очень странном настроении. Я немного тревожилась и чувствовала свою ответственность, так как настояла на приезде сюда. Дэвид начал играть похоронный марш, и я внезапно приняла решение. Как бы дико это ни показалось, мы оба уедем этим же вечером. Я потихоньку вышла из музыкальной комнаты и поднялась наверх, собираясь объяснить мистеру Ли, почему мы уезжаем. Пройдя по коридору, я постучала в дверь его комнаты. Ответа не было. Я постучала громче, но с тем же результатом. Тогда я повернула ручку, но дверь была заперта. Я стояла не зная, как поступить, когда услышала звук изнутри. Можете мне не верить, но это правда! Кто-то был в комнате и напал на мистера Ли! Я слышала, как опрокидываются столы и стулья, как бьется стекло и фарфор, потом раздался жуткий вопль, который постепенно замер — и наступила тишина. Я стояла как парализованная! Потом прибежали мистер Фэрр, Мэгдалин и все остальные. Мистер Фэрр и Харри начали ломать дверь, она упала, и мы увидели, что в комнате никого нет, кроме мистера Ли, лежащего в луже крови... — Ее негромкий голос внезапно перешел в крик. — Понимаете, в комнате не было никого! И никто оттуда не выходил!

7

Суперинтендант Сагден тяжело вздохнул.

— Либо я спятил, либо все остальные! — сказал он. — То, что вы говорите, миссис Ли, абсолютно невозможно! Это чистое безумие!

— Повторяю, — настаивала Хильда, — я слышала звуки борьбы, слышала предсмертный крик старика, но никто не вышел из комнаты, и там никого не оказалось!

— И все это время вы молчали, — заметил Эркюль Пуаро.

Лицо Хильды было бледным, но голос вновь стал спокойным.

— Да, потому что, если я рассказала бы вам, что произошло, вы бы могли подумать только одно — что его убила я.

Пуаро покачал головой.

— Нет, — сказал он. — Вы его не убивали. Симеона Ли убил его сын.

— Клянусь Богом, я его и пальцем не трогал! — воскликнул Стивен Фэрр.

— Не вы, — отозвался Пуаро. — У него были и другие сыновья.

— Какого черта... — начал Харри.

Джордж молча уставился на Пуаро. Дэвид прикрыл глаза ладонью. Элфред быстро заморгал.

— В первый же вечер моего пребывания здесь, — продолжал Пуаро, — в тот вечер, когда произошло убийство, — я увидел призрак.

Это был призрак убитого. Когда я впервые увидел Харри Ли, то был озадачен — мне показалось, что я уже видел его раньше. Потом я внимательно разглядел его черты, понял, как он похож на отца, и решил, что поэтому он и показался мне знакомым.

Но когда вчера человек, сидевший напротив меня, вскинул голову и засмеялся, я понял, кого мне напоминал Харри Ли. И вновь обнаружил черты покойного уже в другом лице.

Неудивительно, что бедный старый Трессилиан был озадачен, когда открыл дверь уже не двум, а трем мужчинам, очень похожим друг на друга. Неудивительно и его признание, что он «путает людей», когда в доме находятся три человека, которых на небольшом расстоянии действительно можно перепутать друг с другом! Та же осанка, те же жесты (в особенности манера поглаживать подбородок), та же привычка смеяться, откинув голову, тот же орлиный нос. Тем не менее сходство было не всегда легко заметить, так как третий мужчина носил усы. — Пуаро склонился вперед. — Иногда забывают, что полицейские — тоже люди, что у них есть жены и дети, матери... — он сделал паузу, — и отцы. Вспомните местную репутацию Симеона Ли — человека, который разбил сердце своей жене из-за связей с другими женщинами. Незаконнорожденный сын мог унаследовать не только черты и даже жесты отца, но и его гордость, терпеливость и мстительность! — Он повысил голос: — Всю вашу жизнь, Сагден, вы помнили зло, которое причинил вам ваш отец. Думаю, вы давно решили убить его. Вы прибыли из соседнего графства. Несомненно, ваша мать, благодаря щедрости Симеона Ли, смогла найти себе мужа, который стал отцом ее ребенку. Для вас не составило труда поступить в полицию Миддлшира и дожидаться удобной возможности. У полицейского суперинтенданта много возможностей совершить убийство и выйти сухим из воды.

Лицо Сагдена стало белым как бумага.

— Вы сошли с ума! — сказал он. — Меня не было в доме, когда его убили!

Пуаро покачал головой:

— Нет, вы убили Симеона Ли до того, как в первый раз ушли из дома. После вашего ухода никто не видел его живым. Симеон Ли действительно ожидал вас, но он никогда не вызывал вас к себе. Это вы позвонили ему и намекнули на попытку кражи. Вы сказали, что придете к нему около восьми под предлогом сбора средств на приют для сирот из полицейских семей. Симеон Ли ничего не заподозрил. Он не знал, что вы его сын. Придя, вы сообщили ему о подмене алмазов на подделки. Ваш отец открыл сейф, чтобы показать вам, что настоящие алмазы на месте. Вы извинились, отошли вместе с ним к камину и, застигнув его врасплох, перерезали ему горло, зажимая рот, чтобы он не закричал. Для такого сильного мужчины, как вы, это детская игра.

Потом вы оборудовали сцену — взяли алмазы, сложили в кучу столы и стулья, лампы и стаканы и обвязали их тонкой веревкой или бечевкой, которую принесли с собой, обмотав вокруг тела. При вас также была бутылка со свежей кровью животного, к которой вы добавили соль лимонной кислоты. Вы разбрызгали кровь по комнате и налили кислоты в лужу крови, вытекающей из раны Симеона Ли. Потом вы развели в камине огонь, чтобы тело сохраняло тепло, пропустили два конца веревки сквозь узкую щель внизу окна и оставили их свисать вдоль стены. Выйдя из комнаты, вы повернули ключ снаружи, так как для вас было крайне важно, чтобы никто раньше времени не заходил в комнату.

Затем вы вышли на террасу и спрятали алмазы в каменной раковине. Если бы их со временем там обнаружили, это только укрепило бы подозрения в отношении законных сыновей Симеона Ли и их жен, что вам и требовалось. Незадолго до четверти десятого вы вернулись и, подойдя к стене под окном, потянули за веревку. Мебель и фарфор с грохотом попадали. После этого вы вытянули наружу всю веревку и снова обмотали ее вокруг тела под пиджаком и жилетом. Но вы использовали еще одно приспособление!

Пуаро повернулся к остальным:

— Помните, как каждый из вас описывал крик умирающего Симеона Ли? Вы, мистер Ли, описали его как крик человека в предсмертной агонии. Ваша жена и Дэвид Ли использовали выражение «вопли грешной души в аду». Миссис Дэвид Ли, напротив, сказала, что это был крик существа, у которого вообще нет души, — скорее животного, чем человека. Но ближе всех к истине оказался Харри Ли, заявивший, что так визжит свинья, которую режут.

Вы ведь знаете длинные розовые пузыри с намалеванными на них физиономиями, которые продаются на ярмарках под названием «недорезанный поросенок»? Когда из них выходит воздух, они издают нечеловеческий вой. Это был ваш последний штрих, Сагден. Вы оставили такую штуку в комнате, заткнули отверстие деревянным колышком, а к колышку привязали веревку. Когда вы потянули за нее, колышек вылетел и воздух начал выходить из пузыря. Таким образом к грохоту падающей мебели присоединился визг «недорезанного поросенка».

Он снова посмотрел на остальных:

— Теперь вам ясно, что именно подобрала Пилар Эстравадос? Суперинтендант рассчитывал успеть вовремя и сам подобрать клочок резины, прежде чем кто-нибудь его заметит. Он смог достаточно быстро забрать его у Пилар, пользуясь своим официальным положением, но никому не упомянул об этом инциденте, что само по себе было подозрительным обстоятельством. Я узнал о нем от Мэгдалин Ли и спросил об этом Сагдена. Он был готов к такой возможности и продемонстрировал обрывок резинового туалетного мешочка мистера Ли вместе с деревянным колышком. Внешне это соответствовало описанию — кусочек резины и кусочек дерева — и, как мне тогда показалось, не означало ровным счетом ничего! Но мне не хватило ума понять сразу, что если это ничего не означает, то не могло там находиться, и, следовательно, суперинтендант Сагден лжет. Нет, я продолжал искать объяснение! Только когда мисс Эстравадос играла с воздушным шариком и закричала, когда он лопнул, что именно это она подобрала в комнате Симеона Ли, я понял истину.

Теперь все заняло свои места — невероятная борьба, нужная для установления ложного времени смерти; дверь, запертая для того, чтобы тело не обнаружили слишком быстро; крик умирающего. Преступление стало выглядеть логично и продуманно.

Но с того момента, как Пилар Эстравадос громко возвестила о своем открытии насчет воздушного шарикаа, она стала источником опасности для убийцы. Если он слышал ее, находясь в доме (что было вполне возможно, учитывая звонкий и четкий голос мадемуазель и открытые окна), то ей грозила серьезная опасность. Убийца уже провел по ее вине скверную минуту, когда она сказала о старом мистере Ли: «Должно быть, в молодости он был очень красивым» — и добавила, обращаясь к Сагдену: «Совсем как вы». Она имела в виду буквальное сходство, и Сагден это знал. Неудивительно, что он побагровел и едва не задохнулся. Для него это было абсолютно неожиданно и смертельно опасно. После этого Сагден надеялся обвинить в убийстве Пилар Эстравадос, но это оказалось нелегко, так как у не получающей наследства внучки старика не могло быть никаких очевидных мотивов для убийства. Позднее, услышав из дома ее замечание о шарике, Сагден решился на крайние меры. Он установил ядро, когда мы сидели за ленчем. К счастью, это чудом не сработало.

Последовало гробовое молчание.

— Когда вы убедились окончательно? — спросил наконец Сагден.

— Я не был полностью уверен, — ответил Пуаро, — пока не принес фальшивые усы и не приставил их к портрету Симеона Ли. Лицо, смотревшее на меня, было вашим.

— Надеюсь, его душа сгниет в аду! — сквозь зубы процедил Сагден. — Я рад, что сделал это!

Часть седьмая
28 ДЕКАБРЯ

1

— По-моему, Пилар, — сказала Лидия Ли, — тебе лучше оставаться у нас, пока мы не сможем тебя как следует устроить.

— Вы очень добрая, Лидия, — отозвалась Пилар. — Легко прощаете людей, не поднимая лишнего шума.

— Я все еще называю тебя Пилар, — улыбнулась Лидия, — хотя, очевидно, тебя зовут по-другому.

— Да, меня зовут Кончита Лопес.

— Кончита тоже красивое имя.

— Я очень благодарна вам, Лидия, но вы не должны из-за меня беспокоиться. Я выхожу замуж за Стивена, и мы собираемся в Южную Африку.

— Это хорошее решение, — одобрила Лидия.

— Раз вы так любезны, Лидия, — робко сказала Пилар, — то не будете возражать, если мы как-нибудь снова приедем к вам на Рождество? Тогда у нас будут хлопушки, горячий пудинг, блестящие штучки на елке и маленькие снеговики.

— Конечно приезжайте! Увидите настоящее английское Рождество.

— Спасибо. Это Рождество было не из приятных.

— Что верно, то верно, — вздохнула Лидия.

2

— До свидания, Элфред, — попрощался Харри. — Едва ли я буду снова мозолить тебе глаза. Я отправляюсь на Гавайи — давно собирался поселиться там, если обзаведусь деньгами.

— До свидания, Харри, — сказал Элфред. — Надеюсь, ты будешь наслаждаться жизнью.

— Прости, старина, что я так тебе досаждал, — смущенно произнес Харри. — У меня скверное чувство юмора. Не могу удержаться, чтобы не подразнить кого-нибудь.

— Очевидно, мне следует научиться понимать шутки, — с усилием отозвался Элфред.

— Ну, пока, — с облегчением сказал Харри.

3

— Дэвид, мы с Лидией решили продать это место, — сообщил Элфред. — Я подумал, что тебе захочется взять кое-что из маминых вещей — кресло или скамеечку для ног. Ты всегда был ее любимцем.

— Спасибо, Элфред, — поколебавшись, ответил Дэвид, — но я не хочу ничего отсюда брать. Думаю, лучше полностью порвать с прошлым.

— Понимаю, — кивнул Элфред. — Возможно, ты прав.

4

— До свидания, Элфред. До свидания, Лидия, — попрощался Джордж. — Ужасное время мы здесь провели. А ведь еще предстоит суд. Вся постыдная история выйдет наружу — ведь Сагден... э-э... сын нашего отца. Хорошо бы кто-нибудь смог его убедить сделать заявление, что он придерживается коммунистических взглядов и ненавидел отца, как капиталиста.

— Неужели ты полагаешь, Джордж, — сказала Лидия, — что такой человек, как Сагден, будет лгать для нашего успокоения?

— Возможно, нет, — согласился Джордж. — Все равно, этот тип — сумасшедший.

— До свидания, — сказала Мэгдалин. — Давайте проведем следующее Рождество на Ривьере или еще где-нибудь, где будет по-настоящему весело.

— Это зависит от валютного курса, — всполошился Джордж.

— Не будь скупым, дорогой, — одернула его Мэгдалин.

5

Элфред вышел на террасу. Лидия склонилась над каменной раковиной. При виде мужа она выпрямилась.

— Ну вот, — вздохнул он. — Все уехали.

— Какое облегчение, — сказала Лидия.

— Пожалуй, — согласился Элфред. — Тебе бы тоже хотелось уехать отсюда?

— А ты бы возражал? — спросила она.

— Нисколько. Мы с тобой можем увидеть столько интересного... А жизнь здесь постоянно напоминала бы нам об этом кошмаре. Слава Богу, все кончилось!

— Благодаря Эркюлю Пуаро.

— Да. Удивительно, как все стало на свои места после его объяснений.

— Да, как в картинке-загадке, когда разрозненные фрагменты складываются в единое изображение.

— Непонятно только одно, — сказал Элфред. — Что делал Джордж после телефонного разговора? Почему он не хотел об этом рассказывать?

— А ты не понял? Я все время это знала. Рылся в бумагах на твоем столе.

— Не может быть, Лидия! Джордж на такое не способен!

— Еще как способен. Он ужасно любопытен относительно денежных дел. Но конечно, он скорее оказался бы на скамье подсудимых, чем признался бы в этом.

— Ты делаешь новую композицию? — спросил Элфред.

— Да.

— Что на сей раз?

— Думаю, это будет сад Эдема, — ответила Лидия. — Новая версия — без змея и с Адамом и Евой уже не первой молодости.

— Какой терпеливой ты была все эти годы, Лидия, — мягко произнес Элфред. — Ты была так добра ко мне.

— Дело в том, Элфред, что я люблю тебя, — отозвалась Лидия.

6

— Боже, благослови мою душу! — воскликнул полковник Джонсон. — Честное слово! — Откинувшись на спинку стула, он добавил жалобным тоном: — Лучший из моих людей! Куда катится полиция?

— У каждого полицейского есть личная жизнь, — ответил Пуаро. — Сагден был очень гордым человеком.

Полковник Джонсон покачал головой.

Чтобы облегчить душу, он поворошил ногой поленья в очаге и промолвил:

— Я всегда говорил — нет ничего лучше камина.

Эркюль Пуаро, ощущая, как сквозняк обдувает ему шею, подумал:

«Pour moi[1], я предпочитаю центральное отопление...»

---

[1] Что касается меня (фр.).

«Лощина»

Роман

The Hollow

*Ларри и Данае
с просьбой простить меня за
то, что я изобразила их бассейн как место преступления*

Глава 1

В шесть часов тридцать минут в пятницу большие голубые глаза Люси Энкейтлл широко раскрылись навстречу новому дню, и, как всегда, сразу и окончательно проснувшись, она тут же занялась обдумыванием проблем, которые подсказывал ее необыкновенно активный ум. Чувствуя потребность немедленно с кем-то поговорить и посоветоваться и выбрав для этой цели свою младшую кузину Мидж Хардкасл, приехавшую к ним в «Лощину» накануне вечером, леди Энкейтлл выскользнула из-под одеяла и, набросив пеньюар на свои все еще грациозные плечи, направилась по коридору к комнате Мидж. Обладая способностью мыслить стремительно, леди Энкейтлл, по своей неизменной привычке, немедленно начала в уме предстоящую беседу с кузиной, извлекая ответы Мидж из своего собственного богатого воображения. Так что, когда леди Энкейтлл распахнула двери в комнату, где спала Мидж, этот мысленный разговор был уже в полном разгаре.

— ...Поэтому, дорогая, ты, конечно, согласишься, что уик-энд обещает быть трудным.

— М-м, что такое? — неразборчиво пробормотала внезапно разбуженная Мидж.

Леди Энкейтлл скользнула через комнату к окну, резким движением откинула занавеску и подняла жалюзи, впустив в комнату бледный свет раннего сентябрьского утра.

375

— Птицы, — сказала она, глядя с явным удовольствием через оконное стекло. — Какая прелесть!

— Что?

— Погода, во всяком случае, не создаст дополнительных трудностей. Похоже, она установилась. Это уже хорошо! В случае дождя столько разных людей пришлось бы запихнуть в помещение, и я думаю, дорогая, ты со мной согласишься, что это в десять раз хуже! Можно, конечно, придумать какие-нибудь игры, но, боюсь, получится как с бедняжкой Гердой в прошлом году. Никогда себе этого не прощу! Я потом говорила Генри, что это было очень необдуманно с моей стороны... Но мы, конечно, вынуждены приглашать ее, потому что было бы оскорбительно пригласить Джона и не пригласить Герду, хотя это как раз и создает трудности... И самое печальное то, что она в общем-то славная... Иногда кажется странным, что такой милый человек, как Герда, может быть начисто лишен сообразительности. Если это имеют в виду, говоря о законе компенсации одного качества за счет другого, по-моему, это совсем не справедливо!

— О чем ты говоришь, Люси?

— Уик-энд, дорогая! Гости, которые приедут завтра. Я всю ночь думала об этом и ужасно обеспокоена. Но даже просто поговорить с тобой — само по себе облегчение! Ты всегда так рассудительна и практична.

— Люси! — твердо сказала Мидж. — Ты имеешь представление о том, который час?

— Не совсем, дорогая. Я этого никогда не знаю.

— Сейчас только четверть седьмого.

— Да, дорогая, — произнесла леди Энкейтлл без всяких следов раскаяния.

Мидж пристально посмотрела на нее. «Нет, — подумала она, — Люси положительно невыносима! В самом деле не понимаю, почему мы постоянно миримся с ее странностями?» Но уже в тот момент, когда у нее промелькнула эта мысль, Мидж знала ответ. Леди Энкейтлл улыбнулась, и Мидж, как всегда, почувствовала необычное очарование, свойственное этой женщине. Даже теперь, когда Люси было за шестьдесят, оно не изменило ей. Ради этого очарования самые разные люди: иностранные представители, высокопоставленные правительственные служащие, государственные чиновники — терпели недоумение, раздражение и даже досаду, вызванные общением с ней. Она находила какое-то детское удовольствие и восторг во всем, что делала, и это обезоруживало и сводило на нет всякую критику в ее адрес. Стоило только Люси, широко раскрыв свои голубые глаза и протянув тонкие, хрупкие руки, прошептать: «О, мне, право, так жаль!» — как всякое недовольство мгновенно исчезало.

— Дорогая! — произнесла леди Энкейтлл. — Мне так жаль! Ты сразу должна была сказать, что еще так рано...

— Я говорю об этом сейчас... Но теперь это уже не имеет значения: я совершенно проснулась.

— Какая жалость! Но ведь ты поможешь мне, не правда ли?

— С уик-эндом? Что случилось? Почему это тебя так беспокоит?

Леди Энкейтлл легко присела на край постели. «Как все в ней не похоже на прочих людей, — подумала Мидж. — Совершенно бестелесна... Будто фея опустилась на мгновение».

Леди Энкейтлл протянула трепетные белые руки в восхитительном, беспомощном жесте.

— Самые неподходящие люди, — сказала она. — Я хочу сказать, все вместе... Каждый из них в отдельности очень мил...

— Кто должен приехать? — Мидж отбросила со лба густые черные волосы крепкой загорелой рукой. Ничего бестелесного и фееподобного в Мидж, безусловно, не было.

— Конечно, Джон и Герда, — сказала Люси. — Само по себе это правильно. Я хочу сказать, Джон — прелесть и очень привлекателен, а бедняжка Герда... Мы все должны быть к ней очень добры. Очень-очень добры!

— Полно! Она не так уж плоха! — возразила Мидж, движимая неясным для нее самой чувством защиты.

— Разумеется, дорогая, она просто трогательна. Эти глаза! И все-таки создается впечатление, что она не понимает ни единого слова из того, что ей говорят.

— Конечно, не понимает! — воскликнула Мидж. — Во всяком случае, она не понимает, что ты говоришь...

И я не виню ее в этом! Мысли у тебя, Люси, невероятно стремительны, и слова за ними не поспевают, поэтому твоя речь делает удивительные скачки, а все соединительные звенья в ней отсутствуют.

— Как обезьянки... — задумчиво произнесла леди Энкейтлл.

— Кто еще будет, кроме Герды и Джона Кристоу? Наверное, Генриетта?

Лицо леди Энкейтлл посветлело.

— Да... и я чувствую, что на нее можно положиться. Понимаешь, Генриетта по-настоящему добра, не только внешне. Она, конечно, поможет с бедняжкой Гердой. В прошлом году она была просто великолепна! Мы тогда играли в лимерик[1] или в слова, а может быть, в цитаты... что-то в этом роде, не помню точно, и все уже написали и начали зачитывать написанное вслух, как вдруг оказалось, что бедняжка Герда и не начинала писать! Она даже не поняла, в чем заключалась игра. Мидж, это было ужасно!

— Ума не приложу, почему люди все-таки приезжают к вам в гости, — сказала Мидж. — Заумные разговоры, мудреные игры да еще к тому же твоя странная манера говорить!

— Ты права, дорогая, с нами, наверное, очень трудно... И это должно быть так невыносимо для Герды. Я часто думаю, если бы у нее хватило смелости, она бы оставалась дома... Но она все-таки приезжает и выглядит, бедняжка, совершенно растерянной и какой-то жалкой. Джон в тот раз был ужасно раздражителен, а я просто ничего не могла придумать, как бы все сгладить... И тогда Генриетта — я ей так благодарна! — начала расспрашивать Герду о свитере, который был на ней. Нечто ужасное... какая-то дешевка унылого бледно-салатного цвета. Герда сразу оживилась, оказалось, она сама связала этот свитер, а когда Генриетта попросила у нее фасон, Герда была невероятно горда и счастлива. Генриетта всегда делает то, что нужно. Это своего рода талант!

— Она действительно старается помочь! — медленно сказала Мидж.

---

[1] Л и м е р и к — шутливо-абсурдное стихотворение, обычно из пяти строк.

— И она знает, что надо сказать.

— О, тут дело не только в словах, — заметила Мидж. — Знаешь, Люси, ведь Генриетта на самом деле связала такой свитер.

— О Господи! — Леди Энкейтлл казалась озадаченной. — И она носила его?

— Да. Генриетта всегда все доводит до конца.

— Наверное, это было ужасно?

— Нет, на Генриетте свитер смотрелся очень хорошо.

— Пожалуй, так и должно было случиться. В этом разница между Генриеттой и Гердой. Все, что делает Генриетта, она делает хорошо, и все у нее получается. Я думаю, Мидж, если кто и поможет пережить этот уик-энд, так это Генриетта. Она будет мила с Гердой, позабавит Генри, поддержит Джона в хорошем настроении и, я уверена, поможет с Дэвидом...

— Дэвидом Энкейтллом?

— Да. Он только что из Оксфорда, а может быть, из Кембриджа. Это такой трудный возраст, особенно для юношей мыслящих (Дэвид действительно умен!). Хорошо бы, однако, они в таком возрасте придержали свой интеллект при себе, пока немного повзрослеют, а то они только и могут сердито смотреть на собеседника и грызть ногти. Лицо у них в прыщах, у некоторых сильно выступает кадык... Они или вообще принципиально молчат, или, наоборот, громогласно всем противоречат. И все-таки я верю в Генриетту! Она очень тактична и всегда задает нужные вопросы. К тому же она скульптор, и все относятся к ней с уважением, да и лепит она не зверюшек или детские головки, а создает современные вещи, вроде той странной штуковины из металла и штукатурки, которую она выставляла в прошлом сезоне. Что-то напоминающее стремянку, как у Хита Робинсона[1], которая называлась «Восходящая мысль»... или что-то в этом роде. Как раз то, что могло бы произвести впечатление на Дэвида. Хотя, по-моему, это просто глупо.

— Дорогая Люси, что ты говоришь!

---

[1] «Как у Хита Робинсона» — так говорят о нелепых по сложности устройства машинах и механизмах. По имени журналиста У. Хита Робинсона (1872—1944).

— Некоторые из ее вещей, однако, очень милы. На пример, «Пониклый ясень».

— Генриетта, по-моему, отмечена гениальностью, тому же она очень хороша собой и прекрасный человек, — сказала Мидж.

Леди Энкейтлл встала и снова скользнула к окну. Она рассеянно играла шнурками занавески.

— Интересно, почему именно желуди? — прошептала она.

— Какие желуди?

— Желуди на шнурках занавесок... или, например ананасы на столбах ворот... Я хочу сказать, должен же быть в этом какой-то смысл. Ведь можно было бы сделать шишку или грушу, но почему-то всегда желуди. Мне всегда это казалось странным.

— Не перескакивай на другое, Люси! Ты пришла поговорить о предстоящем уик-энде, а я так и не поняла, что же тебя волнует. Если ты воздержишься от интеллектуальных игр и попытаешься не вести заумных разговоров с Гердой, а Генриетте поручишь приручить Дэвида... В чем тогда трудности?

— Видишь ли, дорогая, будет Эдвард.

— О, Эдвард! — Мидж минуту помолчала. — Люси, с какой стати ты пригласила на этот уик-энд Эдварда?

— Я его не приглашала, Мидж. В том-то и дело! Он сам напросился. Телеграфировал, можем ли мы его принять. Ты ведь знаешь Эдварда... Если бы я ответила «нет», наверное, он никогда больше не решился бы просить разрешения приехать.

Мидж медленно кивнула. «Да, — подумала она, — Эдвард действительно такой». На секунду она ярко представила себе его лицо, дорогое для нее и бесконечно любимое. В нем было что-то сходное с очарованием Люси... но более мягкое, застенчивое, чуть ироничное.

— Милый Эдвард, — произнесла Люси, словно отозвавшись на мысли, бродившие в голове Мидж.

— Хотя бы Генриетта решилась наконец-то выйти за него замуж, — продолжала нетерпеливо Люси. — Она его любит, я знаю. Если бы они побыли здесь какой-нибудь уик-энд без Кристоу. Присутствие Джона Кристоу очень неблагоприятно действует на Эдварда. Когда они вместе, Джон становится еще больше самим собой, еще лучше, а Эдвард делается еще меньше похожим на самого себя. Ты понимаешь, что я хочу сказать?

Мидж снова кивнула.

— Я не могла отказать в этот раз Кристоу, потому что их приезд был давно решен, но чувствую, Мидж, что все это будет очень сложно: Дэвид, с досадой грызущий ногти; Герда, которая не должна чувствовать себя обойденной вниманием; Джон, такой положительный, и проигрывающий в сравнении с ним милый Эдвард...

— Да, ингредиенты пудинга не очень многообещающие, — пробормотала Мидж.

Люси ответила ей улыбкой.

— Иногда, впрочем, — заметила она задумчиво, — все складывается само собой. Я пригласила к воскресному ленчу специалиста по преступлениям.

— Преступлениям?

— Голова у него похожа на яйцо, — продолжала леди Энкейтлл. — Он расследовал какое-то убийство в Багдаде, когда Генри был там верховным комиссаром. А может быть, после этого... Мы пригласили его тогда на ленч; был еще кое-кто из чиновников. Помню, он явился в белом парусиновом костюме с розовым цветком в петлице и черных лаковых ботинках. Я не очень-то помню, в чем там было дело, потому что меня совершенно не интересует, кто кого убил. Я хочу сказать, если человек мертв, как-то уже не имеет значения «почему», и, по-моему, глупо поднимать вокруг этого столько шума.

— У вас здесь случилось какое-то преступление, Люси?

— О нет, дорогая. Он просто живет недалеко в одном из этих новых нелепых коттеджей. Ну, знаешь, низкие балки, о которые постоянно стукаешься головой, очень хорошая канализация и никудышный сад. Но лондонцам нравится. Другой коттедж, кажется, занимает актриса. Они не живут здесь постоянно, как мы. И все-таки, — леди Энкейтлл задумчиво прошла через комнату, — наверное, это их устраивает. Мидж, дорогая, как мило с твоей стороны, что ты помогла мне.

— Мне не кажется, что я была очень полезной.

— Ты так думаешь? — Люси Энкейтлл казалась удивленной. — Ну а теперь выспись хорошенько и не торопись к завтраку, а когда встанешь, можешь грубить, сколько тебе захочется.

— Грубить? — удивилась Мидж. — Почему? О, понимаю! — Она засмеялась. — Ты необыкновенно проницательна, Люси! Пожалуй, я ловлю тебя на слове.

Леди Энкейтлл улыбнулась и вышла. Проходя по коридору, она увидела в открытую дверь газовую горелку и чайник, и ее тотчас осенила идея. Все любят утренний чай, это она знала... а Мидж теперь к завтраку не добудишься. Она сама приготовит для Мидж чашку чаю. Леди Энкейтлл поставила чайник на газ и проследовала дальше по коридору. Немного задержавшись возле комнаты мужа, она повернула ручку двери, но сэр Генри, этот способный администратор, хорошо знал свою жену. Он чрезвычайно любил ее, но он также любил спокойный, ничем не прерываемый утренний сон. Дверь была заперта.

Леди Энкейтлл вошла в свою комнату. Ей хотелось бы посоветоваться с Генри, но это можно сделать и позднее. Она постояла минутку-другую у открытого окна, зевнула, легла в постель, положила голову на подушку и через две минуты уже спала как дитя.

Чайник на газовой горелке закипел и продолжал кипеть...

— Мистер Гаджен, — обратилась горничная Симмонс к дворецкому, — еще один чайник распаялся.

Гаджен покачал седой головой. Он взял из рук горничной прогоревший чайник и, войдя в буфетную, через минуту достал новый с нижней полки шкафа, где у него было в запасе полдюжины чайников.

— Пожалуйста, мисс Симмонс, ее сиятельство и не заметит.

— Часто с ней такое случается? — спросила горничная.

Гаджен вздохнул.

— Видите ли, мисс Симмонс, — сказал он, — ее сиятельство добра и забывчива одновременно. Но в этом доме я стараюсь делать все возможное, чтобы избавить ее сиятельство от всех забот и неприятностей.

Глава 2

Генриетта Сэвернейк скатала небольшой комок глины и, прикрепив его к арматуре, пригладила рукой. Быстрыми, ловкими движениями она лепила из глины голову позировавшей девушки, чей тонкий, слегка вульгарный голос проникал в уши, касаясь лишь поверхности сознания Генриетты.

— ...И я считаю, мисс Сэвернейк, что была абсолютно права! «Так вот как вы собираетесь поступить!» — сказала я, потому что я думаю, мисс Сэвернейк, я должна была за себя постоять... «Я не привыкла, — сказала я, — чтобы мне говорили подобные вещи. Могу только сказать, что у вас грязное воображение!» Конечно, кому нравятся конфликты и всякие неприятности! Но я считаю, что была права, верно, мисс Сэвернейк?

— О, разумеется! — сказала Генриетта с таким жаром, что всякому, кто ее хорошо знал, стало бы ясно — слушала она не очень внимательно.

— «И если ваша жена говорит такие вещи, — сказала я, — ну что ж, я тут ничего не могу поделать!» Не знаю, почему так получается, мисс Сэвернейк, но везде, где я появляюсь, возникают неприятности, хотя я уверена, что тут нет моей вины. Я хочу сказать, мужчины такие влюбчивые, правда? — Девушка кокетливо хихикнула.

— Да, ужасно, — сказала Генриетта. Глаза ее были полуприкрыты веками.

«Восхитительно! — думала она. — Как прекрасны эти впадинки, одна точно под веком и другая, поднимающаяся ей навстречу. А вот челюсть у меня получилась под неправильным углом... Нужно соскоблить и сделать заново. Не так-то просто!»

— Вам, наверное, было очень трудно, — сказала она вслух. Голос звучал тепло, сочувственно.

— Я считаю, ревность так несправедлива, мисс Сэвернейк, и так ограниченна, вы меня понимаете? Это, собственно говоря, просто зависть, потому что кто-то красивее и моложе.

Генриетта старательно исправляла челюсть глиняной модели и ответила рассеянно:

— Да, конечно.

Уже давно, несколько лет тому назад, она научилась искусству отключаться, перекрывать сознание, как водонепроницаемый отсек. Она могла играть в бридж, поддерживать разговор, написать деловое письмо, подключая к этому лишь малую толику своего мозга. Сейчас она была полностью поглощена тем, как под ее пальцами возникала голова Навсикаи[1], тонкий поток злобной болтовни, выходивший из этих красивых детских губ, не касался глубинных участков ее мозга. Она без труда поддерживала разговор, так как привыкла к тому, что, позируя, люди хотят разговаривать. Не профессиональные натурщики, а те, кто не привык к позированию и вынужденное бездействие восполняют болтливой откровенностью. Вот и сейчас какая-то часть ее существа слушала и отвечала, а другая, далекая, истинная Генриетта невольно отмечала: «Вульгарная, гаденькая и злая девчонка... но глаза... прекрасные, дивные... дивные... дивные глаза...» Пока она занята глазами, пусть девушка говорит. Она попросит ее замолчать, когда нужно будет заняться ртом. Странно, что поток злобы исходит из этих превосходно очерченных губ. «О, проклятье! — подумала вдруг сердито Генриетта. — Я испортила надбровные дуги! Что за чертовщина! Я слишком подчеркнула кость... она острая, а не широкая...»

Генриетта отошла на шаг, насупилась, переводя взгляд с глиняной модели на живое создание, сидящее на платформе.

Дорис Сэндерс между тем продолжала:

— «Помилуйте, — сказала я, — не понимаю, почему ваш муж не может преподнести мне, если хочет, подарок? И я не думаю, — сказала я, — что это дает вам право оскорблять меня». Это был такой красивый браслет, мисс Сэвернейк, в самом деле, очень миленький браслет. Ну, пожалуй, бедняга с трудом мог себе позволить подарить такую вещь, но, я думаю, с его стороны это было очень мило, и, уж конечно, возвращать подарок я не собиралась!

---

[1] Н а в с и к а я — в греческой мифологии дочь царя феаков Алкиноя. Навсикая нашла на берегу моря Одиссея, потерпевшего кораблекрушение, и помогла ему вернуться домой, на Итаку.

— Нет, конечно, — пробормотала Генриетта.

— Не то чтобы между нами что-нибудь было... что-нибудь неприличное, я хочу сказать, ничего такого между нами не было.

— Нет, — произнесла Генриетта, — конечно нет.

Она больше не хмурилась и следующие полчаса работала как одержимая. Глина прилипала у нее на лбу, повисла на волосах, по которым она нетерпеливо проводила рукой, взгляд стал отсутствующим и напряженным. Вот оно... ей, кажется, удалось... Через несколько часов она сможет избавиться от этого наваждения, мучившего ее последние десять дней.

Навсикая... Этот образ преследовал ее. Она просыпалась с мыслью о Навсикае, завтракала с ней, выходила на улицу, бродила в нервном возбуждении по городу не в состоянии думать о чем-либо другом. Перед ее внутренним взором неизменно стояло, не давая разглядеть себя отчетливо, прекрасное невидящее лицо Навсикаи... Генриетта встречалась с натурщицами, присматривалась к лицам греческого типа и чувствовала себя глубоко неудовлетворенной.

Нужно было найти... найти то, что даст толчок... вызовет к жизни ее собственное видение. Она вышагивала по улицам десятки километров, утомляясь до изнеможения и радуясь этому... И все время ее подгоняло, торопило неуемное желание — увидеть...

У нее самой был теперь отсутствующий, неподвижный взгляд, как у слепой. Она не замечала окружающего, только напряженно вглядывалась, чтобы приблизить желанное лицо... Она чувствовала себя плохо, больной, несчастной...

И вдруг взгляд ее словно очистился, и она увидела в автобусе (в который села по рассеянности, так как ей было абсолютно безразлично, куда ехать)... увидела — да, Навсикаю!

Небольшое детское личико, полураскрытые губы... и глаза... прекрасные, странно пустые, словно невидящие глаза... Девушка нажала кнопку и вышла из автобуса. Генриетта вышла вслед за ней.

Теперь она была спокойна и деловита: она нашла то, что искала. Агония беспорядочных поисков закончилась.

— Извините, пожалуйста, я профессиональный скульптор, и, откровенно говоря, ваша голова — как раз то, что я искала.

Генриетта была дружелюбна, очаровательна, неотразима, какой умела быть всегда, если чего-нибудь хотела добиться.

Дорис Сэндерс, напротив, держалась подозрительно, была испугана и в то же время польщена.

— Я, право, не знаю... Ну разве что только голова. Конечно, я никогда раньше этим не занималась.

Соответственно ситуации — сначала нерешительность, колебания, затем деликатный вопрос о финансовой стороне дела.

— Разумеется! Я настаиваю, чтобы вы приняли соответствующую профессиональную оплату.

И вот теперь «Навсикая», сидя на платформе в мастерской, радовалась при мысли, что ее привлекательное лицо будет запечатлено и увековечено, хотя ей не очень-то нравились образцы мастерства Генриетты, которые она видела в студии. Она также с наслаждением изливала душу слушательнице, чьи симпатия и внимание казались полными.

На столе возле нее лежали очки. Она призналась Генриетте, что надевает их как можно реже, из тщеславия предпочитая ходить почти ощупью, так как настолько близорука, что без очков с трудом видит не дальше ярда перед собой.

Генриетта понимающе кивнула. Теперь она поняла причину странно пустого и прекрасного взгляда девушки.

Время шло. Наконец Генриетта отложила в сторону инструменты и облегченно вытянула руки.

— Ну вот, — сказала она, — я кончила. Надеюсь, вы не очень устали?

— О нет, благодарю вас, мисс Сэвернейк. Это было очень интересно! Правда. Вы хотите сказать, что все закончили? Так быстро?

Генриетта засмеялась:

— Нет, конечно, не кончила! Мне еще много придется над ней поработать. Но вы свободны. Я получила то, что хотела... нашла основу для дальнейшей работы.

Девушка медленно спустилась с платформы. Она надела очки, и доверчивая невинность и необычное очарование ее лица сразу же исчезли. Теперь это было просто заурядное смазливое личико.

Она подошла ближе и, остановившись возле Генриетты, посмотрела на глиняную модель.

— О-о! — произнесла она с сомнением и разочарованием в голосе. — Это не очень-то похоже на меня, верно?

Генриетта улыбнулась:

— Нет, конечно! Это не портрет.

Пожалуй, вообще никакого сходства не было. Может быть, в постановке глаз... линии скул... То, что казалось Генриетте существенным в ее представлении о Навсикае. Это была не Дорис Сэндерс, а слепая девушка, о которой поэт мог бы сложить стихи. Губы полураскрыты, как у Дорис, но это не ее губы. Заговори она, это были бы слова другого языка, и мысли ее не были бы мыслями Дорис. Ни одна из черт лица не выделялась четко. Это была Навсикая, не увиденная, а вызванная воображением.

— Ну что ж, — сказала с сомнением мисс Сэндерс, — может быть, станет лучше, если вы еще поработаете... Я вам правда больше не нужна?

— Нет, благодарю вас! — сказала Генриетта. «И слава Богу, что не нужна!» — добавила она мысленно. — Вы были великолепны. Я очень благодарна.

Генриетта ловко отделалась от Дорис и приготовила себе черный кофе. Она устала... ужасно устала, но была счастлива и спокойна. «Слава Богу, — подумала она, — я опять смогу стать нормальным человеком».

И сразу все ее мысли устремились к Джону... Джон! Тепло прилило к щекам, сердце дрогнуло, и сразу стало легко на душе. «Завтра, — подумала она, — завтра я поеду в «Лощину» и увижу Джона».

Генриетта сидела не двигаясь, откинувшись на спинку дивана, потягивая горячий крепкий кофе. Она выпила три чашки и почувствовала, как силы возвращаются к ней. «Как чудесно, — думала она, — снова чувствовать себя живым существом, а не чем-то непонятным... Как прекрасно не испытывать беспокойства, когда тебя все время гонит куда-то. Чудесно, что можно не бродить больше по улицам в бесконечных поисках, нетерпеливой, раздраженной и несчастной, потому что, в конце концов, не знаешь, что тебе нужно. Теперь, слава Богу, осталась только тяжелая работа. А кто же от нее отказывается?!»

Она поставила пустую чашку и, поднявшись с дивана, вернулась к Навсикае. Генриетта стояла, пристально вглядываясь; между бровей пролегла морщинка.

Это не то... не совсем так... Что же, в сущности, неверно?

Невидящие глаза... Слепые глаза, более прекрасные, чем любые глаза зрячих. Слепые глаза, которые разрывают вам сердце, потому что не видят... Удалось ей передать это или нет?

Да, удалось, но было еще что-то. Что-то, чего она не имела в виду, не предполагала... Смоделировано все правильно. Да, конечно. Откуда же появился этот легкий, едва уловимый налет... заурядного злобного ума?

Она ведь и не слушала вовсе! Не вслушивалась по-настоящему. И все-таки каким-то образом через слух к рукам, пальцам все передалось глине. И она уже не сможет, знает, что не сможет, не будет в состоянии переделать...

Генриетта резко отвернулась. Может, ей показалось. Конечно, показалось! Завтра все будет иначе. «Как уязвим человек!» — подумала она с отчаянием. Хмурясь, она прошла в конец студии и остановилась перед своей скульптурой «Поклонение».

Тут все в порядке! Прекрасный экземпляр грушевого дерева, хорошо выдержанного. Несколько лет она хранила и берегла его. Генриетта критически осмотрела скульптуру. Да, это хорошо! Никаких сомнений. Это лучшее, что она создала за последние годы. Готовила для выставки международной группы. Да, это стоящая вещь!

Все здесь удалось: смирение, покорность... напряженные мышцы шеи, поникшие плечи, слегка приподнятое лицо... лицо, лишенное выразительных, характерных черт, потому что поклонение убивает индивидуальность... Да, подчинение, обожание, восторженное поклонение, переходящее в идолопоклонство.

Генриетта вздохнула. Если бы только Джон так тогда не рассердился! Его гнев поразил Генриетту, открыл ей нечто такое в Джоне, о чем он, вероятно, даже сам не подозревал. «Ты это не выставишь!» — сказал он решительно. «Выставлю!» — твердо ответила она...

Генриетта медленно вернулась к Навсикае. Здесь ничего нет такого, что она не могла бы исправить. Сбрызнув модель водой, она обернула ее мокрой тканью. Пусть постоит до понедельника или вторника. Теперь спешить незачем. Горячка прошла. Все необходимое здесь, на месте. Нужно только терпение. Впереди у нее три счастливых дня с Люси, и Генри, и Мидж, и Джоном! Она зевнула, потянулась, как кошка, с наслаждением вытягивая до предела каждый мускул, и вдруг почувствовала, до какой степени устала.

Приняв горячую ванну, Генриетта легла в постель и, лежа на спине, смотрела на звезды, видневшиеся сквозь верхнее окно в студии. От звезд взгляд ее скользнул к единственной лампочке, которую она не выключала. Эта маленькая лампочка освещала стеклянную маску, одну из ранних ее работ. Довольно наивная вещица, как ей казалось теперь, в традиционном стиле. «Хорошо, что человеку свойственно перерастать себя», — подумала она.

А теперь спать! Крепкий черный кофе, который она выпила, не нарушит сна, если она сама того не пожелает. Генриетта уже давно приучила себя к определенному ритму, который по желанию вызывал сон. Выбирая мысли из своего запаса, нужно позволить им свободно скользить, легко, словно сквозь пальцы, проходя в сознание. Не хватаясь за какую-нибудь отдельную мысль, не останавливая и не концентрируя внимания ни на одной из них, разрешать им свободно и легко проплывать мимо...

На улице взревел автомобильный мотор... откуда-то донеслись громкие голоса и грубый смех. Все эти звуки включились в общий поток подсознания...

«Автомобиль, — проплыла мысль, — это рычащий тигр, желтый и черный — полосатый, как пестрые листья — листья и тени — в жарких джунглях — потом вниз, к реке — широкая тропическая река — к морю — отплывающий пароход — громкие голоса, выкрикивающие прощальные слова, — Джон рядом с ней на палубе — она и Джон — синее море — обеденный салон — она улыбается ему через стол — как на обеде в «Мэзон Дорэ» — бедный Джон, как он рассердился! — и опять под открытым небом — ночной воздух и автомобиль, послушный управлению... без всякого усилия, мягко и легко скользящий прочь из Лондона — через Шавл-Даун — деревья — поклонение дереву — «Лощина» — Люси — Джон — болезнь Риджуэя — милый Джон...» Наконец, погружение в бессознательно счастливое, блаженное состояние...

И вдруг резким диссонансом врывается какое-то чувство вины, которое тянет ее назад. Она должна была что-то сделать... Уклонилась от чего-то... Навсикая?

Медленно, нехотя Генриетта поднялась с постели. Она зажгла свет, подошла к платформе и сняла с модели мокрую ткань. У нее перехватило дыхание. Навсикая? Нет!.. Дорис Сэндерс!

Внезапная, острая боль прошла по всему телу. Мысленно она еще пыталась убедить себя: «Я смогу исправить... все можно исправить...»

— Дуреха, — сказала она вслух. — Ты прекрасно знаешь, что нужно сделать! И если не сделать этого сейчас, сию минуту, завтра уже не хватит смелости... Все равно, что уничтожить живое существо, свою плоть и кровь. Это больно... да, больно...

«Наверное, — подумала Генриетта, — так чувствует себя кошка, когда у одного из котят что-то не так и его приходится уничтожить».

Короткий резкий вздох, и она стала быстро отдирать глину от арматуры и, схватив большой тяжелый ком, швырнула его в таз.

Генриетта стояла, тяжело дыша, глядя на испачканные глиной руки, все еще испытывая щемящую тоску и боль. Затем, медленно очистив с рук глину, вернулась в постель со странным ощущением пустоты и в то же время покоя.

«Навсикая, — с грустью подумала она, — больше не появится. Она родилась, была осквернена и умерла».

Странно, как слова могут помимо нашей воли проникнуть в сознание! Она ведь не слушала, не вслушивалась... И все-таки вульгарная, злобная и ничтожная болтовня Дорис просочилась в сознание Генриетты и распорядилась движением ее рук.

И вот теперь то, что было Навсикаей... Дорис... стало опять просто сырым материалом, из которого через время будет создано нечто совсем другое.

«Может быть, — вела дальше мысль, — это и есть смерть? Возможно, то, что мы называем индивидуальностью, всего лишь отражение чьей-то мысли? Чьей? Бога?

В этом заключалась идея «Пер Гюнта»[1], не так ли? Назад, к первозданной глине! А где же я? Истинный человек, личность? Где я сама, с Божьей печатью на челе?

Интересно, так ли чувствует это Джон? Он выглядел таким усталым, потерявшим веру в себя. Болезнь Риджуэя... Ни в одной книге не говорится о том, кто такой этот Риджуэй. «Глупо! — подумала она. — Мне следовало бы знать... Болезнь Риджуэя... Джон...»

Глава 3

Джон Кристоу принимал в своем кабинете пациентку, предпоследнюю в это утро. Она описывала симптомы, объясняла, входила в подробности. Полные сочувствия глаза доктора смотрели ободряюще. Время от времени он понимающе кивал. Задавал вопросы, давал советы. Легкий румянец покрыл лицо бедной женщины. Доктор Кристоу просто чудо! Такой внимательный, заботливый... Поговоришь с ним — и уже чувствуешь себя лучше!

Джон Кристоу пододвинул листок бумаги и начал писать. «Пожалуй, лучше прописать ей слабительное», — подумал он. Новое американское средство, красиво упакованное в целлофан. Таблетки в привлекательной необычной ярко-розовой оболочке. К тому же лекарство очень дорогое и его трудно достать. Оно есть не в каждой аптеке, и ей, вероятно, придется пойти в маленькую аптеку на Уордор-стрит. А это ей на пользу! Подбодрит и поддержит месяц-другой, а потом надо будет придумать еще что-нибудь. Ничего существенного он не может для нее сделать: слабый организм — и ничего тут не поделаешь! Не за что уцепиться. Это не мамаша Крэбтри!

---

[1] «П е р Г ю н т» — пьеса норвежского драматурга Г. Ибсена.

Какое тяжкое, скучное утро! Прибыльное, конечно, но... и только. Господи, как он устал! Устал от больных женщин с их недугами. Что он может?! Принести временное облегчение, уменьшить боль, и все. Иногда он задумывался, стоит ли это хлопот. Но всегда в таких случаях ему вспоминалась больница Святого Христофора, длинный ряд коек в палате Маргарет Рассел и мамаша Крэбтри, улыбавшаяся ему своей беззубой улыбкой.

Он и мамаша Крэбтри отлично понимают друг друга! Она настоящий боец, не то что женщина на соседней койке, этот безвольный слизняк. Мамаша Крэбтри с ним заодно, она хочет жить! Хотя только Господь Бог знает, почему ей этого хочется, если учесть трущобы, в которых она живет с пьяницей мужем и выводком непослушных детей. Сама она изо дня в день моет бесконечные полы в бесконечных конторах. Постоянный тяжелый труд и так мало радости... И все-таки она хотела жить и радовалась жизни, как и он, Джон Кристоу, умел ей радоваться! Их обоих занимали не обстоятельства жизни, а сама жизнь, жажда существования. Странно... необъяснимо! «Надо будет поговорить об этом с Генриеттой», — подумал он про себя.

Он поднялся, проводил пациентку до двери, тепло пожал ей руку, дружески, подбадривающе. В голосе тоже звучали поддержка, заинтересованность, сочувствие. Она ушла успокоенная, почти счастливая. Доктор Кристоу так внимателен!

Джон забыл о ней сразу же, как только закрылась дверь. По правде говоря, он едва ли замечал ее присутствие, даже когда она была в кабинете. Просто механически выполнял принятый ритуал. И все-таки, хотя это касалось лишь поверхности его сознания, он отдал часть своих сил. Это была бессознательная реакция целителя, и теперь он чувствовал потерю затраченной им энергии.

«Господи, — снова подумал он, — я устал».

Еще одна пациентка, а потом — свободный уик-энд. Он с удовольствием задержался на этой мысли. Золотые листья, подкрашенные алым и коричневым; мягкий влажный запах осени... дорога в лесу... лесные костры. Люси — уникальное и прелестное создание со странным, ускользающим и неуловимым умом. Он предпочел бы всегда быть гостем Генри и Люси. И «Лощина» — самое восхитительное имение в Англии! В воскресенье он отправится в лес на прогулку с Генриеттой. Вверх на гребень холмов и вдоль гряды. Забудет обо всех больных на свете. «Слава Богу, Генриетта никогда не болеет!» И вдруг с неожиданным юмором: «Она никогда не обратилась бы ко мне!»

Еще одна пациентка. Нужно нажать кнопку вызова на столе. И все-таки, непонятно почему, он медлит, хотя уже и так опаздывал. Ленч готов. Герда и дети ждут его в столовой наверху. Он должен закончить прием.

Джон, однако, продолжал сидеть не двигаясь. Он устал, очень устал. В последнее время эта усталость нарастала. Она была в основе постоянно усиливающейся раздражительности. Джон это видел, но ничего не мог поделать. «Бедняга Герда, — подумал он. — Ей немало приходится терпеть...» Если бы она не была так покорна, постоянно готова безропотно признать себя виноватой, хотя в половине случаев не прав был он. Бывали дни, когда все, что говорила или делала Герда, вызывало в нем раздражение. «И чаще всего, — подумал он с унынием, — меня больше всего раздражало то, что она была права». Терпение Герды, бескорыстие, полное подчинение и покорность его желаниям — все вызывало в нем недовольство. Ее никогда не возмущали его вспышки гнева, она никогда не настаивала на своем мнении, не пыталась сделать что-нибудь по-своему. «Ну что ж, — подумал он, — поэтому ты и женился на ней, не так ли? На что ты жалуешься?»

Странно, но все качества, раздражавшие его в Герде, — как раз то, что он хотел бы видеть в Генриетте! Его раздражает в Генриетте... Нет, это не то слово, Генриетта вызывает в нем не раздражение, а гнев. Джона возмущала непоколебимая правдивость Генриетты во всем, что касалось его самого, хотя это было так не похоже на ее отношение ко всему остальному миру. Однажды он сказал ей:

— По-моему, ты величайшая лгунья, каких я когда-либо встречал!

— Возможно!

393

— Ты всегда готова все, что угодно, сказать человеку, только бы доставить ему радость.

— Мне кажется это важным.

— Важнее, чем сказать правду?

— Намного.

— Так почему же, ради всего святого, ты не можешь хоть немного солгать мне?

— Ты этого хочешь?

— Да!

— Прости, Джон, но я не могу.

— Ты ведь почти всегда знаешь, что бы я хотел от тебя услышать.

Полно, он не должен думать сейчас о Генриетте. Сегодня вечером он ее увидит. А сейчас надо скорее покончить с делами! Позвонить и принять наконец эту последнюю пациентку, черт бы ее побрал! Еще одно болезненное создание. На одну десятую настоящих болезней — девять десятых чистейшей ипохондрии! А впрочем, почему бы ей и не поболеть, если она готова заплатить? Это создает некий вид равновесия с такими, как миссис Крэбтри.

Однако он продолжал сидеть неподвижно. Он устал. Очень устал. Кажется, эту усталость он чувствует уже давно. Ему чего-то хотелось, страшно хотелось... И вдруг мелькнула мысль: «Я хочу домой».

Поразительно! Откуда такая мысль? И что она означает? Домой?! У него никогда не было дома. Родители-англичане жили в Индии; он вырос в Англии у дядей и теток, перебрасываемый от праздника к празднику из одного дома в другой. Пожалуй, здесь, на Харли-стрит, — его первый постоянный дом.

Думал ли он об этом месте как о доме? Он покачал головой. Конечно нет! Как врачу, ему страстно хотелось понять смысл этого необычного желания с точки зрения медицины. Что же он все-таки имел в виду? Что означала эта промелькнувшая внезапно мысль?

«Я хочу домой...» Должно же быть что-то, какой-то образ... Он прикрыл глаза. Должны быть какие-то истоки.

Внезапно перед ним возникла яркая синева Средиземного моря, пальмы, кактусы, опунции. Он даже почувствовал запах раскаленной летней пыли и освежающее ощущение воды после долгого лежания на прогретом солнцем песке... Сан-Мигуэль!

Джон был удивлен и немного встревожен. Он давно не вспоминал о Сан-Мигуэле и, уж конечно, не хотел бы туда вернуться! Все это принадлежало прошлому.

Было это двенадцать... четырнадцать... пятнадцать лет назад. И поступил он тогда правильно! Решение его было абсолютно верным. Конечно, Веронику он любил безумно, но из этого все равно ничего бы не вышло. Вероника проглотила бы его живьем. Она законченная эгоистка и никогда этого не скрывала. Всегда хватала все, что хотела, но ей не удалось захватить его. Он сумел спастись. Пожалуй, с общепринятой точки зрения он плохо поступил по отношению к Веронике. Попросту говоря, он ее бросил! Дело в том, что он сам хотел строить свою жизнь, а этого как раз Вероника и не разрешила бы ему сделать. Она намеревалась жить, как ей нравится, да еще иметь Джона в придачу.

Вероника была поражена, когда он отказался ехать с ней в Голливуд.

— Если ты в самом деле хочешь стать доктором, — сказала она надменно, — ты можешь, я думаю, получить степень и в Голливуде, хотя в этом нет никакой необходимости. Средств у тебя достаточно, а я... у меня будет куча денег!

— Но я люблю медицину. Я буду работать с Рэдли! — В его голосе, юном, полном энтузиазма, звучало благоговение.

Вероника презрительно фыркнула:

— С этим смешным старикашкой, пожелтевшим от табака?

— Этот смешной старикашка, — рассердился Джон, — проделал замечательное исследование болезни Прэтта!

— Кому нужна болезнь Прэтта?! — перебила его Вероника. — В Калифорнии очаровательный климат и вообще как интересно посмотреть мир! Но без тебя — все это будет совсем не то! Ты должен быть со мной, Джон. Ты мне нужен!

И тогда он сделал, с точки зрения Вероники, совершенно нелепое предложение: пусть она откажется от Голливуда, выйдет за него замуж и останется с ним в Лондоне.

Веронику это просто позабавило, но не поколебало: она поедет в Голливуд, она любит Джона, Джон должен жениться на ней, и они поедут вместе. В своей красоте и могуществе Вероника не сомневалась.

Джон понял, что у него есть только один путь: он написал ей письмо и разорвал помолвку. Он страшно переживал, но не сомневался в мудрости своего решения. Вернувшись в Лондон, он начал работать с Рэдли и через год женился на Герде, которая была полной противоположностью Веронике!

...Дверь открылась, и вошла его секретарь Берил Кольер.

— У вас еще одна пациентка. Миссис Форрестер.

— Знаю! — сказал он отрывисто.

— Я подумала, может, вы забыли.

Она пересекла комнату и вышла в другую дверь. Некрасивая девушка эта Берил, но чертовски деловая. Работает у него уже шесть лет. Никогда не ошибается, не спешит и не суетится. У Берил черные волосы, несвежий цвет кожи и решительный подбородок. Чистые серые глаза Берил взирают на него и на всю остальную вселенную с бесстрастным вниманием через стекла сильных очков.

Джон хотел иметь некрасивую секретаршу, без всяких причуд, и он ее получил, хотя иногда, вопреки всякой логике, чувствовал себя обойденным. Если верить всем романам и пьесам, Берил должна была отвечать беззаветной преданностью своему работодателю, однако он знал, что особым вниманием с ее стороны не пользуется. Ни преданности, ни самопожертвования... Берил определенно смотрела на него как на обычное грешное человеческое создание. Иногда он даже сомневался, испытывает ли она по отношению к нему хотя бы симпатию.

Как-то раз Джон услышал, как Берил говорила своей приятельнице по телефону: «Нет, я не думаю, что он намного эгоистичнее, чем был. Пожалуй, более невнимателен к другим и неосмотрителен».

Он знал, что она говорила о нем, и чувство досады не покидало его целые сутки. И хотя безоговорочное восхищение Герды раздражало его, хладнокровная оценка Берил сердила не меньше. «В сущности, — подумал он, — меня раздражает почти все».

Тут что-то не так. Переутомление? Возможно. Нет, это лишь оправдание. Нарастающее нетерпение, раздражительность, усталость — все это имеет более глубокие причины. «Никуда не годится! — думал он. — Что со мной? Если бы я мог уйти...»

Опять эта неясная мысль, устремившаяся навстречу другой, уже определившейся. «Я хочу домой...»

Черт побери, 404 Харли-стрит и есть его дом!

Миссис Форрестер все еще сидит в приемной. Назойливая женщина! Женщина, у которой слишком много денег и столько же свободного времени, чтобы думать о своих болезнях.

Однажды кто-то сказал ему: «Вам, наверное, надоели богатые пациентки, вечно воображающие себя больными. Очевидно, испытываешь удовольствие, сталкиваясь с беднотой, которая обращается к врачу, когда что-то в самом деле неладно». Он даже усмехнулся! Чего только не болтают о бедноте! Видели бы они старую миссис Пэрсток, которая каждую неделю собирает лекарства из пяти разных клиник: бутылки с микстурами, мазь для растирания спины, таблетки от кашля, слабительное, пилюли для улучшения пищеварения! «Доктор, я четырнадцать лет пила коричневое лекарство. Только оно мне и помогает. А на прошлой неделе молодой доктор прописал мне белое лекарство. Оно никуда не годится! Это же понятно, верно? Я хочу сказать, доктор, коричневое лекарство я пью четырнадцать лет, а если у меня нет жидкого парафина и коричневых таблеток...»

Даже сейчас он ясно слышит этот визгливый голос... Отличнейшее здоровье! Ей не могут повредить даже все лекарства, которые она поглощает.

А вообще-то они похожи, сестры по духу — миссис Пэрсток из Тоттнема[1] и миссис Форрестер с Парк-Лейн-Корт[2]. Выслушиваешь, потом царапаешь пером на листке плотной дорогой бумаги или на больничном

---

[1] Т о т т н е м — район Лондона, преимущественно рабочий.
[2] П а р к - Л е й н - К о р т — улица в Лондоне, известная своими фешенебельными гостиницами и особняками.

397

бланке, как уж придется... Господи, как он устал от всего этого!

...Синее море, слабый сладковатый запах мимозы, горячий песок. Пятнадцать лет! Со всем этим давным-давно покончено. Да, слава Богу, покончено! У него хватило мужества порвать... «Мужества? — хихикнул откуда-то изнутри маленький бесенок. — Ты это так называешь?»

Но ведь он поступил разумно, не так ли? Это было ужасно. Черт побери, это были адские мучения! Но он прошел через все это, вернулся в Лондон и женился на Герде. Взял на работу некрасивую секретаршу, а в жены — некрасивую женщину. Красотой он был сыт по горло! Видел, что может сделать с человеком красивая женщина, подобная Веронике, какой эффект оказывает она на всех мужчин, попавших в круг ее внимания. После Вероники Джону хотелось покоя, преданности, размеренной, упорядоченной жизни. Короче говоря, ему нужна была Герда! Он хотел, чтобы рядом был человек, который бы следовал его представлениям о жизни, кто безропотно выполнял бы его решения и у кого ни на минуту не появлялись бы собственные мысли. Кто-то однажды сказал, что настоящая трагедия в жизни случается, если получишь желаемое.

Джон сердито нажал на кнопку вызова.

От миссис Форрестер он отделался через пятнадцать минут. Опять это были легкие деньги. Он снова выслушивал, расспрашивал, подбадривал, выражал сочувствие, отдавая часть своей целительной энергии. Снова выписывал рецепт на дорогое лекарство.

Болезненная, неврастеничная женщина, еле волочившая ноги, вышла из кабинета более твердым шагом, с румянцем на щеках и ощущением, что жить все-таки стоит.

Джон Кристоу откинулся на спинку кресла. Теперь он свободен! Свободен подняться наверх к Герде и детям, свободен от необходимости думать о болезнях и страданиях... И все это — на весь уик-энд!

И все-таки он чувствовал странное нежелание двигаться, непривычную потерю воли. Он устал... устал... устал...

Глава 4

Герда Кристоу сидела в столовой, уставившись на блюдо с бараньей ногой. Отослать мясо на кухню разогреть или не стоит? Если Джон еще задержится, мясо остынет, затвердеет и станет просто отвратительным. Но, с другой стороны, последняя пациентка уже ушла, Джон может появиться в любую минуту, и, если она отошлет мясо разогревать, ленч задержится, а Джон так нетерпелив... «Ты ведь знала, что я уже иду...» В его голосе будет подавленное раздражение, которое она так хорошо знает и которого так боится. Да и мясо пережарится и высохнет. Джон терпеть не может пережаренное мясо. Правда, остывшее мясо он тоже не любит. Во всяком случае, пока жаркое еще горячее и выглядит аппетитно.

Мысли Герды метались от одного к другому, и чувство неуверенности и беспокойства росло. Весь мир съежился в комок, собравшись вокруг бараньей ноги, медленно остывавшей на блюде.

На другом конце стола двенадцатилетний Тэренс вдруг сказал:

— Борная кислота горит зеленым пламенем, а сода — желтым.

Герда рассеянно посмотрела через стол на веснушчатое открытое лицо сына. Она понятия не имела, о чем он говорит.

— Ты это знала, мама?

— Что, дорогой?

— Про соли.

Взгляд Герды скользнул к солонке. Да, соль и перец были на столе. Тут все в порядке. На прошлой неделе Льюис забыла их поставить, и это вывело Джона из себя. Вечно что-нибудь не так.

— Это химический опыт, — мечтательно произнес Тэренс. — По-моему, страшно интересно!

Девятилетняя Зина, с хорошеньким, но пустым личиком, захныкала:

— Я хочу есть. Когда мы начнем есть?

— Через несколько минут, дорогая. Мы должны подождать папу.

— Мы могли бы начать, — сказал Тэренс. — Он не будет против! Ты же знаешь, как быстро он ест.

399

Герда покачала головой. Нарезать баранину? Но она никак не запомнит, откуда нужно начинать резать. Конечно, может быть, Льюис положила мясо на блюдо правильно... но иногда она ошибается. А Джона раздражает, если мясо нарезано не так, как надо. Герда подумала с отчаянием, что у нее самой всегда все получается не так, как надо. О Господи! Подливка совсем остыла. Уже покрылась пленкой... Нужно все-таки отправить мясо на кухню... но Джон, может быть, уже идет. Он уже должен был прийти. Мысли Герды метались, как зверь в клетке.

Сидя в приемном кабинете, Джон постукивал рукой по столу, прекрасно сознавая, что ленч в столовой наверху уже, вероятно, готов, но тем не менее не мог заставить себя подняться.

Сан-Мигуэль... синее море... аромат мимозы, алые цветы на фоне зеленых листьев... жаркое солнце... песок... отчаяние любви и страдания...

— О Господи! — взмолился он. — Только не это! Никогда! С этим покончено!

«Лучше бы я никогда не знал Веронику, никогда не женился на Герде, никогда не встретил Генриетту! Мамаша Крэбтри одна стоит их всех!» — подумал он.

Неприятности в больнице начались на прошлой неделе, во второй половине дня. До тех пор Джон был очень доволен реакцией. Миссис Крэбтри уже выдерживала дозу в пять тысячных. И вдруг появилось тревожное повышение интоксикации, и реакция DL вместо положительной оказалась отрицательной.

Старушка лежала посиневшая, тяжело дыша, и смотрела на него злыми проницательными глазами:

— Делаете из меня морскую свинку, голубчик? Эксперимент? Так, что ли?

— Мы хотим вас вылечить, — сказал он, улыбнувшись.

— Опять за свои штучки! — Она вдруг ухмыльнулась. — Да я ведь не против, бла'ослови вас 'осподь! Действуйте, доктор! Кто-нибудь же должен быть первым, верно? Так я 'оворю? Как-то, еще девчонкой, сделала перманент. То'да это было в новинку. Стала как не'р, волосы — 'ребешком не продрать. А все равно здорово! Потешилась вволю... Так что, доктор, можете потешиться за мой счет! Я выдержу!

— Что, очень плохо? — Пальцы Джона нащупывали ее пульс. Жизненная энергия передалась от него задыхающейся старой женщине на больничной койке.

— Очень! Что-то вышло не так, да? Ну ничего, не падайте ду'ом, доктор! Я потерплю! Правда, потерплю!

— Вы молодчина! — с одобрением сказал Джон. — Если бы все мои пациенты были такие.

— Я 'очу поправиться! Вот так-то! 'очу выздороветь! Моя ма дожила до восьмидесяти восьми, а бабке было девяносто, ко'да она отправилась на тот свет. Мы живучие! В нашем роду все живучие!

Джон ушел из больницы расстроенный, подавленный сомнениями и неизвестностью. Он так был уверен в правильности избранного пути! Где, в чем он ошибся? Как уменьшить интоксикацию, поддержать удовлетворительный объем гормонов и в то же время нейтрализовать пантретин?.. Слишком он был самоуверен. Не сомневался в том, что ему удалось обойти все препятствия.

Как раз тогда на ступеньках больницы Святого Христофора на него вдруг нахлынула отчаянная усталость, отвращение к бесконечной, повседневной, изнуряющей работе в больнице, и он вспомнил о Генриетте. Подумал вдруг не о ней самой, а о ее красоте, свежести, здоровье и удивительной энергии. Ему припомнился даже чуть слышный аромат первоцвета от ее волос.

Сообщив домой, что его срочно вызывают, Джон отправился прямо к Генриетте. Войдя в студию, он сразу же обнял Генриетту с такой страстью, какой не было раньше в их отношениях. В ее глазах мелькнуло внезапное удивление, отстранившись, она освободилась из его рук и пошла приготовить ему кофе. Двигаясь по студии, Генриетта забрасывала его отрывистыми вопросами.

— Ты пришел, — спросила она, — прямо из больницы?

Говорить о больнице Джону не хотелось. Хотелось любить Генриетту, забыть и больницу, и мамашу Крэбтри, и болезнь Риджуэя, и вообще обо всем на свете. Он отвечал на ее вопросы сперва неохотно, потом, увлекшись, все живее и заинтересованнее. И вот он уже шагал взад-вперед по студии, изливая потоки профессиональных объяснений и предположений. Иногда он останавливался, стремясь упростить то, что говорил.

— Понимаешь, нужно получить реакцию...

— Да-да, — быстро сказала Генриетта. — реакция DL должна быть положительной. Я понимаю. Продолжай!

— Откуда ты знаешь об этой реакции? — спросил он резко.

— У меня есть книга...

— Какая книга? Чья?

Генриетта показала на небольшой книжный столик. Джон презрительно фыркнул:

— Скобел? Он никуда не годится! Он в корне ошибается. Послушай, если ты хочешь почитать...

Она прервала его:

— Я хочу только знать некоторые термины, которые ты употребляешь. Достаточно для того, чтобы понимать, что ты говоришь, и не заставлять тебя всякий раз останавливаться и объяснять. Продолжай. Я слушаю.

— Ну что ж, — произнес он с сомнением. — Запомни только, что Скобел не годится.

Джон продолжал говорить. Он говорил два с половиной часа. Разбирал ошибки, анализировал возможности, характеризовал приемлемые теории. Он почти не замечал присутствия Генриетты. Но всякий раз, когда он запинался, сообразительность Генриетты, ее быстрый ум подсказывали выход, предвидя новый шаг в рассуждениях, иногда опережая его самого. Теперь Джон был увлечен по-настоящему, постепенно к нему вернулась вера в себя. Он был прав: основное направление верно, существует немало путей борьбы с интоксикацией.

Внезапно он почувствовал сильную усталость. Теперь ему все ясно, он вернется к своим рассуждениям завтра утром. Позвонит Нилу и скажет ему, чтобы соединил оба раствора и снова попробовал. Да, надо попробовать. Господи! Он не намерен сдаваться!

— Я устал, — отрывисто бросил Джон. — Боже мой, как я устал...

Он упал на диван и заснул как мертвый.

Проснувшись утром, Джон увидел Генриетту, которая улыбалась ему, готовя чай, вся в утреннем свете, и он тоже улыбнулся.

— Совсем не так, как было задумано, — сказал он.

— Разве это имеет значение?

— Нет. Нет! Ты прекрасный человек, Генриетта. — Взгляд Джона скользнул по книжной полке. — Если тебя все это интересует, я дам тебе нужную литературу.

— Все это меня не интересует. Меня интересуешь ты, Джон!

— Ты не должна читать Скобела. — Джон взял в руки злополучную книгу. — Он просто шарлатан!

Генриетта рассмеялась. Джон не мог понять, почему его критическая оценка Скобела так развеселила ее. Это не раз удивляло его в Генриетте. Внезапное открытие, что Генриетта может смеяться над ним, приводило его в замешательство. Он просто не привык к этому. Герда всегда принимала его на полном серьезе. Вероника... Вероника никогда не думала ни о ком, кроме себя самой, а у Генриетты была привычка, откинув голову назад, смотреть на него из-под полуприкрытых век с неожиданно нежной, слегка насмешливой улыбкой, словно говоря: «Дайте-ка посмотреть хорошенько на это странное существо по имени Джон. Отойду-ка я подальше и рассмотрю его хорошенько!»

«Почти так же, прищурив глаза, она смотрела на свою работу, — думал он, — или на картину». Это была, черт побери, отстраненность, независимость. А этого Джону не хотелось! Он хотел, чтобы Генриетта думала только о нем, чтобы ее мысли никогда не отрывались, не ускользали от него. «В общем, как раз то, что ты терпеть не можешь в Герде!» — снова хихикнул маленький бесенок.

По правде говоря, Джон был абсолютно непоследователен. Он сам не знал, чего хочет.

«Я хочу домой». Какая абсурдная, совершенно нелепая фраза! В ней нет никакого смысла.

Через час-другой он будет уже далеко от Лондона. Подальше от больных с их специфическим кисловатым, дурным запахом... Будет вдыхать аромат сосен, дымок лесного костра, запах влажных осенних листьев. Даже само движение машины успокаивает... постепенное, без всякого усилия нарастание скорости.

«Нет, все будет совсем не так!» — вдруг подумал он, вспомнив, что немного растянул запястье и не сможет вести машину. Значит, за рулем будет Герда, а Герда — помоги ей, Господи! — так и не научилась водить автомобиль. Каждый раз, когда она меняет скорость, он сидит, плотно сжав зубы, стараясь не произнести ни слова, зная на горьком опыте, что, если он хоть что-нибудь скажет, будет еще хуже. Странно, никто не был в состоянии научить Герду переключать скорость... даже Генриетта. Зная свою раздражительность, Джон попросил Генриетту помочь, надеясь, что она лучше справится с этой задачей.

Генриетта любит автомобиль! Она говорит о нем так поэтично, как другие говорят о весне или первых подснежниках.

— Посмотри, Джон, какой красавец! Он прямо-таки мурлычет (для Генриетты все автомашины — существа мужского рода). Он одолеет Бейл-Хилл на третьей скорости без всяких усилий! Послушай только, как равномерно урчит мотор.

И так до тех пор, пока Джон не взрывался внезапно и яростно:

— Тебе не кажется, Генриетта, что ты могла бы уделить мне немного внимания и хоть на минуту забыть эту чертову машину!

Он сам всегда стыдился этих вспышек, которые сваливались на него совершенно неожиданно, как гром среди ясного неба.

То же самое и с ее работами. Джон понимал, что ее скульптуры хороши. Восхищался ими и... ненавидел одновременно.

Из-за этого произошла однажды ужасная ссора.

Как-то Герда сказала:

— Генриетта просила меня позировать.

— Что?! — Если подумать, его удивление по этому поводу было не очень-то лестным. — Тебя?!

— Да, завтра я иду в студию.

— С какой стати ты ей понадобилась?

Пожалуй, он был не очень вежлив. К счастью, Герда этого не поняла. Она была польщена приглашением. Джон заподозрил, что это очередная демонстрация притворной, как он полагал, доброты Генриетты. Может, Герда намекнула, что хотела бы позировать... Что-нибудь в таком роде.

Дней через десять Герда с гордостью показала ему маленькую гипсовую статуэтку. Это была хорошенькая вещица, великолепно, с мастерством выполненная, как все, что делала Генриетта. Она идеализировала Герду, но Герде статуэтка явно понравилась.

— По-моему, Джон, это очаровательно!

— И это работа Генриетты?! Но ведь это ничто... абсолютное ничтожество. Не понимаю, как ей пришло в голову сделать такое!

— Конечно, это не похоже на абстрактные работы Генриетты, но, по-моему, очень хорошо, Джон, в самом деле хорошо!

Он ничего больше не сказал. В конце концов, зачем портить Герде все удовольствие. Но при первом удобном случае буквально набросился на Генриетту:

— Зачем ты сделала эту глупую статуэтку? Она недостойна тебя! Ты обычно делаешь стоящие вещи.

— Не думаю, что это плохо, — медленно сказала Генриетта. — Мне кажется, Герда была довольна.

— Герда в восторге. Еще бы! Она не в состоянии отличить настоящего произведения искусства от раскрашенной фотографии.

— Это не дешевка, Джон. Просто портретная статуэтка, безобидная и без всяких претензий.

— Обычно ты не тратишь времени на творения такого рода... — Вдруг он запнулся от удивления, увидев деревянную фигуру высотой около пяти футов. — Хэлло, что это?

— Для международной группы. Грушевое дерево. «Поклонение».

Генриетта наблюдала за ним. Джон пристально вглядывался в статую. Вдруг шея его налилась кровью, и он с яростью накинулся на Генриетту:

— Так вот для чего тебе понадобилась Герда! Да как ты смеешь?!

— Мне было интересно, заметишь ли ты...

— Замечу? Конечно! Вот здесь. — Он положил пальцы на широкие, тяжелые мышцы шеи.

Генриетта кивнула:

— Да, это как раз то, что я хотела: шея и плечи... И этот глубокий, тяжелый наклон вперед — покорность, подчинение... Замечательно!

— Замечательно?! Послушай, Генриетта, я этого не допущу! Оставь Герду в покое!

— Герда никогда не узнает себя в этой фигуре. Да и никто другой не узнает. И вообще, это совсем не Герда. Не какой-то определенный человек. Это никто.

— Но ведь я же узнал!

— Джон, ты — совсем другое дело! Ты... ты чувствуешь суть вещей!

— Но это просто наглость! Я не могу позволить, Генриетта! И не позволю! Неужели ты не понимаешь, что это непростительно!

— Ты так думаешь?

— Разве ты сама не видишь? Не чувствуешь? Где же твоя обычная чуткость?

— Ты не понимаешь, Джон, — проговорила она. — Боюсь, я никогда не смогу заставить тебя понять. Ты не понимаешь, что значит хотеть чего-то... видеть изо дня в день эту линию шеи, мускулы, наклон головы, тяжелую челюсть... Я смотрела, мне так хотелось... каждый раз, когда видела Герду. В конце концов, я просто должна была сделать.

— Бессовестно!

— Да, пожалуй, так! Но это потребность, от нее не уйти!

— Значит, ты ни в грош не ставишь чувства других. Тебе безразлична Герда...

— Не говори глупостей, Джон. Я сделала статуэтку, чтобы доставить ей удовольствие. Мне хотелось ее порадовать. Я не бесчувственная.

— Именно бесчувственная!

— Ты в самом деле думаешь... Только честно! Ты думаешь, Герда узнает себя?

Джон неохотно посмотрел на скульптуру. Теперь чувства обиды и негодования отступили, подчиняясь любопытству. Странная, смиренная фигура женщины, предлагающей свое поклонение невидимому божеству. Поднятое вверх лицо. Невидящее, немое, преданное... Пугающе сильное, фанатичное чувство!

— Это вселяет ужас...

Она вздрогнула:

— Да, я тоже так думаю.

— На что она смотрит? Кто это... там, перед ней?

Генриетта заколебалась.

— Я не знаю, — сказала она. Что-то странное было в ее голосе. — Но мне кажется... она смотрит на тебя, Джон.

Глава 5

Между тем в столовой Тэренс высказал еще одну научную истину:

— Соли свинца лучше растворяются в холодной воде, чем в горячей.

Он выжидательно, хоть и без особой надежды взглянул на мать. Родители, по мнению Тэренса, досадное разочарование.

— Мама, ты это знаешь?

— Я ничего не понимаю в химии, дорогой.

— Обо всем можно прочитать в книгах.

Это была простая констатация факта, но в ней определенно слышалась грусть.

Герда ничего не заметила. Она была в ловушке собственных тревог и забот, бесконечного кружения мыслей. Уже с утра, проснувшись, она почувствовала себя несчастной, как только поняла, что уик-энд у Энкейтллов, которого она ждала с таким страхом, наконец наступил. Визит в «Лощину» всегда был для нее кошмаром. Там она неизменно чувствовала себя одинокой и совершенно сбитой с толку. Больше всего Герда боялась Люси Энкейтлл с ее странной манерой никогда не кончать фразы, стремительностью и непоследовательностью, с ее очевидным старанием быть милой и доброй. Но и остальные были не лучше. Два дня в «Лощине» были для Герды сплошным мучением, которое она терпела только ради Джона.

Этим утром Джон, потянувшись, сказал с видимым удовольствием:

— Подумай только, уик-энд мы проведем за городом! Для тебя, Герда, это очень полезно. Как раз то, что нужно.

Машинально улыбнувшись, Герда отозвалась с самоотверженной стойкостью:

— Это будет восхитительно!

Тоскливым взглядом она обвела спальню — кремовые полосатые обои с черным пятнышком около платяного шкафа; туалетный столик красного дерева с зеркалом, которое слишком сильно накренилось вперед; веселенький ярко-синий ковер; акварельные пейзажи Озерного края... Милые, знакомые предметы. Она не увидит их до понедельника.

Вместо этого завтра в чужой спальне накрахмаленная горничная поставит у кровати маленький изящный поднос с чашкой чая, поднимет жалюзи, начнет перекладывать одежду Герды, а это всегда страшно ее смущает... Она молча будет терпеть все это, чувствуя себя совершенно несчастной и стараясь успокоить себя: «Еще только одно утро...» Как в школьные годы, когда считала дни до праздников.

В школе Герда тоже не была счастлива. Она чувствовала себя там еще более неуверенно, чем где бы то ни было. Дома было лучше, хотя даже дома было не очень хорошо. Потому что, конечно, все были быстрее, сообразительнее, умнее, чем она. Замечания — нетерпеливые, резкие, не то чтобы очень обидные — свистели, как градины, над головой. «О-о, пошевеливайся, Герда!», «Растяпа, все у тебя из рук валится, дай я сама сделаю», «Не давайте Герде, она провозится целую вечность», «Герде ничего нельзя поручить»...

Неужели они все не видели, что от таких слов она делается еще медлительнее и бестолковее. Все хуже и хуже, нерасторопнее и несообразительнее. Все чаще смотрела, не понимая, если ее о чем-нибудь спрашивали. Пока наконец не нашла выход. Средство защиты нашлось в общем-то случайно.

Она стала еще медлительнее, недоуменный взгляд сделался еще более пустым и отсутствующим. Но теперь, когда ей говорили с нетерпением: «Господи, Герда, какая ты несообразительная! Неужели ты не можешь понять?!» — она была довольна: за отсутствующим, непонимающим взглядом она скрывала свой секрет. Потому что она не была так глупа, как все думали. Нередко она просто притворялась непонимающей и, выполняя какую-нибудь работу, нарочито медлила и улыбалась про себя, когда чьи-либо нетерпеливые пальцы выхватывали эту работу у нее из рук.

Чувство своего превосходства согревало и восхищало. Довольно часто ее даже забавляло тайное сознание, что она не так глупа, как все думают, — была в состоянии выполнить какую-нибудь определенную работу, но не подавала виду, что могла ее сделать.

Это внезапное открытие имело свое преимущество. Оказалось, другие люди могут выполнять твою работу за тебя, а это, разумеется, спасает от многих неприятностей. И в конце концов, если другие делают работу за тебя, ты не должен будешь выполнять ее сам, а значит, никто и не узнает, что ты не смог бы хорошо справиться с порученным тебе делом. Так что начинаешь понимать, что можешь чувствовать себя на равных со всем остальным миром.

Герда, однако, опасалась, что подобные уловки будут бесполезными в «Лощине». Энкейтллы всегда разговаривали так, что человек чувствовал себя не в своей тарелке. Как Герда их ненавидела! Но Джон... Джону там нравилось. Он возвращался домой не таким утомленным и даже иногда менее раздражительным.

Милый Джон, подумала она. Он просто чудесный! Все так считают. Прекрасный доктор, очень внимательный и добрый к больным. Джон трудится не щадя своих сил. А как он работает в больнице! И при том совершенно бесплатно. Джон так бескорыстен и по-настоящему благороден.

Она всегда, с самого начала знала, что Джон талантлив и добьется самого высокого положения. И он выбрал ее! Хотя мог бы сделать более блестящую партию. Не посмотрел на то, что она медлительна, довольно бестолкова и не очень хороша собой. «Ни о чем не беспокойся, Герда, я позабочусь о тебе!» — сказал он твердо, как и подобает настоящему мужчине. И Джон — подумать только! — выбрал именно ее!

Джон сразу сказал, глядя на нее с неожиданной и очень привлекательной улыбкой: «Знаешь, Герда, я люблю, чтобы все было по-моему».

Ну что ж! Пусть будет так. Она всегда старалась во всем уступать ему. Даже в последнее время, когда он стал таким нервным и раздражительным. И все не по нем... Все, что она ни делает, все плохо. Но обвинять его нельзя. Он так много работает и так бескорыстен...

О Господи, эта баранина! Все-таки надо было отослать ее на кухню. А Джона все нет... Почему она никогда не может принять правильное решение? На нее снова нахлынули темные волны беспокойства и неуверенности. Баранина! Этот ужасный уик-энд в «Лощине»! Острая боль пронзила виски. О Господи, теперь у нее начнется приступ головной боли, а это постоянно раздражает Джона. Он никогда не дает ей никаких лекарств, хотя ему, как доктору, это было бы совсем нетрудно. Джон всегда говорит: «Не думай о головной боли. Нечего отравлять себя лекарствами. Энергичная прогулка на свежем воздухе — все, что тебе нужно!»

Баранина! Уставясь на блюдо с мясом, Герда чувствовала, как слова, повторяясь, стучат в висках: «баранина, баранина, *баранина*!» Слезы выступили у нее на глазах... «Ну почему, почему у меня никогда ничего не получается как надо!»

Тэренс через стол посмотрел на мать, затем перевел взгляд на блюдо с бараньей ногой. «Почему мы не можем поесть? — подумал он. — До чего глупы эти взрослые! У них нет ни капли здравого смысла!»

Вслух он осторожно сказал:

— Мы вдвоем с Николсом Майнером будем делать нитроглицерин во дворе их дома, в Стретэме.

— В самом деле, дорогой? Это очень хорошо!

...Еще есть время. Если она сейчас позвонит и распорядится отнести мясо на кухню...

Тэренс посмотрел на мать с некоторым любопытством. Инстинктивно он понимал, что изготовление нитроглицерина вряд ли относится к роду занятий, поощряемых родителями. С ловким расчетом он выбрал такой момент для сообщения о своем намерении, когда был более или менее уверен, что у него есть шанс выйти сухим из воды. И его расчеты оправдались. Если в случае чего поднимется шум, иными словами, если свойства нитроглицерина проявятся слишком явно, он всегда сможет обиженно сказать: «Я ведь говорил маме». И все-таки он чувствовал себя слегка разочарованным. «Даже мама, — подумал он, — должна бы знать, что такое нитроглицерин».

Тэренс вздохнул. Его охватила волна одиночества, свойственного этому возрасту. Отец — слишком нетерпелив, чтобы выслушать, мать — слишком невнимательна, а Зина — всего лишь глупая девчонка. Сотни страниц интереснейших химических опытов, и никому до этого нет дела... Никому!

Бах! Герда вздрогнула. Внизу, в приемной Джона, хлопнула дверь. Он быстро взбежал по лестнице и ворвался в комнату, внеся с собой атмосферу кипучей энергии. Джон был в хорошем настроении, голоден, нетерпелив.

— Господи, — воскликнул он, усаживаясь за стол и взяв в руки нож. — Как я ненавижу больных!

— О, Джон, — с легким укором отозвалась Герда, — не говори так. Они подумают, что ты серьезно... — Герда кивнула в сторону детей.

— Я в самом деле так думаю, — возразил Джон. — Никто не должен болеть!

— Отец шутит, — быстро сказала Герда сыну.

Тэренс посмотрел на отца со своим обычным хладнокровным вниманием, с каким рассматривал все вокруг.

— Я не думаю, что он шутит, — произнес он наконец.

— Если бы ты ненавидел больных, дорогой, ты не был бы доктором, — сказала Герда, засмеявшись.

— Вот именно! — воскликнул Джон. — Ни один доктор не любит болезней. Боже мой, мясо совершенно холодное. Почему ты не отправила его подогреть?

— Не знаю, дорогой. Видишь ли, я думала, ты сейчас придешь...

Джон нажал звонок, продолжительно, раздраженно. Льюис пришла немедленно.

— Снесите это вниз и скажите, чтобы подогрели, — сказал он отрывисто и резко.

— Да, сэр. — Льюис умудрилась вложить в эти два безобидных слова все, что она думает о хозяйке, которая сидит в столовой, глядя на блюдо с застывшим мясом.

— Извини, дорогой, — довольно бессвязно начала Герда. — Это моя вина, но, видишь ли, сначала я думала, что ты вот-вот придешь, а потом подумала, что если отправить мясо на кухню...

— О, какое это имеет значение! — нетерпеливо перебил ее Джон. — Стоит ли поднимать шум из-за пустяков! Машина здесь?

— Думаю, что здесь. Колли заказала.

— Значит, мы сможем выехать сразу же после ленча.

Через Альберт-Бридж по Клехэм-Коммон, коротким путем по Кристал-Пэлес, Кройдон, Перли-Уэй, потом, держась в стороне от главной дороги, поехать по правой развилке до Метерли-Хилл вдоль Хаверстон-Ридж... Затем круто вправо по пригородному кольцу, через Кормертон и вверх по Шавл-Даун. Золотые и алые деревья, лесные массивы внизу, мягкий осенний запах листьев и наконец через перевал вниз...

Люси и Генри... Генриетта. Он не видел Генриетту уже четыре дня, к тому же был страшно зол, когда они виделись в последний раз. У Генриетты был такой взгляд, не то чтобы отвлеченный, абстрактный или невнимательный. Пожалуй, он даже не может объяснить. Взгляд человека, который видит что-то, чего здесь нет. И это что-то (в этом вся суть!) не было Джоном Кристоу. «Я знаю, что она скульптор, — говорил он себе. — Знаю, что ее работа по-настоящему хороша, но, черт побери, неужели она не может оставить ее хоть на время! Неужели не может иногда думать только обо мне и ни о чем другом».

Конечно, он несправедлив к ней, и знает это. Генриетта редко говорит о своей работе. Она не так одержима своим искусством, как большинство художников, которых он знает. Лишь в крайне редких случаях ее погруженность в свой внутренний мир нарушает полноту интереса к его, Джона, проблемам. Но даже это постоянно вызывало в нем яростное негодование.

Однажды он спросил, резко и жестко:

— Ты бросишь все это, если я тебя попрошу?

— Что — все? — спросила она с удивлением.

— Все это! — Широким жестом он охватил всю студию. И сразу же подумал: «Глупец! Зачем ты просишь ее об этом?» И снова, перебивая себя: «Пусть скажет только одно слово: «Конечно!» Пусть только скажет:

«Конечно брошу!» Не важно, думает она так или нет. Пусть только скажет. Я должен обрести покой».

Генриетта долго молчала. Взгляд ее стал задумчивым и отвлеченным. Затем, хмурясь, она медленно сказала:

— Думаю, что да. Если бы это было необходимо.

— Необходимо? Что ты имеешь в виду?

— Я и сама точно не знаю. Необходимо... Ну, например, как может быть необходима ампутация.

— Короче говоря, только оперативное вмешательство!

— Ты сердишься. А что бы ты хотел услышать?

— Ты сама прекрасно знаешь. Одного слова было бы достаточно. «Да!» Почему ты не можешь произнести его? Ты ведь нередко говоришь людям приятное, не заботясь о том, правда это или нет. А мне? Господи, ну почему ты не можешь сделать это для меня?

— Я не знаю, — все так же медленно ответила Генриетта. — В самом деле, Джон, я не знаю. Просто не могу... и все! Не могу.

Несколько минут Джон взволнованно ходил по комнате.

— Ты сведешь меня с ума, Генриетта! Боюсь, я никогда не имел на тебя никакого влияния.

— А зачем это тебе нужно?

— Не знаю... но нужно. — Он бросился в кресло. — Я хочу быть на первом месте в твоей жизни.

— Это так и есть, Джон.

— Нет! Умри я сию минуту, первое, что ты сделаешь, — схватишь глину и со слезами, льющимися по щекам, начнешь лепить какую-нибудь чертову фигуру скорбящей женщины, символ скорби или еще что-нибудь подобное...

— Я не знаю. Пожалуй... Да, пожалуй, ты прав. Хотя это ужасно!

Она сидела неподвижно, испуганно глядя на него.

Пудинг подгорел. При виде пудинга брови Джона поползли вверх, и Герда поспешила с извинениями:

— Извини, дорогой. Сама не знаю, почему так получилось. Это моя вина. Дай мне верхушку, а сам съешь остальное.

Пудинг подгорел потому, что он, Джон Кристоу, просидел в своем кабинете лишних четверть часа, размышляя о Генриетте и мамаше Крэбтри, предаваясь охватившему его нелепому чувству ностальгии по Сан-Мигуэлю. Виноват был он сам. Что за идиотизм пытаться взять его вину на себя, предложить съесть подгоревшую верхушку... Хоть кого доведет до бешенства! Почему она вечно делает из себя мученицу? Почему Тэренс смотрит на него с таким пристальным любопытством? Почему, о Господи, почему Зина вечно шмыгает носом? Почему все они выводят его из себя, черт побери?!

Гнев Джона обрушился на Зину:

— Ну почему ты не можешь высморкать нос?

— Думаю, дорогой, она немного простудилась, — сказала Герда.

— Ничего подобного! Вечно тебе кажется, что у них простуда! С ней все в порядке.

Герда вздохнула. Она никак не могла понять, почему доктор, постоянно лечащий других людей, может быть так безразличен к здоровью собственной семьи. Джон постоянно высмеивал малейший намек на болезнь.

— Я чихнула восемь раз перед ленчем, — значительно сказала Зина.

— Это от жары, — ответил Джон.

— У нас совсем не жарко, — заметил Тэренс. — Термометр в холле показывает пятьдесят пять градусов[1].

Джон встал:

— Все закончили? Хорошо! Тогда поехали. Ты готова, Герда?

— Одну минуту, Джон. Я только уложу кое-что из вещей.

— Разве ты не могла сделать этого раньше? Чем ты занималась все утро?!

Кипя от злости, Джон вышел из столовой. Герда поспешила в спальню. Стремление поторопиться сделает ее, конечно, еще более медлительной. Но почему она не могла приготовить все заранее? Его собственный чемодан был уложен и стоял в холле. Ну почему?..

---

[1] По шкале Фаренгейта.

Сжимая в руке колоду довольно потрепанных карт, к нему подошла Зина:

— Папа, можно я тебе погадаю? Я умею! Я уже гадала маме, и Тэрри, и Льюис, и Джейн, и кухарке.

— Хорошо. Погадай.

«Интересно, — думал он, — как долго задержится Герда». Ему хотелось поскорее уехать из этого ужасного дома, этой улицы, города, полного страдающих, чихающих, больных людей. Хотелось скорее в лес. Влажные осенние листья... изящная отчужденность леди Энкейтлл, производящей впечатление бестелесного существа.

Зина важно раскладывала карты:

— Посередине — это ты, папа! Червонный король. Всегда гадают на червонного короля. Теперь я разложу остальные карты лицом вниз. Две налево и две направо от тебя, одну — над головой, она имеет над тобой власть, другую — в ногах, ты имеешь власть над ней... А эта карта сверху. Теперь, — Зина глубоко вздохнула, — мы начинаем переворачивать. Направо от тебя, очень близко — бубновая дама.

«Генриетта», — подумал Джон. Его забавляла серьезность дочери.

— Рядом трефовый валет. Это какой-то совсем молодой человек. Слева от тебя — восьмерка пик. Это твой тайный враг. Папа, у тебя есть тайный враг?

— Я такого не знаю.

— За ним — королева пик. Эта леди намного старше.

«Леди Энкейтлл», — снова подумал Джон.

— Теперь... что у тебя в головах, ну то, что имеет над тобой власть. Дама червей!

«Вероника, — подумал Джон машинально. — Вероника? Глупости! Она теперь не имеет для меня никакого значения!»

— Это у тебя в ногах, и ты имеешь над ней власть... Дама треф.

В комнату поспешно вошла Герда:

— Джон, я готова!

— О, мама, подожди! Я гадаю папе. Последняя карта, папа, самая важная! Та, что у тебя на сердце. О-о! Туз пик! Это... это значит... смерть!

— Наверное, твоя мама наедет на кого-нибудь по дороге из Лондона, — пошутил Джон. — Пошли, Герда! До свидания, постарайтесь вести себя хорошо!

Глава 6

В субботу Мидж Хардкасл спустилась вниз часам к одиннадцати. Она позавтракала в постели, почитала, немного подремала и наконец поднялась с кровати.

Как чудесно немного побездельничать! Отдохнуть совсем не плохо! Мадам Элфридж, что и говорить, порядочно действует на нервы...

Открыв парадную дверь, Мидж окунулась в теплый, мягкий свет осеннего солнца. Сэр Генри, сидя на скамье, читал «Таймс». Он взглянул на нее и улыбнулся. Мидж ему всегда нравилась.

— Хэлло, дорогая!

— Я очень поздно?

— Во всяком случае, ленч вы не проспали, — сказал, улыбаясь, сэр Генри.

Мидж села рядом и вздохнула:

— Здесь так хорошо!

— Вид у вас немного усталый.

— О, со мной все в порядке. Просто чудесно быть далеко от толстых женщин, которые пытаются влезть в платья на несколько размеров меньше, чем нужно...

— Должно быть, ужасно! — Сэр Генри взглянул на часы. — Эдвард приезжает в пятнадцать минут первого.

— В самом деле? — Мидж помолчала. — Я уже давно его не видела.

— Он все такой же, — сказал сэр Генри. — Почти не выезжает из «Эйнсвика».

«Эйнсвик»... — подумала Мидж. — «Эйнсвик»!» Сердце болезненно сжалось. Прекрасные дни в «Эйнсвике»! Она всегда ждала их с нетерпением. «Я поеду в «Эйнсвик»!» — ночами, лежа без сна, мечтала Мидж задолго до желанного дня. И наконец этот день наступал! Маленькая сельская станция, где поезд (большой лондонский экспресс) остановится, только если предупредить заранее. «Даймлер», ожидавший на станции. Дорога... последний поворот, въезд в ворота и прямо через лес, пока не увидишь поляну и дом, большой, белый, радушно ожидавший гостей. Старый дядя Джеффри, в своем неизменном пиджаке из твида... «Ну, молодежь, а теперь развлекайтесь!» И они радовались вовсю! Генриетта приезжала из Ирландии, Эдвард — из Итона, она сама — из унылого промышленного городка на севере страны. Для них это были райские дни.

В центре всегда был Эдвард, высокий, скромный и неизменно добрый. На нее он, конечно, не очень обращал внимание, потому что рядом была Генриетта. Застенчивый, почти робкий, он выглядел гостем, и Мидж очень удивилась, когда Тремлет, главный садовник усадьбы, однажды сказал:

— Все здесь будет когда-нибудь принадлежать Эдварду.

— Но почему, Тремлет? Он ведь не сын дяди Джеффри!

— И все-таки он наследник, мисс Мидж. Ему принадлежит титул. Мисс Люси, конечно, единственное дитя мистера Джеффри, но она женщина и не может наследовать, а ее муж только двоюродный кузен. Не такой близкий, как мистер Эдвард.

И вот теперь Эдвард жил в «Эйнсвике». Жил там один и редко выезжал. Иногда Мидж спрашивала себя, как относится к этому Люси. Она всегда делала вид, будто ее это не касалось. Но «Эйнсвик» все-таки был ее домом, а Эдвард — только кузен и младше ее на двадцать лет. Отец Люси, старый Джеффри Энкейтлл, был заметной фигурой в графстве, к тому же довольно богат. Большая часть его состояния перешла к Люси, так что Эдварду досталось сравнительно немного. У него, конечно, достаточно средств, чтобы содержать «Эйнсвик», но сверх этого остается не так уж много.

Нельзя сказать, чтобы у Эдварда были большие запросы. Какое-то время он был на дипломатической службе, но, унаследовав «Эйнсвик», ушел в отставку и поселился в этом имении. Эдвард всегда был книжником, собирал первые издания и время от времени писал небольшие, слегка иронические статьи для малоизвестных ревю. Трижды он делал предложение своей троюродной сестре Генриетте Сэвернейк выйти за него замуж.

Мидж сидела на осеннем солнце, погруженная в свои мысли. Она не могла решить, рада ли тому, что увидит Эдварда, или нет. Конечно, она не старалась забыть Эдварда, такого человека, как Эдвард, не забывают. Для нее Эдвард в «Эйнсвике» такой же реальный человек, как Эдвард в лондонском ресторане, поднимающийся ей навстречу. С тех пор как помнит себя, она всегда любила Эдварда.

Голос сэра Генри вывел ее из задумчивости:

— Как, по-вашему, выглядит Люси?

— Очень хорошо. Она такая, как всегда. — Мидж слегка улыбнулась. — Даже лучше, чем всегда.

— Да-а. — Сэр Генри затянулся дымом из трубки. — Знаете, Мидж, иногда я за нее беспокоюсь.

— Беспокоитесь? — Мидж с удивлением посмотрела на него. — Почему?

Сэр Генри покачал головой.

— Люси, — сказал он, — не представляет себе, что есть вещи недозволенные.

Мидж все так же удивленно смотрела на него.

— Ей все сходит с рук. И всегда так было. — Он слегка улыбнулся. — Она издевалась над официальными традициями резиденции губернатора, нарочито допуская ужасные нарушения этикета, рассаживая гостей на званых обедах, а это, Мидж, непростительная вольность. Усаживала рядом за столом заклятых врагов и ни в грош не ставила расовые различия. И вместо того чтобы вызвать колоссальный скандал и навлечь позор на британские власти — черт меня побери, — ей все сходило с рук! Этот ее трюк — смотреть, улыбаясь, беспомощно и невинно, будто ничего не случилось! То же самое и со слугами. Она причиняет им массу неприятностей, а они ее просто обожают!

— Я понимаю, что вы имеете в виду, — задумчиво сказала Мидж. — То, что не простишь обычным людям, кажется естественным, если это делает Люси. Не знаю, что это. Очарование? Магнетизм?

Сэр Генри пожал плечами.

— Она всегда была такая, даже в детстве. Только мне кажется, что это в ней усиливается. Я хочу сказать, она не чувствует, что существует предел. Знаете ли, Мидж, — сказал он, усмехнувшись, — иногда мне кажется, что ей сошло бы с рук даже убийство.

Генриетта вывела свой «делаж» из гаража и после чисто технического разговора с механиком Альбертом, который обычно следил за «состоянием здоровья» «делажа», включила двигатель.

— Езда в такой машине — одно удовольствие, мисс, — сказал Альберт.

Генриетта улыбнулась. Она промчалась вниз по Мьюз-стрит, испытывая неизменное наслаждение, как всегда, когда была в машине одна. Она предпочитала быть одна в машине, когда сидела за рулем, так она полнее ощущала радость управления ею. Ей доставляло удовольствие собственное умение лавировать в потоке машин, разыскивать кратчайший путь. У нее были свои любимые улицы, и она знала Лондон не хуже любого таксиста.

Сейчас она решила воспользоваться недавно открытым ею путем на юго-запад, беспрестанно поворачивая и протискиваясь в сложных сплетениях загородных улочек.

Было уже половина первого, когда она наконец подъехала к длинному хребту Шавл-Даун. Ей всегда нравился открывавшийся отсюда вид, и она задержалась как раз на том месте, где начинался спуск. Внизу и вокруг нее стояли деревья, листва на которых только начала переходить из золотой в коричневую. Это был золотой мир, невыразимо прекрасный в лучах осеннего солнца. «Люблю осень, — подумала Генриетта, — осень намного богаче весны».

Неожиданно она почувствовала себя невероятно счастливой. Ее переполняло ощущение красоты окружающего мира и необыкновенное чувство радости восприятия этой красоты. «Я никогда больше не буду так счастлива, как сейчас, — подумала она. — Никогда!»

Генриетта постояла немного, вглядываясь в этот золотой мир, который, казалось, проплывал мимо, растворяясь и исчезая вдали. Затем опустилась к подножию холма через лес по длинной, круто уходящей вниз дороге к «Лощине».

Когда Генриетта подъехала к дому, Мидж сидела на низких перилах террасы и весело помахала ей. Генриетте нравилась Мидж, и она рада была ее видеть. Из дома вышла леди Энкейтлл:

— О, вот и ты, Генриетта! Отведи свою машину на конюшню и дай ей овса. К тому времени ленч будет готов.

— Поистине проницательное наблюдение! С каким пониманием это сказано, — заметила Генриетта, объезжая дом. Мидж ехала с ней, стоя на подножке автомобиля. — Знаешь, Мидж, я всегда гордилась тем, что мне полностью удалось избежать болезни моих ирландских предков — увлечения лошадьми. Если вырос среди людей, которые не могут говорить ни о чем другом, кроме лошади, то поневоле начинаешь чувствовать свою исключительность и превосходство, не испытывая особой любви к лошадям. А Люси показала мне, что я отношусь к своей машине именно как к лошади. И она права! Это действительно так!

— Да! Люси просто неподражаема, — сказала Мидж, — сегодня утром она сказала, что я могу грубить, сколько мне захочется.

Генриетта на мгновение задумалась, затем кивнула.

— Разумеется! — воскликнула она. — Магазин!

— Да. Если каждый Божий день проводить в этой проклятой маленькой коробке и быть неизменно вежливой с грубыми покупательницами, называя их «мадам», помогая примерять платья, улыбаясь и проглатывая их оскорбительные замечания, то поневоле самой захочется огрызнуться! Знаешь, Генриетта, я всегда удивлялась тому, что люди считают унизительным идти в прислуги и думают: работа в магазине — это великолепно! Чувствуешь себя независимой! На самом деле слышишь больше оскорблений, будучи продавцом в магазине, чем Гаджен, или Симмонс, или кто-то другой из здешней прислуги.

— Это должно быть ужасно, дорогая! Напрасно ты держала себя так гордо и независимо и настояла на том, что сама будешь зарабатывать себе на жизнь.

— Как бы то ни было, Люси — ангел, и я буду немилосердно всем грубить весь уик-энд.

— Кто приехал? — спросила Генриетта, выходя из машины.

— Должны приехать Джон и Герда Кристоу, — ответила Мидж и, немного помолчав, добавила: — Только что приехал Эдвард.

— Эдвард? Чудесно! Я не видела его целую вечность! Кто еще?

— Дэвид Энкейтлл. Люси надеется, что ты сможешь быть тут полезной. Ты должна отвлекать его, чтобы он не грыз ногти.

— Это совсем не в моем характере! — воскликнула Генриетта. — Я терпеть не могу вмешиваться в чужие дела, и у меня и в мыслях никогда не было следить за чужими привычками. Что дословно сказала Люси?

— Это, пожалуй, все! Да, еще у него сильно выступает кадык.

— По этому поводу я тоже должна что-то предпринимать?

— И еще ты должна быть очень добра к Герде.

— Будь я на месте Герды, я бы возненавидела Люси! — воскликнула Генриетта.

— Да, завтра к ленчу должен явиться какой-то специалист по расследованию преступлений.

— Мы что, собираемся играть в какую-то «криминальную» игру?

— Не думаю. Мне кажется, это просто знак вежливости. Он живет по соседству. — Голос Мидж слегка изменился. — А вот и Эдвард! Очевидно, он нас ищет.

«Милый Эдвард», — подумала Генриетта с внезапно нахлынувшей теплотой.

Эдвард Энкейтлл, очень высокий и сухощавый, улыбаясь, подошел к молодым женщинам:

— Хэлло, Генриетта! Я не видел тебя больше года!

— Хэлло, Эдвард.

«Какой он славный! — думала Генриетта. — Добрая улыбка, легкие морщинки у глаз... А какая прекрасная форма головы! По-моему, это мне больше всего в нем нравится».

Генриетта сама удивилась своему теплому чувству к Эдварду. Она забыла, насколько он ей был приятен.

После ленча Эдвард предложил Генриетте пойти на прогулку. Прогулка в духе Эдварда — медленный, размеренный шаг. Обойдя дом, они пошли по дорожке, извивавшейся среди деревьев. «Как похоже на лес в «Эйнсвике», — подумала Генриетта. — Милый «Эйнсвик»! Он всегда доставлял нам столько радости!»

Она начала говорить об «Эйнсвике», и они оба погрузились в воспоминания.

— Ты помнишь нашу белку? Со сломанной лапкой? Помнишь, мы посадили ее в клетку, и она поправилась.

— Конечно помню! У нее было такое странное имя... Не могу сейчас припомнить.

— Колмондели-Марджорибэнкс!

— Правильно!

Оба засмеялись.

— Старая домоправительница миссис Бонди всегда говорила, что в один прекрасный день белка удерет в дымоход!

— Мы так возмущались...

— А белка потом все-таки убежала!

— Это все миссис Бонди, — с уверенностью сказала Генриетта. — Она внушила белке мысль о побеге! Все осталось по-прежнему, Эдвард? — спросила она, помолчав. — Или переменилось? Я всегда представляю себе «Эйнсвик» таким, каким он был раньше.

— Почему бы тебе не приехать и не посмотреть самой, Генриетта? Ты очень давно не была в «Эйнсвике».

— Да...

В самом деле, почему она так долго не ездила в «Эйнсвик»? Вечно чем-то занята, увлечена, связана с другими...

— Ты всегда желанная гостья, Генриетта!

— Очень мило с твоей стороны, Эдвард!

«Какой он славный, — снова подумала она, — а кости черепа у него просто прекрасны!»

— Я очень рад, что ты любишь «Эйнсвик», Генриетта!

— «Эйнсвик» — самое прекрасное место на земле! — задумчиво сказала она.

Длинноногая девочка с гривой растрепанных каштановых волос, счастливая девчушка, которой и в голову не могла прийти мысль о том, что приготовила для нее жизнь. Девочка, любившая деревья... Она была так счастлива и, конечно, не догадывалась об этом! Если бы можно было вернуться назад...

— Игдрасиль[1] все еще стоит? — внезапно спросила она.

— Его разбила молния.

— О нет, только не Игдрасиль!

Это огорчило Генриетту. Игдрасиль — так она называла большой дуб в «Эйнсвике». Если боги могли сразить Игдрасиль, тогда нет ничего безопасного под солнцем... Лучше назад не возвращаться.

— А ты помнишь твой особый знак, знак Игдрасиля? — спросил Эдвард.

— Смешное дерево, какого на свете не бывает, которое я всегда рисовала на клочках бумаги? Я до сих пор его рисую! На промокашках, в телефонных книгах, во время игры в бридж... Стоит мне только задуматься, как моментально появляется Игдрасиль! У тебя есть карандаш?

Он протянул ей карандаш и блокнот, и она, смеясь, быстро нарисовала причудливое дерево.

— Да! — воскликнул Эдвард. — Это Игдрасиль!

Они дошли до верхней части тропы. Генриетта села на ствол поваленного дерева. Эдвард опустился рядом. Она смотрела вниз, сквозь деревья.

— Все здесь немного напоминает «Эйнсвик». Карманное издание «Эйнсвика». Тебе не кажется, Эдвард, что именно поэтому Люси и Генри поселились в «Лощине»?

— Возможно.

— Никогда не знаешь, что у Люси на уме, — медленно сказала Генриетта. Немного помолчав, она спросила: — Эдвард, чем ты занимался все это время?

— Ничем...

— Звучит умиротворенно.

— Я не очень-то гожусь для деятельной жизни.

Генриетта быстро взглянула на него. Что-то не совсем обычное было в его тоне. Но он спокойно улы-

---

[1] И г д р а с и л ь — в скандинавской мифологии гигантский ясень, древо жизни и судьбы.

бался. И снова Генриетта почувствовала теплую волну глубокой симпатии к Эдварду.

— Наверное, ты поступаешь мудро.

— Мудро?

— Да, избегая активной деятельности.

— Странно, что это говоришь ты, Генриетта, — медленно произнес Эдвард. — Ты, которая добилась такого успеха!

— Ты считаешь меня преуспевающей? Смешно!

— Но это действительно так, дорогая! Ты художник и должна гордиться собой!

— Да, многие говорят мне об этом, — воскликнула Генриетта. — Но они не понимают, совершенно не понимают. Даже ты, Эдвард! Скульптура — не то, что выбирают, она сама выбирает тебя. Преследует, мучит, изводит вконец, так что рано или поздно ты должен поладить с ней. Тогда на время наступит покой. До тех пор, пока все опять не начнется сначала.

— Ты хочешь покоя?

— Иногда мне кажется, что я хочу этого больше всего на свете.

— Ты можешь обрести его в «Эйнсвике». Я думаю, там ты можешь быть счастлива. Даже... даже если тебе придется терпеть мое присутствие. Что ты думаешь об этом? Генриетта, мне хочется, чтобы «Эйнсвик» стал твоим домом. Он неизменно ждет тебя...

Генриетта медленно покачала головой:

— Если бы ты не был таким дорогим для меня, Эдвард, мне легче было бы сказать «нет»!

— Значит, все-таки — нет!

— Мне очень жаль...

— Ты не раз говорила это, но сегодня... сегодня я думал, все может быть иначе: ты ведь была счастлива, когда говорила об «Эйнсвике». Ты не станешь отрицать...

— Очень счастлива!

— Даже лицо... Ты выглядишь моложе, чем утром!

— Я знаю.

— Мы были счастливы, говоря об «Эйнсвике», думая о нем. Генриетта, неужели ты не понимаешь, что это значит?

— Это ты, Эдвард, не хочешь понять. Все это время мы просто жили в прошлом.

— Иногда прошлое — самое подходящее место для жизни.

— Нельзя вернуться в прошлое. Это невозможно.

Эдвард помолчал.

— Ты хочешь сказать, — произнес он тихо и спокойно, — что не можешь выйти за меня замуж из-за Джона Кристоу.

Генриетта ничего не ответила.

— Это ведь так, не правда ли? — продолжал Эдвард. — Если бы на свете не было Джона Кристоу, ты вышла бы за меня замуж...

— Я не могу представить себе мир, в котором нет Джона Кристоу, — резко сказала Генриетта. — Ты должен это понять.

— Если это так, почему бы ему не развестись с женой, чтобы вы могли пожениться?

— Джон не хочет разводиться с женой. И я не знаю, смогу ли я выйти за него замуж, даже если бы он развелся. Это... Это все совсем не так, как ты думаешь!

— Джон Кристоу... — задумчиво произнес Эдвард. — В мире слишком много Джонов Кристоу.

— Ты ошибаешься! — воскликнула Генриетта. — В мире очень мало таких людей, как Джон!

— Очень хорошо, если так. Во всяком случае, я так считаю. — Он поднялся. — Пожалуй, нам пора возвращаться.

Глава 7

Когда они сели в машину и Льюис закрыла за ними парадную дверь дома на Харли-стрит, Герда почувствовала такую острую боль, словно ее отправляли в изгнание. Захлопнувшаяся дверь неумолимо отгораживала ее от привычной жизни. Ненавистный уик-энд наступил. Сколько дел надо бы еще переделать до отъезда! Закрыла ли она кран в ванной? А где квитанция для прачечной? Кажется, она положила ее... Куда она ее положила? Как будут вести себя дети с мадемуазель? Станет ли ее слушаться Тэренс? Французские гувернантки... у них нет никакого авторитета.

Герда опустилась на водительское сиденье все еще под тяжестью свалившихся на нее бед и нервно нажала стартер. Она нажимала его снова и снова.

— Герда, машина скорее сдвинется с места, — сказал наконец Джон, — если ты включишь зажигание.

— О Господи, какая я глупая! — Герда бросила на Джона быстрый испуганный взгляд. Если Джон выйдет из себя с самого начала... Однако, к ее величайшему изумлению, он улыбался. «Это потому, — подумала Герда с редкой для нее проницательностью, — что он рад поездке в «Лощину». Он, бедняга, так много работает! Его жизнь бескорыстна и полностью посвящена другим. Неудивительно, что он мечтает об этом долгом уик-энде!»

Мысли Герды все еще были заняты разговором за обеденным столом, и, отпустив педаль сцепления слишком резко, так что машина скачком рванулась с места, Герда сказала:

— Знаешь, Джон, ты не должен так шутить и говорить, что ненавидишь больных. Это, конечно, чудесно, что ты преуменьшаешь трудности своей работы, и я это понимаю. Но дети могут не понять. Тэрри, например, все понимает буквально.

— Иногда, — сказал Джон, — Тэрри кажется мне почти взрослым. Не то что Зина! Сколько времени должно пройти, чтобы девочка перестала быть клубком эмоций?

Герда засмеялась, легко и радостно. Она поняла, что Джон подтрунивает над ней. Но мысли у Герды были прилипчивы, и она продолжала начатое...

— Джон, я в самом деле думаю, что для детей полезно знать, как бескорыстна и благородна жизнь врача.

— О Господи! — вздохнул Джон.

Герда мгновенно смешалась. Машина между тем приближалась к светофору, и зеленый свет горел уже довольно долго. Герда была почти уверена, что огни сменятся, когда она подъедет. Она сбавила скорость. Все еще зеленый!

— Зачем ты остановилась? — Джон забыл свое решение не делать никаких замечаний.

— Я думала, будет красный свет.

Она нажала на акселератор, машина немного продвинулась за светофор, и... мотор заглох. Сигнал светофора сменился. Сердито загудели машины на перекрестке...

— Герда, ты положительно самый плохой водитель во всем мире! — воскликнул Джон скорее шутливо, чем сердито.

— Я всегда волнуюсь перед светофором. Никогда не знаешь, в какую минуту сменится сигнал!

Джон бросил взгляд на встревоженное, несчастное лицо жены.

«Герду волнует абсолютно все!» — подумал он и постарался представить себе, что значит постоянно жить в таком состоянии, но так как он не обладал богатой фантазией, то не смог нарисовать себе эту картину.

— Понимаешь, — продолжала Герда, цепко держась за свою мысль, — я всегда старалась внушить детям, что жизнь врача — это самопожертвование. Быть врачом — значит постоянно помогать больным и страждущим, служить людям. Это такая благородная жизнь... И я так горжусь, что ты, не щадя себя, всю свою энергию, все свое время отдаешь работе...

Джон перебил ее:

— Тебе никогда не приходило в голову, что мне нравится лечить! Что это для меня удовольствие, а не жертва! Неужели ты не понимаешь, что это интересно, черт побери! *Интересно!*

Нет, Герда этого никогда не поймет. Расскажи он ей о мамаше Крэбтри из палаты Маргарет Рассел, Герда увидит в нем нечто вроде доброго ангела, помогающего бедным.

— Сплошная патока... — проворчал он.

— Что ты сказал? — Герда наклонилась в его сторону.

Джон покачал головой.

Если бы он сказал Герде, что пытается найти средство от рака, это ей было бы понятно: ей доступны простые, ясные, сентиментальные представления. Но она никогда не сможет понять необъяснимую радость в распутывании сложностей загадки болезни Риджуэя. Сомнительно, чтобы он смог объяснить ей, что собой представляет эта болезнь. «Особенно если учесть, что врачи и сами не очень ясно себе это представляют, — подумал он, усмехнувшись. — Мы в самом деле не знаем, почему происходит вырождение коры головного мозга!»

Ему вдруг пришло в голову, что Тэренс, хоть он еще ребенок, мог бы этим заинтересоваться. Джону понравилось, как сын посмотрел на него через стол, прежде чем сказал: «Я не думаю, что он шутит».

В последнее время Тэренс, провинившись, попал в немилость. Он сломал кофемолку, пытаясь получить аммоний. Аммоний! Чудак, зачем ему аммоний?! Интересно знать, все-таки зачем...

Молчание мужа успокоило Герду. Ей было легче вести машину, если ее не отвлекали разговорами. Кроме того, Джон, погруженный в свои мысли, мог и не заметить резкого скрежещущего звука, когда она с силой переключала скорость. Герда старалась переключать ее как можно реже.

Герда знала, что иногда ей удавалась эта процедура довольно хорошо. Но это случалось, только когда Джона в машине не было. Нервозность, желание сделать все правильно постоянно приводило к неудаче, движения рук становились суетливыми, она слишком сильно или, наоборот, слишком слабо нажимала на акселератор, а педаль сцепления выжимала так неловко и поспешно, что двигатель буквально вопил в знак протеста.

— Мягче, мягче, Герда, — просила Генриетта, обучая Герду несколько лет назад. — Ты должна чувствовать, куда хочет двигаться рычаг переключения скорости... Он должен скользнуть в гнездо. Держи ладонь раскрытой, пока не почувствуешь. Не надо толкать куда придется, нужно почувствовать!

Но Герда была не в состоянии испытывать какие-либо чувства к рычагу переключения скорости. Если его толкать в более или менее нужном направлении, он должен повиноваться. Машина просто не должна издавать этого отвратительного скрежещущего звука!

«В общем, — подумала Герда, начиная спуск с Мэшем-Хилл, — все пока идет неплохо». Джон все еще сидел задумавшись и не заметил довольно отчаянного скрежета на Кройдоне. Радуясь этому, видя, что ход машины увеличился, Герда переключила на третью скорость. Движение машины резко замедлилось... Джон словно очнулся:

— С какой стати ты переключаешь скорость, когда подходишь к спуску?

Герда стиснула зубы. Осталось уже немного. Нельзя сказать, чтобы она торопилась приехать... Нет, конечно! Пожалуй, она согласна провести еще несколько часов за рулем, даже если Джон потеряет терпение и выйдет из себя...

Теперь они проезжали Шавл-Даун. Пламенеющий осенний лес подступал к дороге с обеих сторон.

— Как чудесно вырваться из Лондона! — воскликнул Джон. — Подумай только, Герда, мы торчим в темной гостиной за чашкой чая... иногда при электрическом свете!

Немного темноватая гостиная на Харли-стрит возникла перед глазами Герды подобно восхитительному миражу. О, если бы она могла оказаться там сейчас!

— Все вокруг просто чудесно! — героически сказала Герда.

Вниз с крутого холма... Теперь уже не убежишь. Слабая надежда на то, что произойдет что-нибудь, вмешается какая-то сила и спасет ее от кошмара этого уик-энда, не сбылась. Они уже приехали в «Лощину».

Она немного успокоилась, увидев Генриетту, сидевшую на перилах вместе с Мидж и каким-то худым человеком. Герда испытывала определенное доверие к Генриетте, потому что та всегда приходила на помощь, когда все складывалось уж очень плохо.

Джон тоже был рад увидеть Генриетту. Это казалось необходимым завершением всей поездки на фоне прекрасной осенней панорамы: спуститься с горы и увидеть ожидавшую его Генриетту. На ней костюм из зеленого твида, который ему нравился. Он считал, что этот костюм идет ей значительно больше лондонских нарядов. На длинных, вытянутых вперед ногах Генриетты были хорошо начищенные, удобные для ходьбы туфли.

Они обменялись быстрой улыбкой. Короткое признание того, что рады видеть друг друга. Джону не хотелось говорить с Генриеттой сейчас, ему достаточно было радостного сознания, что она здесь. Без нее уик-энд был бы пустым и скучным.

— Как я рада видеть вас, Герда! И вас, Джон. Прошло столько времени!

Люси явно хотела показать, что именно Герда была желанной гостьей, которую ждали с нетерпением, а

Джон лишь дополнение. Уловка леди Энкейтлл явно не имела успеха, и Герда сразу почувствовала себя скованно и неловко.

— Вы знакомы с Эдвардом? — спросила Люси. — Эдвард Энкейтлл.

— Нет, не думаю!

Джон слегка поклонился. Полуденное солнце осветило золото его волос и синеву глаз. Так мог выглядеть викинг-завоеватель, только что сошедший на берег. Голос, теплый и звучный, завораживал. Привлекательность облика этого человека сразу захватила всех присутствующих.

Яркая индивидуальность и теплота Джона нисколько не повредили Люси. Наоборот, они лишь подчеркнули ее неуловимое, эльфоподобное своеобразие. Тогда как Эдвард по контрасту с Джоном казался тусклым, слегка ссутулился и помрачнел.

Генриетта сразу предложила Герде пройти на огород.

— Люси, конечно, будет настаивать на рокарии и бордюре осенних цветов, — сказала она, проходя вперед, — но мне огород всегда казался лучше и спокойнее. Можно посидеть на тепличных рамах, если холодно, зайти в теплицу. Иногда попадается даже что-нибудь съедобное.

Они действительно нашли несколько запоздалых стручков зеленого гороха. Генриетта ела их сырыми. Герде они не очень нравились, но она рада была уйти от Люси Энкейтлл, которая вызывала в ней еще большую тревогу, чем обычно.

Сейчас Герда говорила свободно, почти оживленно. Все, что спрашивала Генриетта, было понятно, и Герда всегда знала, как ей ответить. Через десять минут она почувствовала себя значительно лучше и подумала, что, может быть, уик-энд не будет таким уж страшным.

— Зина начала посещать уроки танцев, — рассказывала Герда, — ей только что пошили новое платье.

Герда подробно и долго описывала фасон. А еще ей удалось найти новый магазин художественных изделий из кожи. Генриетта спросила, трудно ли самой сделать себе сумку. Герда должна научить ее.

«В сущности, очень легко сделать Герду счастливой, — подумала Генриетта. — Она вся совершенно преображается! Нужно только, чтобы ей разрешили свернуться клубочком и сладко мурлыкать!»

Довольные, они болтали, сидя на углу тепличной рамы для огурцов в лучах заходящего солнца, создававшего полную иллюзию солнечного дня.

Затем наступила пауза, и оживление исчезло с лица Герды. Плечи поникли — олицетворение страдания. Она вздрогнула, услышав голос Генриетты:

— Зачем вы приехали, если все здесь вам так ненавистно?

— О нет! Что вы! Почему вы так думаете?.. — быстро заговорила Герда. — Так чудесно уехать из Лондона, а леди Энкейтлл так добра, — добавила она, немного помолчав.

— Люси? Она совсем не добрая.

Герда казалась слегка шокированной:

— О, леди Энкейтлл действительно добра. Она всегда очень добра ко мне.

— У Люси прекрасные манеры, и она может быть любезной, но она довольно жестока. Я думаю потому, что она так не похожа на других. Она не знает, что думают и чувствуют обыкновенные люди. А вы, Герда, вы ненавидите эти визиты! Вы знаете, что я говорю правду. Зачем приезжать, если вам не хочется?

— Видите ли, Джону нравится...

— О, «Джону нравится»! Почему вы тогда не отпустите его одного?

— Он так не захочет. Он не может радоваться всему этому без меня. Джон так добр. Он считает, что мне очень полезно выезжать за город.

— За городом, конечно, хорошо, — продолжала Генриетта, — но зачем тащить вас к Энкейтллам?

— Я... мне не хотелось бы, чтобы вы считали меня неблагодарной!

— Дорогая Герда! Ну с какой стати вы должны любить нас?! Я всегда считала Энкейтллов отвратительным семейством. Мы все любим собираться и говорить на необычном собственном языке. Я не удивлюсь, если кому-нибудь со стороны хочется порой просто убить нас! Я думаю, пора пить чай, — добавила она, помолчав. — Давайте вернемся.

Генриетта наблюдала за лицом Герды, когда та, поднявшись, направилась к дому. «Интересно, — думала Генриетта. Часть ее мозга была словно обособлена, и она могла наблюдать все со стороны. — Интересно увидеть, как на самом деле выглядели христианские мученицы, перед тем как шагнуть на арену...»

Выходя из огорода, обнесенного стеной, они услышали выстрелы, и Генриетта сказала:

— Похоже на то, что истребление Энкейтллов уже началось!

Оказалось, сэр Генри и Эдвард, беседуя об огнестрельном оружии, начали иллюстрировать дискуссию стрельбой из револьверов. Огнестрельное оружие — хобби сэра Генри, и у него собралась неплохая коллекция. Он принес несколько револьверов и мишени, и они с Эдвардом стали соревноваться в стрельбе.

— Хэлло, Генриетта! Хочешь попробовать, сможешь ли ты убить грабителя?

Генриетта взяла револьвер.

— Правильно... Так! Теперь целься!

Бах!

— Промазала! — сказал сэр Генри. — Теперь вы, Герда!

— О, я думаю, что я...

— Смелей, миссис Кристоу! Это очень просто!

Зажмурив глаза и вздрогнув, Герда выстрелила. Пуля пролетела еще дальше от мишени, чем у Генриетты.

— О-о! Я тоже хочу! — сказала, подходя, Мидж.

После нескольких выстрелов она заметила:

— Это труднее, чем кажется. Но забавно!

Из дома вышла Люси. За ней следовал высокий, мрачного вида молодой человек, с сильно выдающимся кадыком на худой шее.

— Это Дэвид! — сказала леди Энкейтлл.

Затем, взяв револьвер у Мидж, перезарядила его и, пока муж здоровался с Дэвидом, не говоря ни слова, всадила три пули близко от центра мишени.

— Отлично, Люси! — воскликнула Мидж. — Я не знала, что стрельба из револьвера — один из твоих талантов!

— Люси, — серьезно заметил сэр Генри, — всегда убивает своего противника. — Помолчав, он задумчиво сказал: — Однажды это оказалось очень кстати. Помнишь, дорогая, тех головорезов, которые напали на нас на азиатском берегу Босфора? Двое навалились на меня, и мы катались по земле. Они хотели задушить меня.

— А что сделала Люси?

— Она дважды выстрелила в эту свалку. Я даже не знал, что у нее был пистолет. Одному прострелила ногу, другому плечо. Я был на волосок от гибели. Понять не могу, как она не попала в меня?!

Леди Энкейтлл мило улыбнулась мужу.

— Думаю, иногда приходится рисковать, дорогой, — сказала она мягко. — В таких случаях нужно действовать быстро, не раздумывая.

— Отличная мысль, дорогая! — воскликнул сэр Генри. — Хотя меня слегка огорчил тот факт, что риску подвергался я сам!

Глава 8

После чая Джон пригласил Генриетту погулять, а леди Энкейтлл заявила, что обязательно должна показать Герде свой рокарий, хотя, конечно, сезон не очень подходящий.

«Прогулка с Джоном, — думала Генриетта, — меньше всего похожа на прогулку с Эдвардом. С Эдвардом можно медленно брести. Он рожден для такого шага». А за Джоном она поспевала с трудом. Когда они добрались до Шавл-Даун, Генриетта взмолилась, задыхаясь:

— Джон, ведь это не марафон!

— Я тебя совсем загонял! — Он замедлил шаг и улыбнулся.

— Да нет, я... Просто зачем это нужно? Мы ведь не поезд догоняем. Откуда такая неистовая энергия? Ты что, пытаешься убежать от самого себя?

Джон резко остановился:

— Почему ты так говоришь?

— Я не имела в виду ничего определенного. — Генриетта с удивлением смотрела на него.

Джон снова двинулся вперед, но шел теперь медленнее.

— По правде говоря, — сказал он, — я устал... очень устал...

Генриетта уловила в его голосе нотку апатии.

433

— Как мамаша Крэбтри? Ей лучше?

— Рано еще говорить об этом. Надеюсь, мне удалось найти то, что нужно. Если я прав, — он снова ускорил шаг, — многие наши идеи придется пересмотреть. Надо будет заново изучить всю проблему гормонной секреции в целом.

— Ты хочешь сказать, что будет найдено средство от болезни Риджуэя? Перестанут от нее умирать?

— Между прочим, и это...

«Какие странные люди эти врачи, — подумала Генриетта. — Между прочим!»

— С научной точки зрения это открывает широкие возможности. — Джон глубоко вздохнул. — А все-таки как хорошо оказаться здесь, глотнуть свежего воздуха... Увидеть тебя! — Он улыбнулся внезапной, мимолетной улыбкой. — И для Герды это полезно.

— Уж конечно, Герда в восторге от «Лощины»!

— Разумеется! Между прочим, я встречался раньше с Эдвардом?

— Ты встречался с ним дважды, — сухо сказала Генриетта.

— Не помню. Он из каких-то неопределенных, незаметных людей.

— Эдвард очень милый. Мне он всегда нравился.

— Ну стоит ли терять время на Эдварда! Такие люди — не в счет!

— Иногда, Джон, мне просто страшно за тебя! — тихо сказала Генриетта.

— Страшно? — удивленно посмотрел на нее Джон. — Почему?

— Ты ничего не видишь вокруг... Ты просто слепой!

— Слепой?!

— Ты не видишь, не знаешь, что чувствуют люди...

— Ну я бы этого не сказал!

— Ты видишь только то, на что смотришь. Ты... как луч маяка! Мощный луч, направленный на то, что тебя интересует, а по обе стороны и позади — сплошная темнота.

— Генриетта, милая, о чем ты?

— Это опасно, Джон! Ты полагаешь, что все тебя любят, все доброжелательны. Например, Люси.

— Разве Люси мне не симпатизирует? — спросил он удивленно. — Мне она всегда нравилась!

— И поэтому ты решил, что сам ей нравишься? А я не так в этом уверена. И Герда, и Эдвард... Или Мидж и Генри?.. Откуда ты знаешь, что они о тебе думают?

— А Генриетта? Ты знаешь, что она чувствует? — Он на минуту взял ее за руку. — По крайней мере, в тебе я уверен!

Она быстро отдернула руку:

— Ты ни в ком не можешь быть уверен, Джон! Ни в ком!

Лицо Джона помрачнело.

— Нет, я с этим не согласен! Я уверен в тебе и в себе. По крайней мере...

Тень пробежала по его лицу.

— Джон, что случилось?

— Знаешь, на чем я поймал себя сегодня? Я заметил, что все время повторяю нечто невероятно странное: «Я хочу домой!» Я повторял эту фразу, не имея ни малейшего понятия, что она значит!

— Очевидно, ты имел в виду что-то определенное, — медленно произнесла Генриетта.

— Ничего! — резко сказал Джон. — Абсолютно ничего!

Вечером за обедом Генриетту усадили рядом с Дэвидом, и тонкие брови Люси просигналили ей команду, нет, не команду, Люси никогда не командовала, а просьбу...

Сэр Генри старался занять Герду и явно преуспел в этом. Джон с интересом и видимым удовольствием следил за стремительными, оригинальными поворотами мысли Люси, легко перескакивающей с предмета на предмет. Мидж вела сухую, какую-то неестественную беседу с Эдвардом, более рассеянным, чем обычно.

Дэвид сердито смотрел на всех и крошил хлеб нервными пальцами. Он ехал в «Лощину» с большим нежеланием. До сих пор ему не приходилось встречаться ни с сэром Генри, ни с леди Энкейтлл, и, относясь отрицательно ко всей Британской империи вообще, он был готов также критично отнестись к своим родственникам. Эдварда он знал раньше и презирал как дилетанта. Остальных гостей он тоже оценивал критически. Родственники, по его мнению, вообще довольно несносны, кроме того, от него, очевидно, ожидают какого-то общения, разговоров, одним словом, того, что он терпеть не может.

Мидж и Генриетту он сразу же зачислил в разряд пустышек и невежд. Этот доктор Кристоу — один из типичных шарлатанов с Харли-стрит. Изысканные манеры, успех в обществе... Жена явно ничего не значила.

Дэвид нервно дернул шеей, поправляя воротничок сорочки, и подумал, как было бы хорошо, если бы все эти люди знали, что он о них думает! Все они на самом деле довольно ничтожны! Повторив это заключение три раза в уме, он почувствовал себя значительно лучше. Он все еще продолжал злиться, но уже мог оставить в покое хлеб.

Генриетта, отвечая лояльностью на сигнал бровей Люси, испытывала, однако, известные трудности. Разговор никак не завязывался. Отрывисто-грубые ответы Дэвида были до крайности пренебрежительны. В конце концов она решила прибегнуть к испытанному средству, которое всегда применяла в общении с молчаливыми людьми. Зная, что Дэвид обладает определенными знаниями в области музыки, Генриетта умышленно сделала догматическое и совершенно несправедливое замечание по поводу одного современного композитора. К ее удовольствию, уловка имела успех. Дэвид, сидевший до этого сутулясь и опираясь на спинку стула, теперь весь подобрался, перестал мямлить, заговорил четко и ясно и... больше не крошил хлеб.

— Ваши слова, — произнес он громко и четко, устремив холодный взгляд на Генриетту, — свидетельствуют о том, что вы ровным счетом ничего в этом не смыслите.

Начиная с этого момента и до конца обеда он поучал ее, отчетливо и язвительно, а Генриетта умолкла, заняв скромную позицию ученицы.

Люси Энкейтлл послала благодарный взгляд на другой конец стола, а Мидж про себя усмехнулась.

— Какая ты умница, дорогая, — прошептала леди Энкейтлл, взяв Генриетту под руку, когда они после обеда перешли в гостиную. — Как все-таки ужасно!

Чем меньше у людей мыслей в голове, тем лучше они знают, куда девать свои руки! Как ты думаешь, что предложить — бридж, или румми, или что-нибудь страшно простенькое, вроде энимал грэб?[1]

— По-моему, Дэвид сочтет себя оскорбленным, если предложить грэб.

— Пожалуй, ты права. В таком случае — бридж. Я убеждена, что он считает бридж пустым занятием, и в таком случае его презрение к нам будет оправдано.

Было расставлено два стола. Генриетта играла с Гердой против Джона и Эдварда. Идея распределения игроков не принадлежала Генриетте. Она только хотела отделить Герду от Люси, а если возможно, то и от Джона... Но Джон был настойчив, а Эдварда опередил Мидж.

«Обстановка, — думала Генриетта, — не очень благоприятная». Но она никак не могла понять причину напряженности. Как бы то ни было, она решила, что Герда должна выиграть, и таким образом, может быть, карты внесут разрядку в напряженную атмосферу гостиной.

Герда в общем не очень плохо играла в бридж. Когда рядом не было Джона, она была рядовым средним игроком, но игроком нервным, который не в состоянии правильно оценить ни свои карты, ни ситуацию. Джон был хорошим игроком, хотя слегка самоуверенным. Эдвард играл в бридж отлично.

К концу вечера за столиком Генриетты играли все тот же роббер[2]. Странная напряженность этого вечера ощущалась и во время игры, и не замечал этого только один игрок. Для Герды это была просто карточная игра, от которой она получала редкое удовольствие. Ею овладело приятное возбуждение. Трудные решения неожиданно облегчались тем, что Генриетта ей подыгрывала, наперед подсказывая свой ход.

В тех случаях, когда Джон, не будучи в состоянии удержаться от критических замечаний, действовавших на Герду больше, чем он мог себе представить, восклицал: «Ну с какой стати ты ходишь с трефовой масти?», Генриетта тут же парировала: «Глупости, Джон, она,

---

[1] Б р и д ж, р у м м и, э н и м а л г р э б — различные виды карточной игры.

[2] Р о б б е р — цикл некоторых видов карточной игры, состоящий из трех партий.

конечно, должна ходить трефовой мастью! Это единственно возможный вариант».

Наконец, облегченно вздохнув, Генриетта придвинула к себе записи и сказала:

— Партия и роббер! Но я не думаю, Герда, что мы много выиграли.

— Удачная проделка! — бодро отозвался Джон.

Генриетта быстро взглянула на него. Она хорошо знала Джона и, встретившись с ним взглядом, опустила глаза. Поднявшись, она подошла к камину. Джон последовал за ней.

— Ты ведь не всегда заглядываешь в чужие карты, не правда ли? — спросил он насмешливо.

— Пожалуй, мои действия были слишком очевидны, — спокойно ответила Генриетта. — Но неужели так постыдно хотеть выиграть?

— Ты хотела, чтобы выиграла Герда. Так? Желая доставить людям удовольствие, ты даже не останавливаешься перед жульничеством!

— Как ужасно ты это сказал! Но ты, разумеется, как всегда прав.

— Судя по всему, твое желание выиграть разделял и мой партнер.

«Значит, Джон тоже заметил», — подумала Генриетта. Она сама не была уверена в своих подозрениях. Эдвард играет так мастерски... не к чему придраться! Случайный просчет — чего в игре не бывает! Или в другом случае — совершенно правильный и очевидный ход, который не привел к успеху только потому, что был слишком очевидным... Генриетта сразу же отметила эти нарочитые мелочи в игре Эдварда, и они обеспокоили ее. Она знала, что Эдвард никогда не станет подыгрывать, чтобы она, Генриетта, выиграла. Он был слишком верен английским представлениям о чести и порядочности. «Нет, — подумала она, — просто Эдвард не мог перенести еще одного успеха Джона Кристоу!»

Внезапно она почувствовала себя крайне взвинченной, настороженной. Этот прием гостей у Люси вдруг стал ей совсем не по душе...

И тут совершенно неожиданно, драматично и неправдоподобно, как в театральном выходе, через большую стеклянную дверь в сад появилась Вероника Крэй!

Вечер был теплый, и двери в сад были только прикрыты. Вероника, широко распахнув их, вошла и остановилась. Ее фигура четко вырисовывалась на фоне ночи. Вероника улыбалась слегка грустной, но очаровательной улыбкой, выдерживая маленькую паузу, словно для того, чтобы ознакомиться со своей аудиторией, прежде чем заговорить.

— Вы должны простить мое неожиданное вторжение. Я ваша соседка, леди Энкейтлл... Из этого нелепого коттеджа «Голубятня». Со мной произошла ужасная катастрофа. — Улыбка Вероники стала еще шире, еще простодушнее. — Ни одной спички! Ни единой во всем доме! И это в субботу вечером! Ужасно глупо, но что мне было делать? Я пришла за помощью к моим единственным ближайшим соседям...

Какое-то мгновение все молчали — обычный эффект, производимый Вероникой. Она была красива... Не просто очень красива, а так ослепительно и эффектно красива, что дух захватывало! Волны светлых, мерцающих волос, красивый изгиб рта... Платиновые лисицы и длинные, ниспадающие складки белого бархата... Она переводила взгляд, шутливый, прелестный, с одного из присутствующих на другого.

— А я курю, — продолжала она, — дымлю, как печная труба! Моя зажигалка не работает! К тому же завтрак... у меня газовая плита. — Она беспомощно развела руками. — Я, право же, чувствую себя так глупо.

Люси, слегка забавляясь этой сценой, чуть наклонила голову.

— Разумеется... — любезно начала она.

Но Вероника Крэй перебила ее. Она смотрела на Джона Кристоу. Выражение крайнего удивления и восторга разлилось по ее лицу. Протянув руки, она шагнула к нему:

— Да ведь это... ну конечно!.. Джон! Джон Кристоу! Невероятно! Я не видела вас Бог знает сколько лет! И вдруг встречаю вас... здесь!

Вероника держала его руки в своих, вся — воплощение теплоты и простодушной радости. Слегка повернув голову в сторону Люси, она сказала:

— Это замечательный сюрприз! Джон — мой старый друг. Господи, Джон был первый мужчина, которого я любила! Я была без ума от вас, Джон! — Она говорила с большой теплотой, как женщина, растроганная необычными воспоминаниями юной любви. — Я всегда считала Джона необыкновенным!

Сэр Генри любезно предложил ей что-нибудь выпить.

— Мидж, дорогая, — сказала леди Энкейтлл, — позвони, пожалуйста, пусть придет Гаджен. — Коробку спичек, Гаджен, — обратилась она к дворецкому, когда тот вошел. — Надеюсь, на кухне их достаточно?

— Сегодня получили дюжину, миледи!

— В таком случае, Гаджен, принесите полдюжины коробок.

— О нет, леди Энкейтлл, только одну! — смеясь, протестовала Вероника. Держа бокал в руке, она улыбалась всем в гостиной.

— Вероника, это моя жена! — сказал Джон, представляя ей Герду.

— О! Как приятно познакомиться! — Вероника сверкнула улыбкой в ответ на полную растерянность Герды.

Гаджен принес спички, аккуратно уложенные на серебряном подносе. Леди Энкейтлл жестом указала на Веронику, и дворецкий подошел к ней.

— О, дорогая леди Энкейтлл, мне не нужно так много!

Жест леди Энкейтлл был величественно-небрежен истинно по-королевски.

— Мы с удовольствием поделимся с вами.

— Как вам нравится жить в «Голубятне»? — любезно осведомился сэр Генри.

— Обожаю «Голубятню»! Просто чудесно — недалеко от Лондона и в то же время чувствуешь себя уединенно.

Вероника поставила бокал. Она чуть сильнее закуталась в лисий мех и улыбнулась всем присутствующим:

— Я вам так благодарна! Вы так добры! — Слова проплыли в воздухе где-то между сэром Генри, леди Энкейтлл и почему-то Эдвардом. — Добычу я унесу домой! Джон. — Она улыбнулась ему безыскусно и дружески. — Вы должны проводить меня. Я ужасно хочу услышать обо всем, что вы делали эти долгие-долгие годы. Хотя, конечно, экскурс в прошлое заставляет чувствовать себя ужасно старой!..

Она направилась к двери, и Джон последовал за ней. Блистательная улыбка Вероники снова озарила всех в гостиной.

— Ужасно сожалею, что так глупо побеспокоила вас. Я вам так благодарна, леди Энкейтлл!

Она ушла вместе с Джоном. Сэр Генри смотрел им вслед, стоя у окна.

— Ночь довольно теплая, — сказал он.

Леди Энкейтлл зевнула.

— О Господи, — проговорила она, — пора спать! Генри, мы должны посмотреть какой-нибудь кинофильм с ее участием. После сегодняшнего вечера я убеждена, что она прекрасная актриса!

Люси поднялась по лестнице. Мидж, пожелав ей спокойной ночи, спросила:

— Прекрасная актриса?

— Разве ты не согласна, дорогая?

— По-моему, Люси, ты считаешь, что у нее в «Голубятне» были спички!

— Полагаю, не менее дюжины коробок, дорогая! Но мы должны быть щедрыми... К тому же это было действительно великолепное представление!

Пожелав друг другу спокойной ночи, все расходились по своим комнатам, двери вдоль коридора закрывались одна за другой.

— Я оставил дверь в сад открытой. Для Кристоу, — сказал сэр Генри.

— Как забавны эти актрисы! — Генриетта улыбнулась Герде. — Их появление и уход так восхитительно театральны! — Она зевнула. — Ужасно хочу спать!

Вероника Крэй быстро шла по узкой дорожке через каштановую рощу. Она вышла на открытое место у плавательного бассейна. Рядом был небольшой павильон, где Энкейтллы обычно располагались в солнечные, но ветреные дни.

Вероника остановилась. Она повернулась к Джону и, засмеявшись, показала на бассейн, покрытый опавшими листьями:

— Не очень-то похоже на Средиземное море? Верно, Джон?

Теперь он понял, чего постоянно ждал все это время... Понял, что все пятнадцать лет разлуки с Вероникой она все-таки была с ним. Синева моря, запах мимозы, жаркий песок... Все это было загнано внутрь, подальше от взглядов, но не забыто. И значило только одно — Вероника! Он снова был двадцатичетырехлетним юношей, страстно и мучительно влюбленным, и на этот раз не собирался бежать.

Глава 9

Джон Кристоу вышел из каштановой рощи к зеленому склону около дома. Светила луна, и дом нежился в лунном свете, сияя странной невинностью своих завешенных окон.

Джон взглянул на часы. Было три часа утра. Он глубоко вздохнул, лицо его стало озабоченным. Теперь он даже отдаленно не напоминал влюбленного двадцатичетырехлетнего юношу. Это был трезвый, практичный человек лет сорока, с ясным, уравновешенным умом.

Он, конечно, вел себя как дурак, как последний дурак, черт побери, но не жалел об этом! Потому что знал — теперь он свободен! Все эти годы он тащил груз на ногах, а сейчас груз исчез. Свободен! Он стал самим собой, и теперь для него, Джона Кристоу, преуспевающего специалиста с Харли-стрит, Вероника Крэй ничего, ровным счетом ничего не значит! Все это в прошлом... но все эти годы он испытывал унизительное чувство, что, попросту говоря, сбежал, так и не разрешив этот конфликт, и поэтому образ Вероники никогда не оставлял его.

Сегодня она явилась из юношеской мечты, сновидения... и он принял это как сон, но теперь, слава Богу, навсегда освободился от наваждения. Он вернулся в настоящее... однако было три часа утра, и он порядком нагородил глупостей...

С Вероникой он пробыл несколько часов. Она появилась, как пиратский фрегат, захватила его в плен и унесла, словно добычу. Господи, что все они подумали о нем?!

Что, к примеру, подумала Герда?

Или Генриетта? Впрочем, Генриетта не так его беспокоила. Он чувствовал, что, если понадобится, он сможет ей все объяснить. Но он никогда не сможет объяснить это Герде!

А между тем он не хотел, безусловно не хотел ничего терять! Всю жизнь он прибегал только к оправданному риску: в лечении больных, вложении капитала... Это, однако, никогда не был безрассудный риск, лишь трезвый расчет на грани безопасности.

Если Герда догадалась... если у нее есть хоть малейшее подозрение...

Полно, какие подозрения? А в сущности, что он знает о Герде? Вообще-то Герда поверит, что белое — это черное, если он ей так скажет, но в таком вопросе, как этот...

Интересно, как он выглядел, следуя за высокой, торжествующей Вероникой? Что выражало его лицо? Было это лицо мальчишки, ослепленного, измученного любовью, или мужчины, выполняющего долг вежливости? Этого он не знал... Не имел ни малейшего представления!

Джон испугался... испугался за привычную легкость своего упорядоченного и безопасного существования. «Я просто сошел с ума, совершенно обезумел!» — с отчаянием подумал Джон и находил утешение именно в этой мысли: никто, конечно, не поверит, что он мог до такой степени потерять голову!

Наверное, все давно в постели и спят. Стеклянная дверь в малой гостиной наполовину открыта, очевидно, оставлена до его возвращения. Джон снова посмотрел на безмятежно спящий дом. Как-то уж слишком безмятежный и невинный.

Внезапно он вздрогнул. Он услышал, или ему показалось, что услышал, слабый звук закрываемой двери. Он резко повернул голову. Если кто-то шел за ним до бассейна... ждал его возвращения, а потом, когда он вернулся, пошел за ним следом, то этот кто-то мог войти в дом через боковую дверь. Звук закрываемой боковой двери похож на тот, который он только что услышал.

Джон пристально вглядывался в окна. Ему показалось или действительно дрогнула занавеска, отодвинутая кем-то выглянувшим в сад, а затем опущенная?.. Комната Генриетты...

«Генриетта! Нет, только не Генриетта! — застучало в панике сердце. — Я не могу потерять Генриетту».

Ему вдруг захотелось бросить горсть гравия в окно и позвать ее:

«Выйди, любовь моя! Выйди ко мне. Мы пройдем через лес до вершины холма, и там я расскажу... расскажу обо всем, что знаю теперь о себе самом и что должна знать и ты, если еще не догадалась обо всем сама. Я все начинаю сначала, — хотелось ему сказать Генриетте. — Сегодня я начинаю новую жизнь. Все, что уродовало меня и мешало мне жить, ушло. Ты права была сегодня, когда спросила, не пытаюсь ли я убежать сам от себя. Именно это я и делал все последние годы, потому что не знал, сила моя или слабость оторвала меня от Вероники. Я боялся себя, боялся жизни, боялся тебя...»

Если бы он мог разбудить Генриетту, заставить ее пойти с ним через лес туда, где они вдвоем могли бы смотреть, как солнце поднимается из-за края земли.

«Ты с ума сошел, — сказал себе Джон. Он весь дрожал. Было холодно, стояли поздние дни сентября. — Какого черта? Что с тобой творится? Ты и так достаточно накуролесил для одного дня! Если все обойдется, можешь считать, что тебе повезло!» Господи, что подумает Герда, если он, отсутствуя всю ночь, явится вместе с разносчиком молока?

А что подумают Энкейтллы? Впрочем, это не волновало Джона в данную минуту. Энкейтллы сверяли время не по Гринвичу, а по леди Энкейтлл, а для Люси все необычное представлялось вполне разумным.

Но Герда, к сожалению, не была Энкейтлл. Гердой придется заняться, и чем скорее он это сделает, тем лучше.

Предположим, что Герда следила за ним ночью...

Не стоит уверять себя в том, что люди не поступают подобным образом. Будучи доктором, он слишком хорошо знал, как иногда ведут себя люди возвышенные, утонченные, уважаемые... Нередко подслушивают под дверью, вскрывают чужие письма, следят и подсматривают не потому, что хоть на минуту оправдывают такое поведение... Просто сила человеческих страстей приводит их к отчаянию.

«Бедняги, — думал Джон. — Бедные страдающие создания...» Джон Кристоу немало знал о человеческих страданиях. В нем не было особой жалости к слабым, но он жалел страждущих, потому что знал: страдают сильные.

Если Герда знает...

«Глупости, — говорил он сам себе, — как она может знать? Она сразу ушла к себе и сейчас крепко спит. У нее никогда не было воображения».

Джон вошел в дом, включил лампу и закрыл стеклянную дверь в сад. Затем, выключив свет, вышел из гостиной, зажег свет в холле, быстро и легко поднялся по лестнице и погасил освещение поворотом выключателя наверху. Постоял минуту перед дверью в спальню, держась за дверную ручку, затем открыл дверь и вошел.

В комнате было темно, и слышалось ровное дыхание Герды. Когда он закрыл за собой дверь, Герда пошевелилась.

— Это ты, Джон? — послышался ее голос, со сна невнятный и неразборчивый.

— Да.

— Ты что-то очень поздно! Который час?

— Понятия не имею! — ответил он легко. — Извини, что разбудил. Я вынужден был зайти к этой женщине и выпить. — Джон старался, чтобы голос звучал как у человека скучающего и сонного.

— О! Спокойной ночи, Джон! — пробормотала Герда.

Все было в порядке! Как всегда, ему повезло. Как всегда... Мысль о том, как часто ему везло, на минуту отрезвила его. Много раз наступал момент, когда он, затаив дыхание, говорил себе: «Если это не удастся...» Однако все удавалось! Но конечно, настанет день, когда удача изменит ему...

Джон быстро разделся и лег в кровать. Ему вспомнилось забавное детское гадание: «А эта карта, которая над твоей головой, папа, она имеет над тобой власть!»

Вероника! Она действительно имела над ним власть...
«Но впредь, душенька, этого не будет! — подумал он с
жестоким удовлетворением. — С этим покончено! Теперь я совершенно свободен!»

Глава 10

Когда на следующее утро Джон спустился вниз,
было уже десять часов. Завтрак стоял на буфете. Герде подали завтрак в постель, и она все время волновалась, что «причиняет беспокойство».

— Глупости, — сказал Джон. — Люди, подобные
Энкейтллам, которые все еще могут иметь дворецкого и прислугу, должны занять их работой.

Этим утром Джон был очень добр к Герде. Всякая
нервная раздражительность, буквально разъедавшая его
последнее время, теперь затихла и исчезла совсем.

Леди Энкейтлл сказала, что сэр Генри и Эдвард отправились пострелять. Сама она с корзинкой и в садовых перчатках была занята в саду. Джон стоял, разговаривая с ней, когда подошел Гаджен, неся на подносе
письмо:

— Только что принесли, сэр.

Джон взял письмо, слегка подняв удивленно брови.
Вероника!

Он направился в библиотеку, на ходу разрывая конверт.

«Приходи, пожалуйста, сегодня утром. Я должна тебя
видеть. *Вероника*».

«Высокомерна и властна, как всегда!» — подумал
Джон. Он не хотел было идти, но потом подумал,
что лучше покончить со всем сразу. Он пойдет прямо
сейчас.

Джон пошел по дорожке напротив библиотечного
окна, мимо плавательного бассейна, который был как
бы центром: от него радиусами отходили по всем направлениям дорожки — одна вверх, к лесу; другая — к
цветочным клумбам за домом; третья — к ферме; четвертая вела к неширокой дороге, по которой он и на-

правился. Немного выше дороги находился коттедж «Голубятня».

Вероника ждала его. Она окликнула его из окна претенциозного, наполовину деревянного дома:

— Входи, Джон! Утро сегодня холодное.

В гостиной, обставленной белой мебелью с подушками цвета бледного цикламена, горел камин.

Окинув Веронику оценивающим взглядом, Джон увидел при утреннем свете то, что не в состоянии был заметить прошлой ночью: разницу между сегодняшней Вероникой и девушкой, которую постоянно помнил.

«По правде говоря, — думал Джон, — сейчас она гораздо красивее, чем была раньше». Теперь она лучше понимала свою красоту, заботилась о своей внешности и умело ее подчеркивала. Волосы, которые были прежде густого золотого цвета, стали серебристо-платиновыми. Новый рисунок бровей придавал большую пикантность. Красота Вероники никогда не была ни глупой, ни пустой. Вероника, насколько он помнил, всегда считалась одной из «интеллектуальных актрис». У нее были университетский диплом и степень, а также собственное мнение о Стриндберге и Шекспире.

Джона поразило то, о чем он лишь смутно догадывался раньше: перед ним была женщина с невероятно гипертрофированным эгоизмом. Она привыкла всегда получать желаемое, и под привлекательной, красивой внешностью Джон чувствовал уродство железной решимости ее характера.

— Я послала за тобой, — сказала Вероника, протягивая ему коробку сигарет, — потому что нам необходимо поговорить. Мы должны предпринять определенные шаги. Я имею в виду наше будущее.

Джон взял сигарету, закурил:

— А у нас есть будущее?

Вероника пристально посмотрела на него:

— Что ты имеешь в виду? Конечно, у нас есть будущее. Мы потеряли пятнадцать лет. Незачем терять больше!

Джон сел:

— Извини, Вероника, но, боюсь, ты не так поняла. Мне... было очень приятно встретиться с тобой, но твоя и моя жизни нигде не соприкасаются. Они совершенно разные.

— Глупости, Джон! Я люблю тебя, и ты любишь меня. Мы всегда любили друг друга. Ты был невероятно упрям, но не будем теперь говорить об этом. Наши с тобой жизни не будут мешать друг другу. Я не собираюсь возвращаться в Штаты. Когда закончится моя работа в фильме, который сейчас снимается, я буду играть на лондонской сцене. У меня есть чудесная пьеса... Элдертон написал ее специально для меня. Успех будет грандиозный!

— Не сомневаюсь, — любезно сказал Джон.

— Ты можешь продолжать свою работу. — В ее голосе была доброта и снисходительность. — Говорят, ты довольно известен.

— Я женат, дорогая! У меня дети.

— Я и сама в данный момент замужем. Но все это легко можно уладить. Хороший адвокат обо всем позаботится. — Вероника ослепительно улыбнулась. — Я всегда имела в виду выйти за тебя замуж. Сама не могу объяснить этой страсти, но это так!

— Прости, Вероника, но никакой, даже самый хороший адвокат не понадобится. Наши жизни не имеют ничего общего.

— И после вчерашнего?..

— Ты не ребенок, Вероника. У тебя было немало мужей и, по-видимому, немало любовников. Что значит прошлая ночь? Ничего, и ты это знаешь.

— О, Джон, дорогой мой! — Она все еще была в хорошем настроении и снисходительна. — Если бы ты видел свое лицо... там, в этой душной гостиной! Можно было подумать, что ты снова очутился в Сан-Мигуэле!

Джон вздохнул.

— Я был в Сан-Мигуэле, — сказал он. — Попытайся понять, Вероника. Ты явилась ко мне из прошлого. Вчера я тоже был весь в прошлом, но сегодня... сегодня все иначе. Я стал на пятнадцать лет старше. Человек, которого ты не знаешь и который, я полагаю, тебе не очень бы понравился, узнай ты его поближе.

— Ты предпочитаешь мне своих детей и жену?! — Она была искренне удивлена.

— Как ни странно тебе это покажется — да!

— Глупости, Джон! Ты меня любишь.

— Прости, Вероника.

— Ты не любишь меня? — спросила она недоверчиво.

— Ты необыкновенно красивая женщина, Вероника, но я не люблю тебя.

Вероника сидела не двигаясь, словно восковая фигура, и эта неподвижность вызывала тревогу. Когда она заговорила, в ее голосе было столько злобы, что Джон отпрянул.

— Кто она?

— Она? Кого ты имеешь в виду?

— Женщину, которая вчера вечером стояла у камина.

«Генриетта, — подумал Джон. — Черт побери, как она догадалась?» Вслух он сказал:

— О ком ты говоришь? Мидж Хардкасл?

— Мидж? Эта коренастая темноволосая девушка? Нет, я не ее имею в виду и не твою жену. Я говорю об этой дерзкой чертовке, которая стояла облокотившись о камин. Это из-за нее ты меня отталкиваешь! О, не притворяйся таким порядочным, говоря о жене и детях. Это та, другая женщина!

Вероника встала и подошла к нему:

— Пойми, Джон, с тех пор как полтора года назад я вернулась в Англию, я думаю только о тебе. Как по-твоему, почему я приехала в этот дурацкий коттедж? Да я просто-напросто узнала, что ты часто приезжаешь сюда на уик-энды к Энкейтллам!

— Значит, все вчерашнее было спланировано заранее?!

— Ты принадлежишь мне, Джон! Всегда мне принадлежал!

— Я никому не принадлежу, Вероника! Разве жизнь до сих пор не научила тебя, что нельзя владеть душой и телом другого человека? Я любил тебя, когда был молод, хотел, чтобы ты разделила мою судьбу. Ты отказалась!

— Моя жизнь и карьера были намного важнее твоей. Каждый может быть доктором!

Это вывело его из себя.

— Не думай, что ты так знаменита, как тебе кажется!

— Ты хочешь сказать, что я не достигла вершины? Я там буду! Буду!

Джон Кристоу посмотрел на нее с холодным любопытством:

— Знаешь, я не верю, что ты этого добьешься. У тебя есть недостаток, Вероника. Тебе бы только все хватать и вырывать... В тебе нет истинного великодушия. Я думаю...

Вероника поднялась с кресла.

— Ты отверг меня пятнадцать лет назад, — тихо сказала она. — И отвергаешь снова. Я заставлю тебя пожалеть об этом.

Джон встал, собираясь уходить:

— Прости, Вероника, если я тебя обидел. Ты очень красива, дорогая, и я очень любил тебя. Но нельзя ли нам остановиться на этом?

— До свидания, Джон. Нет, на этом мы не остановимся. Скоро ты это поймешь. Мне кажется... я ненавижу тебя, как никого на свете!

Джон пожал плечами:

— Прости! И... прощай.

Джон медленно возвращался через лес; дойдя до плавательного бассейна, сел на скамью. Он не жалел, что так обошелся с Вероникой. «Вероника, — подумал он бесстрастно, — отвратительное создание!» Она всегда была такой, и самое лучшее, что он когда-либо сделал, — это вовремя освободился от нее! Не сделай он этого, один Господь Бог знает, что бы с ним было.

Он испытывал необыкновенное чувство, сознавая, что начинает новую жизнь, не запятнанную прошлым. Последний год или два жить с ним, пожалуй, было невероятно трудно... «Бедная Герда, — думал он, — с ее бескорыстием и постоянным желанием угодить!» Впредь он будет добрее.

Может быть, теперь он перестанет злиться на Генриетту. Вообще-то Генриетта не из тех, кого можно задирать. Бури проносятся над ее головой, оставляя ее неизменно созерцательной, со взглядом, устремленным на вас откуда-то издалека.

«Я пойду к Генриетте и скажу ей...» — подумал он.

Вдруг Джон резко поднял голову, потревоженный каким-то неожиданным звуком. В лесу, чуть повыше, раздавались выстрелы; отовсюду доносились привычные лесные шорохи, печальный, чуть слышный шелест падающих листьев. Но это был другой звук... сухой, отрывистый щелчок.

Внезапно Джон остро ощутил опасность. Сколько времени он просидел здесь? Полчаса? Час? Кто-то следил за ним. Кто-то... Этот щелчок, конечно, это...

Джон резко повернулся. Он вообще реагировал на все очень быстро. Но в данном случае недостаточно быстро... Глаза его широко раскрылись от удивления, но он не успел издать ни звука.

Прогремел выстрел, и Джон упал, растянувшись на краю бассейна. Темное пятно медленно расползлось на левом боку; тоненькая струйка потекла на бетон, а оттуда красные капли стали падать в голубую воду бассейна.

Глава 11

Эркюль Пуаро смахнул последнюю пылинку со своих туфель. Он очень тщательно одевался к предстоящему ленчу и остался доволен результатом.

Хотя он достаточно хорошо знал, какой костюм полагался для воскресного дня в загородном английском поместье, но не пожелал следовать английской традиции. Эркюль Пуаро предпочитал свои собственные представления об элегантности. Он не английский помещик и не станет одеваться, как английский помещик. Он — Эркюль Пуаро!

Пуаро не нравилось, он признавался себе в этом, жить в сельской местности. Уик-энд в коттедже!.. Многие из его друзей так превозносили эту идею, что он наконец купил коттедж «Тихая гавань», хотя единственное, что ему нравилось, — это архитектура дома... Настоящий куб, совсем как коробка! Окружающий пейзаж Пуаро был совершенно безразличен, несмотря на то что окрестности значатся в числе красивейших мест. Все здесь было, по его мнению, слишком асимметрично, чтобы нравиться. Пуаро не любил деревьев из-за их неопрятной привычки сбрасывать листья. Он еще мог терпеть тополь и одобрял араукарию, но буйство дубов и буков совсем не производило на него впечатления. Таким пейзажем лучше всего наслаждаться в погожий день из окна автомобиля и, воскликнув: Quel beau paysage![1], поскорее возвратиться в хороший отель.

Лучшим местом в «Тихой гавани», по мнению Пуаро, был маленький огород с аккуратно спланированными грядками. Их разбил садовник-бельгиец Виктор, а его жена охотно посвятила себя заботам о желудке хозяина.

Эркюль Пуаро прошел через калитку, вздохнув, посмотрел еще раз на свои сверкающие черные туфли, поправил гамбургскую шляпу и взглянул вверх и вниз по дороге. Он даже слегка вздрогнул при виде соседнего коттеджа «Голубятня». Эти два коттеджа — «Тихая гавань» и «Голубятня» — были построены соперничавшими архитекторами, которые приобрели по небольшому участку земли. Дальнейшая их деятельность была ограничена Национальным трестом по охране красоты сельской местности. Коттеджи представляли разные школы архитектурной мысли. «Тихая гавань» — коробка с крышей, строго современная и несколько скучная; «Голубятня» — смесь полудеревянной старинной архитектуры, затиснутая в минимальное пространство.

Эркюль Пуаро вел мысленный спор сам с собой, каким путем направиться к «Лощине». Он знал, что немного выше дороги есть небольшая калитка и тропинка. Этот «неофициальный» путь сэкономит добрых полмили. Однако Эркюль Пуаро, приверженец этикета, избрал более длинный путь, чтобы подойти к дому, как полагается, с главного входа.

Это был его первый визит к сэру и леди Энкейтлл, и он полагал, что не стоит пользоваться кратчайшим путем без специального разрешения, особенно если идешь в гости к людям с видным общественным положением. Пуаро, признаться, был польщен этим приглашением.

— Je suis un peu snob![2] — пробормотал он.

---

[1] Какой красивый вид! *(фр.)*
[2] Я немножко сноб! *(фр.)*

У него сохранилось приятное впечатление от встречи с Энкейтллами в Багдаде, особенно от леди Энкейтлл. «Une originale!»[1] — подумал он.

Пуаро рассчитал, сколько потребуется времени, чтобы пройти пешком до «Лощины», и его расчет оказался верным. Без одной минуты час он позвонил в дверь. Пуаро был доволен, что наконец пришел; он не любил ходить пешком и слегка устал.

Дверь открыл великолепный дворецкий Гаджен, вызвавший одобрение Пуаро. Прием, однако, оказался не совсем таким, как он надеялся.

— Ее сиятельство в павильоне около плавательного бассейна. Не угодно ли вам следовать за мной?

Пристрастие англичан к приемам на свежем воздухе всегда раздражало Эркюля Пуаро. «Если в середине лета с такой прихотью можно мириться, — думал он, — то, уж конечно, следовало бы избежать подобных вещей в конце сентября!» Дни, правда, стояли теплые, но все же, как и полагается осенью, в воздухе чувствовалась сырость. Насколько приятнее было бы войти в уютную гостиную, где, может быть, даже горит камин... Так нет же! Вместо этого, его ведут через застекленную дверь в сад по склону лужайки, мимо рокария и, наконец, через небольшую калитку по узкой тропинке между густо посаженными молодыми каштанами.

У Энкейтллов было заведено приглашать гостей к часу дня и в погожие дни пить коктейли и херес в небольшом павильоне около плавательного бассейна. Ленч назначался на час тридцать с тем расчетом, что к этому времени сумеют прибыть даже самые непунктуальные из гостей, и это даст возможность замечательному повару леди Энкейтлл — миссис Медуэй — спокойно приступить к приготовлению суфле и прочих деликатесов, требующих строго определенного срока.

Подобный распорядок совсем не прельщал Пуаро.

«Через минуту я вернусь туда, откуда пришел», — думал он, продолжая следовать за высокой фигурой Гаджена и все больше и больше чувствуя свои ноги в узких туфлях.

---

[1] Оригиналка! *(фр.)*

453

Вдруг впереди он услышал, как кто-то вскрикнул, и это еще больше усилило его недовольство. Крик был совершенно неуместен в этой обстановке. Пуаро не определил его характер, да и вообще не думал о нем. Позднее, когда он размышлял об этом, то не мог вспомнить, какие чувства передавал этот крик. Испуг? Удивление? Ужас? Одно можно было сказать наверняка: в нем была неожиданность.

Выйдя из каштановой рощи, Гаджен почтительно отступил в сторону, чтобы дать Пуаро пройти, и одновременно откашлялся, готовясь произнести: «Мистер Пуаро, миледи» — соответствующим приглушенным и почтительным тоном. И вдруг он застыл неподвижно, громко ловя ртом воздух, что было совсем недостойно образцового дворецкого.

Эркюль Пуаро вышел на открытое место, окружавшее бассейн, и тоже мгновенно замер.

Ну это было уж слишком... в самом деле слишком! Такой дешевки он не ожидал. Утомительный путь пешком, разочарование в приеме на открытом воздухе... и теперь это! Странное чувство юмора у этих англичан!

Пуаро был раздражен и удручен... Да, крайне удручен! Смерть не может быть забавной. А для него приготовили в виде шутки эту сцену, ибо то, что он видел, являло собой в высшей степени ненатуральную сцену убийства. На краю бассейна лежало тело, артистично расположенное, с откинутой рукой, и даже алая краска, переливаясь через бетонный край бассейна, тихо капала в воду. Это было очень эффектное тело красивого светловолосого мужчины. Над ним, держа револьвер в руке, стояла женщина, средних лет, крепкого телосложения, со странным отсутствующим взглядом.

Было еще три актера. В дальнем конце бассейна стояла высокая молодая женщина с волосами цвета осенних листьев, глубоких коричневых тонов. В руках у нее была корзинка, полная срезанных отцветших георгинов. Несколько поодаль — мужчина неброского вида, с ружьем и в охотничьем костюме, а слева от него с корзиной яиц в руке — сама хозяйка дома, леди Энкейтлл.

Пуаро успел заметить, что здесь, у бассейна, сходилось несколько дорожек, значит, все эти люди пришли с разных сторон. Все, казалось, было заранее математически рассчитано и крайне неестественно.

«Enfin!»[1] — вздохнул Пуаро. Чего они ждут от него? Чтобы он притворился, что верит в это «убийство»? Выразил растерянность... беспокойство?.. Или ему следует поклониться и поздравить хозяйку: «Ах, как прелестно вы все для меня устроили!..»

В самом деле, чрезвычайно глупо... и неинтеллигентно. Кажется, королева Виктория сказала: «Нас это не позабавило!» Пуаро испытывал сильное желание повторить то же самое: «Меня, Эркюля Пуаро, это не забавляет!»

Леди Энкейтлл направилась к тому месту, где лежало тело. Пуаро поспешил за ней, чувствуя тяжелое дыхание Гаджена за своей спиной. «Он явно не был посвящен в секрет», — подумал Пуаро. Те двое с другой стороны бассейна тоже подошли, так что теперь все были довольно близко и стояли, глядя вниз на эффектно раскинувшуюся фигуру на краю бассейна.

Внезапно произошло нечто ужасное. Подобно тому, как на экране кинематографа расплывчатое пятно изображения, попав в фокус, принимает четкие очертания, так Пуаро неожиданно понял, что неестественно-театральная сцена — реальность. Он смотрел если не на мертвого, то, во всяком случае, на умирающего, а через бетонный край бассейна капала в воду не краска, а кровь... Этот человек был убит... и убит совсем недавно.

Пуаро быстро взглянул на женщину с револьвером в руке. На лице — никаких чувств, оно казалось бессмысленным и даже тупым.

«Любопытно, — подумал Пуаро. — Она так опустошена, потому что всю себя вложила в этот выстрел, и теперь, когда израсходованы все эмоции, осталась лишь пустая оболочка? Может быть...»

Он перевел взгляд на убитого и невольно вздрогнул: глаза умирающего были открыты. Это были ярко-голубые глаза, и хотя Пуаро не мог объяснить их взгляд, но для себя определил его как предельно напряженный.

Пуаро вдруг показалось, что во всей этой группе людей по-настоящему живым был только один человек...

---

[1] В конце концов! *(фр.)*

тот, который находился теперь на грани смерти. Никогда еще Пуаро не встречал настолько ярко выраженной жизненной силы. Все остальные в сравнении с ним были лишь бледными, тенеподобными фигурами, актерами далекой драмы, а он один был — настоящий!

Губы Джона Кристоу дрогнули.

— Генриетта!.. — Голос был неожиданно сильный и настойчивый.

Но веки тотчас закрылись, голова дернулась в сторону.

Эркюль Пуаро опустился на колени и, удостоверившись, встал, механически стряхнув пыль с брюк:

— Да, он мертв...

И сразу картина дрогнула, рассыпалась и опять попала в фокус. Теперь видна была индивидуальная реакция... мелкие, тривиальные случайности. Пуаро чувствовал, что его слух и зрение необыкновенно обострились, он мысленно регистрировал, да, именно регистрировал все происходящее.

Он увидел, как руки леди Энкейтлл, державшие корзину, разжались и Гаджен, выскочив вперед: «Разрешите мне, миледи...» — быстро взял корзину из ее рук.

— Спасибо, Гаджен, — тихо, механически сказала леди Энкейтлл, а затем нерешительно произнесла:

— Герда...

Женщина с револьвером в руке впервые пошевелилась. Она посмотрела вокруг. Когда она заговорила, в ее голосе звучало полное замешательство.

— Джон мертв, — сказала она. — Джон мертв...

Высокая молодая женщина с волосами цвета осенних листьев быстро и решительно подошла к ней.

— Дайте мне это, Герда! — сказала она и проворно, прежде чем Пуаро успел запротестовать или вмешаться, взяла револьвер из рук Герды.

Пуаро быстро шагнул вперед:

— Вы не должны были этого делать, мадемуазель...

При звуке его голоса молодая женщина нервно вздрогнула, и револьвер с плеском упал в воду.

— Ох! — воскликнула она с испугом и, повернув голову, виновато посмотрела на Эркюля Пуаро. — Какая я глупая! — произнесла она. — Простите!

Пуаро ничего не ответил, он пристально смотрел на нее. Чистые карие глаза женщины твердо встретили его взгляд, и Пуаро усомнился в справедливости своего мгновенного подозрения.

— По возможности, — сказал он тихо, — ничего нельзя трогать до прихода полиции.

Легкое движение... чуть заметное, всего лишь слабая зыбь тревоги.

— Разумеется. Я полагаю... Да, конечно, полиция, — с неудовольствием сказала леди Энкейтлл.

— Боюсь, Люси, это неизбежно, — тихо сказал мужчина в охотничьем костюме. — Полиция! — В негромком голосе слышался легкий оттенок неприязни.

В установившейся тишине послышались шаги и голоса; уверенные, быстрые шаги и неуместно веселые голоса. По дорожке со стороны дома, разговаривая и смеясь, шли сэр Генри и Мидж. При виде застывшей группы возле бассейна сэр Генри резко остановился.

— В чем дело? Что случилось? — воскликнул он с удивлением.

— Герда, — сказала леди Энкейтлл и вдруг остановилась. — Я хочу сказать... Джон...

— Джон убит... — безжизненным голосом произнесла Герда. — Он мертв.

Все смущенно отвели от нее взгляд.

— Моя дорогая, — быстро заговорила леди Энкейтлл, — я думаю, вам лучше всего пойти и... и лечь. Пожалуй, нам всем лучше вернуться в дом. Генри и мсье Пуаро могут остаться здесь и... и ждать полицейских.

— Думаю, это самое правильное решение, — сказал сэр Генри. Он повернулся к Гаджену: — Вы позвоните в полицию, Гаджен? Сообщите точно, что произошло. Когда явятся полицейские, проводите их прямо сюда.

— Слушаюсь, сэр Генри! — Гаджен слегка наклонил голову. Он немного побледнел, но оставался все таким же идеальным слугой.

— Пойдемте, Герда, — сказала высокая молодая женщина и, взяв ее под руку, повела по дорожке к дому.

Герда шла как во сне. Гаджен отступил немного в сторону, чтобы дать им пройти, а затем последовал за ними с корзинкой яиц в руках.

457

Когда они ушли, сэр Генри обернулся к жене:

— Ну а теперь, Люси, скажи, что все это значит? Что на самом деле произошло?

Леди Энкейтлл протянула руки в беспомощном, красивом жесте. Эркюль Пуаро почувствовал его очарование и мольбу.

— Я и сама не знаю, дорогой! Я была в курятнике. Услышала выстрел, и, мне показалось, очень близко, но я не придала этому никакого значения. В конце концов, — она обращалась теперь ко всем, — кто мог подумать! Потом я по дорожке пришла к бассейну... Там лежал Джон, а над ним стояла Герда с револьвером. Генриетта и Эдвард появились почти одновременно... Вон оттуда. — Она кивнула в сторону дальнего конца бассейна, где две тропинки вели в лес.

Эркюль Пуаро кашлянул.

— Кто такие Джон и Герда? — спросил он. — Могу ли я узнать? — добавил он извиняющимся тоном.

— Да, конечно, — повернулась к нему леди Энкейтлл и в свою очередь поспешно извинилась. — Простите... но как-то не думаешь о том, что нужно представлять людей друг другу, когда только что произошло убийство. Джон — это Джон Кристоу, доктор Кристоу. Герда Кристоу — его жена.

— А леди, которая пошла в дом вместе с миссис Кристоу?

— Моя кузина, Генриетта Сэвернейк.

Пуаро заметил легкое, едва уловимое движение человека, стоявшего слева от него. «Ему не хотелось бы, чтобы это имя упоминалось, — подумал Пуаро. — Но ведь я все равно узнаю!»

«Генриетта!» — сказал умирающий, и сказал очень необычно. Это напомнило Пуаро... какой-то инцидент... Какой же? Не важно, он вспомнит потом.

Между тем леди Энкейтлл продолжала, решив все-таки исполнить свои обязанности хозяйки:

— А это другой наш кузен, Эдвард Энкейтлл, и мисс Хардкасл.

Эркюль Пуаро ответил вежливым поклоном. Глядя на это, Мидж вдруг почувствовала, что сейчас истерически рассмеется. Она с трудом сдержалась.

— А теперь, дорогая, — сказал сэр Генри, — я думаю, как ты и предлагала, вам всем лучше вернуться в дом, а мы с мсье Пуаро немного поговорим.

Леди Энкейтлл задумчиво смотрела на них.

— Надеюсь, Герда легла, — наконец сказала она. — Правильно ли было предложить ей лечь? Я просто не знала, что сказать! Такого у нас не случалось. Действительно, что говорят женщине, которая только что убила своего мужа?

Она посмотрела на всех, словно надеясь получить какой-нибудь вразумительный ответ, потом пошла по дорожке к дому. Мидж последовала за ней. Эдвард замыкал шествие.

Пуаро остался с хозяином дома. Сэр Генри кашлянул. Казалось, он не знал, что сказать.

— Кристоу, — произнес он наконец, — был очень способный человек... очень способный.

Взгляд Пуаро снова остановился на мертвом теле, распростертом у бассейна. У Пуаро все еще было странное впечатление, что в убитом больше жизненной силы, чем в живых. Странно, почему у него сложилось такое впечатление?

— Трагедия, подобная этой, — большое несчастье, — вежливо сказал Пуаро.

— Подобное происшествие больше по вашей части, — заметил сэр Генри. — Кажется, мне никогда не приходилось так близко сталкиваться с убийством. Надеюсь, до сих пор я действовал правильно?

— Да, вполне. Вы известили полицию, и до прихода полицейских ничего не остается... разве что следить, чтобы никто не трогал ни тела, ни улик.

Говоря это, он смотрел вниз, в бассейн, где на бетонном дне лежал револьвер, очертания которого были слегка искажены толщей голубой воды. Об уликах, пожалуй, уже «позаботились», прежде чем он смог этому помешать. Нет, это была случайность.

— Вы полагаете, мы должны оставаться здесь? — с неудовольствием спросил сэр Генри. — Холодновато. Я думаю, мы можем зайти в павильон?

Чувствуя сырость сквозь подошву ботинок и дрожь во всем теле, Пуаро с удовольствием согласился. Павильон находился около удаленной от дома стороны бассейна. Через открытую дверь павильона видно было и бассейн, и тело убитого, и дорожку, ведущую к дому, на которой должны были появиться полицейские.

Внутри павильон был роскошно обставлен удобными диванами, пол устлан яркими ткаными восточными коврами. На крашеном железном столике стоял поднос с бокалами и бутылкой хереса.

— Я предложил бы вам выпить, — сказал сэр Генри, — но полагаю, лучше ничего не трогать до прихода полиции... Хотя не думаю, что здесь есть что-либо, способное заинтересовать полицейских, но все-таки лучше не рисковать. Гаджен, как я вижу, не приносил коктейли. Он ждал вашего прихода.

Они осторожно сели в плетеные кресла около двери, чтобы видеть дорожку и дом. Оба чувствовали себя натянуто. Пустой светский разговор в данном случае был бы неуместным.

Пуаро обвел глазами павильон, подмечая все, что казалось ему необычным. На спинке стула была небрежно брошена дорогая пелерина из платиновых лисиц. Кому она могла принадлежать? Ее слишком показное, броское великолепие не соответствовало ни одной из женщин, которых он до сих пор видел. Он, например, никак не мог представить себе такую пелерину на плечах леди Энкейтлл.

Это его насторожило. Вещь дышала смесью богатства и саморекламы, а этих качеств он не подметил ни в ком в этом доме.

— Я думаю, курить мы можем, — сказал сэр Генри, протягивая Пуаро свой портсигар.

Прежде чем закурить, Пуаро несколько раз глубоко втянул воздух. Французские духи... дорогие французские духи. Правда, в павильоне остался лишь слабый след, но он все же был ощутим, и опять-таки этот запах не ассоциировался ни с кем из обитательниц или гостей «Лощины».

Наклонившись вперед, чтобы зажечь сигарету от зажигалки сэра Генри, Пуаро увидел небольшую стопку спичечных коробок... шесть штук, сложенных на маленьком столике возле одного из диванов.

Эта деталь поразила его своей необычностью.

Глава 12

— Половина третьего, — сказала леди Энкейтлл.

Она сидела в гостиной вместе с Мидж и Эдвардом. Дверь в кабинет сэра Генри была закрыта, оттуда доносились тихие голоса. Кроме сэра Генри, там были Эркюль Пуаро и инспектор Грэйндж.

Леди Энкейтлл вздохнула:

— Знаешь, Мидж, я чувствую, что-то надо предпринять с ленчем. Конечно, кажется очень бессердечным сесть за стол, как будто ничего не случилось. Но, в конце концов, мсье Пуаро был приглашен на ленч, и он, наверное, голоден. К тому же он не может быть в такой степени, как мы, огорчен тем, что бедный Джон Кристоу убит. И хотя мне есть не хочется, но Генри и Эдвард, должно быть, невероятно голодны, после того как все утро стреляли в лесу...

— Дорогая Люси, обо мне не беспокойся, — сказал Эдвард.

— Ты, Эдвард, всегда очень деликатен! И потом, Дэвид.... Я заметила, как он много ел вчера за обедом. Должно быть, люди, занятые интеллектуальным трудом, всегда нуждаются в большем количестве пищи. Между прочим, где Дэвид?

— Он поднялся в свою комнату, когда узнал, что случилось, — ответила Мидж.

— Ну что ж, довольно тактично с его стороны. Думаю, он почувствовал себя неловко. Конечно, что ни говори, а убийство создает определенные трудности — угнетающе действует на прислугу и нарушает установленный порядок... На ленч сегодня должны быть утки. К счастью, их можно есть и холодными. А как быть с Гердой? Подать что-нибудь ей в комнату? Может, немного крепкого бульона?

«В самом деле, — думала Мидж, — Люси просто бесчеловечна!» И тут же ей стало дурно при мысли, что, может быть, Люси слишком человечна и потому так шокирует окружающих? Разве не правда, что трагедии сопровождаются заурядными, тривиальными проблемами? Это правда, простая и неприкрашенная! Люси просто высказала то, в чем большинство людей не признается. На самом деле все помнят о прислуге,

461

беспокоятся об обеде и даже испытывают голод. Мидж сама в эту минуту чувствовала себя голодной! «Хочется есть, — думала она, — и в то же время тошнит при мысли о еде. Странное сочетание!» Ну и конечно, все испытывают неловкость, оттого что не знают, как относиться к этой тихой, заурядной женщине, которую все еще вчера называли «бедняжкой Гердой» и которая, очевидно, скоро предстанет перед судом по обвинению в убийстве мужа.

«До сих пор я считала, что такое случается только с другими людьми, — думала Мидж. — Это не может быть с нами! — Через комнату она посмотрела на Эдварда. — Не должно случиться с такими уравновешенными людьми, как Эдвард».

Глядя на Эдварда, Мидж успокаивалась: он так рассудителен, добр и сдержан.

Вошел Гаджен и, конфиденциально склонившись, произнес приглушенным (соответственно обстоятельствам) голосом:

— Сандвичи и кофе сервированы в столовой, миледи.

— О, благодарю вас, Гаджен!

— Гаджен неподражаем! — сказала леди Энкейтлл, как только дворецкий удалился. — Не знаю, что бы я без него делала. Он всегда знает, как надо поступить! Действительно, большие сытные сандвичи не хуже, чем полноценный ленч... К тому же в них нет ничего бессердечного, вы понимаете, что я имею в виду...

— О, Люси, не надо!..

Мидж вдруг почувствовала, как горячие слезы побежали по щекам.

Леди Энкейтлл с удивлением прошептала:

— Бедняжка! Все это слишком потрясло тебя.

Эдвард подошел к ней и, опустившись рядом на диван, обнял Мидж за плечи:

— Успокойтесь, малышка Мидж!

Уткнувшись ему в плечо, Мидж плакала, испытывая облегчение. Ей почему-то вспомнилось, как добр был к ней Эдвард, когда в «Эйнсвике» у нее умер кролик.

— Это шок, — мягко сказал Эдвард. — Люси, можно я налью ей коньяку?

— На буфете в столовой. Не думаю...

В комнату вошла Генриетта, и Люси сразу замолкла, Мидж выпрямилась, а Эдвард весь напрягся и сидел неподвижно.

«Что чувствует сейчас Генриетта?» — думала Мидж. Ей почему-то не хотелось смотреть на кузину... К тому же та держалась странно.

Генриетта выглядела, пожалуй, воинственно. Она вошла с высоко поднятой головой, на щеках румянец, движения быстрые.

— О, это ты, Генриетта! — воскликнула леди Энкейтлл. — А я уж думала... Полицейский с Генри и Пуаро. Что ты дала Герде? Коньяк? Или чай и аспирин?

— Я дала ей немного коньяку... и грелку.

— Правильно, — одобрила леди Энкейтлл. — Этому учат на занятиях по оказанию первой помощи... Я имею в виду, при шоке — грелка и коньяк. Теперь, правда, против стимуляторов, но, я думаю, это просто мода. В «Эйнсвике», когда я была еще ребенком, мы всегда давали коньяк при шоке. Хотя на самом деле, я думаю, у Герды не совсем шоковое состояние. В общем, я не представляю, что чувствуют, убив мужа... Это невозможно себе представить, но все-таки это не шок. Я хочу сказать, в этом случае нет фактора неожиданности.

Холодный как лед голос Генриетты нарушил мирную атмосферу гостиной:

— Почему вы все уверены, что Джона убила Герда?

В наступившей тишине Мидж ощутила перемену в настроении присутствующих... смущение, натянутость и, наконец, напряженность...

— Это казалось очевидным, — произнесла через некоторое время леди Энкейтлл. Голос ее был совершенно лишен интонации. — А что ты предполагаешь?

— Разве не могло быть так, что Герда, придя к бассейну, увидела там Джона... лежащего на земле, и только подняла револьвер, как мы все подошли.

Снова воцарилось молчание. Затем леди Энкейтлл спросила:

— Это Герда так говорит?

— Да.

Ответ Генриетты не был простым подтверждением, в нем чувствовалась сила, и прозвучал он неожиданно, как револьверный выстрел.

Брови леди Энкейтлл высоко поднялись, затем она сказала с явной непоследовательностью:

— Сандвичи и кофе сервированы в столовой.

Она слегка запнулась, когда в гостиную вошла Герда Кристоу.

— Я... я чувствую, что не могу больше лежать, — быстро, извиняющимся тоном произнесла Герда. — Так... так тревожно!

— Вы должны сесть, — воскликнула леди Энкейтлл. — Вы должны немедленно сесть! — Согнав Мидж с дивана, она усадила Герду, подложив ей под спину подушку. — Бедняжка! — Слова и действия леди Энкейтлл выражали заботу и в то же время казались совершенно бессмысленными.

Эдвард подошел к окну и остановился, глядя в сад.

— Я... я только сейчас начинаю понимать, — сказала Герда, отбросив со лба прядь неопрятных волос. Она говорила нервно и обескураженно. — Понимаете, я не могла поверить... Я все еще не могу поверить, что Джон... мертв! — Она начала дрожать. — Кто мог его убить? Кто же мог... его убить?

Леди Энкейтлл глубоко вздохнула и вдруг резко повернула голову: дверь из кабинета сэра Генри открылась, и он появился в сопровождении инспектора Грэйнджа, крупного тяжеловесного человека с усами, пессимистически опущенными вниз.

— Это моя жена... Инспектор Грэйндж.

Инспектор поклонился.

— Леди Энкейтлл, — спросил он, — могу я немного поговорить с миссис Кристоу?..

Леди Энкейтлл указала на женщину, сидевшую на диване.

— Миссис Кристоу?

— Да, я миссис Кристоу, — поспешно ответила Герда.

— Мне не хотелось вас беспокоить, миссис Кристоу, но я вынужден задать вам несколько вопросов. Вы, конечно, можете, если хотите, потребовать присутствия вашего поверенного...

— В некоторых случаях, Герда, это разумнее, — вмешался сэр Генри.

— Поверенный? — перебила его Герда. — Зачем поверенный? Почему поверенный должен что-то знать о смерти Джона?

Инспектор кашлянул. Сэр Генри хотел было заговорить, но Генриетта поспешно сказала:

— Инспектор просто хочет знать, что случилось сегодня утром.

— Все было похоже на дурной сон... — В голосе Герды звучало удивление. — Я... я не могла даже плакать. Кажется, ничего не чувствовала, совсем ничего.

— Это шок, миссис Кристоу, — сказал успокаивающе Грэйндж.

— Да-да... наверное. Видите ли, все случилось так внезапно. Я вышла из дома и пошла по дорожке к бассейну...

— В котором часу, миссис Кристоу?

— Около часа... приблизительно без двух минут час. Я знаю, потому что посмотрела на часы. А когда я пришла туда... там лежал Джон... и кровь на бетонной плите бассейна...

— Вы слышали выстрел, миссис Кристоу?

— Да... нет... я не знаю. Я знала, что сэр Генри и мистер Энкейтлл стреляли в лесу. Я... я только видела Джона...

— Да, миссис Кристоу, продолжайте.

— Джона... и кровь... и револьвер. Я подняла револьвер.

— Почему?

— Простите?

— Почему вы подняли револьвер?

— Я... я не знаю.

— Вы не должны были его трогать!

— Не должна? — Взгляд у Герды был рассеянный, лицо безучастное. — Но я подняла револьвер. Я взяла его в руку...

Она посмотрела на свои руки, словно видела лежащий в них револьвер, затем круто повернулась к инспектору. Голос у нее стал неожиданно резким, полным душевной муки:

— Кто мог убить Джона? Никто не мог желать ему смерти! Он... был лучший в мире! Такой добрый, бескорыстный... Он все делал для других. Его все любили, инспектор. Он был замечательный доктор! Самый добрый, самый хороший муж. Это, должно быть, несчастный случай... несчастный случай! Спросите кого угодно, — она жестом обвела гостиную, — никто не мог хотеть смерти Джона! Правда?

Она обращалась ко всем, кто находился в комнате.

Инспектор Грэйндж закрыл свой блокнот.

— Благодарю вас, миссис Кристоу, — сказал он ровным, безучастным тоном. — Пока это все!

Эркюль Пуаро и инспектор Грэйндж через каштановую рощу подошли к бассейну. То, что недавно было Джоном Кристоу, а теперь стало просто «телом», сфотографированное, проверенное, описанное и обследованное полицейским врачом, было уже убрано и отправлено в морг. Плавательный бассейн показался Пуаро странно безмятежным. Все, касающееся этого дня, было странно расплывчатым. Только не Джон Кристоу! Даже умирая... он сохранил целеустремленность и реальность. Теперь плавательный бассейн был в первую очередь местом, где лежало тело Джона Кристоу и где его кровь стекала по бетонному краю бассейна в неестественно голубую воду.

Неестественно... Пуаро ухватился за это слово. Да, во всем происшедшем было что-то неестественное. Словно...

К инспектору подошел человек в купальном костюме.

— Вот револьвер, сэр, — сказал он.

Грэйндж осторожно взял револьвер, с которого капала вода.

— Конечно, никакой надежды на отпечатки пальцев, — заметил он, — но, к счастью, в данном случае это не имеет значения. Миссис Кристоу держала револьвер в руках, когда вы пришли. Верно, мсье Пуаро?

— Да.

— Следующий этап — опознание оружия, — продолжал Грэйндж. — Я думаю, это сделает сэр Генри. Полагаю, она взяла револьвер из его кабинета. — Он окинул взглядом бассейн. — Итак, давайте еще раз проверим. Дорожка ниже бассейна ведет к ферме, как раз по ней пришла леди Энкейтлл... Двое других — мистер Эдвард Энкейтлл и мисс Сэвернейк — появились из леса, но не вместе: он пришел по левой тропинке, а она по правой, ведущей к длинной цветочной куртине выше дома. Но когда вы пришли, они оба стояли в дальнем конце бассейна. Так?

— Да.

— А эта дорожка от павильона ведет к проселочной дороге. Верно? Вот по ней мы и пойдем. — По пути Грэйндж продолжал говорить спокойно, со знанием дела и с известной долей пессимизма. — Мне никогда не нравились подобные случаи в судебной практике. В прошлом году, например... около Эшриджа. Он был военный в отставке... отличная карьера. Его жена — приятная тихая женщина шестидесяти пяти лет, старомодные манеры, седые волосы... довольно красивые, волнистые. Увлекалась садоводством. В один прекрасный день она идет в его комнату, берет револьвер, выходит в сад и стреляет в него. Вот так-то! Конечно, за всем этим всегда что-то кроется, и это надо раскрыть. Иногда придумывают глупую историю о каком-то бродяге! Мы, пока ведем следствие, конечно, делаем вид, что верим в бродягу, но понимаем, что к чему.

— Значит, вы решили, что миссис Кристоу убила своего мужа. Вы это хотите сказать?

Грэйндж с удивлением посмотрел на него:

— А вы, разве вы так не думаете?

— Могло случиться, как она говорит, — медленно сказал Пуаро.

Инспектор пожал плечами:

— Да, могло. Но это маловероятно. Все они тоже считают, что она его убила. Они знают что-то, чего мы не знаем. — Он с любопытством посмотрел на своего спутника. — Когда вы пришли, вы ведь тоже думали, что она его убила. Верно?

Пуаро, стараясь вспомнить, закрыл глаза. Он, Пуаро, идет по дорожке... Гаджен отступает в сторону... Герда Кристоу стоит над телом мужа с револьвером в руке... взгляд у нее отсутствующий. Да, как сказал Грэйндж, он подумал тогда, что это сделала Герда. Во всяком случае, подумал, что они, устроив эту сце-

467

ну, хотели, чтобы у него сложилось такое впечатление...

Да, но ведь это не одно и то же!

Театральная сцена... чтобы ввести в заблуждение...

Была ли похожа Герда на женщину, которая только что убила своего мужа? Именно это хотел знать инспектор Грэйндж.

Неожиданно Эркюль Пуаро с огромным удивлением подумал, что, несмотря на свой большой опыт в расследовании преступлений, ему никогда не приходилось сталкиваться, так сказать, лицом к лицу с женщиной, только что убившей мужа. Как выглядит женщина в подобных ситуациях? Торжествующей, повергнутой в ужас, удовлетворенной, ошеломленной, скептической, опустошенной?

«Возможно любое из этих чувств!» — подумал он.

Инспектор продолжал говорить, но Пуаро не слушал его и уловил лишь конец фразы:

— ...Как только соберешь все факты, а это обычно делается через прислугу.

— Миссис Кристоу возвращается в Лондон? — спросил Пуаро.

— Да, там остались дети. Придется отпустить ее. Конечно, мы не выпустим ее из поля зрения, но она об этом не узнает. Будет думать, что выкрутилась. По-моему, она довольно тупая.

«Понимает ли Герда, — спрашивал себя Пуаро, — что думает полиция... и что думают все Энкейтллы? Кажется, она ничего не понимает. Она выглядит как женщина с замедленной реакцией, совершенно ошеломленная и убитая горем».

Они вышли на проселок. Пуаро остановился у своей калитки.

— Ваше гнездышко? Просто и аккуратно! Ну что ж, до свидания, мсье Пуаро! Спасибо за помощь. Я загляну к вам как-нибудь рассказать, как идут дела. — Инспектор оглядел дорогу. — Кто ваш сосед? Кажется, здесь поселилась наша новая знаменитость?

— По-моему, актриса мисс Вероника Крэй приезжает по уик-эндам.

— Да, конечно, «Голубятня». Мне мисс Крэй понравилась в «Леди верхом на тигре», но вообще-то она не в моем вкусе. Слишком высокомерна. Мне подавайте Дину Дурбин или Хэйди Ламарр.

Инспектор стал прощаться:

— Пожалуй, мне пора. Служба требует. Пока, мсье Пуаро!

— Узнаете, сэр Генри?

Инспектор Грэйндж положил револьвер на стол перед сэром Генри и выжидательно смотрел на него.

— Можно взять? — Рука сэра Генри остановилась в воздухе над револьвером.

Грэйндж кивнул:

— Он был в бассейне. Все отпечатки, какие имелись на нем, уничтожены. Смею заметить, очень жаль, что мисс Сэвернейк уронила револьвер в воду.

— Д-да... разумеется, но это был очень неприятный момент для всех нас. Женщинам свойственно, разволновавшись... гм... ронять вещи.

Инспектор Грэйндж снова кивнул:

— Мисс Сэвернейк в общем-то кажется хладнокровной и умелой молодой леди.

Инспектор говорил совершенно бесстрастно, однако что-то в его словах заставило сэра Генри посмотреть на него.

— Итак, сэр Генри?!

Взяв в руки револьвер, сэр Генри внимательно осмотрел его, взглянул на номер и сравнил с данными небольшой записной книжки в кожаном переплете. Затем, вздохнув, закрыл ее и сказал:

— Да, инспектор, револьвер из моей коллекции.

— Когда вы видели его в последний раз?

— Вчера во второй половине дня. Мы стреляли по мишеням, и это один из револьверов, которые были у нас.

— Кто вчера стрелял из этого револьвера?

— Думаю, все сделали по крайней мере по одному выстрелу.

— Включая миссис Кристоу?

— Включая миссис Кристоу.

— А после того, как вы кончили стрелять?

— Я положил револьвер на обычное место. Сюда.

Из большого письменного стола он выдвинул ящик, наполовину заполненный револьверами разных систем.

— У вас большая коллекция огнестрельного оружия, сэр Генри!

— Это было моим хобби в течение многих лет.

Взгляд инспектора остановился на экс-губернаторе островов Хэллоуин. Представительный, незаурядный человек, под чьим началом он сам был бы не прочь послужить. Собственно говоря, он с удовольствием предпочел бы его своему теперешнему начальнику. Инспектор Грэйндж был невысокого мнения о начальнике полиции Уилтшира, человеке суетливом, деспотичном, к тому же барском прихвостне... Инспектор с усилием заставил себя вернуться к делу:

— Револьвер, разумеется, не был заряжен, когда вы возвратили его на место, сэр Генри?

— Конечно нет!

— А где вы храните патроны?

— Здесь.

Сэр Генри взял ключ из специального отделения письменного стола и открыл им один из ящиков.

«Довольно просто! — подумал инспектор. — Миссис Кристоу видела, где хранятся патроны. Ей нужно было только прийти и взять их. Ревность делает с женщинами черт знает что!..»

Инспектор готов был держать пари десять к одному, что это была ревность. Все станет ясным, когда он закончит работу здесь и отправится на Харли-стрит. Но все должно идти своим чередом.

Инспектор поднялся.

— Благодарю вас, сэр Генри! — сказал он. — Я сообщу вам, когда будет назначено заседание суда.

Глава 13

На обед была подана холодная утка, за которой следовало крем-брюле, что, по мнению леди Энкейтлл, свидетельствовало о немалой чуткости со стороны повара — миссис Медуэй.

— Кулинария, — сказала леди Энкейтлл, — поистине являет пример деликатности чувств. Миссис Медуэй знает, что мы не очень любим крем-брюле. Было бы крайне непристойно сразу же после смерти друга есть любимый пудинг. А крем-брюле — так просто... Оно такое, как бы это лучше сказать, скользкое... и его всегда можно немного оставить на тарелке.

Затем, вздохнув, она выразила надежду, что они поступили правильно, отпустив Герду в Лондон.

— Безусловно правильно, что Генри поехал вместе с ней.

Сэр Генри настоял на том, чтобы отвезти Герду на Харли-стрит.

— Она, конечно, должна будет приехать на заседание суда, — рассуждала леди Энкейтлл, задумчиво продолжая есть крем-брюле. — Естественно, Герда хотела сама сообщить детям... Они могли узнать обо всем из газет... В доме осталась только гувернантка-француженка. Всем известно, как француженки возбудимы, возможно, у нее «crise de nerfs»[1]. Генри все уладит. И я думаю, с Гердой все будет в порядке. Она, очевидно, пригласит кого-нибудь из родственников... скорее всего, сестер. Герда относится к типу людей, у которых обязательно есть сестры, три или четыре. Я думаю, они живут в Танбридж-Уэлс.

— Люси! Ты говоришь невероятные вещи! — воскликнула Мидж.

— Ну, если хочешь, пусть будет Торки... Хотя нет, не Торки... Им было бы по крайней мере шестьдесят пять лет, если бы они жили в Торки... Может быть, Истборн или Сент-Леонард...[2]

Леди Энкейтлл посмотрела на последнюю ложку крем-брюле, подумала и очень деликатно отложила ее в сторону, оставив крем несъеденным. Дэвид, предпочитавший все вкусное, мрачно смотрел на свою пустую тарелку.

Леди Энкейтлл встала из-за стола.

— Я думаю, всем сегодня хочется лечь спать пораньше, — сказала она. — Так много всего случилось за сегодняшний день, не правда ли? Когда читаешь о

---

[1] Нервный шок, криз *(фр.)*.
[2] Т а н б р и д ж - У э л с, Т о р к и, И с т б о р н, С е н т - Л е о н а р д — известные курортные города Англии.

подобных происшествиях в газете, не можешь даже представить себе, насколько это утомительно. Я чувствую себя так, словно прошла пешком миль пятнадцать... Хотя я ничего не делала, а только сидела... Но это тоже утомительно! Ведь не станешь читать книгу или газету, потому что это так бессердечно выглядит! Хотя, я думаю, прочитать передовую статью в «Обзервер»[1] вполне прилично... Но не «Ньюс оф зе уорлд»[2]. Вы со мной согласны, Дэвид? Мне интересно знать, что думают молодые люди. Не хочется отрываться от жизни.

Дэвид проворчал, что никогда не читает «Ньюс оф зе уорлд».

— А я всегда читаю, — заявила леди Энкейтлл. — Мы, правда, делаем вид, что получаем ее ради слуг, но Гаджен с большим пониманием забирает газету только после чая. По-моему, это самая интересная газета! Все о женщинах, которые кончают жизнь самоубийством, положив голову на газовую плиту... Оказывается, таких невероятное множество!

— Что они будут делать, когда в домах все будет электрифицировано? — произнес Эдвард с легкой улыбкой.

— Думаю, они вынуждены будут примириться с тем, что есть... И это намного разумнее!

— Я с вами не согласен, сэр, — сказал Дэвид, — в том, что все дома в будущем должны быть электрифицированы. Нельзя исключать и централизованного обеспечения бытовыми услугами. Все дома рабочего класса должны быть экономичными...

Эдвард поспешил заметить, что не очень разбирается в этом вопросе, и губы Дэвида скривились в презрительной улыбке.

Гаджен, двигаясь несколько медленнее обычного, чтобы передать ощущение скорби, внес на подносе кофе.

— О, Гаджен, — обратилась к нему леди Энкейтлл, — об этих яйцах... Я хотела было, как всегда, поставить на

---

[1] «О б з е р в е р» — старейшая воскресная газета умеренно-консервативного направления.
[2] «Н ь ю с о ф з е у о р л д» — воскресная газета бульварного типа.

них карандашом дату. Не попросите ли вы миссис Медуэй сделать это?

— Я думаю, миледи, вы сами убедитесь в том, что все исполнено должным образом. — Он кашлянул. — Я сам все сделал.

— О, благодарю вас, Гаджен!

Когда он вышел, леди Энкейтлл негромко заметила:

— Поистине Гаджен великолепен! Да и все слуги просто удивительны. Им можно посочувствовать, что приходится терпеть в доме полицейских. Для них это, наверное, ужасно. Между прочим, кто-нибудь остался?

— Ты имеешь в виду полицейских? — спросила Мидж.

— Да. Разве они обычно не оставляют одного в холле? Или, может быть, он следит за парадной дверью из кустов?

— Зачем им нужно стеречь парадный вход?

— Я, право, не знаю. Судя по книгам, они всегда так делают. А потом ночью еще кто-нибудь оказывается убитым.

— О, Люси, не надо! — воскликнула Мидж.

— Извини, дорогая. Глупо с моей стороны. И конечно, никого больше не убьют. Герда уехала домой... Я хочу сказать... О, Генриетта, дорогая, извини! Я не хотела...

Генриетта ничего не ответила. Она стояла у круглого столика, разглядывая записи, сделанные во время вчерашней игры в бридж.

— Извини, Люси, что ты сказала? — спросила она.

— Мне хотелось бы знать, остался ли кто-нибудь из полицейских?

— Как остатки товара после распродажи? Не думаю. Они все, должно быть, отправились в полицейский участок, чтобы записать все, что мы сообщили, соответствующим «полицейским языком».

— На что ты смотришь, Генриетта?

— Да так, ни на что. — Она прошла через комнату и подошла к камину. — Что, по-твоему, делает сегодня Вероника Крэй?

Выражение беспокойства промелькнуло на лице леди Энкейтлл.

— Дорогая! Уж не думаешь ли ты, что она может снова явиться? Она, должно быть, уже слышала...

— Да, — задумчиво произнесла Генриетта, — думаю, она слышала...

— Кстати, это мне напомнило, — сказала леди Энкейтлл. — Я обязательно должна позвонить Кари. Мы не можем принять их завтра к ленчу, сделав вид, будто ничего не произошло.

Она вышла из гостиной.

Дэвид, проклиная в душе своих родственников, проворчал, что хочет посмотреть что-то в энциклопедии «Британника». «В библиотеке, — подумал он, — по крайней мере, будет спокойнее».

Генриетта, подойдя к стеклянной двери и открыв ее, вышла в сад. После минутного колебания Эдвард последовал за ней. Когда он подошел, она стояла, глядя в небо.

— Не так тепло, как вчера, не правда ли? — сказала она.

— Да, заметно холоднее, — вежливо отозвался Эдвард.

Генриетта стояла, глядя на дом. Окинула взглядом окна, потом повернулась в сторону парка. Эдвард понятия не имел о том, что у нее на уме.

— Давай лучше вернемся. Холодно. — Он двинулся к дому.

Генриетта покачала головой:

— Хочу немного пройтись. К бассейну...

— Я пойду с тобой... — Он сделал шаг в ее сторону.

— Нет, спасибо, Эдвард. — Слова звучали резко, словно рассекали холодный воздух. — Я хочу побыть одна с моим мертвым...

— Генриетта, милая... Я ничего не говорил, но ты знаешь, как я сожалею...

— Сожалеешь? Ты сожалеешь, что умер Джон Кристоу? — Тон был все таким же неприятно резким.

— Я хотел сказать, что мне жаль тебя, Генриетта. Я понимаю, это должно быть... большим потрясением.

— Потрясением? О, я очень вынослива, Эдвард! Я могу выдержать потрясение. А для тебя это тоже было потрясением? Что чувствовал ты, когда увидел его лежащим там, у бассейна? Полагаю, ты был доволен. Тебе не нравился Джон Кристоу.

— Он и я... У нас не очень много общего, — тихо сказал Эдвард.

— Как деликатно ты выражаешься! Как сдержанно! Однако, по правде говоря, у вас было нечто общее. Вы оба любили меня, не правда ли? Только это не объединяло вас... как раз наоборот.

Луна полностью вышла из-за облака, и Эдвард поразился, увидев лицо Генриетты. Он всегда представлял себе Генриетту в отражении «Эйнсвика». Для него она навсегда осталась смеющейся девушкой с глазами, полными радостного ожидания. Женщина, которую он видел теперь перед собой, казалась незнакомой. Глаза ее сверкали, но были холодны и смотрели на него враждебно.

— Генриетта, милая, — сказал он серьезно, — поверь, я сочувствую тебе... в твоем горе, твоей потере.

— Горе?

Вопрос удивил его. Казалось, она спрашивала не его, а самое себя.

— Так быстро... это может случиться так быстро, — проговорила она тихо. — Сейчас жив, дышит, а через мгновение — мертв, его не стало, пустота!.. О, пустота! А мы все едим крем-брюле и считаем себя живыми, в то время как Джон, который был самым живым среди нас, — мертв! Я повторяю это слово снова и снова: мертв... мертв... мертв. И вот оно уже не имеет смысла... никакого смысла. Просто странное коротенькое слово, похожее по звуку на треск сломанной ветки. Мертв... мертв... мертв... Как тамтам, звучащий в джунглях, верно? Мертв... мертв... мертв...

— Прекрати! Ради всего святого, прекрати!

Она с удивлением посмотрела на него:

— Ты не предполагал, что я буду так вести себя? Чего ты ожидал? Ты думал, я буду сидеть и тихо лить слезы в хорошенький носовой платочек, а ты будешь успокаивать меня, держа за руку? Конечно, это большое потрясение, но со временем я успокоюсь, а ты прекрасно утешишь меня. Ты в самом деле хороший. Ты очень хороший, Эдвард, но такой... такой ненастоящий.

Эдвард отшатнулся. Лицо его напряглось.

— Да, я всегда это знал, — сказал он сухо.

Генриетта продолжала с ожесточением:

— Как ты думаешь, каково мне было сидеть весь вечер, зная, что Джон мертв и никому до этого нет дела, кроме меня и Герды! Ты — доволен, Дэвид — смущен, Мидж — взволнована, Люси — деликатно радуется тому, что ожили страницы «Ньюс оф зе уорлд»!.. Разве ты не видишь всей чудовищности этого фантастического кошмара?

Эдвард ничего не ответил. Он отступил назад, в тень.

— Сегодня, — сказала Генриетта, глядя на него, — никто не кажется мне настоящим, никто... кроме Джона!

— Да, знаю. Я не очень настоящий, — тихо сказал Эдвард.

— Какая я скотина, Эдвард! Но я не могу иначе, не могу согласиться с тем, что Джон, в котором было столько жизни, — мертв!

— А я, наполовину мертвый, — живу...

— Этого я не имела в виду, Эдуард!

— Думаю, ты имела в виду именно это, и, очевидно, ты права.

— Это не горе... — продолжала она задумчиво, возвращаясь к прежней мысли. — Может быть, я не могу почувствовать горя. Может, никогда не смогу... И все же... мне хотелось бы горевать по Джону...

Ее слова казались невероятными. Однако Эдвард удивился еще больше, когда Генриетта вдруг сказала почти деловым тоном:

— Я должна идти к бассейну, — и скрылась за деревьями.

С трудом переставляя негнущиеся ноги, Эдвард вошел в дом.

Мидж видела, как Эдвард шагнул в гостиную. Ничего не видящий взгляд, в сером, словно иззябшем лице — ни кровинки. Он не заметил короткого восклицания Мидж, которое она сразу же подавила. Почти машинально он прошел по комнате, опустился на стул и, чувствуя, что от него чего-то ждут, сказал:

— Холодно.

— Вам холодно, Эдвард? Может быть, мы... может быть, я зажгу камин?

— Что?

Мидж взяла коробку спичек с камина, опустилась на колени и зажгла огонь. Осторожно, искоса она посмотрела на Эдварда. Он был, казалось, совершенно безразличен ко всему.

— Огонь — это очень хорошо, — наконец произнес Эдвард. — Он согревает...

«Кажется, он совсем застыл, — подумала Мидж. — Но сейчас ведь не так холодно... Это Генриетта. Что она ему сказала?»

— Эдвард, пододвиньте стул ближе к огню.

— Что?

— Ваш стул, Эдвард. Ближе к огню.

Мидж произнесла слова громко и медленно, словно говорила с глухим. Неожиданно, настолько неожиданно, что у Мидж будто камень свалился с души, Эдвард, прежний Эдвард был опять с ней и нежно ей улыбнулся:

— Вы что-то сказали, Мидж? Извините! Боюсь... я задумался.

— О, ничего особенного. Просто зажгла камин.

Трещали поленья, ярким и чистым пламенем горели еловые шишки. Эдвард смотрел на них:

— Какой приятный огонь!

Он протянул к пламени длинные, тонкие руки, чувствуя, как напряжение покидает его.

— В «Эйнсвике» у нас всегда были еловые шишки, — сказала Мидж.

— И теперь тоже. Каждый день корзинка с еловыми шишками ставится у каминной решетки.

Эдвард в «Эйнсвике»... Мидж прикрыла глаза, представляя себе эту картину. Эдвард скорее всего в библиотеке, в западной части дома. Высокая магнолия почти закрывает одно окно, в полдень наполняя всю комнату золотисто-зеленым светом. В другое окно открывается вид на лужайку, где, как страж, поднимается высокая сосна, а немного вправо от нее — большой медный бук.

О, «Эйнсвик»... «Эйнсвик»!

Мидж, казалось, почувствовала волну аромата, исходящего от магнолии, на которой даже в сентябре остается несколько крупных белых восковых цветков, издающих сладковатый запах... И запах сосновых шишек, горящих в камине... И специфический, чуть затхлый запах старой книги в руках у Эдварда. Он читает, сидя на стуле с седловидной спинкой. Взгляд от книги скользит к огню; он думает о Генриетте...

Мидж шевельнулась и спросила:

477

— Где Генриетта?

— Пошла к бассейну.

— Почему?

Отрывистый, глубокий голос Мидж словно разбудил Эдварда.

— Мидж, дорогая, вы, конечно, знаете... или догадываетесь. Генриетта знала Кристоу довольно близко...

— О, разумеется, это всем известно! Но мне не понятно, почему она отправилась на то место, где он был убит. Это совсем не похоже на Генриетту. Ей не свойственна мелодрама!

— Разве кто-нибудь из нас знает своего ближнего? Например, Генриетта...

Мидж нахмурилась:

— В конце концов, Эдвард, вы и я, мы знаем Генриетту всю нашу жизнь!

— Она изменилась.

— Да нет! Я не думаю, что человек может измениться.

— Генриетта очень изменилась.

Мидж удивленно посмотрела на него:

— Больше, чем вы или я?

— О, я знаю, что не изменился. А вы...

Взгляд Эдварда, словно сфокусировавшись, остановился на девушке, стоявшей на коленях у каминной решетки. Он вглядывался в ее лицо как бы издалека: квадратный подбородок, темные глаза, решительный рот.

— Мне хотелось бы чаще видеть вас, Мидж.

Она улыбнулась:

— Я понимаю, в наши дни общаться нелегко.

Снаружи донесся какой-то звук, и Эдвард встал.

— Люси права, — сказал он. — День был действительно утомительный...

Он вышел из комнаты в ту минуту, когда из сада через застекленную дверь вошла Генриетта.

— Что ты сделала с Эдвардом? — накинулась на нее Мидж.

— С Эдвардом? — спросила рассеянно Генриетта; наморщив лоб, она, казалось, думала о чем-то очень далеком.

— Да, с Эдвардом. Он выглядел ужасно: холодный, мрачный и бледный.

— Мидж, если тебе так небезразличен Эдвард, почему ты не предпримешь что-нибудь?

— Что ты имеешь в виду?

— Я не знаю. Встань на стул и закричи! Обрати на себя внимание. Разве ты не знаешь, что это единственная надежда с такими людьми, как Эдвард.

— Он никого не полюбит, кроме тебя, Генриетта. Он всегда тебя любил!

— И очень неразумно с его стороны. — Генриетта быстро взглянула на бледное лицо Мидж. — Я обидела тебя. Извини. Просто сегодня я ненавижу Эдварда!

— Ненавидишь Эдварда? Как ты можешь?..

— О да, могу! Ты не знаешь...

— Что?

— Он напоминает мне многое, — медленно сказала Генриетта, — что я хотела бы забыть.

— Что именно?

— Ну, например, «Эйнсвик»!

— «Эйнсвик»? Ты хотела бы забыть «Эйнсвик»?! — В голосе Мидж было недоумение.

— Да, да, да! Я была там счастлива! А сейчас я не могу вынести даже напоминания о счастье. Неужели ты не понимаешь? Это было время, когда не знаешь, что тебя ждет, когда веришь, что все будет прекрасно! Некоторые люди мудры... они не надеются быть счастливыми. Я надеялась... Я никогда не вернусь в «Эйнсвик»! — резко добавила она.

— Кто знает, — медленно сказала Мидж.

Глава 14

В понедельник утром Мидж проснулась внезапно. Мгновение она лежала в полусне, взгляд ее беспокойно устремился к двери, она почти ожидала увидеть там леди Энкейтлл... Что это Люси сказала в то первое утро, появившись в дверях? Трудный уик-энд? Она была озабочена... думала, случится что-то неприятное...

Да, что-то неприятное произошло... что-то, лежащее теперь тяжелым черным облаком на сердце и душе Мидж... о чем она не хочет ни думать, ни вспоминать... Что-то пугающее, связанное с Эдвардом!

Мгновенно вернулась память. Какое омерзительное слово: «убийство»!

«О нет, — думала Мидж, — не может быть! Мне просто приснилось. Джон Кристоу убит, мертв... там, около бассейна. Кровь и голубая вода... как на обложке детективного романа. Неправдоподобно, нереально! С нами такое не должно бы случиться. Если бы мы сейчас были в «Эйнсвике»! Ничего подобного не может быть в «Эйнсвике»!»

Невыносимая тяжесть, навалившаяся было на лоб Мидж, переместилась и, сконцентрировавшись теперь под ложечкой, вызывала легкую тошноту.

Нет, это не сон! Все случилось на самом деле... Как происшествие из «Ньюс оф зе уорлд»! В этом замешаны все: и она, и Эдвард, и Люси, и Генри, и Генриетта...

Несправедливо! Совершенно несправедливо... Если Герда убила своего мужа, к нам это не имеет никакого отношения!

Мидж беспокойно шевельнулась.

Тихая, неумная, чуть жалкая Герда... Ее никак нельзя ассоциировать с мелодрамой, насилием. Герда, конечно, никого не могла убить.

И снова поднялось чувство внутреннего беспокойства. Нет-нет, так думать нельзя... Если не Герда, кто же другой мог застрелить Джона? Герда стояла над его телом с револьвером в руке. Револьвер она взяла из кабинета Генри.

Герда сказала, что нашла Джона мертвым и подняла револьвер. А что она могла сказать? Она ведь должна была что-то ответить, бедняга.

Хорошо Генриетте защищать Герду... Однако заявив, что все сказанное Гердой правдоподобно, она не учла совершенно невероятной альтернативы.

Вчера вечером Генриетта была очень странной. Но это, конечно, шок, вызванный смертью Джона Кристоу. Бедная Генриетта... Она так сильно любила Джона! Но конечно, со временем это пройдет, все проходит... И тогда она выйдет замуж за Эдварда и будет жить в «Эйнсвике», и Эдвард наконец будет счастлив.

Генриетте всегда нравился Эдвард. Просто так уж случилось, что Джон Кристоу, энергичный, властный, встал на их дороге и Эдвард в сравнении с ним выглядел таким... таким бледным.

Когда Мидж спустилась к завтраку, она была поражена тем, что Эдвард теперь, когда не было рядом Джона Кристоу, снова стал самим собой. Он выглядел более уверенным, не таким замкнутым и нерешительным. Эдвард любезно разговаривал с Дэвидом, который по-прежнему смотрел сердито и отвечал неохотно.

— Дэвид, вы должны чаще приезжать в «Эйнсвик». Мне хотелось бы, чтобы вы чувствовали себя там как дома и получше познакомились с имением.

Накладывая себе джем, Дэвид холодно ответил:

— Такие большие имения абсолютно нелепы. Их необходимо разделить.

— Надеюсь, это произойдет после меня, — улыбаясь, сказал Эдвард. — Мои арендаторы довольны.

— А не должны бы! — заявил Дэвид. — Никто не должен быть доволен.

— «Если бы мартышки были довольны своими хвостами», — проговорила леди Энкейтлл, стоя у буфета и рассеянно глядя на блюдо с почками. — Эти стихи я учила еще в детстве и никак не могу припомнить, как дальше. Я должна поговорить с вами, Дэвид, и узнать от вас новые идеи. Насколько я поняла, нужно всех ненавидеть и в то же время предоставить им бесплатное образование и медицинское обслуживание. Бедняги! Эти беспомощные детишки, толпящиеся каждый день в школах... и рыбий жир, который насильно вливают младенцам, хотят они того или нет... Препротивно пахнущая жидкость!

«Люси, — подумала Мидж, — ведет себя как всегда». Гаджен, мимо которого Мидж прошла в холле, тоже выглядел как всегда. Жизнь в «Лощине», казалось, пришла в норму. С отъездом Герды все происшедшее стало похоже на страшный сон. Послышался скрип колес по гравию, и машина сэра Генри подъехала к дому. В Лондоне он переночевал в клубе и выехал рано.

— Ну как, дорогой, — спросила Люси, — все в порядке?

— Да, секретарь — очень компетентная девушка — была на месте и все взяла на себя. Там, кажется, была сестра. Ее вызвала секретарша.

— Я так и думала, — сказала леди Энкейтлл. — Из Танбридж-Уэлс.

— Кажется, Бексхилл, — взглянув с недоумением на жену, ответил сэр Генри.

— Бексхилл? Пожалуй... Да, вполне возможно, — после некоторого раздумья согласилась леди Энкейтлл.

Подошел Гаджен:

— Сэр Генри, звонил инспектор Грэйндж. Заседание суда назначено на среду в одиннадцать часов.

Сэр Генри кивнул.

— Мидж, — сказала леди Энкейтлл, — ты позвонила бы в свой магазин...

Мидж медленно пошла к телефону. Вся жизнь ее протекала так размеренно и заурядно... Она чувствовала, что ей не хватит слов, чтобы объяснить хозяйке магазина, почему после четырех свободных дней она все-таки не может вернуться на работу. Сказать, что она замешана в убийстве... Это звучит просто невероятно! Совершенно невероятно! К тому же мадам Элфридж — особа, которой не так-то просто что-либо объяснить...

Мидж решительно вздернула подбородок и сняла телефонную трубку.

Все оказалось так, как она и ожидала. Неприятный голос маленькой ядовитой женщины зло хрипел в трубке:

— Что такое, мизз Хардказзл? Змерть? Похороны? Вы прекразно знаете, что у меня не хватает людей! Вы думаете, я буду терпеть важи оправдания? О, конежно, вы там, полагаю, развлекаетезь!

Мидж, прервав ее, объяснила все коротко и понятно.

— Полизия?! Вы зказали полизия... — Голос мадам Элфридж сорвался на визг. — Вы зпутались з полизия?!

Стиснув зубы, Мидж продолжала объяснять. Как низко и грязно представила все случившееся эта женщина на другом конце провода. Вульгарное полицейское дело! Сколько желчи заключено в этом человеческом существе!

В комнату вошел Эдвард, но, увидев, что Мидж говорит по телефону, хотел было уйти. Она остановила его:

— Останьтесь, Эдвард. Пожалуйста, прошу вас!

Присутствие Эдварда давало ей силу противостоять словесному яду. Она убрала руку, которой закрывала трубку.

— Что? Да, извините, мадам. Но, видите ли, это не моя вина...

Противный хриплый голос продолжал сердито:

— Кто эти важи друзья? Что это за люди, езли у них в доме полизия и убийзтво? Мне вообже хочется, чтобы вы не возвражжались! Я не могу допузтить, чтобы позтрадала репутазия моего магазина!

Мидж отвечала покорно и уклончиво. Наконец со вздохом облегчения положила трубку. Ее подташнивало и всю трясло.

— Это место, где я работаю, — объяснила она. — Я должна была сообщить, что не могу вернуться до вторника из-за судебного разбирательства и... полиции.

— Что собой представляет этот магазин одежды, где вы работаете? Надеюсь, хозяйка магазина вела себя порядочно? Она симпатичная, приятная женщина?

— Я бы этого не сказала! Она из Уайтчепеля[1]. С крашеными волосами и голосом как у коростеля.

— Но Мидж, милая...

Выражение ужаса на лице Эдварда почти заставило Мидж рассмеяться — он выглядел таким озабоченным.

— Дитя мое... вы не должны работать в этом магазине. Если уж работать, надо выбрать место с приятным окружением, чтобы нравились люди, с которыми вынуждены общаться.

Мидж мгновение смотрела на него, не отвечая.

«Как объяснить, — думала она, — такому человеку, как Эдвард? Что он знает о рынке труда, о работе?» В душе Мидж внезапно поднялась волна горечи. Люси, Генри, Эдвард... да, даже Генриетта... всех их отделяет от нее непреодолимая пропасть... пропасть, разделяющая праздных людей и работающих. Они не имеют представления о том, как трудно найти работу, а уж если нашел, то чего стоит ее удержать! Конечно, можно сказать, что ей, собственно говоря, нет надобности зарабатывать на жизнь. Люси и Генри с

---

[1] У а й т ч е п е л — один из беднейших районов Ист-Энда в Лондоне.

удовольствием взяли бы ее к себе... или с равным удовольствием могли бы выделить ей содержание. Эдвард охотно сделал бы то же самое. Но что-то в Мидж восставало против того, чтобы принять легкую жизнь, предлагаемую состоятельными родственниками. Изредка приезжать и погружаться в прекрасно налаженную роскошь «Лощины» — само по себе превосходно! Этим Мидж могла наслаждаться. Однако стойкий дух независимости удерживал ее от того, чтобы принять жизнь как подарок. Это же чувство не разрешало Мидж открыть собственное дело на средства, взятые взаймы у родственников и друзей. Подобных примеров она насмотрелась вдоволь.

Мидж не хотела ни брать деньги взаймы, ни пользоваться протекцией. Она сама нашла себе работу на четыре фунта в неделю, и мадам Элфридж, нанявшей ее в надежде, что Мидж направит в ее магазин своих друзей из фешенебельного общества, пришлось разочароваться. Мидж стойко отклоняла подобные попытки всех друзей и знакомых.

Мидж не питала никаких иллюзий в отношении своей работы. Она испытывала отвращение к магазину, мадам Элфридж, вечному раболепству перед раздражительными и дурно воспитанными покупательницами, но она очень сомневалась в том, что сможет найти другое место, которое будет ей по душе, так как у нее не было никакой специальности.

Предположение Эдварда, что перед ней открыт широкий выбор, было просто невыносимо. Какое право он имел жить в мире, настолько оторванном от реальности?

Они — Энкейтллы! Все до одного! А она... она лишь по матери Энкейтлл! Иногда, как, например, этим утром, она не чувствовала себя принадлежащей к этой семье. Она была дочерью только своего отца.

Мидж подумала об отце с острой болью любви и сожаления. Седой, средних лет человек с усталым лицом. Человек, годами старавшийся изо всех сил управлять небольшим семейным предприятием, которое было обречено и, несмотря на все усилия и заботы, медленно разорялось. Не из-за неспособности отца вести дела... Просто наступал прогресс.

Как ни странно, любовь Мидж была отдана не ее блестящей матери из рода Энкейтллов, а тихому усталому отцу. Каждый раз, возвращаясь после визита в «Эйнсвик», который был неистовым восторгом всей ее жизни, она отвечала на легкое неодобрение усталого отцовского лица тем, что бросалась ему на шею, повторяя: «Я рада, что вернулась домой... Я рада быть дома!»

Мать умерла, когда Мидж было тринадцать лет. Иногда Мидж сознавала, как мало она знала о своей матери, рассеянной, очаровательной и веселой. Сожалела ли она о своем замужестве, которое поставило ее вне клана Энкейтллов? Этого Мидж не знала.

После ее смерти отец становился все более тихим и седым. Борьба против угасавшего бизнеса делалась все более бесполезной. Он умер тихо и незаметно, когда Мидж было восемнадцать лет.

Мидж жила у многих родственников со стороны Энкейтллов, принимала от них подарки, развлекалась, но от денежной помощи отказывалась. И хотя она любила родственников, иногда особенно остро чувствовала себя человеком не их круга.

«Они ничего не знают о жизни», — думала она с затаенной враждебностью.

Эдвард, чуткий как всегда, озадаченно смотрел на нее.

— Я чем-то вас расстроил? — спросил он мягко.

В комнату вошла Люси. Она была в самой середине одного из своих обычных мысленных диалогов:

— ...Видите ли, в самом деле неизвестно, предпочтет ли она «Белого оленя» или нас.

Мидж удивленно посмотрела на нее, потом на Эдварда.

— На Эдварда смотреть бесполезно, он все равно не знает, — заявила леди Энкейтлл. — Но ты, Мидж, ты всегда очень практична.

— Не понимаю, о чем ты говоришь, Люси!

Люси казалась удивленной:

— Судебное заседание, дорогая! Должна приехать Герда. Остановится она у нас или в «Белом олене»? Конечно, здесь все связано с тяжелыми переживаниями... но в «Белом олене» найдутся люди, которые будут глазеть на нее, и, конечно, репортеры. В среду в одиннадцать или в одиннадцать тридцать? — Внезапно улыбка озарила лицо леди Энкейтлл. — Я никогда не была на суде. Думаю, что серый костюм и, конечно, шляпа, как в церкви, но, разумеется, без перчаток!

Люси прошла по комнате и, подняв телефонную трубку, сосредоточенно ее рассматривала.

— Знаете, — продолжала она, — у меня, кажется, вообще теперь нет перчаток, кроме садовых! Ну и конечно, длинных, вечерних, оставшихся еще со времен губернаторства Генри. Перчатки — это довольно глупо, не правда ли?

— Их единственное назначение — избежать отпечатков пальцев во время преступления, — сказал, улыбаясь, Эдвард.

— Как интересно, что ты сказал именно это! Очень интересно! А зачем мне эта штука? — Леди Энкейтлл с легким отвращением посмотрела на телефонную трубку, которую держала в руке.

— Может быть, ты хотела кому-нибудь позвонить?

— Не думаю. — Леди Энкейтлл задумчиво покачала головой и бережно положила трубку на место. — Мне кажется, Эдвард, что ты не должен волновать Мидж. Она и так переживает внезапную смерть Джона больше, чем мы.

— Дорогая Люси! — воскликнул Эдвард. — Я только выразил беспокойство по поводу места, где работает Мидж. По-моему, оно совершенно неподходящее.

— Эдвард считает, что у меня должен быть восхитительный, полный понимания и сочувствия работодатель, который сможет меня оценить, — сухо сказала Мидж.

— Милый Эдвард, — с полным пониманием улыбнулась Люси и вышла из гостиной.

— Серьезно, Мидж, — обратился к ней Эдвард, — меня беспокоит...

— Эта мерзкая женщина платит мне четыре фунта в неделю, — перебила его Мидж. — В этом все дело!

Она быстро прошла мимо Эдварда и вышла в сад.

Сэр Генри сидел на своем привычном месте — низкой ограде, но Мидж свернула в сторону и направилась к цветочной дорожке. Ее родственники, конечно, очаровательны, но сегодня все их очарование ей ни к чему.

В верхней части дорожки на скамье сидел Дэвид Энкейтлл. Чрезмерным очарованием Дэвид не отличался. Мидж направилась прямо к нему и села рядом, отметив про себя со злорадством его замешательство.

«Как невероятно трудно, — подумал Дэвид, — удрать от людей».

Он вынужден был покинуть спальню из-за стремительного нашествия горничных со швабрами и тряпками. Библиотека с энциклопедией «Британника», на что он уповал с оптимизмом, тоже оказалась ненадежным убежищем. Леди Энкейтлл дважды появлялась и исчезала из библиотеки, ласково обращаясь к нему с вопросами, на которые, кажется, просто невозможно дать разумный ответ.

Он вышел в сад поразмышлять о своем положении. Уик-энд, на который он нехотя согласился, теперь затянулся из-за внезапной насильственной смерти. Дэвид, предпочитавший созерцательность «Академического прошлого» или серьезные дискуссии «Будущего левого крыла», не привык иметь дело с жестокой реальностью настоящего. Дэвид, как он решительно заявил леди Энкейтлл, никогда не читал «Ньюс оф зе уорлд», но случилось так, что происшествие, достойное этой газетенки, само пожаловало в «Лощину».

Убийство! Что подумают его друзья! Как, вообще говоря, следует относиться к убийству? Какую реакцию оно должно вызвать — скуку? Отвращение? Или восприниматься как нечто слегка забавное?

Стараясь разобраться во всем этом, Дэвид меньше всего хотел, чтобы ему помешала Мидж. Он с беспокойством посмотрел на нее, когда она села рядом, и его удивил вызывающий взгляд, которым она ему ответила. Несимпатичная девушка и никакого интеллекта.

— Как вам нравятся ваши родственники?

Дэвид пожал плечами:

— Разве об этом думают!

— Стоит ли вообще о чем-либо думать?! — подхватила Мидж.

«Уж она-то, — заметил про себя Дэвид, — вовсе не способна думать». И добавил почти любезно:

— Я анализировал свою реакцию на убийство.

— Странно, конечно, быть причастным к убийству, — сказала Мидж.

— Утомительно, — отозвался, вздохнув, Дэвид. — Пожалуй, это самое подходящее определение. Все клише, которые приходят на ум, существуют только на страницах детективных романов!

— Вы, наверное, сожалеете о том, что приехали? — спросила Мидж.

Дэвид вздохнул:

— Да, я мог бы остаться с моим другом в Лондоне. У него книжный магазин, где продаются книги «Левого крыла».

— Я думаю, здесь комфортабельнее, — сказала Мидж.

— Разве комфорт так уж необходим? — презрительно спросил Дэвид.

— Иногда я чувствую, что не могу думать ни о чем другом, — сказала Мидж.

— Отношение к жизни избалованного человека! — заявил Дэвид. — Если бы вы работали...

— А я работаю, — прервала его Мидж. — Именно поэтому у меня тяга к комфорту: удобные кровати, мягкие подушки. Рано утром у вашей постели тихо ставят чашку чаю. Керамическая ванна, много горячей воды, чудесные соли для купания, мягкие кресла, в которых просто утопаешь...

Мидж остановилась.

— Все это рабочие должны иметь, — заявил Дэвид.

Хотя он несколько сомневался по поводу ранней чашки чая, тихо поставленной на подносе у кровати. Это звучало уж слишком по-сибаритски для серьезно организованного общества.

— Не могу не согласиться с вами, — сердечно подхватила Мидж.

Глава 15

Когда зазвонил телефон, Эркюль Пуаро наслаждался утренней чашечкой шоколада. Он встал и поднял трубку:

— Алло!

— Мсье Пуаро?

— Леди Энкейтлл?

— Как мило, что вы узнали меня по голосу. Я не помешала?

— Нисколько! Надеюсь, вы не чувствуете себя плохо после вчерашних горестных событий?

— Нет, благодарю вас. В самом деле горестные, хотя я чувствую себя полностью от них отстраненной. Я позвонила, чтобы узнать, не сможете ли вы зайти... Я понимаю, что причиняю вам неудобство, но я в самом деле очень обеспокоена.

— Разумеется, леди Энкейтлл. Вы хотите, чтобы я зашел сейчас?

— Да, именно сейчас. Как можно скорее. Очень любезно с вашей стороны.

— Не стоит благодарности. Разрешите, я пройду через лес.

— О да, конечно... Это кратчайший путь. Очень вам благодарна, мсье Пуаро!

Задержавшись, чтобы смахнуть несколько соринок с бортов пиджака и надеть тонкое пальто, Пуаро вышел из дому, пересек дорогу и поспешил по тропинке через каштановую рощу. У бассейна никого не было. Полицейские закончили свою работу и ушли. Все выглядело безмятежно и мирно в мягком туманном осеннем свете.

Пуаро заглянул в павильон. Он заметил, что накидку из платиновых лисиц уже убрали, а шесть коробок спичек все еще лежали на столике около дивана. Он снова удивился, откуда они взялись.

«Совсем неподходящее место держать спички... здесь сыро. Возможно, одну коробку для удобства... но не шесть!»

Пуаро наклонился над крашеным железным столиком. Поднос с бокалами тоже был убран. Кто-то набросал карандашом на столике небрежный рисунок какого-то кошмарного дерева. Эркюлю Пуаро было просто больно смотреть на него, оно оскорбляло его строго упорядоченный ум. Пуаро щелкнул языком, покачал головой и поспешил по дорожке к дому, с удивлением думая о причине такого срочного вызова.

Леди Энкейтлл ждала у застекленной двери и сразу же увлекла его в гостиную:

— Очень любезно с вашей стороны, мсье Пуаро! — Она тепло пожала ему руку.

— К вашим услугам, мадам.

Руки леди Энкейтлл взлетели в выразительном жесте, прекрасные голубые глаза широко раскрылись.

— Видите ли, все так сложно! Инспектор Грэйндж лично беседует с Гадженом, нет, допрашивает... снимает показания... Какой термин тут подходит? Вся наша жизнь здесь зависит от Гаджена, и он, безусловно, вызывает сочувствие. Просто ужасно, что его допрашивает полицейский, пусть даже сам инспектор Грэйндж. Хотя, мне кажется, инспектор Грэйндж — приятный человек и хороший семьянин. Я полагаю, сыновья... и он, наверное, помогает им по вечерам с «Меккано»[1]... и жена, которая содержит дом в идеальной чистоте, хотя у них несколько тесновато...

Эркюль Пуаро удивленно мигал, следя за тем, как леди Энкейтлл разворачивала перед ним воображаемую картину семейной жизни инспектора Грэйнджа.

— Между прочим, у него поникшие усы, — продолжала леди Энкейтлл. — Я думаю, что чересчур чистый дом может быть иногда гнетущим... Как мыло на лицах больничных медицинских сестер. Их лица прямо-таки блестят! Хотя это чаще за границей, где все так отстает! В лондонских частных лечебницах — много пудры и по-настоящему яркая губная помада. Но я хотела сказать, мсье Пуаро, вы в самом деле должны прийти к нам на ленч, когда вся эта нелепая история будет позади.

— Вы очень добры.

— Я лично не против полиции, — сказала леди Энкейтлл. — И нахожу это довольно интересным. «Разрешите помочь вам по мере сил», — сказала я инспектору Грэйнджу. Он кажется сбитым с толку, но методичным.

Повод для полиции кажется таким важным, — продолжала она. — Кстати, о больничных сестрах... Мне кажется, что Джон Кристоу... Медсестра с рыжими волосами и вздернутым носиком... довольно привлекательная. Конечно, все это было давно и полиция может

---

[1] «М е к к а н о» — фирменное название детского конструктора.

не заинтересоваться. Но, вообще говоря, неизвестно, что приходилось выносить бедняжке Герде. Она принадлежит к типу лояльных людей, не так ли? Или попросту верит всему, что ей говорят. Я думаю, это разумно, если у человека нет большого ума.

Совершенно неожиданно леди Энкейтлл распахнула дверь в кабинет и увлекла за собой Пуаро, оживленно воскликнув:

— Вот и мсье Пуаро!

Она проскользнула мимо него и исчезла, закрыв за собой дверь. Инспектор Грэйндж и Гаджен сидели у стола, в углу расположился молодой человек с записной книжкой. Гаджен уважительно поднялся со стула.

Пуаро поспешно извинился:

— Я сейчас уйду. Уверяю вас, я не имел ни малейшего представления, что леди Энкейтлл...

— Нет-нет, пожалуйста. — Усы Грэйнджа в это утро выглядели еще более пессимистично.

«Может быть, — подумал Пуаро, пораженный недавним описанием инспектора, сделанным леди Энкейтлл, — может быть, в доме была большая уборка или, возможно, купили индийский медный столик, так что бедному инспектору повернуться негде...»

Пуаро сердито отогнал эти мысли. Слишком чистый, но тесноватый дом инспектора Грэйнджа, его жена, сыновья с их увлечением «Меккано» — все это измышления беспокойного ума леди Энкейтлл. Однако живописность и правдоподобие этого предположения о реальной жизни заинтересовали его.

— Садитесь, мсье Пуаро, — предложил Грэйндж. — Мне хотелось кое о чем спросить вас. Я уже почти закончил. — Он снова обратился к Гаджену, который почтительно, хотя против воли, занял свое место и невозмутимо посмотрел на собеседника. — И это все, что вы можете вспомнить?

— Да, сэр. Все было как всегда, сэр. Никаких неприятностей.

— Меховая накидка... в летнем павильоне у бассейна. Кому она принадлежит?

— Вы говорите, сэр, о накидке из платиновых лисиц? Я заметил ее вчера, когда уносил бокалы из павильона. Эта вещь не принадлежит никому в доме, сэр.

— Чья же она?

— Возможно, она принадлежит мисс Крэй, сэр. Мисс Веронике Крэй, киноактрисе. На ней было что-то похожее.

— Когда?

— Позапрошлой ночью, когда она была здесь, сэр.

— Вы не упоминали ее в числе гостей.

— Она не была приглашена, сэр. Мисс Крэй живет в «Голубятне», гм... в коттедже, вверх по дороге. Она пришла после обеда, чтобы занять коробку спичек, потому что спички у нее кончились.

— Она унесла с собой шесть коробок? — спросил Пуаро.

— Верно, сэр. Ее светлость, узнав, что у нас спичек достаточно, настояла на том, чтобы мисс Крэй взяла полдюжины коробок.

— Которые она затем оставила в павильоне?

— Да, сэр. Я заметил их там вчера утром.

— Наверное, существует немного вещей, которых этот человек не замечает, — сказал Пуаро, когда Гаджен ушел, закрыв за собой дверь, тихо и почтительно.

— Прислуга чертовски хитра, — заметил инспектор Грэйндж. — И все-таки, — добавил он, немного повеселев, — всегда есть судомойка! Судомойки говорят! Не то что эти высокомерные слуги.

Я отправил человека порасспросить на Харлистрит, — продолжал инспектор, — и сам попозже поеду туда. Там мы что-нибудь узнаем. Я полагаю, знаете ли, что жене Кристоу пришлось немало вытерпеть. Вообще, эти модные доктора с их пациентками... Можно только удивляться! Как я понял со слов леди Энкейтлл, были какие-то неприятности из-за больничной медсестры. Разумеется, леди Энкейтлл говорила очень неопределенно.

— Да, — согласился Пуаро, — она говорит именно так!

Умело созданная картина. Джон Кристоу и любовные интриги с медсестрами... пикантные возможности в жизни доктора... достаточно повода, чтобы ревность Герды Кристоу привела к кульминации — убийству!

Да, ловко созданное представление, которое привлекает внимание к дому на Харли-стрит и уводит подаль-

492

ше от «Лощины», подальше от того момента, когда Генриетта Сэвернейк взяла револьвер из несопротивляющейся руки Герды Кристоу, прочь от другого момента, когда умирающий Джон Кристоу произнес: «Генриетта...» — размышлял, прикрыв веки, Пуаро. Внезапно он широко раскрыл глаза и спросил с нескрываемым любопытством:

— Ваши мальчики играют с «Меккано»?

— Что?! — Прервав свои размышления, инспектор Грэйндж уставился на Пуаро. — Странный вопрос. Вообще говоря, они еще маловаты, но я подумывал о том, чтобы подарить Тэдди на Рождество набор «Меккано». А почему вы спросили?

Пуаро покачал головой.

«Такие интуитивные невероятные предположения леди Энкейтлл, — подумал Пуаро, — часто могли оказаться правильными». Это делало леди Энкейтлл особенно опасной. Беспечными — и кажущимися беспечными — словами она создавала картину. И если часть этой картины оказывалась правильной, вы начинали помимо вашей воли полагать, что и другая часть картины тоже верна.

— Я хотел спросить вас, мсье Пуаро, — сказал инспектор Грэйндж, — эта мисс Крэй, актриса... она является сюда за спичками... Если ей нужны были спички, почему она не пришла к вам, вы живете всего в двух шагах от нее. Зачем тащиться добрых полмили?

Эркюль Пуаро пожал плечами:

— По разным причинам. Может, снобизм? Мой коттедж невелик и незначителен. Я бываю здесь только в конце недели, а сэр Генри и леди Энкейтлл — известные люди... Они живут здесь постоянно. Они, что называется, господа в этом графстве. Может быть, Вероника Крэй хотела познакомиться с ними... в конце концов так оно и вышло...

Инспектор Грэйндж встал.

— Конечно, — согласился он, — это вполне вероятно, но не хотелось бы упустить чего-нибудь. Все-таки я не сомневаюсь, что все пойдет как по маслу. Сэр Генри опознал револьвер как один из его коллекции. Похоже, они в самом деле развлекались стрельбой по мишеням накануне после полудня. Миссис

Кристоу нужно было только войти в кабинет и взять револьвер и патроны. Она видела, куда он их положил. Все довольно просто!

— Да, — пробормотал Пуаро, — все кажется довольно просто.

«Такая женщина, как Герда Кристоу, — подумал Пуаро, — именно так могла совершить убийство. Без всяких уверток и ухищрений... вовлеченная внезапно в преступление горькой мукой ограниченной, но глубоко любящей натуры.

И все-таки, конечно, у нее хватило бы ума сделать так, чтобы ее вина не была столь очевидной. Или она действовала в ослеплении... в минуту душевного затмения... когда разум молчит?»

Пуаро вспомнилось пустое, ошеломленное лицо Герды.

Пока он не знал... просто не знал. Но чувствовал, что знать должен.

Глава 16

Герда стянула через голову черное платье, и оно соскользнуло на стул.

— Я не знаю... Я в самом деле не знаю, — сказала она. Лицо ее было жалким. — Теперь, кажется, ничто не имеет значения.

— Понимаю, дорогая, понимаю.

Миссис Паттерссон была доброжелательна, но тверда. Она прекрасно знала, как надо обращаться с людьми, понесшими тяжелую утрату. В семье о ней всегда говорили: «В критических ситуациях Элси просто великолепна!»

В данный момент она «была великолепной» в спальне своей сестры Герды на Харли-стрит. Элси Паттерссон, высокая, худощавая женщина с решительными манерами, смотрела на Герду со смешанным чувством раздражения и сострадания.

Бедняжка Герда... Какая трагедия потерять мужа... и так ужасно... и все-таки, даже теперь она как будто не осознает всей глубины случившегося. «Конечно, — размышляла миссис Паттерссон, — у Герды всегда была ужасно замедленная реакция. А тут еще и шок, об этом тоже нельзя забывать!»

— Я бы выбрала это черное креповое за двенадцать гиней, — сказала Элси отрывисто. «Вечно все надо решать за Герду!» — подумала она.

Герда стояла неподвижно, нахмурив брови.

— Я не знаю, — сказала она нерешительно, — признавал ли Джон траур. Кажется, я как-то слышала, он говорил, что это ему не нравится.

«Джон, — подумала она, — если бы Джон был здесь и сказал, что мне делать». Но Джон больше не вернется. Никогда... никогда... никогда! Остывающая баранина на столе... стук захлопнувшейся двери приемной... Джон, взбегающий по лестнице через две ступеньки, энергичный, бодрый, полный жизни...

Полный жизни...

Распростертый у плавательного бассейна... капли крови, медленно стекающие в воду... ощущение револьвера в руке... Кошмар, страшный сон, скоро она проснется, и все это окажется неправдой.

— На тебе должно быть что-то черное на суде. — Резкий голос сестры прорвался сквозь неясные мысли Герды. — Будет более чем странно, если ты появишься в ярко-синем.

— Это ужасное разбирательство в суде, — произнесла Герда, прикрыв глаза.

— Конечно, ужасно, дорогая, — быстро сказала Элси Паттерссон. — Но когда все кончится, ты сразу поедешь к нам, и мы позаботимся о тебе.

Туманная пелена, покрывавшая мысли Герды, сгустилась.

— Что же я буду делать без Джона? — проговорила она, и в ее голосе звучал почти панический испуг.

На это у Элси Паттерссон был готовый ответ:

— У тебя есть дети. Ты должна жить для них.

Зина, вся в слезах: «Мой папа умер!», ничком бросившаяся на кровать... Тэрри, бледный, с бесконечными вопросами, не проливший ни слезинки.

«Несчастный случай, — сказала она детям. — С бедным папой произошел несчастный случай!»

Берил Кольер (очень предусмотрительно с ее стороны) спрятала все утренние газеты, чтобы дети их не видели. Она также предупредила слуг. В самом деле, Берил очень добра и внимательна!

Тэренс пришел к матери в темную гостиную. Губы мальчика были плотно сжаты, лицо необычно бледное.

— Почему убили отца?

— Несчастный случай, дорогой... Я... я не могу говорить об этом.

— Это не был несчастный случай. Почему ты говоришь неправду? Это было убийство. Так пишут в газете.

— Тэрри, как ты раздобыл газету? Я сказала мисс Кольер...

Он несколько раз кивнул. Так странно, совсем как глубокий старик.

— Вышел и купил газету. Я знал, там должно быть что-то, о чем ты нам не сказала, иначе зачем было мисс Кольер их прятать?

От Тэрри никогда нельзя было скрыть правду. Его странная дотошная любознательность постоянно требовала удовлетворительного объяснения!

— Мама, почему он был убит?

Совершенно потрясенная, почти в истерике она закричала:

— Не спрашивай меня об этом... Не говори об этом... Я не могу говорить об этом... Это слишком ужасно!

— Но они узнают, правда? Я хочу сказать, они должны узнать. Это необходимо.

Так разумно, так трезво... Герде хотелось закричать, и засмеяться, и заплакать... «Ему безразлично, — подумала она, — ему все равно... Он только задает вопросы. Он даже не заплакал».

Тэренс ушел, стараясь избежать утешений своей тетки Элси. Одинокий мальчуган с застывшим лицом. Он всегда чувствовал себя одиноким. Но до сегодняшнего дня это не имело значения. «Сегодня, — думал он, — все совсем иначе!» Хоть бы кто-нибудь ответил на его вопросы разумно и внятно.

Завтра, во вторник, он и Николс Майнер должны были провести опыт с нитроглицерином. Он с таким волнением ждал этой минуты! Теперь радостное ожидание исчезло. Ему безразлично, даже если никогда больше он не получит нитроглицерин... При этой мысли Тэренс пришел в ужас. Никогда больше не мечтать о научных экспериментах?! «Но если отец убит... — думал он, — мой отец — убит...»

Что-то в нем шевельнулось... укоренилось... стало медленно расти... Гнев!

Постучав, Берил Кольер вошла в спальню. Она была бледна, собрана и, как всегда, практична.

— Пришел инспектор Грэйндж, — сообщила она.

Но когда Герда, судорожно вздохнув, жалобно посмотрела на нее, Берил поспешно добавила:

— Он сказал, что нет надобности вас беспокоить. Он поговорит с вами, перед тем как уйти. Это обычные вопросы, касающиеся практики доктора Кристоу, и я смогу сообщить все, что его интересует.

— О, спасибо, Колли!

Берил быстро вышла, а Герда вздохнула с облегчением:

— Колли так помогает! Она такая практичная.

— Да, разумеется, — согласилась миссис Паттерссон, — я думаю, она отличная секретарша. Очень некрасива, бедняжка, верно? Ну что ж, это даже лучше. Особенно с таким привлекательным мужчиной, как Джон.

— Что ты имеешь в виду? — набросилась на сестру Герда. — Джон никогда... он никогда... Ты говоришь так, словно Джон мог флиртовать или что-нибудь еще похуже, если бы у него была хорошенькая секретарша? Джон был совсем не такой!

— Конечно нет, дорогая, — сказала миссис Паттерссон, — но все-таки мы знаем, каковы мужчины!

В приемном кабинете инспектор Грэйндж был встречен холодным, воинственным взглядом Берил Кольер. Что взгляд был именно воинственный, это инспектор заметил сразу. Ну что ж, может быть, это естественно.

«Некрасивая девица, — подумал он, — я думаю, между ней и доктором ничего не было. Хотя он, может быть, ей нравился. Иногда такое бывает».

«Но не в этом случае», — пришел он к выводу после пятнадцатиминутной беседы, откинувшись на спинку стула. Ответы Берил Кольер на все его вопросы были образцово четкими. Она отвечала быстро и, совершенно очевидно, знала все детали врачебной практики доктора Кристоу как свои пять пальцев. Инспектор сменил тактику и начал потихоньку интересоваться отношениями между Джоном Кристоу и его женой.

— Они были, — сказала Берил, — в прекрасных отношениях.

— Полагаю, все же ссорились время от времени, как все супружеские пары? — Голос инспектора звучал естественно и доверительно.

— Я не помню никаких ссор. Миссис Кристоу была невероятно предана своему мужу... прямо-таки рабски предана.

В голосе Берил был легкий оттенок презрения. Инспектор его заметил. «Да она феминистка!» — подумал он, а вслух спросил:

— Совсем не могла постоять за себя?

— Просто для нее все вращалось вокруг доктора Кристоу.

— Деспотичен?

Берил задумалась.

— Нет, я бы этого не сказала. Но он был, по-моему, очень эгоистичным человеком и принимал как должное то, что миссис Кристоу всегда все делала так, как он того хотел.

— Какие-нибудь трудности с пациентами? Я имею в виду, с женщинами. Не бойтесь быть откровенной, мисс Кольер. Всем известно, что у докторов бывают трудности в этом плане.

— О, вот вы о чем! — презрительно сказала Берил. — Доктор Кристоу прекрасно справлялся с подобными трудностями. У него были превосходные манеры и отличные отношения с пациентками. Он в самом деле был замечательным доктором, — добавила она с невольным восхищением в голосе.

— Были у него связи с женщинами? — спросил Грэйндж. — Отбросьте лояльность, мисс Кольер, нам это очень важно знать!

— Да, я поняла. Мне об этом ничего не известно.

«Пожалуй, несколько резко, — подумал инспектор, — она не знает, но, видимо, догадывается».

— А как насчет мисс Генриетты Сэвернейк? — прямо спросил инспектор.

Берил крепко сжала губы:

— Она была близким другом семьи.

— Не было... неприятностей из-за нее между доктором и миссис Кристоу?

— Разумеется, нет!

Ответ был категоричен. Слишком категоричен.

— А что вы можете сказать о мисс Веронике Крэй?

— Вероника Крэй?

Удивление в голосе Берил было искренним.

— Она была другом доктора Кристоу, не так ли? — спросил инспектор.

— Я никогда о ней не слышала. Хотя мне, кажется, знакомо это имя...

— Киноактриса.

— Конечно! — Нахмуренные брови Берил расправились. — Мне казалось, я где-то его слышала. Но я не знала, что доктор Кристоу был с ней знаком.

Она говорила так уверенно, что инспектор решил оставить этот вопрос. Он продолжал расспрашивать о том, каким был доктор Кристоу в предыдущую субботу. И тут впервые ответы Берил стали не столь четкими.

— Его поведение не было обычным, — сказала она медленно.

— Чем же оно отличалось?

— Он казался рассеянным. Долго не вызывал последнюю пациентку, а, как правило, собираясь уехать на уик-энд, он всегда торопился поскорее закончить прием. Я думаю... да, я уверена, он был чем-то озабочен.

Но ничего более определенного она не сказала.

Инспектор Грэйндж был не очень удовлетворен результатами своего допроса. Он не приблизился к установлению мотива преступления, а мотив должен быть установлен, прежде чем дело поступит к прокурору.

В глубине души Грэйндж был уверен в том, что Герда Кристоу застрелила своего мужа. Он подозревал, что она сделала это из ревности, но до сих пор не нашел никаких подтверждений. Сержант Кумбз беседовал с прислугой, но все слуги повторяли одно и то же: миссис Кристоу готова была целовать землю, по которой ступал ее муж.

«Если что-то произошло, — думал он, — то это связано с «Лощиной». Вспоминая «Лощину», инспектор испытывал определенное беспокойство. Все они там какие-то очень странные.

На письменном столе зазвонил телефон, и мисс Кольер сняла трубку.

— Это вас, инспектор, — сказала она.

— Алло! Грэйндж у телефона. Слушаю. Что?..

Берил почувствовала перемену в его голосе и с любопытством посмотрела на него. Лицо инспектора было еще менее выразительным, чем обычно. Он слушал... что-то ворчал...

— Да... да, понял... Это абсолютно точно? Да? Ни тени сомнения. Да... да... да. Сейчас еду. Я здесь почти кончил... Да!

Он положил трубку и сидел неподвижно. Наконец он взял себя в руки и спросил совсем другим голосом, не таким, каким задавал предыдущие вопросы:

— У вас, вероятно, нет собственного мнения обо всей этой истории?

— Вы хотите сказать?..

— Я хочу сказать, что вы не имеете никакого представления о том, кто убил доктора?

— Ни малейшего представления, инспектор, — ответила она решительно.

— Когда обнаружили тело, миссис Кристоу стояла возле него с револьвером в руке... — Инспектор умышленно не закончил фразу.

Реакция Берил была быстрой, спокойной и рассудительной.

— Если вы думаете, что миссис Кристоу убила своего мужа, я убеждена, что вы ошибаетесь. Миссис Кристоу совсем не такая женщина. Она очень мягкая, покорная и была полностью у мужа под башмаком. Мне кажется крайне странным, что кто-то может хоть на мгновение вообразить, будто она его застрелила. Если даже обстоятельства складываются против нее.

— Ну а если не она, то кто это сделал? — резко спросил он.

— Понятия не имею... — медленно ответила Берил.

Инспектор направился к двери.

500

— Вы хотели повидать миссис Кристоу, прежде чем уйдете? — спросила она.

— Нет... Хотя, пожалуй, так будет лучше!

Берил снова удивилась, это был совсем не тот человек, который расспрашивал ее до телефонного звонка. Какое известие могло вызвать такую значительную перемену?

Герда нервно вошла в комнату. Она выглядела несчастной и ошеломленной.

— Вы узнали что-нибудь новое о том, кто убил Джона? — спросила она негромким, дрожащим голосом.

— Еще нет, миссис Кристоу.

— Это невероятно... совершенно невероятно!

— И тем не менее это случилось, миссис Кристоу.

Она кивнула, глядя вниз, комкая носовой платок, скатывая его в маленький шарик.

— Миссис Кристоу, у вашего мужа были враги? — спросил он тихо.

— У Джона? О нет! Он был удивительный человек! Все его обожали.

— А вы знаете кого-нибудь, кто затаил бы зло против него... — инспектор сделал паузу, — или против вас?

— Против меня? — Она казалась изумленной. — О нет, инспектор.

Инспектор Грэйндж вздохнул:

— А мисс Вероника Крэй?

— Вероника Крэй? О, вы имеете в виду женщину, которая пришла в тот вечер за спичками?

— Да, вы ее знали?

Герда покачала головой:

— Я никогда не видела ее раньше. Джон был знаком с ней много лет тому назад... во всяком случае, она так сказала...

— Может быть, у нее было что-то против доктора Кристоу, а вы об этом не знали?

— Я не верю, чтобы кто-нибудь затаил злобу против Джона, — с достоинством произнесла Герда. — Он был самый добрый и бескорыстный из людей... Да, один из благороднейших людей!

— Гм, да, конечно! — сказал инспектор. — Ну что же, доброго вам утра, миссис Кристоу. Вы помните о судебном заседании? В среду, в одиннадцать часов в

Маркет-Деплич. Все будет очень просто... не беспокойтесь... Очевидно, отложат на неделю, чтобы мы могли продолжить расследование.

— О да, понимаю. Спасибо.

Она стояла, внимательно глядя на него. Инспектору казалось, что она даже сейчас не уразумела того, что является главным лицом, на кого падает подозрение.

Грэйндж подозвал такси — оправданный расход в свете только что полученной им по телефону информации. Куда эти сведения приведут, он не знал. На первый взгляд они казались совершенно не относящимися к делу, даже... невероятными. В этом не было никакого смысла. Однако каким-то образом — он пока не мог понять как — это должно было иметь определенную связь с расследованием.

Единственный вывод, который можно было сделать, — дело оказалось не таким простым и ясным, как он предполагал.

Глава 17

Сэр Генри удивленно смотрел на инспектора Грэйнджа:

— Я не совсем уверен, что правильно вас понимаю, инспектор.

— Все довольно просто, сэр Генри. Я прошу вас проверить вашу коллекцию огнестрельного оружия. Я думаю, она каталогизирована и снабжена указателем?

— Естественно. Однако я уже опознал револьвер как оружие из моей коллекции.

— Все оказалось не так просто, сэр Генри.

Инспектор сделал паузу. Инстинктивно он всегда был против того, чтобы сообщать какую-либо информацию, но в данном случае вынужден был это сделать. Сэр Генри — человек значительный. Он, без сомнения, уступит просьбе, но потребует объяснений. Инспектор решил, что такие объяснения необходимо дать.

— Доктор Кристоу был убит выстрелом не из того револьвера, который вы опознали сегодня утром, — спокойно объяснил Грэйндж.

Брови сэра Генри поднялись.

— Удивительно! — сказал он.

Грейндж почувствовал некоторое облегчение и благодарность сэру Генри. «Удивительно!» — это как раз то, что он испытывал сам. Инспектор был благодарен и за то, что сэр Генри ничего к сказанному не прибавил. Большего в данный момент нельзя сказать. Это было удивительно... все, что сверх того, — просто не имело смысла.

— У вас есть основания полагать, — спросил сэр Генри, — что оружие, из которого был произведен роковой выстрел, — из моей коллекции?

— Никакого основания. Но я должен установить, что оружие в самом деле не из вашей коллекции.

Сэр Генри одобрительно кивнул:

— Я вас понимаю. Ну что же, давайте начнем. Это займет немного времени.

Сэр Генри отпер стол и вынул записную книжку в кожаном переплете. Раскрывая ее, он снова повторил:

— Нужно совсем немного времени, чтобы проверить...

Что-то в голосе сэра Генри привлекло внимание инспектора. Он пристально посмотрел на него. Плечи сэра Генри поникли... Он выглядел старше и более усталым.

Инспектор нахмурился. «Черт меня побери, — подумал он, — если я понимаю этих людей...»

— Гм!.. — произнес сэр Генри.

Грэйндж повернулся к нему всем корпусом. Он заметил по часам время. Двадцать... тридцать минут прошло с тех пор, как сэр Генри сказал: «Это займет немного времени...»

— Сэр? — отрывисто спросил Грэйндж.

— «Смит-и-вессон» 38-го калибра отсутствует. Он был в коричневой кожаной кобуре в глубине этого ящика.

— Так... — Голос инспектора казался спокойным, хотя сам он был возбужден. — А когда, по-вашему, вы видели его на месте в последний раз?

Сэр Генри на секунду задумался:

— Это нелегко сказать, инспектор. Последний раз я открывал этот ящик неделю назад и думаю... Не будь револьвера на месте, я бы это заметил. Но я не могу сказать с уверенностью, что видел револьвер.

Инспектор кивнул:

— Благодарю вас, сэр Генри. Я вполне понимаю. Ну что ж, я должен идти.

Инспектор вышел из комнаты... озабоченный и целеустремленный. После ухода инспектора сэр Генри некоторое время стоял неподвижно, потом медленно вышел через застекленную дверь на террасу. Его жена (с корзинкой, в перчатках) была занята в саду: подрезала ножницами какие-то редкостные кусты. Она весело помахала ему:

— Что хотел инспектор? Надеюсь, он больше не будет беспокоить слуг. Знаешь, Генри, им это не по душе. Они не могут видеть в этом ничего нового или занимательного, как мы.

— А мы именно так это воспринимаем?

Она заметила необычный тон мужа и мило улыбнулась ему:

— Как устало ты выглядишь, Генри! Можно ли позволять себе так беспокоиться?

— Убийство вызывает беспокойство, Люси.

Леди Энкейтлл мгновение раздумывала, машинально продолжая подрезать ветки. Затем лицо ее нахмурилось.

— О Господи!.. Это ужаснейшие ножницы! Они просто заколдованные! Невозможно остановиться, и всегда срезаешь больше, чем намеревался... Что ты сказал? Убийство вызывает беспокойство? Но в самом деле, Генри, я никогда не могла понять почему! Я хочу сказать, если человек должен умереть — от рака, или туберкулеза в одном из этих отвратительных светлых санаториев, или от удара (ужасно! С перекошенным на сторону лицом), или убит, или зарезан, или, может быть, удушен... Все сводится к одному и тому же, то есть, я хочу сказать, к смерти. На этом все беспокойства кончаются. Теперь все трудности достаются на долю родственников: ссоры из-за денег, соблюдать ли траур или нет, кому достанется письменный стол тети Селины и тому подобное!..

Сэр Генри сел на каменную ограду:

— Все может оказаться более неприятным, чем мы думали, Люси.

— Ну что ж, дорогой, нужно перетерпеть! А когда все будет позади, мы можем куда-нибудь уехать. Не стоит огорчаться сегодняшними неприятностями. Давай лучше думать о будущем. Как, по-твоему, хорошо ли будет отправиться в «Эйнсвик» на Рождество... или лучше отложить до Пасхи?

— До Рождества еще далеко, рано составлять рождественские планы.

— Да, но мне хочется мысленно представить все заранее. Пожалуй, Пасха. Да! — Люси радостно улыбнулась. — Она, конечно, придет в себя к этому времени.

— Кто? — спросил с удивлением сэр Генри.

— Генриетта, — спокойно ответила леди Энкейтлл. — Я думаю, если свадьба будет в октябре... я имею в виду, в октябре следующего года, тогда мы сможем провести в «Эйнсвике» Рождество. Я думаю, Генри...

— Лучше не надо, дорогая. Твои мысли слишком забегают вперед.

— Ты помнишь сарай в «Эйнсвике»? — спросила Люси. — Из него получится прекрасная мастерская! Генриетте нужна будет студия. Ты ведь знаешь, у нее настоящий талант. Эдвард, конечно, будет невероятно гордиться ею! Два мальчика и девочка было бы чудесно... или два мальчика и две девочки...

— Люси... Люси! Ты слишком увлеклась!

— Но, дорогой, — Люси широко распахнула прекрасные голубые глаза, — Эдвард ни на ком, кроме Генриетты, не женится. Он очень, очень упрям. Похож в этом на моего отца. Если уж он вбил себе что-нибудь в голову!.. Так что Генриетта, разумеется, должна выйти за него замуж! И теперь, когда Джона нет, она это сделает. Джон в самом деле был для нее величайшим несчастьем, какое только можно себе представить.

Он с любопытством посмотрел на нее:

— Мне всегда казалось, Люси, что Кристоу тебе нравится.

— Я находила его забавным. В нем было очарование. Но я всегда считала, что не нужно уделять слишком много внимания кому бы то ни было.

И осторожно, с улыбающимся лицом леди Энкейтлл без сожаления срезала еще одну ветку на кусте.

Глава 18

Эркюль Пуаро посмотрел в окно и увидел Генриетту Сэвернейк, идущую по тропинке к дому. На ней был костюм из зеленого твида, в котором она была в тот день, когда был убит Кристоу. Рядом с ней бежал спаниель.

Поспешив к парадной двери, Пуаро открыл ее: перед ним, улыбаясь, стояла Генриетта:

— Можно мне войти и посмотреть ваш дом? Мне нравится осматривать дома. Я вывела собаку на прогулку.

— Конечно, конечно! Как это по-английски — гулять с собакой!

— Да, — сказала Генриетта, — я думала об этом. Вы помните эти милые стихи:

> Неспешно дни летели чередой.
> Кормил утят и ссорился с женой,
> На флейте «Ларго» Генделя играл,
> С собакой каждый день гулял.

И она снова улыбнулась мимолетно сверкнувшей улыбкой.

Пуаро проводил Генриетту в гостиную. Она окинула взглядом строгую, опрятную обстановку и кивнула:

— Очень славно. Всего по два. Какой ужасной показалась бы вам моя студия!

— Ужасной? Но почему?

— О, повсюду налипла глина... тут и там разбросаны вещи, которые мне почему-то понравились, но могут быть только в одном экземпляре... в паре они просто убили бы друг друга!

— Это я могу понять, мадемуазель. Вы художница — человек искусства.

— А вы, мсье Пуаро, вы разве не человек искусства?

Пуаро склонил голову набок:

— Это нелегкий вопрос. Но, в общем, я бы сказал — нет! Я знал несколько преступлений, задуманных артистически... Они являлись, понимаете ли, высшим проявлением воображения... Но раскрытие этих преступлений... Нет, здесь нужна не сила созидания. Здесь требуется страсть к установлению истины.

— Страсть к истине, — задумчиво произнесла Генриетта. — Да, я понимаю, насколько это делает вас опасным. Однако удовлетворит ли вас знание истины?

Пуаро с любопытством взглянул на нее:

— Что вы имеете в виду, мисс Сэвернейк?

— Я могу понять ваше желание знать. Однако достаточно ли для вас знать истину? Или вы будете вынуждены идти дальше и обращать знание этой истины в действие?

Такой подход заинтересовал Пуаро.

— Вы хотите сказать, что, узнав правду о смерти доктора Кристоу, я мог бы удовлетвориться тем, что держал бы эту правду при себе. А вы знаете правду об этой смерти?

Генриетта пожала плечами:

— Кажется очевидным ответ — Герда. Как цинично, что жена или муж всегда подозреваются в первую очередь!

— Вы с этим не согласны?

— Я всегда стараюсь быть объективной.

— Мисс Сэвернейк, зачем вы явились сюда? — тихо спросил Пуаро.

— Должна признаться, что не обладаю вашей страстью к истине, мсье Пуаро. Прогулка с собакой — чисто английский предлог. Но вы, конечно, заметили, что у Энкейтллов нет собаки.

— Этот факт от меня не ускользнул.

— Поэтому я взяла спаниеля взаймы у садовника. Теперь вы видите, мсье Пуаро, что я не очень правдива.

И снова сверкнула короткая улыбка. Она показалась Пуаро невероятно трогательной.

— Но вы — цельная натура.

— Почему вы так говорите?

«Она удивлена... почти напугана...» — подумал Пуаро.

— Потому что, по-моему, это действительно так, — сказал он.

— Цельная натура, — повторила задумчиво Генриетта, — хотела бы я знать, что это значит на самом деле. — Она сидела очень тихо, уставившись на ковер, затем подняла голову и посмотрела на него: — Вы не хотите узнать, почему я пришла?

— Вам, наверное, трудно подобрать нужные слова.

— Да, пожалуй. Завтра заседание в суде, мсье Пуаро. Нужно бы решить, насколько...

Она не договорила. Встав с кресла, прошла по комнате, подошла к камину, поменяла местами несколько безделушек, а вазу с астрами, стоявшую в центре стола, переставила на самый край камина, отступила назад и, склонив голову набок, разглядывала результат.

— Как вам это нравится, мсье Пуаро?

— Совсем не нравится, мадемуазель!

— Я так и думала. — Она засмеялась и быстро и ловко вернула все на прежнее место. — Ну что ж, если решили что-то сказать, нечего зря тянуть! Вы такой человек, которому почему-то можно сказать все. Итак, начнем! Как вы думаете, нужно ли, чтобы полиция знала, что я была любовницей Джона Кристоу?

Голос у нее был сухой, бесстрастный. Она смотрела не на него, а на стену, повыше его головы. Указательный палец двигался по изгибам кувшина, в котором стояли пурпурные астры. У Пуаро явилась мысль, что именно это прикосновение помогало ей справиться с волнением.

— Понимаю. Вы были возлюбленной, — произнес Пуаро четко и тоже бесстрастно.

— Если вы предпочитаете такое выражение.

Он с любопытством посмотрел на нее:

— Разве вы не то сказали?

— Нет!

— Почему?

Генриетта подошла и села рядом с ним на диван.

— Нужно называть вещи своими именами, — сказала она медленно.

Интерес Пуаро усилился.

— Вы были любовницей доктора Кристоу... — сказал он, — как долго?

— Около шести месяцев.

— Я полагаю, полиция без труда сможет установить этот факт?

— Думаю, да, — ответила она, немного поразмыслив, — если, конечно, полицейские будут искать что-то в этом роде.

— О, конечно, будут. Уверяю вас.

— Да, думаю, что так. — Она помолчала. Положила руки на колени, вытянув пальцы, посмотрела на них, затем взглянула на Пуаро, быстро и дружески: — Ну что ж, мсье Пуаро, что теперь делать? Идти к инспектору Грэйнджу и сказать... Да что можно сказать таким усам, как у него?! Это такие домашние, семейные усы.

Рука Пуаро потянулась к его собственным усам, которыми он очень гордился.

— А мои, мадемуазель?

— Ваши усы, мсье Пуаро, — триумф искусства! Они несравнимы. Они, я в этом абсолютно уверена, уникальны!

— Безусловно!

— И вполне вероятно, что именно они являются причиной моей откровенности. Однако, если предположить, что полиция должна знать правду о Джоне и обо мне, так ли необходимо разглашать эту правду?

— Все зависит от обстоятельств, — сказал Пуаро. — Если полиция решит, что это не имеет отношения к делу, они будут сдержанны. Вас... это тревожит?

Генриетта кивнула. Минуту-другую она пристально смотрела вниз, на свои пальцы, затем, подняв голову, сказала, легко и бесстрастно:

— Зачем делать все еще хуже, чем оно есть для бедняги Герды? Она обожала Джона, а он мертв. Она его потеряла. К чему взваливать на нее дополнительную тяжесть?

— Вы о ней беспокоитесь?

— Вы считаете это лицемерием? Вы думаете, что, если бы меня хоть немного волновало состояние Герды, я не стала бы любовницей Джона. Но вы не понимаете... Все было совсем не так. Я не разбивала его семейную жизнь. Я была... одной из многих.

— Ах вот как!

— Нет, нет, нет! — сказала она резко. — Совсем не то, что вы думаете. Это как раз возмущает меня больше всего! Превратное представление, которое может сложиться у большинства о том, каким на самом деле был Джон. Поэтому я пришла поговорить с вами... У меня была слабая надежда, что я смогу заставить вас понять. Я хочу сказать, мне нужно, чтобы вы поняли, какой личностью был Джон! Мне кажется, я вижу заголовки в газетах — «Интимная жизнь доктора»... Герда, я, Вероника Крэй! А Джон не был таким. Он не был человеком, который много времени уделяет женщинам. Не женщины занимали главное место в его жизни, а работа! Именно в работе заключался для него интерес и восторг... да и чувство риска. Если бы Джона неожиданно попросили назвать имя женщины, постоянно занимающей его мысли, он сказал бы: «Миссис Крэбтри!»

— Миссис Крэбтри? — переспросил с удивлением Пуаро. — Кто же такая миссис Крэбтри?

— Это старуха, — в голосе Генриетты слышались и слезы и смех, — безобразная, грязная, морщинистая и неукротимая! Джон в ней души не чаял. Его пациентка из больницы Святого Христофора. У нее болезнь Риджуэя, очень редкая и неизлечимая болезнь... против нее нет никаких средств. Джон тем не менее пытался найти способ лечения. Я не могу объяснить научно: все было очень сложно... какая-то проблема гормонной секреции. Джон проводил эксперименты, и миссис Крэбтри была его самой ценной больной. У нее большая сила воли и мужество. Она хочет жить. И она любила Джона! Джон и она были заодно, они сражались вместе. Болезнь Риджуэя и миссис Крэбтри месяцами занимали Джона... день и ночь, и ничто другое не имело значения. Вот что значило для Джона быть доктором... не кабинет на Харли-стрит и богатые толстые женщины-пациентки. Все это было побочным. Главным были напряженная научная работа, любознательность и свершение. Я... О! Мне так хочется, чтобы вы поняли!

Ее руки взлетели в необычном отчаянном жесте, и Эркюль Пуаро невольно подумал, как эти руки красивы и выразительны.

— Вы, по-видимому, понимали Джона Кристоу очень хорошо, — заметил он.

— О да! Я понимала. Джон обычно приходил и начинал говорить. Не совсем со мной... скорее, мне думается, он просто рассуждал вслух. Таким образом многое становилось для него яснее. Иногда он был почти в отчаянии... не видел, как преодолеть возрастающую интоксикацию... И тогда у него появилась идея варьировать лекарствами. Я не могу объяснить, что это было... Больше всего это было похоже на сражение! Вы даже представить себе не можете — неистовство и концентрация, иногда истинная агония. А порой — полнейшее изнеможение...

Генриетта замолчала, глаза ее потемнели: она вспомнила.

— Наверное, вы сами обладаете определенными знаниями в этой области? — с любопытством спросил Пуаро.

— Нет. Лишь настолько, чтобы понимать, о чем говорил Джон. Я достала книги и прочитала об этом.

Она снова умолкла, лицо стало мягче, губы полуоткрылись. «Ее снова увлекли воспоминания», — подумал Пуаро. Наконец, вздохнув, она заставила себя вернуться к настоящему и грустно смотрела на Пуаро:

— Если бы я могла сделать так, чтобы вы увидели...

— Вы этого достигли, мадемуазель.

— В самом деле?

— Да, истину узнаешь, когда ее слышишь!

— Благодарю вас, но объяснить это инспектору Грэйнджу будет непросто.

— Пожалуй, непросто. Он будет акцентировать внимание на аспекте личных отношений.

— А это как раз совсем не важно, — с жаром сказала Генриетта. — Совершенно не важно.

Пуаро удивленно поднял брови, и Генриетта ответила на его невысказанный протест:

— Уверяю вас! Видите ли... через некоторое время... я оказалась между Джоном и тем, на чем он концентрировал всю свою энергию. Он видел во мне женщину, из-за меня не мог сосредоточиться, как того хотел. Испугался, что полюбит меня... а он не хотел никого любить. Джон был физически близок со мной, потому что не хотел постоянно и слишком много обо мне думать. Он хотел, чтобы наша связь была светлой и легкой, как всякая прочая связь.

— А вы... — Пуаро пристально наблюдал за ней, — а вас удовлетворяло... такое положение вещей?

Генриетта встала:

— Нет, я не была этим удовлетворена. В конце концов, я живой человек...

— В таком случае, мадемуазель, почему? — спросил Пуаро, помолчав.

— Почему? — Генриетта резко повернулась к нему. — Я хотела, чтобы Джон был доволен, чтобы было так, как он хотел, чтобы он мог продолжать заниматься тем, что ценил больше всего, — своей работой! Если он не хотел новых сердечных переживаний... не хотел снова чувствовать себя уязвимым... Ну что ж... я приняла это...

Пуаро потер нос:

— Только что, мисс Сэвернейк, вы упомянули Веронику Крэй. Она тоже была другом Джона Кристоу?

— До ее визита в «Лощину» в прошлую субботу он не видел ее пятнадцать лет.

— Он знал ее пятнадцать лет тому назад?

— Они были помолвлены. — Генриетта вернулась к дивану и села. — Я вижу, что должна все объяснить. Джон безумно любил Веронику, а она всегда была, да и сейчас осталась настоящей стервой. Это величайшая эгоистка. Вероника поставила условие, чтобы Джон бросил все, что было ему дорого, и стал послушным муженьком мисс Вероники Крэй. Джон разорвал помолвку... и правильно сделал, но мучился дьявольски. И у него появилась идея: взять в жены кого-нибудь, кто был бы как можно меньше похож на Веронику. Он женился на Герде, грубо говоря, первоклассной дуре. Все это было очень мило и безопасно, однако, как и должно было случиться, настал день, когда эта женитьба стала его раздражать. У него появились разные интрижки... ничего серьезного. Герда, разумеется, ничего об этом не знала. Но я думаю, все эти пятнадцать лет с Джоном было что-то неладно, что-то, связанное с Вероникой. Он так и не смог забыть ее. И вот в прошлую субботу он опять с ней встретился.

После долгой паузы Пуаро задумчиво произнес:

— В ту ночь он пошел ее провожать и вернулся в «Лощину» в три часа утра.

— Как вы узнали?

— У горничной болели зубы.

— В «Лощине» слишком много прислуги, — неожиданно заметила Генриетта.

— Но вы, мадемуазель, сами знали об этом.

— Да.

— Каким образом?

После незначительной паузы Генриетта медленно ответила:

— Я смотрела в окно и видела, как он вернулся.

— Зубная боль, мадемуазель?

Она улыбнулась:

— Боль совсем другого рода, мсье Пуаро! — Генриетта поднялась и направилась к двери.

— Я провожу вас, мадемуазель.

Они перешли дорогу и через калитку вошли в каштановую рощу.

— Нам не обязательно идти мимо бассейна, — сказала Генриетта. — Мы можем обойти слева по верхней тропинке и выйти к цветочной дорожке.

Тропинка вела круто вверх к лесу. Через некоторое время они вышли на более широкую тропу, идущую под углом через холм над каштановой рощей, и подошли к скамье. Генриетта села, Пуаро опустился рядом. Лес был у них за спиной, и над ними, внизу, — густо посаженная каштановая рощица. Как раз против скамьи, на которой они сидели, тропинка, извиваясь, вела вниз, где тускло мерцала голубая вода бассейна.

Пуаро молча наблюдал за Генриеттой. Выражение ее лица смягчилось, напряжение исчезло, лицо казалось круглее и моложе. Пуаро представил себе, как она выглядела в юности.

— О чем вы думаете, мадемуазель? — наконец спросил он очень мягко.

— Об «Эйнсвике».

— Что такое «Эйнсвик»?

— «Эйнсвик»? Это имение.

Генриетта описывала «Эйнсвик» почти мечтательно: изящный белый дом... высокая магнолия, возвышающаяся у дома, — все в оправе поднимающихся амфитеатром холмов, густо покрытых лесом.

— Это был ваш дом?

— Не совсем. Я жила в Ирландии. В «Эйнсвик» все приезжали по праздникам — Эдвард, и Мидж, и я. На самом деле это был дом Люси. Он принадлежал ее отцу, а после его смерти перешел к Эдварду.

— Не к сэру Генри? Титул, однако, у него.

— О, это К. С. В.![1] — объяснила она. — Генри — всего лишь дальний кузен.

— К кому перейдет «Эйнсвик» после Эдварда Энкейтлла?

— Как странно! Я никогда об этом не думала. Если Эдвард не женится...

Она замолчала, и тень прошла по ее лицу. Эркюлю Пуаро хотелось бы знать, какие мысли роятся в ее мозгу.

— Наверное, — медленно проговорила Генриетта, — «Эйнсвик» перейдет к Дэвиду. Так вот почему!

— Что — почему?

— Почему Люси пригласила его. Дэвид и «Эйнсвик»?.. — Генриетта покачала головой. — Они как-то не подходят друг другу.

Пуаро показал на тропинку перед ними:

— По этой тропинке, мадемуазель, вы пришли вчера к плавательному бассейну?

Она вздрогнула:

— Нет, по той, что ближе к дому. Этой тропинкой пришел Эдвард. — Она внезапно повернулась к Пуаро. — Мы все еще должны говорить об этом? Я ненавижу этот бассейн. Я даже ненавижу «Лощину»!

> Ненавижу страшную лощину, за темным лесом
> скрытую вдали,
> Красный вереск покрыл уступы; они алы,
> как губы в крови.
> Словно рой кровавый, лощина холодным ужасом дышит,
> О чем ни спросишь там эхо — в ответ только «Смерть!»
> услышишь.

Генриетта повернула к нему удивленное лицо.

— Теннисон, — сказал Эркюль Пуаро, — с гордостью кивнув. — Стихи вашего лорда Теннисона.

— О чем ни спросишь там эхо... — повторила за ним Генриетта, затем произнесла тихо, почти про себя: — Ну конечно... так и есть... Эхо!

— Эхо? Что вы имеете в виду?

— Эта усадьба... Сама «Лощина»! Я почти поняла это раньше... в субботу, когда мы с Эдвардом отправи-

---

[1] К. С. В. — кавалер ордена Бани (начальные буквы английского названия ордена).

лись на прогулку к холмам. «Лощина» — эхо «Эйнсвика»! И мы, все Энкейтллы! Мы не настоящие... не такие живые, каким был Джон! — Она снова повернулась к Пуаро. — Как жаль, что вы не знали его, мсье Пуаро! Мы все — тени по сравнению с Джоном. Джон был по-настоящему живым!

— Я понял это, мадемуазель, даже когда видел его умирающим.

— Знаю. Это чувствовал каждый. И вот Джон мертв, а мы — эхо! Мы существуем. Это, знаете ли, похоже на скверную шутку.

С лица Генриетты исчезла молодость, губы искривила горечь внезапной боли. Когда Пуаро спросил ее о чем-то, она не сразу поняла, о чем речь:

— Извините. Что вы сказали, мсье Пуаро?

— Я спросил, нравился ли вашей тете, леди Энкейтлл, доктор Кристоу?

— Люси? Между прочим, она мне кузина, а не тетя... Да, он ей очень нравился.

— А ваш... тоже кузен... мистер Эдвард Энкейтлл... ему нравился доктор Кристоу?

— Нет, не очень... но, в общем, он почти не знал его.

«Ее голос, — подумал Пуаро, — звучит несколько натянуто».

— А ваш... еще один кузен? Мистер Дэвид Энкейтлл?

Генриетта улыбнулась:

— Дэвид, я думаю, ненавидит всех нас. Он проводит время заточившись в библиотеке, читая «Британскую энциклопедию».

— О! Серьезный юноша.

— Мне жаль его. У него тяжелая обстановка дома... мать — человек неуравновешенный... инвалид. Единственный его способ самозащиты — попытаться чувствовать свое превосходство над окружающими. Если у него получается — все в порядке, но иногда эта защита рушится, и тогда виден истинный Дэвид, легко ранимый и уязвимый.

— Он чувствовал свое превосходство над доктором Кристоу?

— Пытался... но, мне кажется, из этого ничего не получалось. Я подозреваю, что Джон Кристоу был как раз таким человеком, каким хотел бы стать Дэвид... В результате — он питал к Джону отвращение.

Пуаро задумчиво кивнул:

— Да... Самонадеянность, уверенность, мужество — интенсивные черты мужского характера. Это интересно... очень интересно.

Генриетта ничего не ответила.

Сквозь каштаны, внизу у бассейна, Эркюль Пуаро увидел человека, который, наклонившись, казалось, что-то искал.

— Интересно... — снова тихо повторил Пуаро.

— Что вы сказали?

— Это кто-то из людей инспектора Грэйнджа, — ответил Пуаро. — Он как будто что-то ищет?

— Наверное, улики. Разве полицейские не ищут улик? Пепел от сигарет, следы башмаков, обгорелые спички? — В голосе Генриетты была горькая насмешка.

— Да, они ищут все это, — серьезно ответил Пуаро, — иногда находят. Но настоящие улики, мисс Сэверней, в деле, подобном этому, обычно нужно искать в личных отношениях людей, связанных с данным преступлением.

— Я что-то не понимаю вас.

— Мелочи! — сказал Пуаро. Он сидел откинув голову назад, полузакрыв глаза. — Не сигаретный пепел или отпечатки резиновых каблуков, а жест, взгляд, неожиданный поступок...

Генриетта, резко повернув голову, пристально посмотрела на него. Пуаро почувствовал этот взгляд, но не повернул головы.

— Вы имеете в виду... что-нибудь определенное?

— Я думал о том, как вы, шагнув вперед, взяли револьвер из рук миссис Кристоу, а затем уронили его в бассейн.

Он почувствовал, что она слегка вздрогнула, но голос ее остался таким же ровным и спокойным:

— Герда, мсье Пуаро, довольно неуклюжий человек. В состоянии шока она могла бы выстрелить и, если в револьвере была еще пуля... поранить кого-нибудь.

— Однако было очень неуклюже с вашей стороны уронить револьвер в воду, не правда ли?

— Видите ли... У меня тоже был шок... — Генриетта помолчала. — На что вы намекаете, мсье Пуаро?

Пуаро выпрямился, повернулся в ее сторону и заговорил обычным деловым тоном:

— Если были отпечатки пальцев на этом револьвере... Я имею в виду отпечатки, сделанные до того, как миссис Кристоу взяла его в руки, было бы интересно узнать, кому они принадлежали... но этого мы теперь никогда не узнаем.

— Вы хотите сказать, что там были мои отпечатки пальцев, — тихо, но твердо сказала Генриетта. — Вы намекаете, что я застрелила Джона, оставила револьвер около тела, чтобы Герда могла подойти и взять его... Вы на это намекаете, не так ли? Однако, если я так сделала, согласитесь, у меня хватило бы ума прежде всего стереть свои собственные отпечатки пальцев.

— Вы, мадемуазель, достаточно умны и понимаете, что, сделай вы так и не окажись на револьвере никаких следов, это было бы крайне странным! Потому что все вы накануне стреляли из этого револьвера. Герда Кристоу вряд ли стерла отпечатки пальцев до выстрела... К чему ей это?

— Значит, вы думаете, что я убила Джона? — медленно сказала Генриетта.

— Умирая, доктор Кристоу сказал: «Генриетта!»

— И вы считаете, что это было обвинением? Это не так.

— Что же в таком случае?

Генриетта, вытянув ногу, чертила носком туфли что-то на земле.

— Вы не забыли, — сказала она тихо, — что я говорила вам не так давно? О наших отношениях?

— Ах да! Вы были его возлюбленной... и, умирая, он произносит ваше имя. Очень трогательно!

— Обязательно нужно издеваться?

— Я не издеваюсь. Но я не люблю, когда мне лгут, а именно это, я думаю, вы и пытаетесь делать.

— Я уже говорила вам, что не очень правдива, — тихо сказала Генриетта, — но, когда Джон сказал «Генриетта», он не обвинял меня в убийстве. Неужели вы не можете понять, что люди моего типа, те, кто создает вещи, не могут лишить кого-либо жизни?! Я не убиваю людей, мсье Пуаро. Я не могла бы убить, это чистая правда. Вы подозреваете меня только потому, что

517

мое имя прошептал умирающий человек, который вряд ли сознавал, что говорит.

— Доктор Кристоу это прекрасно понимал! Голос был энергичный и сознательный, как у доктора во время жизненно важной операции, который говорит четко и настойчиво: «Сестра, пинцет, пожалуйста!»

— Но... — Она казалась ошеломленной, захваченной врасплох.

— И это не только из-за слов, сказанных умирающим доктором Кристоу. Я не верю, что вы способны на предумышленное убийство... Нет! Но вы могли выстрелить внезапно, под влиянием сильной обиды, негодования... и если так... если так, мадемуазель, у вас достаточно изобретательности, чтобы скрыть следы.

Генриетта поднялась со скамьи. Мгновение она стояла, глядя на него, бледная, потрясенная. Затем сказала с неожиданно разочарованной улыбкой:

— А я думала, что вы мне симпатизируете.

Пуаро вздохнул.

— К моему сожалению, это так и есть, — грустно сказал он.

Глава 19

Когда Генриетта ушла, Пуаро остался сидеть на скамье, пока не увидел инспектора Грэйнджа, который решительным шагом обогнул бассейн и направился по тропинке мимо павильона.

Инспектор, видимо, шел с определенной целью: или в «Тихую гавань», или в «Голубятню». «Интересно, — подумал Пуаро, — в какой коттедж из двух?»

Пуаро поднялся и пошел назад тем же путем, каким пришел. Если инспектор Грэйндж направлялся к нему, Пуаро с интересом выслушает, что хотел сообщить ему инспектор.

Однако, вернувшись в «Тихую гавань», Пуаро не увидел никаких следов посетителя. Он задумчиво посмотрел вдоль дороги в сторону «Голубятни». Пуаро знал, что Вероника Крэй не уехала в Лондон.

Интерес Эркюля Пуаро к Веронике Крэй усилился: блестящий лисий мех, горка спичечных коробок, неудовлетворительное объяснение неожиданного вторжения в субботу вечером и, наконец, рассказ Генриетты о Джоне Кристоу и Веронике.

Интересный шаблон. Да, он воспринимал это именно так. Сложный узор переплетенных чувств и столкновение характеров. Странный, запутанный узор, пронизанный темными нитями ненависти и страха.

Герда Кристоу действительно убила мужа? Или все было сложнее? Вспомнив свой разговор с Генриеттой, Пуаро решил, что все было не так просто. Генриетта сделала поспешный вывод, что он ее подозревает в убийстве, хотя на самом деле у него и в мыслях ничего подобного не было. Он просто считал, что она что-то знает. Знает и скрывает...

Пуаро недовольно покачал головой.

Сцена у бассейна. Инсценированная сцена, театральная.

Инсценированная кем? И для кого?

Ответ на вопрос был совершенно очевидным — для Эркюля Пуаро! Так он думал в то время. Посчитал это дерзостью, шуткой дурного тона. Это так и осталось дерзостью... но не было шуткой.

А ответ на первый вопрос?

Пуаро покачал головой. Он не знал. Не имел ни малейшего представления. Он прикрыл глаза и сразу же представил себе всех очень четко... Сэр Генри, честный, ответственный, пользующийся доверием административный деятель империи. Леди Энкейтлл, призрачная, неуловимая, неожиданно и ошеломляюще очаровательная, обладающая чрезвычайно опасной силой алогичного внушения. Генриетта Сэвернейк, которая любила Джона Кристоу сильнее, чем себя; мягкий и неуверенный Эдвард Энкейтлл; темноволосая положительная девушка по имени Мидж Хардкасл; ошеломленное лицо Герды Кристоу, сжимающей в руке револьвер; уязвимый юноша Дэвид Энкейтлл...

Все они пойманы удерживающей их сетью закона. Связаны на какое-то время безжалостными последствиями внезапной насильственной смерти. У каждого из них — у него или у нее — есть собственная трагедия, его или ее собственная судьба. И где-то в этом взаимодействии характеров и эмоций скрывается истина.

Для Эркюля Пуаро единственным, более увлекательным занятием, чем изучение человеческой личности, был поиск истины. И он был намерен установить истину в деле с убийством Джона Кристоу.

— Разумеется, инспектор, — сказала Вероника. — Я очень хочу помочь вам!

— Благодарю вас, мисс Крэй.

Вероника Крэй выглядела совсем не так, как представлял себе инспектор. Он был готов к встрече с неким романтическим ореолом, искусственностью, героикой и отнюдь не был бы удивлен, если бы она разыграла перед ним какую-нибудь сцену. Фактически она, как и подозревал инспектор, разыгрывала роль. Но это была не та роль, какую он ожидал.

Не было преувеличенной женственности, очарование не было подчеркнуто. Вместо этого, он видел перед собой богато одетую, необыкновенно красивую и в то же время деловую женщину. Вероника Крэй, подумал инспектор, отнюдь не глупа.

— Мисс Крэй, нам хотелось бы получить четкое объяснение. Вы явились в «Лощину» в субботу вечером?

— Да. У меня кончились спички. Как-то забываешь, насколько подобные вещи необходимы в деревне.

— И вы отправились за спичками в «Лощину»? Почему не к вашему ближайшему соседу, мсье Пуаро?

Она улыбнулась превосходной, доверительной киноулыбкой:

— Тогда я не знала, кто мой сосед, иначе я бы к нему обратилась. Я просто подумала, что это какой-то невысокого роста иностранец, который, живя рядом, может оказаться навязчивым, вы, конечно, понимаете...

«Да, — подумал инспектор, — вполне правдоподобно. Она заготовила этот ответ заранее, на всякий случай».

— Вы взяли спички, — продолжал инспектор, — и, как я понимаю, неожиданно встретили вашего старинного друга, доктора Кристоу?

Она кивнула:

— Бедняга Джон! Я не видела его пятнадцать лет.

— В самом деле? — В голосе инспектора чувствовалось вежливое недоверие.

— В самом деле, — ответила она твердо.

— Вы были рады его видеть?

— Очень. Всегда приятно встретить старинного друга, не так ли, инспектор?

— Возможно, в некоторых случаях.

Не ожидая дальнейших расспросов, Вероника Крэй продолжала рассказывать:

— Джон проводил меня. Вы, конечно, хотите узнать, говорил ли он что-нибудь, что могло иметь связь с трагедией. Я очень тщательно обдумала наш разговор, но не нашла ничего похожего.

— О чем вы говорили, мисс Крэй?

— О прошлом. «А ты помнишь?...» О том о сем... и всякое такое... — Она задумчиво улыбнулась. — Мы познакомились на юге Франции. Джон мало изменился. Разумеется, стал старше, увереннее... Как я понимаю, он был довольно известен в своей области. Джон совсем не говорил о своей личной жизни. Но у меня создалось впечатление, что его семейная жизнь сложилась не слишком счастливо, но это, конечно, лишь смутные впечатления. Я полагаю, его жена, бедняжка, одна из тех заурядных женщин, которые вечно устраивают скандалы из-за хорошеньких пациенток...

— Нет, — сказал Грэйндж, — она совсем другая.

— Вы имеете в виду, — быстро сказала Вероника, — все это было у нее скрыто внутри? Да, да, я понимаю... Это еще опаснее.

— Как я вижу, мисс Крэй, вы полагаете, что миссис Кристоу убила своего мужа?

— Я не должна была так говорить! Нельзя высказывать суждения до... как это?.. До судебного разбирательства. Я чрезвычайно сожалею, инспектор. Я сказала так, потому что моя горничная говорила, будто Герду нашли возле тела мужа с револьвером в руке. Вы знаете, в этих тихих деревенских уголках все страшно преувеличивается, а слуги легко распространяют такие сплетни.

— Слуги иногда могут быть очень полезны, мисс Крэй.

— Да, я полагаю, значительную часть ваших сведений вы получаете от слуг.

— Вопрос, конечно, заключается в том, — продолжал невозмутимо Грэйндж, — у кого имелся мотив.

— И жена всегда подозревается в первую очередь, — сказала Вероника со слабой улыбкой. — Как цинично! Однако нередко бывает в таких случаях, что замешана «другая женщина». Я думаю, это надо принять во внимание!

— Вы полагаете, в жизни доктора Кристоу была другая женщина?

— Видите ли... да, я считаю это возможным. Такое складывается впечатление.

— Впечатления могут быть иногда очень полезными, — заметил Грэйндж.

— Мне кажется... по его словам... эта женщина... скульптор была ему очень близким другом. Но я полагаю, вы уже об этом знаете?

— Разумеется, мы все должны принять во внимание.

Инспектор Грэйндж говорил крайне уклончиво, но он заметил, хоть и не подал вида, быстрый и злобный огонь удовлетворения, сверкнувший в больших голубых глазах актрисы.

— Вы сказали, что доктор Кристоу проводил вас домой. В котором часу вы простились с ним? — сухо, официально спросил инспектор.

— Боюсь, не смогу ответить на этот вопрос! Помню, что мы разговаривали. Наверное, было довольно поздно.

— Он заходил к вам в дом?

— Да, я предложила ему выпить вина.

— Понятно. Я полагаю, ваш разговор имел место в... гм... павильоне около бассейна.

Он заметил, как ее ресницы дрогнули. Однако не прошло и секунды, как она ответила:

— Вы в самом деле детектив, не так ли? Да, мы сидели там и курили и разговаривали некоторое время. Как вы узнали?

На лице Вероники было заинтересованное выражение, как у ребенка, который ждет, чтобы ему показали необычный фокус.

— Вы забыли там ваш мех, мисс Крэй... и спички, — добавил он как бы между прочим.

— Да, в самом деле.

— Доктор Кристоу вернулся в «Лощину» в три часа утра, — сказал инспектор так же сухо.

— Неужели было так поздно? — В ее голосе звучало удивление.

— Да, мисс Крэй.

— Впрочем, у нас было о чем поговорить... ведь мы так давно не виделись.

— Вы уверены, что так долго не виделись с доктором Кристоу?

— Я только что сказала вам, что не видела его пятнадцать лет.

— Вы не ошибаетесь? У меня такое впечатление, что вы встречались с ним довольно часто.

— Почему вы так думаете?

— Ну, хотя бы это. — Инспектор вынул из кармана записку, взглянул на нее, откашлялся и прочитал: — «Пожалуйста, приходи сегодня утром. Я должна тебя видеть. Вероника».

— Да-а. — Она улыбнулась. — Пожалуй, несколько безапелляционно. Боюсь, Голливуд делает человека довольно высокомерным.

— Доктор Кристоу на следующее утро пришел к вам по вашему вызову. Вы поссорились. Не скажете ли вы, мисс Крэй, по какому поводу возникла ссора?

Инспектор обнаружил свои намерения и сразу же заметил вспышку гнева, раздраженно сжатые губы.

— Мы не ссорились, — отрезала она.

— О нет, вы ссорились, мисс Крэй. Ваши последние слова были: «Я ненавижу тебя, как никого на свете!»

Она молчала. Инспектор чувствовал, что она думает, быстро и воинственно. Другая на ее месте поторопилась бы с объяснениями, но Вероника Крэй была слишком умна для этого.

Она пожала плечами.

— Понимаю. Сплетни прислуги, — сказала она легко. — У моей маленькой горничной довольно богатое воображение. Видите ли, можно по-разному произнести фразу. Уверяю вас, я была далека от всякой мелодрамы. На самом деле это было скорее кокетливое замечание, легкий флирт. Мы просто пикировались.

— Значит, эти слова не были сказаны всерьез?

— Разумеется, нет! И уверяю вас, инспектор, действительно прошло пятнадцать лет с тех пор, как я видела Джона Кристоу. Вы сами можете это проверить.

К ней вернулось самообладание, уверенность.

Грэйндж не стал возражать и прекратил расспросы.

— Пока это все, мисс Крэй, — сказал он любезно.

Грэйндж вышел из «Голубятни», прошел немного по дороге и свернул к калитке «Тихой гавани».

Эркюль Пуаро смотрел на инспектора с нескрываемым удивлением:

— Револьвер, который Герда Кристоу держала в руке и который потом уронили в бассейн, — не то оружие, из которого был произведен фатальный выстрел? Невероятно!

— Вот именно, мсье Пуаро! Попросту говоря, это нарушает логическую связь событий.

— Логическая связь событий, — тихо повторил Пуаро. — И тем не менее, инспектор, она должна быть, верно?

— Совершенно верно, мсье Пуаро, — мрачно произнес инспектор. — Мы должны найти способ, чтобы связать все воедино, но в данный момент я этой связи не вижу. Очевидно, мы не продвинемся вперед, пока не найдем револьвера, из которого был произведен выстрел. Он из коллекции сэра Генри. Во всяком случае, такого револьвера на месте не оказалось, а это значит, что все продолжает оставаться связанным с «Лощиной».

— Да, — пробормотал Пуаро. — Все связано с «Лощиной».

— На первый взгляд дело выглядело таким простым и понятным, — продолжал инспектор, — а оказалось все и не так просто, и совсем непонятно.

— Нет, — произнес Пуаро, — не так просто.

— Мы должны учесть возможность того, что все было подстроено, чтобы впутать Герду Кристоу. Но если это так, почему бы не оставить возле убитого тот самый револьвер, из которого был сделан выстрел, чтобы Герда подняла этот револьвер?

— Она могла бы и не поднимать его.

— Это верно, но, даже если ничьих отпечатков пальцев на револьвере не было, иными словами, если его вытерли после выстрела, все равно Герда оказалась бы под подозрением. А это как раз то, чего хотел убийца, верно?

— Вы так думаете?

Грэйндж пристально посмотрел на него:

— Но... если вы совершили убийство, вы постараетесь сделать так, чтобы подозрения пали на кого-нибудь другого. Ведь так? Это была бы нормальная реакция.

— Да-а, — протянул Пуаро. — Однако, может быть, мы имеем дело с необычным типом убийцы. Возможно, именно в этом заключается решение нашей проблемы.

— Какое же это решение?

— Необычный тип убийцы, — задумчиво сказал Пуаро.

Инспектор с любопытством посмотрел на него.

— В таком случае, — произнес он, — в чем же заключалась идея убийцы? Чего он или она добивались?

Пуаро со вздохом развел руками:

— Не имею представления! Ни малейшего представления! Но мне кажется... хотя очень смутно...

— Что именно?

— Кто-то хотел убить Джона Кристоу, но не хотел впутывать в это дело Герду Кристоу.

— Гм! Фактически мы сразу подозревали ее.

— О да, но все оказалось иначе. Когда всплыли факты с револьвером, все дело получило другой оборот. За этот промежуток у преступника было время...

Пуаро внезапно запнулся:

— Время для чего?

— О, mon ami[1], тут вы меня загнали в угол. Снова я должен признать, что не знаю.

Инспектор Грэйндж дважды прошелся взад и вперед по комнате. Затем остановился перед Пуаро:

— Я пришел к вам сегодня, мсье Пуаро, по двум причинам. Во-первых, потому, что я знаю вас как человека с большим опытом, который распутал не одну сложную проблему подобного рода. Это причина номер один. Во-вторых, есть еще одна причина. Вы были на месте. Вы были свидетелем. Вы видели, что случилось.

Пуаро кивнул:

---

[1] Мой друг *(фр.)*.

525

— Да, я видел случившееся... Но глаза, инспектор Грэйндж, очень ненадежный свидетель.

— Вы что имеете в виду, мсье Пуаро?

— Глаза видят иногда то, что было для них подстроено.

— Вы хотите сказать, что все было подстроено заранее?

— Подозреваю, что так. Понимаете, все было как на сцене. То, что я видел, было довольно ясно: человек, которого только что убили, и женщина, убившая его, держащая в руке револьвер, из которого был произведен выстрел. Вот то, что я видел. А мы уже знаем, что в этой картине есть ошибка. Джон Кристоу был убит не из этого револьвера.

— Гм! — Инспектор Грэйндж решительно потянул вниз свой повисший ус. — Вы ведете к тому, что другие части картины могут быть тоже ошибочными?

Пуаро кивнул:

— Там было еще три человека... которые, по-видимому, только что появились на сцене. Но это также может быть неверным. Бассейн окружен густой зарослью молодых каштанов. От бассейна отходит пять дорожек: к дому, в лес, к цветочной дорожке, к ферме и к дороге.

Все трое подошли к бассейну по разным дорожкам: Эдвард Энкейтлл — по верхней из леса, леди Энкейтлл — с фермы и Генриетта Сэвернейк — от цветочной дорожки за домом. Все трое появились на месте преступления почти одновременно, через несколько минут после Герды Кристоу.

Однако, инспектор, один из трех мог оказаться у бассейна до Герды Кристоу, застрелить Джона Кристоу, удалиться вверх или вниз от бассейна по одной из дорожек, а затем вернуться назад и появиться одновременно с остальными.

— Да, это возможно, — сказал инспектор Грэйндж.

— Есть и другая возможность. Кто-то мог появиться со стороны дороги и, убив Джона Кристоу, уйти той же дорожкой незамеченным.

— Вы абсолютно правы, — согласился Грэйндж. — Кроме Герды, есть еще два других подозреваемых. Мотив тот же — ревность. Это, безусловно, crime

526

passionnel[1]. Еще две женщины замешаны в этой истории. — Немного помолчав, Грэйндж добавил: — Кристоу в то утро ходил к Веронике Крэй. Возник скандал. Она заявила, что заставит его пожалеть обо всем, что он сделал, и что она ненавидит его, как никого на свете.

— Интересно, — пробормотал Пуаро.

— Мисс Крэй недавно из Голливуда, а, как я могу судить из газет, они там иногда постреливают друг в друга. Она могла вернуться за своим мехом, который забыла накануне ночью, они встретились. Вспыхнула ссора... она выстрелила, а затем, услышав, что кто-то идет, ускользнула обратно тем же путем. — Помолчав немного, инспектор раздраженно добавил: — И опять мы приходим к тому, что все расползается по швам! Этот проклятый револьвер! Хотя... — Глаза его заблестели. — Она могла убить его из собственного револьвера и оставить другой, взятый из кабинета сэра Генри, чтобы бросить подозрение на кого-нибудь из «Лощины». Вероятно, ей известно, что можно опознать оружие по нарезке в стволе.

— Как вы думаете, сколько людей осведомлено об этом?

— Я спрашивал сэра Генри. Он говорит, что довольно много людей знает это из детективных историй. Он назвал новый роман — «Загадка испорченного фонтана», который, по его словам, Джон Кристоу читал в среду. В нем как раз подчеркивается этот момент. Да, это означало бы преднамеренность. — Инспектор снова дернул себя за ус. Помолчав, он взглянул на Пуаро. — Вы, кажется, сами намекали на другую возможность, мсье Пуаро? Мисс Сэвернейк! Здесь снова появляется на сцену ваше свидетельство — вы были очевидцем, вернее, вы слышали собственными ушами, как доктор Кристоу, умирая, сказал: «Генриетта!» Вы это сами слышали, и все слышали, хотя мистер Энкейтлл как будто не расслышал, что сказал Кристоу.

— Эдвард Энкейтлл не слышал? Это интересно.

— Но другие слышали. Мисс Сэвернейк утверждает, будто он пытался ей что-то сказать. Леди Энкейтлл

---

[1] Преступление на почве ревности *(фр.)*.

говорит, что Кристоу открыл глаза, увидел мисс Сэвернейк и сказал: «Генриетта». Она, как мне кажется, не придает этому факту особого значения.

— Нет, конечно, — улыбнулся Пуаро. — Она не станет придавать этому никакого значения.

— Ну а вы, мсье Пуаро, что вы скажете? Вы были там, видели и слышали. Доктор Кристоу действительно пытался сказать, что Генриетта стреляла в него? Короче говоря, это звучало как обвинение?

— Тогда я так не думал, — медленно произнес Пуаро.

— А теперь, мсье Пуаро? Что вы думаете теперь? Пуаро вздохнул.

— Может быть, и так, — сказал он задумчиво. — Больше я ничего не могу сказать. То, о чем вы меня спрашиваете, — всего лишь впечатление, и через некоторое время может легко появиться искушение вкладывать в него то, чего совсем не было.

— Конечно, конечно, — поспешил заверить его инспектор. — Это между нами, неофициально. То, что думает Эркюль Пуаро, не является доказательством. Я понимаю. Я просто хочу получить возможную подсказку.

— О, я очень хорошо вас понимаю... Впечатления очевидца могут быть очень полезными. Но, к своему стыду, я должен признать, что мои впечатления ничего не стоят. В результате увиденного я был под ошибочным впечатлением, что миссис Кристоу только что убила своего мужа, поэтому, когда доктор Кристоу открыл глаза и сказал: «Генриетта», я никак не посчитал это обвинением. Крайне соблазнительно теперь, оглядываясь назад, попытаться увидеть в этой сцене что-то такое, чего там и не было.

— Я вас понимаю, — сказал Грэйндж, — однако, мне кажется, раз «Генриетта» было последним словом, произнесенным Кристоу, оно может значить одно из двух: обвинение в убийстве или, ну, просто выражение чувства. Перед ним была женщина, которую он любил, и он был при смерти. Имея в виду все сказанное, какая из двух версий кажется вам более правдоподобной?

Пуаро вздохнул, пошевелился, закрыл глаза, снова их открыл, с раздражением вскинул руки:

— Голос Кристоу был настойчивый. Это все, что я могу сказать. Настойчивый. Он не показался мне ни обвиняющим, ни эмоциональным, только настойчивым. В одном я абсолютно уверен — он был в полном сознании. Он говорил... да, он говорил как доктор. Доктор, скажем, вынужденный срочно действовать в критических обстоятельствах, как если бы, например, перед ним был пациент, истекающий кровью. — Пуаро пожал плечами. — Это все, что я могу сказать.

— Как врач? — спросил инспектор. — Ну что же, это еще одна точка зрения. В него стреляли, он чувствовал, что умирает, и хотел, чтобы что-то было срочно предпринято. И если мисс Сэвернейк, как говорит леди Энкейтлл, была первой, кого он увидел, открыв глаза, то он обратился к ней. Все-таки это как-то не очень убедительно!

— Конечно, не убедительно, — с горечью сказал Пуаро, — создалось впечатление, что сцена убийства инсценирована и разыграна, чтобы обмануть Пуаро... И он был обманут! Нет, конечно, не убедительно...

Инспектор Грэйндж посмотрел в окно.

— Хэлло! — воскликнул он. — Это мой сержант Кумбз. Похоже, у него что-то есть. Он беседовал с прислугой... Дружеский подход. Красивый парень и умеет обращаться с женщинами.

Сержант Кумбз вошел, слегка запыхавшись. Он был явно доволен собой, хотя скрывал это, держась почтительно и официально.

— Я подумал, что лучше прийти и доложить вам, сэр, так как знал, куда вы отправились.

Он колебался, бросив недоверчивый взгляд на Пуаро, чей экзотичный, явно иностранный вид не соответствовал представлению сержанта о предписываемой уставом скрытности.

— Выкладывай, парень! — сказал Грэйндж. — Не обращай внимания на мсье Пуаро. Он знает правила этой игры лучше, чем ты сможешь их усвоить даже через несколько лет!

— Слушаюсь, сэр. Я кое-что узнал на кухне от судомойки.

Грэйндж, перебив его, с торжеством повернулся в сторону Пуаро:

— А что я вам говорил?! Всегда есть надежда на кухонную прислугу. Господи, помоги нам! Что мы будем делать, когда сократят число домашней прислуги и не будут больше держать судомоек?! Говорят, судомойки болтливы. Не совсем верно! Просто они так унижены поваром и вышестоящими слугами, что могут рассказать обо всем любому, кто готов их выслушать. Это просто в человеческой натуре. Продолжай, Кумбз!

— Вот что сказала девушка, сэр. В воскресенье после полудня она видела дворецкого Гаджена, который стоял в холле с револьвером в руке.

— Гаджен?

— Да, сэр. — Кумбз заглянул в свою записную книжку. — Вот ее собственные слова: «Я не знаю, что делать, но думаю, должна сказать все, что видела в тот день. Я видела мистера Гаджена; он стоял в холле с револьвером в руке. Мистер Гаджен выглядел очень странно».

Я не думаю, — сказал Кумбз, перебивая свой доклад, — что выражение «выглядел очень странно» что-нибудь значит. Мне кажется, она это просто выдумала. Но я решил, что вы должны знать об этом немедленно.

Инспектор Грэйндж поднялся с довольным видом человека, который явно видит поставленную перед ним задачу и готов ее выполнять.

— Гаджен? — повторил он. — Я сейчас же допрошу его.

Глава 20

В кабинете сэра Генри инспектор Грэйндж пристально вглядывался в неподвижное лицо сидевшего перед ним человека. Пока перевес был на стороне Гаджена.

— Я очень сожалею, сэр, — повторил он. — Очевидно, я должен был упомянуть об этом случае, он просто ускользнул из моей памяти. — Гаджен говорил извиняющимся тоном, переводя взгляд с инспектора на сэра Генри. — Было около половины шестого, сэр, если я верно припоминаю. Я проходил через холл, чтобы проверить, нет ли писем для отправки на почту, и заметил револьвер, который лежал на столе. Я подумал, что он, должно быть, из коллекции хозяина, поэтому взял его и принес сюда. На полке у камина, там, где он всегда находился, было пусто, и я вернул револьвер на место.

— Покажите мне его, — сказал Грэйндж.

Гаджен поднялся со стула и пошел к полке, инспектор следовал за ним.

— Вот этот, сэр.

Палец Гаджена указал на маленький маузер на полке в конце ряда: маузер 25-го калибра. Конечно, Джон Кристоу был убит не этим оружием.

— Это автоматический пистолет, а не револьвер, — сказал Грэйндж, не спуская глаз с лица дворецкого.

Гаджен кашлянул:

— В самом деле, сэр? Боюсь, я не очень-то хорошо разбираюсь в огнестрельном оружии. Наверное, я неточно употребил термин, сэр.

— Но вы вполне уверены, что это именно то оружие, которое вы нашли в холле и принесли сюда.

— О да, сэр. Никаких сомнений, сэр.

Грэйндж остановил дворецкого, когда тот протянул было руку к полке:

— Пожалуйста, не трогайте. Я должен осмотреть, нет ли на нем отпечатков пальцев и не заряжен ли он.

— Я не думаю, что он заряжен, сэр. Оружие в коллекции сэра Генри не хранится заряженным. Что касается отпечатков пальцев, то я протер его моим носовым платком, прежде чем положить на место. Так что, сэр, там будут только мои отпечатки пальцев.

— Почему вы это сделали? — резко спросил Грэйндж.

Гаджен слегка улыбнулся:

— Мне показалось, что он запылился, сэр.

Внезапно открылась дверь и вошла леди Энкейтлл. Она улыбнулась инспектору:

— Рада вас видеть, инспектор Грэйндж. В чем тут дело с револьвером и Гадженом? И это дитя на кухне все в слезах. Ее запугала миссис Медуэй... Но, разумеется, девушка была вправе рассказать, что она видела, если считала нужным так поступить. Я сама всегда оказываюсь в затруднительном положении, выбирая между тем, что «правильно» и «неправильно»... Очень легко, вы понимаете, если «правильно» — приятно, а «неправильно» — неприемлемо. Тогда позиция ясна... Но крайне затруднительно, если все наоборот, и я думаю, инспектор, каждый должен поступать так, как сам считает правильным. Что вы сказали об этом пистолете, Гаджен?

— Пистолет был в холле, миледи, — ответил почтительно Гаджен, — на столе. Понятия не имею, откуда он появился. Я отнес его в кабинет, на прежнее место. Я только что сказал об этом инспектору, и он вполне удовлетворен.

Леди Энкейтлл покачала головой.

— Вы не должны были так говорить, Гаджен, — сказала она мягко. — Я сама поговорю с инспектором.

Гаджен сделал легкое движение, и леди Энкейтлл сказала с милой улыбкой:

— Я ценю ваши побуждения, Гаджен. Я знаю, что вы всегда стараетесь избавить нас от хлопот и неприятностей. — И, отпуская дворецкого, мягко добавила: — Это пока все!

Гаджен заколебался, бросил беглый взгляд на сэра Генри, на инспектора, затем поклонился и направился к двери. Инспектор сделал было движение остановить его, но по необъяснимой причине рука его опустилась. Гаджен вышел и притворил дверь.

Леди Энкейтлл опустилась в кресло и улыбнулась обоим мужчинам:

— Знаете, я в самом деле думаю, что это просто замечательно со стороны Гаджена. Вполне феодально, если хотите. Да, «феодально», пожалуй, правильное выражение.

— Должен ли я так понимать, леди Энкейтлл, — натянуто произнес Грэйндж, — что вы сами можете сообщить что-нибудь по этому поводу?

— Разумеется. Гаджен нашел пистолет совсем не в холле. Он обнаружил его, когда вынул яйца.

— Яйца? — Инспектор Грэйндж с удивлением смотрел на нее.

— Из корзинки, — пояснила леди Энкейтлл.

Казалось, она полагала, что теперь все вполне ясно.

— Ты должна рассказать нам немного подробнее, дорогая, — тепло сказал сэр Генри. — Инспектор Грэйндж все еще в недоумении.

— О! — Леди Энкейтлл решила быть предельно ясной. — Пистолет был в корзинке, под яйцами.

— Какая корзинка и какие яйца, леди Энкейтлл?

— Корзинка, которую я взяла с собой на ферму. Пистолет был в корзинке, а потом я сверху положила яйца и забыла об этом. А когда мы нашли бедного Джона Кристоу мертвым возле бассейна, это было таким шоком, что я выпустила корзинку из рук, и Гаджен еле успел ее подхватить... Я хочу сказать, из-за яиц. Если бы я уронила корзинку, все бы разбилось. Он принес корзинку в дом. А позднее я попросила его проставить дату на яйцах. Я всегда так делаю, иначе свежие яйца можно съесть раньше старых... И он сказал, что все сделал. Теперь я припоминаю, что сказал он это несколько подчеркнуто. Вот это я и называю «быть феодальным». Он нашел пистолет и убрал его на место... думаю, потому, что в доме была полиция. Я убеждена, что прислуга всегда обеспокоена появлением полиции. Очень мило и лояльно... но также довольно глупо, потому что вы, инспектор, конечно, хотите услышать правду, не так ли?

Свой рассказ леди Энкейтлл закончила, подарив инспектору сияющую улыбку.

— Я намерен узнать правду, — довольно хмуро сказал Грэйндж.

Леди Энкейтлл вздохнула.

— Все это такое беспокойство и суета, не правда ли? — сказала она. — Я имею в виду преследование людей. Кто бы ни застрелил Джона Кристоу, я не думаю, что он всерьез намеревался это сделать. Если это Герда, она не собиралась его убивать. По правде говоря, я удивлена, что она не промахнулась... Именно этого можно было ожидать от Герды. Да и в самом деле она очень славное, доброе создание. И если вы ее посадите в тюрьму и повесите, что, скажите на милость, будет с детьми? Если она действительно убила Джона, то теперь страшно сожалеет об этом. Для детей и так ужасно, что убит их отец, но еще хуже, если за это повесят их мать. Иногда мне кажется, что полиция совершенно не думает об этом.

— В настоящее время, леди Энкейтлл, мы не собираемся никого арестовывать.

— Ну что же, это, по крайней мере, разумно. Я всегда считала, инспектор Грэйндж, что вы очень разумный человек.

И снова эта очаровательная, почти ослепительная улыбка.

Инспектор, не удержавшись, невольно заморгал глазами, но тут же решительно вернулся к делу:

— Как вы только что сказали, леди Энкейтлл, я хочу добиться правды. Вы взяли пистолет... Между прочим, какой это был пистолет?

Леди Энкейтлл кивнула в сторону полки у камина:

— Второй от конца. Маузер 25-го калибра.

Что-то в этом сухом техническом ответе неприятно поразило Грэйнджа. Он как-то не ожидал, что леди Энкейтлл, которую он до сих пор мысленно зачислил в категорию странных и немного «не в себе», опишет огнестрельное оружие с такой технической точностью.

— Вы взяли отсюда пистолет и положили его в вашу корзинку. Зачем?

— Я знала, что вы меня об этом спросите! — заявила леди Энкейтлл неожиданно почти торжествующим тоном. — И конечно, должно быть какое-то объяснение. Как ты думаешь, Генри? — Она повернулась к мужу. — Должно же быть какое-то объяснение тому, что я взяла в то утро пистолет!

— Думаю, что так, дорогая, — натянуто сказал сэр Генри.

— Сделаешь что-нибудь, — медленно произнесла леди Энкейтлл, задумчиво глядя перед собой, — а потом не можешь вспомнить, почему ты это сделал. Но я полагаю, инспектор, всегда должно быть объяснение, надо только суметь его найти. Очевидно, у меня в голове была какая-то идея, когда я положила маузер в корзинку для яиц. Как вы думаете, что бы это могло быть? — обратилась она к нему.

Грэйндж пристально смотрел на нее. Ни капли замешательства, лишь по-детски нетерпеливый интерес. Это сразило инспектора. Ему никогда не приходилось встречать людей, подобных леди Энкейтлл, и на какой-то момент он растерялся.

— Моя жена, — сказал сэр Генри, — невероятно рассеянна, инспектор.

— Похоже, что так, сэр, — ответил Грэйндж, и прозвучало это не очень-то любезно.

— Как вы думаете, почему я взяла этот пистолет? — доверительно спросила его леди Энкейтлл.

— Не имею ни малейшего представления, леди Энкейтлл.

— Я вошла сюда, — вслух размышляла леди Энкейтлл. — Разговаривала с Симмонс о наволочках... и смутно припоминаю, что прошла к камину... Я подумала о том, что пора приобрести новую кочергу для камина...

Инспектор Грэйндж широко открыл глаза. Он чувствовал, что у него голова идет кругом.

— И я помню, что взяла маузер... такой хороший, удобный и небольшой револьвер, мне он всегда нравился... и опустила его в корзинку. Я ее только что взяла из цветочной комнаты. Но у меня, понимаете ли, столько всего было в голове... Симмонс... вьюнок в маргаритках... потом, я надеялась, что миссис Медуэй сделает сдобного «негра в рубашке»...

— Негра в рубашке?! — не смог удержаться инспектор.

— Ну, вы понимаете, шоколад и яйца... потом покрыть все взбитыми сливками. Как раз такой десерт к ленчу, который понравится иностранцу.

Инспектор Грэйндж заговорил напористо и резко, чувствуя себя как человек, который отряхивает тонкую паутину, застилающую свет:

— Вы зарядили пистолет?

Он надеялся захватить врасплох, может, даже немного испугать ее, но леди Энкейтлл обдумывала вопрос с глубокой сосредоточенностью.

— В самом деле, зарядила или нет? Страшно глупо, но я не могу припомнить. Но очевидно, должна была зарядить, как вы думаете, инспектор? Я хочу сказать, какой толк от пистолета, если он без патронов? Хотелось бы мне точно припомнить, что у меня было в голове.

— Дорогая Люси, — сказал сэр Генри, — что происходит или не происходит в твоей голове, приводит в отчаяние в течение многих лет всех, кто тебя хорошо знает.

Она сверкнула улыбкой в сторону мужа:

— Я в самом деле пытаюсь вспомнить, Генри, дорогой! Иногда делаешь такие странные вещи! Вчера я сняла телефонную трубку и поймала себя на том, что с недоумением смотрю на нее. Я не могла себе представить, зачем она мне понадобилась.

— Очевидно, вы намеревались кому-нибудь позвонить, — холодно заметил инспектор.

— Нет, как это ни странно! Я потом вспомнила. Меня удивило, почему миссис Мирз, жена садовника, так странно держит своего ребенка, и я взяла телефонную трубку, понимаете? Мне хотелось попробовать, как если бы это был ребенок. И я поняла, что миссис Мирз держит младенца на другую сторону, потому что она левша.

Люси торжествующе переводила взгляд с одного мужчины на другого.

«Ну что же, — подумал инспектор, — вероятно, бывают такие люди на свете».

Но сам он, однако, не был в этом уверен.

Он понимал, что все это может быть хитросплетением лжи. Судомойка, например, ясно сказала, что Гаджен держал в руках револьвер. Хотя на это не очень-то можно положиться. Девушка ничего не смыслит в огнестрельном оружии. Слышала разговоры о револьвере в связи с убийством, а револьвер или пистолет — для нее все равно.

Оба, и Гаджен и леди Энкейтлл, определили пистолет, но нет ничего подтверждающего их утверждение. Собственно говоря, Гаджен действительно мог держать револьвер и возвратить его леди Энкейтлл, а не в кабинет. Похоже, что все слуги совершенно околдованы этой проклятой женщиной!

А если предположить, что это она убила Джона Кристоу? Но почему? Этого он не мог сказать. Интересно, будут ли слуги в таком случае покрывать леди Энкейтлл и лгать, всячески выгораживая ее? У инспектора было неприятное чувство, что именно так они и будут поступать.

А это невероятное заявление, что она не в состоянии вспомнить. Конечно, она могла бы придумать что-нибудь получше. Выглядит так естественно... ни капельки не смущена и не испугана. Черт бы ее побрал, создается впечатление, что она говорит чистейшую правду.

Инспектор встал.

— Когда вы вспомните еще что-нибудь, может быть, вы сообщите мне, леди Энкейтлл, — сказал он сухо.

— Конечно, инспектор, — ответила она. — Иногда вдруг вспомнишь что-нибудь совершенно неожиданно.

Грэйндж вышел из кабинета. В холле он оттянул пальцем воротник, чтобы немного ослабить его, и глубоко вздохнул. Ему казалось, что он весь запутался в воздушных парашютиках чертополоха. Пожалуй, сейчас больше всего ему нужны самая старая обкуренная трубка, пинта эля и хороший бифштекс с картошкой. Что-то простое и вещественное.

Глава 21

Леди Энкейтлл скользила по кабинету, рассеянно касаясь вещей указательным пальцем. Сэр Генри, откинувшись на спинку кресла, наблюдал за ней. Наконец он спросил:

— Люси, зачем ты взяла пистолет?

Леди Энкейтлл подошла к мужу и грациозно опустилась в кресло:

— Я не совсем уверена, Генри. Вероятно, у меня была какая-то смутная мысль о несчастном случае.

— Несчастном случае?

— Да, эти корни деревьев, — рассеянно продолжала говорить леди Энкейтлл, — торчащие из земли... так легко споткнуться... Могло быть, что, сделав несколько выстрелов по мишени, оставили в магазине револьвера пулю... беспечность, конечно, но люди и в самом деле беспечны. Знаешь, я всегда думала, что несчастный случай — самый простой способ выполнить задуманное. Потом, конечно, будешь сожалеть и обвинять себя.

Ее голос совсем замер. Сэр Генри сидел не двигаясь, не отрывая глаз от ее лица.

— С кем должен был произойти несчастный случай? — спросил он так же спокойно и осторожно.

Люси немного повернула голову, с удивлением глядя на него:

— Конечно, с Джоном Кристоу.

— Господи, Люси!..

— О, Генри, — сказала она серьезно. — Меня ужасно беспокоит «Эйнсвик».

— Понимаю. Все дело в «Эйнсвике»! Ты всегда слишком сильно любила «Эйнсвик», Люси! Иногда мне кажется, это единственное, что ты любишь на самом деле!

— Эдвард и Дэвид — последние... последние из Энкейтллов. И Дэвид не подходит. Он никогда не женится из-за своей матери и... всего такого. К нему перейдет «Эйнсвик» после смерти Эдварда, и он так и не женится, а нас, тебя и меня, уже не станет, прежде чем он доживет до средних лет. Он будет последним Энкейтллом, и все исчезнет.

— Это имеет такое большое значение, Люси?

— Разумеется! Ведь это «Эйнсвик»!

— Ты, Люси, должна была родиться мальчиком. — Он слегка улыбнулся, так как не мог представить себе Люси не женщиной.

— Все зависит от женитьбы Эдварда... А Эдвард так упрям... Эта его длинная голова, совсем как у моего отца. Я все надеялась, что он забудет Генриетту и женится на какой-нибудь славной девушке. Но теперь вижу, что это безнадежно. Потом я думала, что связь Джона с Генриеттой быстро распадется. Мне казалось, что все интрижки Джона никогда не были продолжительными. Но он действительно любил ее. Я надеялась, что, если Джона не будет на их пути, Генриетта выйдет за Эдварда. Она не такой человек, чтобы жить прошлыми воспоминаниями. Так что, как видишь, все сводилось к одному — избавиться от Джона Кристоу!

— Люси! Ты не... Что ты сделала, Люси?

Люси Энкейтлл снова поднялась с кресла, вынула из вазы два засохших цветка.

— Дорогой, — сказала она, — неужели ты можешь предположить хоть на мгновение, что я убила Джона Кристоу? У меня была эта глупая идея насчет несчастного случая. Но потом, знаешь, я вспомнила, что мы пригласили Джона Кристоу к нам, а не он сам напросился. Нельзя же пригласить в гости, а потом подстроить несчастный случай... Даже арабы крайне щепетильны в том, что касается гостеприимства. Так что, Генри, не беспокойся! Хорошо?

Она стояла, глядя на него со своей неизменной очаровательной, любящей улыбкой.

— Я всегда беспокоюсь за тебя, Люси, — тяжело сказал он.

— Не стоит, дорогой! Ты видишь, что все в общемто к лучшему. Джона нет. Это мне напомнило, — медленно проговорила Люси, вспоминая, — того человека в Бомбее, который был так ужасающе груб ко мне. Через три дня его переехал трамвай.

Она открыла стеклянную дверь на террасу и вышла в сад. Сэр Генри сидел неподвижно, наблюдая за тем, как высокая, стройная фигура удаляется вниз по тропинке. Он казался старым и усталым, а лицо выглядело как у человека, живущего в постоянном страхе.

На кухне заплаканная Дорис Эммотт совсем поникла под строгими упреками мистера Гаджена. Миссис Медуэй и мисс Симмонс исполняли роль хора в греческой трагедии.

— Забегать вперед и делать скоропалительные заключения — так может поступать только неопытная девушка.

— Абсолютно верно, — поддержала миссис Медуэй.

— Если вы увидели меня с пистолетом в руке, правильно было подойти и сказать: «Мистер Гаджен, не будете ли вы так добры дать мне объяснение».

— Или вы могли бы подойти ко мне, — вставила миссис Медуэй. — Я всегда охотно готова объяснить молодой девушке, не знающей жизни, как ей следует поступить.

— Чего вы не должны были делать, — строго продолжал Гаджен, — так это идти и болтать об этом полицейскому... к тому же всего лишь сержанту! Никогда не следует связываться с полицией, если этого можно избежать.

— Достаточно неприятно, когда полицейские в доме.

— Ужасно неприятно, — прошептала мисс Симмонс. — Ничего подобного не случалось со мной раньше.

— Мы все знаем ее сиятельство, — продолжал Гаджен. — Меня никогда не удивит, что бы ее сиятельство ни сделала... Но полиция не знает ее сиятельства, как ее знаем мы, и не годится, чтобы ее сиятельство беспокоили глупыми вопросами и подозрениями только потому, что она разгуливает с огнестрельным оружием. Это на нее похоже, но у полицейских на уме только убийства и прочие подобные вещи. Ее сиятельство просто очень рассеянная леди, которая и мухи не обидит, хотя нельзя отрицать, что она оставляет вещи в самых необычных местах. Я никогда не забуду, — с чувством добавил Гаджен, — как она принесла живого омара и положила его в холле на поднос для визитных карточек... Я думал, у меня начались галлюцинации!

— Это, должно быть, случилось до меня, — с любопытством заметила Симмонс.

Миссис Медуэй прервала эти откровения, указав взглядом на провинившуюся Дорис.

— Как-нибудь в другой раз, — сказала она. — Так вот, Дорис, мы хотим тебе добра. Связываться с полицией — это дурной тон. Помни об этом! Теперь можешь продолжать заниматься овощами и будь повнимательнее, чем вчера со стручковой фасолью.

Дорис шмыгнула носом.

— Да, миссис Медуэй, — сказала она и, шаркая ногами, пошла к раковине.

— Боюсь, сегодня у меня не будет легкой руки с пирожными, — пророчески произнесла миссис Медуэй. — Завтра это ужасное слушание в суде. Как вспомню, мне всякий раз делается не по себе. Подумать только, чтобы такое случилось с нами!

Глава 22

Задвижка на калитке щелкнула, Пуаро выглянул в окно, увидел визитера и очень удивился, подумав, что могло привести к нему Веронику Крэй.

Она вошла, внося восхитительный запах духов, который Пуаро сразу узнал. Вероника была одета, как и Генриетта, в твид и уличные туфли, но, как заметил Пуаро, во всем остальном отличалась от нее.

— Мсье Пуаро. — Тон был восхитительный, слегка взволнованный. — Я только сейчас обнаружила, кто мой сосед. Я всегда очень хотела познакомиться с вами.

Пуаро склонился над ее протянутыми руками:

— Я в восторге, мадам.

С улыбкой Вероника приняла эти знаки внимания и отказалась от чая, кофе или коктейля:

— Нет-нет. Я пришла только поговорить с вами. Серьезно поговорить. Я обеспокоена.

— Вы обеспокоены? Мне очень жаль.

Вероника села и вздохнула:

— По поводу смерти Джона Кристоу. Завтра предварительное слушание. Вы знаете об этом?

— Разумеется.

— Все это так экстраординарно... — Она внезапно замолчала. — Большинство людей, конечно, не поверят мне. Но вы, я думаю, сможете поверить, потому что знаете кое-что о человеческой природе.

— Да, немного знаю, — согласился Пуаро.

— Ко мне приходил инспектор Грэйндж. Он вбил себе в голову, будто я ссорилась с Джоном, что отчасти верно, но совсем не так, как он думает... Я сказала ему, что не видела Джона пятнадцать лет, и он мне просто-напросто не поверил. Но это правда, мсье Пуаро.

— Если это правда, ее легко доказать. Зачем же беспокоиться?

На его улыбку Вероника ответила самой дружеской улыбкой:

— Дело в том, что я просто не решилась рассказать инспектору, что случилось на самом деле в субботу вечером. Это было настолько невероятно, что инспектор, конечно, не поверил бы, но я чувствовала, что должна кому-нибудь рассказать. Поэтому я пришла к вам.

— Я чрезвычайно польщен, мадам, — тихо произнес Пуаро.

Любезность Пуаро, как он успел заметить, она приняла как должное. «Эта женщина, — подумал он, — чрезвычайно уверена в производимом ею впечатлении. Настолько уверена, что может, пожалуй, иногда допустить ошибку».

— Пятнадцать лет назад мы с Джоном были помолвлены. Он был очень влюблен в меня... настолько, что иногда это даже пугало. Он хотел, чтобы я оставила сцену, отказалась от привычного образа жизни. Он был так деспотичен и одержим, что мне стало ясно — я этого не вынесу. И я разорвала помолвку. Боюсь, он принял все слишком близко к сердцу.

Пуаро сочувственно щелкнул языком.

— Я не видела его до прошлой субботы. Он проводил меня домой. Я сказала инспектору, что мы говорили о прошлых временах... в общем, это соответствует истине. Но было и нечто большее.

— Да?

— Джон потерял голову... совершенно обезумел. Он хотел оставить свою жену и детей, требовал, чтобы я развелась с моим мужем и вышла за него замуж. Он сказал, что никогда не забывал меня... что с тех пор, как меня увидел, время остановилось... — Она закрыла глаза, проглотила слюну, даже под пудрой и гримом было заметно, что ее лицо невероятно побледнело. Наконец она снова открыла глаза и почти робко улыбнулась Пуаро. — Вы можете поверить, что... чувство, подобное этому, возможно? — спросила она.

— Да, я думаю, это возможно.

— Никогда не забывать... все время ждать... строить планы... надеяться, решившись всем сердцем и умом добиться наконец того, чего хочешь... Такие мужчины есть, мсье Пуаро.

— Да... и женщины тоже.

Она пристально посмотрела на него:

— Я говорю о мужчинах... о Джоне Кристоу. Вот как все это было! Сначала я протестовала, смеялась, отказываясь принимать все всерьез. Потом сказала ему, что он безумец. Было довольно поздно, когда он отправился домой. Мы спорили и спорили. Он оставался таким же настойчивым. — Она опять громко проглотила слюну. — Вот почему я на следующее утро послала ему записку. Я не могла все оставить так. Я хотела заставить его понять — то, что он хочет, невозможно.

— Это было невозможно?

— Ну разумеется! Он пришел, но не хотел слушать, что я ему говорила, и продолжал настаивать. Я сказала, что не люблю его, что я его ненавижу. — Она остановилась, тяжело дыша. — Я вынуждена была быть грубой. Так мы расстались, оба разгневанные. А теперь... он мертв.

Пуаро видел, как ее руки прокрались друг к другу, видел сплетенные пальцы, выступающие костяшки пальцев сжатых рук. Это были крупные, довольно жестокие руки.

Сильные эмоции, которые она испытывала, передались ему. Это была не печаль, не грусть — нет! Это была злость. «Злость эгоиста, — подумал Пуаро, — чьи расчеты не оправдались».

— Ну так что, мсье Пуаро? — Она снова владела собой. — Что я должна делать? Рассказать или держать все при себе. Вот что случилось на самом деле, но, вероятно, не так легко этому поверить.

Пуаро посмотрел на нее долгим, испытующим взглядом. Он не думал, что Вероника Крэй сказала правду, и все-таки в ее рассказе чувствовалась искренность. «Все это имело место, — подумал он, — но происходило иначе».

И вдруг он понял. Это была правдивая история, но... перевернутая. Это она не могла забыть Джона Кристоу. Это ее отвергли и оттолкнули. И теперь, будучи не в силах молча вынести вспышки гнева разъяренной тигрицы, лишенной того, что она считала своей законной добычей, она придумала вариант «правды», который мог бы удовлетворить ее уязвленную гордость, удовлетворить голод по человеку, ускользнувшему из ее жадных рук. Нестерпимо признать, что она, Вероника Крэй, не смогла получить желаемого. Поэтому она перевернула все с ног на голову.

Пуаро глубоко вздохнул:

— Если это касается смерти Джона Кристоу, вы должны были бы все рассказать, если же нет... а я не вижу тут связи... думаю, вполне оправданно держать все это при себе.

Он понял, что она разочарована. Ему показалось, что в своем теперешнем состоянии ей хотелось бы швырнуть эту историю на страницы газет. Зачем она пришла к нему? Испытать свою версию на нем? Узнать его реакцию? Или убедить его использовать эту историю?

Если его спокойная реакция и разочаровала ее, она не подала виду, поднялась и протянула ему длинную ухоженную руку:

— Благодарю вас, мсье Пуаро. То, что вы говорите, выглядит чрезвычайно разумным. Я рада, что пришла к вам. Я... мне хотелось, чтобы кто-нибудь знал.

— Я ценю ваше доверие, мадам.

Когда она ушла, Пуаро приоткрыл окна. Он был небезразличен к запахам. Запах духов Вероники ему не нравился. Очень дорогой, но приторный и доминирующий, как она сама.

Отряхивая занавески, Пуаро задавался вопросом, не она ли убила Джона Кристоу. Вероника Крэй хотела бы убить его... В этом Пуаро не сомневался. Она бы с удовольствием спустила курок... радовалась бы, видя, как он шатается и падает.

Однако за мстительной злостью скрывалось нечто трезвое и хитрое, оценивающее все шансы, — холодный расчетливый ум. Как бы сильно ни хотелось Веронике Крэй убить Джона Кристоу, Пуаро сомневался в том, что она пошла бы на такой риск.

Глава 23

Предварительное слушание дела закончилось. Оно было чистейшей формальностью, и, хотя все знали об этом наперед, почти у каждого оно вызвало спад напряжения. По просьбе полиции слушание было отложено на две недели.

Герда приехала из Лондона вместе с миссис Паттерссон в арендованном «даймлере». На ней было черное платье и шляпа, которая ей совсем не шла. Она казалась нервной и обескураженной. Готовясь снова сесть в «даймлер», она задержалась, увидев, что леди Энкейтлл направилась к ней.

— Как поживаете, дорогая Герда? Надеюсь, вы не очень плохо спите? Мне кажется, все прошло так, как мы и ожидали. Как вы думаете? Очень жаль, что вас не было с нами в «Лощине», но я вполне понимаю, как тяжело бы это было для вас.

— Это была идея мисс Кольер — ехать без задержки туда и обратно, — сказала миссис Паттерссон своим неизменно деловым тоном, с упреком глядя на сестру, которая не представила ее должным образом. — Дорого, конечно, но мы подумали, что имеет смысл.

— О, я согласна с вами.

— Я сразу же забираю Герду и детей прямо в Бексхилл, — понизила голос миссис Паттерссон. — Ей сейчас нужен покой и отдых. Эти репортеры! Вы себе представить не можете... Прямо кишат вокруг Харли-стрит.

Какой-то молодой человек щелкнул фотоаппаратом, Элси Паттерссон втащила свою сестру в машину, и они уехали.

На мгновение мелькнуло лицо Герды под полями несуразной шляпы. Оно было пустое, потерянное... похожее на лицо полоумного ребенка.

— Бедняга, — пробормотала вполголоса Мидж Хардкасл.

— Что все видели в этом Кристоу? — раздраженно сказал Эдвард. — Эта несчастная женщина выглядит совершенно разбитой.

— Она полностью была поглощена им, — сказала Мидж.

— Почему? Он был эгоистом... по-своему хорош в компании, но... — Он оборвал фразу и, помолчав, спросил: — Что вы думаете о нем, Мидж?

— Я? — Мидж задумалась. Наконец сказала, сама удивившись своим словам: — Мне кажется, я уважала его.

— Уважали? За что?

— Он хорошо знал свое дело.

— Вы имеете в виду медицину?

— Да.

Они вынуждены были прервать разговор. Генриетта намеревалась захватить Мидж в Лондон в своей машине. Эдвард должен был уехать вместе с Дэвидом поездом в полдень, после ленча. Прощаясь, он неопределенно сказал: «Мидж, вы должны как-нибудь пообедать со мной», и Мидж ответила, что это было бы очень хорошо, но обеденный перерыв у нее только один час. Эдвард улыбнулся своей милой улыбкой: «О, это совершенно особый случай. Я уверен, они поймут». Затем он подошел к Генриетте:

— Я позвоню тебе.

— Да, пожалуйста, Эдвард. Но, возможно, меня не будет дома.

— Ты не будешь дома?

Она саркастически улыбнулась:

— Буду топить свою печаль. Уж не думаешь ли ты, что я буду сидеть и хандрить?

— Я не понимаю тебя, Генриетта, — медленно сказал он.

Ее лицо смягчилось.

— Милый Эдвард! — неожиданно сказала она, пожав ему руку.

— Люси, — обратилась Генриетта к леди Энкейтлл, — я смогу вернуться в «Лощину», если захочу?

— Конечно, дорогая, — ответила леди Энкейтлл. — К тому же опять назначено слушание через две недели.

Генриетта отправилась на рыночную площадь, где оставила свою машину. Чемоданы, ее и Мидж, были уже погружены. Они с Мидж уселись, и машина тронулась с места.

Поднявшись вверх на холм, они выехали на дорогу. Внизу под ними в холоде серенького осеннего дня слегка вздрагивали коричневые и золотые листья.

— Я рада, что уехала, — неожиданно сказала Мидж. — Даже от Люси. Она очень милая, но иногда из-за нее у меня мурашки ползут по спине.

Генриетта напряженно смотрела в маленькое автомобильное зеркало:

— Люси не может не украсить колоратурными пассажами... даже убийство.

— Знаешь, я никогда раньше об убийствах не думала.

— С какой стати ты должна была о них думать? Об этом не думают. Это просто слово в кроссворде из восьми букв или приятное развлечение между обложками книги. А в жизни...

Она замолчала.

— Это реально и страшно! — закончила Мидж.

— Тебе нечего бояться, — сказала Генриетта. — Тебя это не касается. Пожалуй, ты единственная из нас, кого это не касается.

— Теперь это не касается никого из нас, — заметила Мидж. — Мы вне подозрений.

— Ты так думаешь? — пробормотала Генриетта.

Она продолжала напряженно смотреть в автомобильное зеркало. Неожиданно она нажала акселератор, машина увеличила скорость. Генриетта взглянула на спидометр: больше пятидесяти миль, теперь стрелка подходила к шестидесяти[1].

Мидж сбоку взглянула на Генриетту. Отчаянная езда совсем не в ее манере. Генриетта любит скорость, но извилистая дорога, по которой они ехали, вряд ли оправдывала такой риск. Губы Генриетты искривились в хмурой улыбке.

— Взгляни через плечо, Мидж, — сказала она. — Видишь машину сзади нас?

— Да.

— Это «Вентнор-10».

— В самом деле? — сказала Мидж без всякого интереса.

— Неплохая машина из маленьких автомобилей, берет не много бензина, хороша на дороге, но не быстроходна.

— Да?

«Странно, — подумала Мидж, — как Генриетта увлечена машинами и знает их особенности».

— Как я сказала, они не быстроходны. А эта машина, Мидж, сохраняет дистанцию, хотя у нас скорость уже больше шестидесяти миль в час.

Мидж с удивлением повернулась к ней:

— Ты хочешь сказать...

Генриетта кивнула:

— Полиция. Я думаю, у них специальные моторы на обычных машинах.

— Ты хочешь сказать, что они продолжают следить за нами?

— Совершенно очевидно.

Мидж вздрогнула:

— Генриетта, ты понимаешь историю со вторым револьвером?

— Нет, но она избавляет Герду от подозрений, хотя ничего, кроме этого, не добавляет к расследованию.

---

[1] Английская миля равна 1609 м.

— Но если это один из револьверов Генри?..

— Что пока не доказано. Как ты помнишь, револьвера так и не нашли.

— Не нашли. Может быть, это вообще кто-нибудь со стороны. Знаешь, мне бы хотелось, чтобы это была та женщина.

— Вероника Крэй?

— Да.

Генриетта ничего не ответила. Глаза ее были прикованы к полотну дороги.

— Ты думаешь, это возможно? — настаивала Мидж.

— Возможно? Да, возможно, — сказала она медленно.

— Значит, ты так не думаешь...

— Бесполезно предполагать что-либо только потому, что тебе хочется так думать. Хотя это, конечно, идеальное решение... мы все — вне подозрений!

— Мы? Но...

— Мы все замешаны... Даже ты, дорогая, хотя трудно найти повод, чтобы обвинить тебя в убийстве Джона. Разумеется, я хотела бы, чтобы это была Вероника. Ничто не доставило бы мне большего удовольствия, чем взглянуть на ее «превосходный спектакль», как говорит Люси, на скамье подсудимых!

Мидж бросила на нее быстрый взгляд:

— Скажи, Генриетта, все это сделало тебя мстительной?

— Потому что... — Генриетта на мгновение запнулась. — Потому что я любила Джона?

— Да.

Мидж вдруг совершенно неожиданно для себя осознала, что это впервые произнесено вслух. Все знали: и Люси, и Генри, и Мидж, и даже Эдвард, что Генриетта любит Джона Кристоу, но никто никогда в разговоре даже не намекнул на это.

Генриетта, казалось, задумалась.

— Я не могу объяснить тебе, что я чувствую, — сказала она медленно. — Может быть, я и сама не знаю. Давай зайдем ко мне в студию, Мидж, — предложила Генриетта. — Мы попьем чаю, а потом я отвезу тебя в твою берлогу.

Здесь, в Лондоне, короткий осенний день уже угасал. Они подъехали к дверям студии. Открыв ключом дверь, Генриетта вошла и зажгла свет.

— Холодно, — сказала она. — Надо было включить газ. О, черт! Я ведь хотела купить спички по дороге.

— Может, зажигалкой?

— Моя не годится. Да и все равно трудно зажечь газовую горелку зажигалкой. Ты располагайся поудобнее. На углу нашей улицы стоит слепой старик. Я обычно покупаю у него спички. Через одну-две минуты я вернусь.

Оставшись одна, Мидж стала бродить по студии, разглядывая скульптуры Генриетты. Было как-то жутко в пустой мастерской среди деревянных и бронзовых фигур. Бронзовая голова с высокими скулами и в жестяной шляпе, может быть, солдат; воздушная конструкция из скрученных лентообразных алюминиевых полос, сильно заинтересовавшая Мидж; огромная, замершая в неподвижности лягушка из розового гранита. В конце студии Мидж увидела деревянную, почти в человеческий рост фигуру. Она пристально рассматривала ее, когда щелкнул ключ в замке и вошла слегка запыхавшаяся Генриетта.

Мидж обернулась:

— Что это, Генриетта? Просто страшно...

— «Поклонение»... Для интернациональной группы.

— Просто страшно... — повторила Мидж, все так же пристально глядя на статую.

Опустившись на колени, чтобы зажечь газ в камине, Генриетта сказала через плечо:

— Интересно, что ты так говоришь. Почему ты считаешь, что это страшно?

— Я думаю... потому что нет лица!

— Ты абсолютно права, Мидж.

— Это очень хорошая скульптура, Генриетта.

— Просто отличное грушевое дерево, — легко сказала Генриетта.

Она поднялась с колен, бросила свою большую сумку и мех на диван, а несколько коробок спичек — на стол. Мидж поразило выражение лица Генриетты: на нем было внезапное и совершенное необъяснимое возбуждение.

— А теперь — чай! — воскликнула Генриетта, и в ее голосе было то же ликование, которое Мидж заметила на ее лице. Оно выглядело совершенно неуместным, но Мидж забыла об этом, взглянув на коробки спичек на столе.

— Ты помнишь спички, которые Вероника Крэй унесла с собой?

— Когда Люси насильно всучила ей полдюжины коробок? Конечно помню.

— Интересно, кто-нибудь проверил, были у нее в коттедже спички или нет?

— Я думаю, полицейские проверяли. Они все делают основательно.

Едва заметная улыбка искривила губы Генриетты. Мидж чувствовала себя заинтригованной или почти возмущенной. «Любила ли Генриетта Джона? Способна ли она вообще любить? Конечно нет!» Мидж почувствовала, как холод отчаяния коснулся ее при мысли, что Эдварду не придется долго ждать.

Как, однако, невеликодушно с ее стороны, что эта мысль не принесла ей душевного тепла. Разве она не хочет, чтобы Эдвард был счастлив? Ей он все равно никогда не будет принадлежать, для него она всегда останется «малышкой Мидж». Никогда она не будет для него любимой женщиной. К сожалению, Эдвард относится к числу преданных. Ну что ж, преданные в конце концов получают то, что хотят.

Эдвард и Генриетта в «Эйнсвике»... Подходящий конец всей этой истории. Как в сказке — «Они жили долго и счастливо». Мидж представила себе все это очень ярко.

— Не грусти, Мидж, — сказала Генриетта, — не позволяй всей этой истории взять над тобой верх! Может, пойдем и вместе пообедаем?

Но Мидж поспешно ответила, что должна вернуться домой. У нее есть дела... нужно написать письма. Короче говоря, лучше всего, если она уйдет, как только допьет свою чашку чая.

— Хорошо. Я отвезу тебя.

— Я могу взять такси.

— Будем пользоваться машиной, раз она есть.

Они вышли на сырой вечерний воздух.

Проезжая конец улицы Мьюз, Генриетта показала на машину, стоявшую у обочины:

— «Вентнор-10». Наша тень. Вот увидишь, она последует за нами.

— Как это чудовищно!

— Ты так думаешь? Мне это безразлично.

Генриетта высадила Мидж у ее дома, вернулась на улицу Мьюз и поставила машину в гараж.

Затем она снова вошла в студию. Несколько минут она стояла, машинально барабаня пальцами по каминной полке. Потом, вздохнув, сказала себе: «Ну что ж — за работу! Не будем терять времени!»

Через полтора часа Генриетта, отступив назад, критически осмотрела свое творение. Глина пристала к щекам, волосы растрепались, но, глядя на модель, укрепленную на стенде, она одобрительно кивнула.

Это было грубое подобие лошади. Глина наброшена на каркас неровными комками. От такой лошади любого полковника кавалерии хватил бы апоплексический удар, так не похожа она была на живую, из плоти и костей. Пожалуй, это огорчило бы ирландских предков Генриетты... Тем не менее это была лошадь — лошадь... в абстрактном видении.

Интересно, что подумал бы инспектор Грэйндж при виде такой лошади. Генриетта слегка улыбнулась, представив себе его лицо.

Глава 24

Эдвард Энкейтлл в нерешительности стоял в водовороте людского потока на Шафтсбери-авеню. Он собирался с духом, чтобы войти в магазин, на вывеске которого золотыми буквами было написано: «Мадам Элфридж».

Какой-то смутный инстинкт удерживал его от того, чтобы попросту позвонить Мидж и пригласить ее на ленч. Обрывок телефонного разговора, свидетелем которого он был в «Лощине», взволновал, нет, даже шокировал его. В голосе Мидж была покорность, почти заискивание, которые возмутили все его существо.

Для Мидж — непринужденной, веселой, искренней — такая манера казалась совершенно несвойственной! Подчиняться (а она явно подчинялась) грубости и наглости, доносившимся с другого конца телефонного провода... Здесь что-то не так... все не так! А потом, когда он проявил свою озабоченность, она резко и прямо выложила ему неприглядную истину, что найти работу нелегко, а чтобы не потерять ее, требуется нечто более неприятное, чем простое выполнение обусловленного труда.

До сих пор Эдвард принимал как должное тот факт, что в настоящее время работает много молодых женщин. Если ему случалось подумать об этом, он приходил к мысли, что раз они работают, значит, сами того хотят, так как это льстит их чувству независимости и придает интерес к жизни.

Мысль о том, что рабочий день с девяти до шести с одночасовым перерывом на обед в большинстве случаев лишает девушку отдыха и удовольствий, которыми пользуются представители имущего класса, просто не приходила ему в голову. Новым и неприятным открытием было то, что Мидж могла, например, заглянуть в картинную галерею, не иначе как пожертвовав своим обедом, не могла пойти на полуденный концерт, поехать хорошим летним днем за город, пообедать не спеша в дальнем ресторане. Вместо этого она должна была отложить поездки за город на субботу и воскресенье, а в обеденный перерыв наспех перекусить в переполненном кафе или закусочной. Ему нравилась Мидж. Малышка Мидж... Он всегда так ее называл. Девочкой она появлялась в «Эйнсвике» по праздникам, вначале всегда молчаливая, с широко раскрытыми глазами, но постепенно становилась жизнерадостной и естественной.

Склонность жить исключительно в прошлом, принимая настоящее с сомнением, как нечто неиспробованное, не позволила Эдварду вовремя увидеть в Мидж взрослого человека, зарабатывающего себе на жизнь.

В тот вечер в «Лощине», когда он вошел в дом похолодевший и дрожащий после гнетущего столкновения с Генриеттой и Мидж, став на колени, разожгла огонь в камине, он впервые почувствовал, что Мидж не любящий ребенок, а женщина. Это было крушением мечты... на какое-то мгновение он почувствовал, что потерял что-то... какую то драгоценную часть «Эйнсвика». И под влиянием внезапного чувства он сказал тогда неожиданно: «Мне хотелось бы чаще видеть вас, дорогая Мидж».

Стоя в лунном свете с Генриеттой, слушая ее, он почувствовал, что это не та Генриетта, которую он так долго любил, и тогда он ощутил панику. А затем, войдя в дом, он испытал дальнейшее крушение привычных образов своей жизни. Малышка Мидж, которая тоже была частью «Эйнсвика», превратилась в независимую взрослую женщину с грустными глазами, и этой женщины он не знал.

С тех пор Эдвард испытывал беспокойство и упрекал себя в том, что относился к Мидж бездумно и не интересовался ее жизнью и благополучием. Мысль о совершенно неподходящей работе Мидж в магазине мадам Элфридж все больше беспокоила его, и он решил наконец посмотреть, что собой представляет этот магазин.

Эдвард с подозрительностью смотрел на выставленные в витрине магазина короткое черное платье с узким золотым поясом, щегольской костюм с блузкой и вечернее платье из кричаще безвкусных цветных кружев. Ничего не понимая в дамской одежде, Эдвард тем не менее инстинктивно почувствовал, что выставленное довольно вульгарного вкуса. «Нет, — подумал он, — это место не для Мидж. Кто-нибудь... может, Люси Энкейтлл... должен что-то предпринять».

С усилием поборов смущение, Эдвард распрямил свои несколько сутулые плечи и вошел. И сразу же был буквально парализован замешательством. Две кокетливые блондинки с резкими голосами выбирали платья, им помогала смуглая продавщица. В глубине магазина невысокая женщина с крашенными хной рыжими волосами, толстым носом и неприятным голосом препиралась с совершенно сбитой с толку дородной клиенткой по поводу переделок в вечернем платье. Из соседней кабинки доносился раздраженный, резкий женский голос:

— Безобразно... совершенно безобразно... неужели вы не можете принести примерить что-нибудь приличное!

В ответ Эдвард услышал тихий приглушенный голос Мидж, почтительный, убеждающий:

— Платье винного цвета действительно изящно. И я думаю, этот фасон вам подойдет. Если вы только его примерите...

— Я не желаю тратить время, примеряя вещи, если вижу, что они никуда не годятся. Возьмите на себя труд! Я уже вам говорила, что не хочу ничего красного. Если бы вы слушали, что вам говорят...

Лицо Эдварда залила краска. Он надеялся, что Мидж швырнет платье прямо в лицо этой отвратительной женщины. Вместо этого, она тихо сказала:

— Хорошо, я посмотрю еще. Полагаю, мадам, вы также не хотите зеленого цвета или персикового?

— Отвратительно... просто отвратительно! Я ничего больше не хочу смотреть. Напрасная потеря времени...

Мадам Элфридж, оторвавшись от дородной клиентки, подошла к Эдварду и вопросительно на него посмотрела.

Он взял себя в руки:

— Здесь ли... могу я поговорить... Здесь ли мисс Хардкасл?

Брови мадам Элфридж поползли вверх, но, заметив, что одежда Эдварда была явно сшита на Севил-роу[1], она изобразила улыбку, еще более непривлекательную, чем выражение недоброжелательства.

Из кабинки снова послышался капризный голос:

— Осторожнее! Какая вы неловкая! Вы разорвали мне сеточку для волос.

— Очень сожалею, мадам, — послышался прерывистый голос Мидж.

— Совершенно бестолковая и неповоротливая! — Голос замер, а затем: — Нет, я сама... Мой пояс, пожалуйста.

— Мизз Хардказзл через минуту озвободится, — произнесла мадам Элфридж, и улыбка ее стала хитрой и злобной.

Женщина с волосами песочного цвета и дурным настроением появилась из кабины, держа в руках множество свертков, и вышла на улицу. Мидж, в строгом

---

[1] С е в и л-р о у — улица в Лондоне, где расположены ателье дорогих мужских портных.

554

черном платье, открыла ей дверь. Она выглядела бледной и несчастной.

— Я пришел пригласить вас на ленч, — без всяких предисловий сказал Эдвард.

Мидж бросила быстрый взгляд на часы:

— Я не освобожусь раньше чем в четверть второго.

Часы показывали десять минут первого.

Мадам Элфридж любезно сказала:

— Вы можете идти, езли хотите, мизз Хардказзл, раз важ друг прижел за вами.

— О, благодарю вас, мадам Элфридж. — Мидж повернулась к Эдварду:

— Через минуту я буду готова, — и скрылась в глубине магазина.

Эдвард, вздрогнувший от язвительного акцента, сделанного мадам Элфридж на слове «друг», стоял, беспомощно ожидая Мидж. Мадам Элфридж только собралась сказать какую-то двусмысленность, как в магазин вошла пышная женщина с китайским мопсом. Деловой инстинкт мадам Элфридж немедленно подтолкнул ее к новой клиентке. Мидж, уже в пальто, подошла к Эдварду, и он, взяв ее за локоть, быстро вывел из магазина на улицу.

— Господи! — воскликнул он, — и с этим вы должны мириться?! Я слышал эту мерзкую женщину, которая разговаривала с вами за занавеской. Как вы можете это терпеть, Мидж! Почему вы не швырнули ей в лицо это проклятое платье?

— Если бы я это сделала, то потеряла бы работу.

— Неужели вам не хочется швырнуть чем-нибудь в подобных женщин?

Мидж глубоко вздохнула:

— Конечно хочется. Особенно в конце недели во время летней распродажи, когда меня просто охватывает страх, что я не выдержу и в один прекрасный день вместо «Да, мадам», «Нет, мадам», «Я посмотрю, есть ли еще что-нибудь у нас, мадам»... я пошлю их всех к дьяволу.

— Мидж, дорогая малышка Мидж, вы не должны мириться со всем этим.

Мидж неуверенно засмеялась:

— Не расстраивайтесь так, Эдвард! С какой стати вы пришли сюда? Почему не позвонили?

— Мне хотелось взглянуть самому. Я беспокоился... — Он помолчал, а затем неожиданно вскипел: — Господи, Люси даже со своей судомойкой не разговаривает так, как эта женщина говорила с вами! Совершенно никуда не годится, что вы должны терпеть эту грубость и наглость. Боже мой, Мидж, я хотел бы увезти вас от всего этого в «Эйнсвик». Взял бы такси, усадил, повез на вокзал и прямо в «Эйнсвик» поездом в два пятнадцать.

Мидж остановилось, напускное безразличие внезапно слетело с нее. Позади длинное утомительное утро с несносными покупательницами, мадам была крайне груба... С внезапной вспышкой гнева Мидж набросилась на Эдварда:

— Ну так почему бы вам этого не сделать? Вокруг полно такси!

Эдвард смотрел на нее, изумленный этим неожиданным порывом.

— Зачем вы пришли и говорите это? Вы ведь так не думаете. Вы считаете, что делается легче, если после повседневного ада мне напоминают, что есть на свете такое место, как «Эйнсвик»? Вы думаете, что я буду благодарна вам за то, что вы стоите здесь и лепечете о том, как бы вам хотелось увезти меня отсюда! Все это звучит очень мило, но на самом деле вы так не думаете. Разве вы не знаете, что я продала бы душу, чтобы вскочить в этот поезд в два пятнадцать и уехать в «Эйнсвик»? Мне невыносимо даже думать об «Эйнсвике», понимаете? Вы хотите добра, Эдвард, но вы жестоки! Одни разговоры... только разговоры!

Они стояли друг против друг друга, на Шафтсбери-авеню, мешая потоку прохожих, спешащих на ленч. Но они не видели ничего, кроме друг друга. Эдвард смотрел на Мидж как человек, неожиданно пробудившийся от сна.

— Хорошо, черт побери! — сказал он. — Вы поедете в «Эйнсвик» поездом в два пятнадцать!

Взмахнув тростью, он остановил проходившее мимо такси. Машина подъехала к тротуару. Эдвард открыл дверцу, и Мидж, слегка ошеломленная, вошла в машину.

— Вокзал Пэддингтон, — сказал Эдвард водителю, садясь в такси вслед за Мидж.

Оба молчали. Губы Мидж были плотно сжаты, взгляд дерзкий и непокорный. Эдвард пристально смотрел вперед. Когда они остановились у светофора на Оксфорд-стрит, Мидж сказала:

— Кажется, я спровоцировала ваш блеф.

— Это не блеф, — коротко ответил Эдвард.

Такси рывком снова устремилось вперед. Только когда машина повернула с Эджуэр-роуд на Кембридж-Террас, Эдвард пришел в себя.

— Мы не успеем на два пятнадцать, — сказал он и постучал по стеклу водителю: — Поехали в «Баркли».

— Почему мы не успеваем на два пятнадцать? — холодно спросила Мидж. — Сейчас еще только двадцать пять минут второго.

Эдвард улыбнулся:

— У вас нет с собой никаких вещей, малышка Мидж. Ни ночной рубашки, ни зубной щетки, ни обуви, удобной для прогулок. Как вы знаете, еще есть поезд в четыре пятнадцать. Сейчас мы за ленчем все обсудим.

— Как это похоже на вас, Эдвард, — вздохнула Мидж. — Помнить практическую сторону. Импульс не увлечет вас далеко, не так ли? Ну что ж, это был прекрасный, хоть и короткий сон.

Мидж вложила в ладонь Эдварда свою руку и улыбнулась прежней улыбкой.

— Мне очень жаль, что на улице я оскорбляла вас, как рыночная торговка рыбой, — сказала она. — Но знаете, Эдвард, вы были несносны!

— Да, — сказал он. — Пожалуй!

С легким сердцем они вошли в «Баркли», расположились за столиком у окна, и Эдвард заказал чудесный ленч.

Покончив с курицей, Мидж, вздохнув, сказала:

— Мне пора. Мое время кончилось.

— Сегодня вы не будете торопиться, даже если мне придется скупить ради этого половину платьев в вашем магазине.

— Вы очень милы, Эдвард!

После crepes suzette[1] официант принес кофе. Помешивая ложечкой сахар, Эдвард тихо спросил:

_____

[1] Специально приготовленные блинчики *(фр.)*.

— Вы действительно так любите «Эйнсвик»?

— Почему мы должны говорить об «Эйнсвике»? Я перенесла разочарование, что мы не уехали поездом в два пятнадцать, и, конечно, не может быть никакого разговора об отъезде в четыре пятнадцать... Незачем сыпать соль на рану!

Эдвард улыбнулся:

— Я не предлагаю торопиться на поезд в четыре пятнадцать. Но я предлагаю вам отправиться в «Эйнсвик»... насовсем... если вы, конечно, сможете терпеть меня.

Мидж посмотрела на него поверх кофейной чашки... потом медленно опустила ее, стараясь сдержать дрожь в руке:

— Что вы имеете в виду, Эдвард?

— Я предлагаю вам, Мидж, выйти за меня замуж. Не думаю, что это очень романтичное предложение. Человек я нудный, я это знаю, и не очень-то к чему-либо пригодный... Читаю книги и слоняюсь без дела. Но, хоть я и не очень интересная личность, мы знаем друг друга много лет, и надеюсь, что «Эйнсвик» сам по себе будет компенсацией. Я думаю, вы будете счастливы в «Эйнсвике». Вы согласны?

Мидж проглотила слюну раз, другой...

— Я думала... Генриетта... — сказала она и остановилась.

— Да, — ответил Эдвард. Голос его был ровный и бесстрастный. — Я четыре раза просил Генриетту выйти за меня замуж, и каждый раз она мне отказывала. Генриетта твердо знает, чего она не хочет. — В наступившей тишине Эдвард спросил: — Ну так как же, Мидж?

Мидж посмотрела на него. У нее перехватило дыхание.

— Кажется просто невероятным... когда предлагают блаженство на блюдечке... в «Баркли»!

Лицо Эдварда озарилось. На мгновение он прикрыл руку Мидж своей.

— Блаженство на блюдечке! — повторил он. — Значит, вы так думаете об «Эйнсвике». О, Мидж! Я очень рад!

Счастливые, они посидели еще немного. Эдвард заплатил по счету, добавив чудовищные чаевые.

Посетители в ресторане поредели.

— Нам пора, — с усилием сказала Мидж. — Я думаю, мне лучше вернуться к мадам Элфридж. В конце концов, она на меня рассчитывает. Я ведь не могу просто взять и уйти.

— Конечно. Я думаю, надо вернуться и отказаться от должности или заявить об уходе, или как там это называется... Ты не будешь больше там работать. Я этого не хочу. Но прежде всего мы отправимся в один из магазинов на Бонд-стрит, где продают кольца.

— Кольца?!

— Так ведь принято.

Мидж засмеялась.

В неярком свете ювелирного магазина Мидж и Эдвард склонились над крытыми бархатом подставками с рядами сверкающих обручальных колец. Осторожный продавец доброжелательно наблюдал за ними.

— Нет. Не изумруды! — сказал Эдвард, отодвинув бархатную подставку.

Генриетта в зеленом твиде... Генриетта в вечернем платье, словно из китайского жадеита... Нет, не изумруды... Мидж постаралась заглушить острый укол боли в сердце.

— Выбери за меня, — сказала она Эдварду.

Он снова склонился над прилавком. Наконец он выбрал кольцо с одним бриллиантом, не очень большим, но прекрасного цвета и блеска:

— Мне нравится это.

Мидж кивнула. Выбор свидетельствовал о безошибочном, изысканном вкусе. Она надела кольцо на палец. Эдвард и продавец смотрели откинув головы назад. Эдвард выписал чек на триста сорок два фунта и, улыбаясь, вернулся к Мидж.

— Ну а теперь пойдем и нагрубим как следует мадам Элфридж, — сказал он.

Глава 25

— Но, дорогие мои, я просто в восторге! — Леди Энкейтлл протянула изящную руку Эдварду, а другой слегка коснулась Мидж. — Ты поступил совершенно правильно, Эдвард, заставив ее бросить этот ужасный магазин и приехать сюда. Мидж, разумеется, останется здесь и отсюда выйдет замуж... Церковь Святого Георга, три мили по дороге, хотя всего одна миля лесом, но, в общем, не ходят венчаться через лес. И я полагаю, должен быть викарий... но у бедняги отвратительные простуды каждую осень... тогда как у кюре типично англиканский голос, так что вся церемония будет значительно более впечатляющей и к тому же более религиозной, вы понимаете, что я имею в виду? Так невероятно трудно сохранять благоговейное состояние, если говорят в нос.

В общем, это был типично люсиобразный прием! Мидж хотелось смеяться и плакать одновременно.

— Я очень хочу быть выданной замуж отсюда, — сказала она.

— В таком случае решено, дорогая! Белый, чуть кремоватый атлас... и я думаю, молитвенник в переплете слоновой кости, а не букет! Шаферы?

— Нет. Я не хочу никакой суеты. Очень тихое венчание.

— Понимаю, дорогая... и думаю, ты права. Осенняя свадьба — почти всегда хризантемы. Мне кажется, хризантема — такой... не вдохновляющий цветок. Подобрать подружек невесты очень трудно, если не приложить все усилия, затратив массу времени. Как правило, какая-нибудь из них невероятно некрасива и разрушает весь эффект, но ее обязаны включить в церемонию, потому что обычно она — сестра жениха. Но конечно, — леди Энкейтл просияла, — у Эдварда нет сестер.

— Пожалуй, это очко в мою пользу, — улыбнулся Эдвард.

— Но хуже всего на свадьбе — дети, — продолжала свою мысль леди Энкейтлл. — Все говорят: «Ах, как мило!» Но, дорогая, сколько волнений! Они наступают на шлейф или ревут, зовут свою няню, а довольно часто их тошнит... Я просто удивляюсь, как невеста может войти в церковный притвор, сохраняя соответствующее состояние духа, если она не знает, что делается у нее за спиной.

— За моей спиной вообще может ничего не быть, — весело сказала Мидж. — Даже шлейфа. Я могу венчаться в жакете и юбке.

— О нет, Мидж, это совсем по-вдовьи! Нет, чуть кремоватый атлас, и, конечно, не от мадам Элфридж.

— Разумеется, нет! — вставил Эдвард.

— Я отвезу тебя к Мирей, — сказала леди Энкейтлл.

— Дорогая Люси, я не могу себе позволить Мирей!

— Чепуха, Мидж. Генри и я дадим тебе приданое. И Генри, разумеется, будет посаженым отцом. Надеюсь, пояс на его брюках не будет слишком тугим. Прошло почти два года с тех пор, как он последний раз был на свадьбе. А я надену платье...

Леди Энкейтлл остановилась и закрыла глаза.

— Да, Люси?

— Цвета голубой гортензии, — увлеченно заявила леди Энкейтлл. — Надеюсь, Эдвард, шафером будет один из твоих друзей. Кроме того, всегда остается Дэвид. Я невольно думаю о том, что это было бы очень хорошо для Дэвида! Придаст ему уверенности, понимаете, и он почувствует, что все мы любим его. А это, мне кажется, очень важно для Дэвида. По-моему, можно впасть в уныние, если, несмотря на ум и интеллектуальность, ты никому не нравишься. Но, с другой стороны, взять Дэвида в дружки просто рискованно. Он, скорее всего, потеряет кольцо или уронит в последнюю минуту. Боюсь, это будет беспокоить Эдварда. Хотя, разумеется, было бы практичнее ограничиться теми же людьми, которые были здесь во время убийства.

Последние слова были произнесены леди Энкейтлл самым обиженным тоном.

— В этом осеннем сезоне леди Энкейтлл использует убийство в качестве развлечения узкого круга близких людей, — не удержалась Мидж.

— Да, — задумчиво сказала леди Энкейтлл, — пожалуй, и в самом деле звучит именно так. Гости приезжают пострелять. Знаете ли, если вдуматься, это как раз то, что случилось!

Мидж вздрогнула:

— Ну что же, во всяком случае, теперь это уже позади.

— Не совсем... слушание только отложено. А этот милый инспектор Грэйндж и его люди попросту наводнили всю усадьбу, буквально ломятся через каштановую рощу, распугивая фазанов и выскакивая неожиданно в самых неподходящих местах, как чертики на пружинке из сюрпризных коробок.

— Что они ищут? — спросила Мидж. — Револьвер, которым был убит Кристоу?

— Вероятно. Они даже явились в дом с ордером на обыск... Инспектор приносил извинения по этому поводу и был очень смущен, но я сказала, что мы будем в восторге! В самом деле это интересно. Они осмотрели абсолютно все. Я, знаете ли, ходила следом за ними и подсказала два-три места, которые им и в голову не могли прийти. Но они ничего не нашли. Это было очень большим разочарованием. Бедняга инспектор даже похудел и все тянет и тянет вниз свои усы. Жене следовало бы кормить инспектора посытнее... Но мне кажется, что она из тех женщин, которые больше заботятся о том, чтобы линолеум был хорошо отполирован, чем о вкусном обеде. Это напомнило мне, что надо повидать миссис Медуэй. Странно, как слуги не переносят присутствия полиции в доме. Суфле и пирожные всегда выдают их душевное состояние. Если бы не Гаджен, который держит всех в руках, боюсь, половина слуг разбежалась бы. Почему бы и вам не погулять и не помочь полицейским искать револьвер?

Эркюль Пуаро сидел на скамье, откуда видна была каштановая роща над бассейном. Теперь он не испытывал чувства неловкости, так как леди Энкейтлл очень мило предложила ему ходить по территории усадьбы где ему вздумается. Как раз над этой любезностью леди Энкейтлл размышлял в этот момент Пуаро.

Время от времени до него доносился хруст сушняка под ногами, иногда виднелись фигуры людей, продвигавшихся через рощу. На тропинке, ведущей к дороге, показалась Генриетта. Увидев Пуаро, она на мгновение остановилась, но потом подошла к нему и села рядом:

— Доброе утро, мсье Пуаро! Я только что наведывалась к вам, но вас не было. Вы очень величественно выглядите. Это вы руководите поисками? Инспектор кажется очень деятельным. Что они ищут? Револьвер?

— Да, мисс Сэвернейк.

562

— Как вы думаете, они его найдут?

— Думаю, что да. Я бы сказал, теперь найдут довольно быстро.

Она вопросительно посмотрела на него:

— В таком случае вы знаете, где он находится?

— Нет. Но думаю, что скоро револьвер найдется. Пришло время, чтобы он нашелся.

— Вы говорите странные вещи, мсье Пуаро!

— Здесь происходят странные вещи. Вы очень скоро вернулись из Лондона, мадемуазель.

Лицо Генриетты посуровело, но потом она коротко и горько засмеялась:

— Убийца возвращается на место своего преступления? Это старое поверье, не правда ли? Значит, вы в самом деле считаете, что я... это сделала? Вы не поверили мне, когда я говорила вам, что не стала бы... не смогла бы убить кого-либо?

Пуаро ответил не сразу.

— Мне с самого начала казалось, — сказал он наконец задумчиво, — что это преступление или очень простое, такое простое, что трудно поверить в эту простоту. А простота, мадемуазель, может сбивать с толку... Или оно невероятно сложное, иными словами, нам противостоит ум, способный на сложные, оригинальные замыслы, так что каждый раз, когда нам кажется, что мы приближаемся к истине, на самом деле следы уводят нас от нее и заводят в тупик. Эта очевидная тщетность и бесплодность не настоящая. Она искусственна, запланированна. Действует очень тонкий, изобретательный ум... и действует успешно.

— Какое, однако, это имеет отношение ко мне? — спросила Генриетта.

— Ум, действующий против нас, — созидательный, творческий ум, мадемуазель.

— Понимаю... Вот почему вы подумали обо мне. — Она замолчала. Губы ее были плотно сжаты, у рта — горькая складка. Она вынула карандаш и, задумчиво хмурясь, машинально рисовала контуры причудливого дерева на белой поверхности скамьи.

Пуаро наблюдал за ней. Что-то шевельнулось в его памяти... Гостиная леди Энкейтлл в день убийства... стопка фишек для бриджа. Железный столик в павильоне около бассейна на следующее утро и разговор инспектора с Гадженом.

— Это дерево вы нарисовали на вашей фишке во время игры в бридж?

— Да. — Генриетта вдруг заметила, что она делала. — Игдрасиль, мсье Пуаро. — Она засмеялась.

— Почему вы его так называете?

Генриетта рассказала, как родился Игдрасиль.

— Значит... Когда вы задумываетесь и начинаете машинально рисовать... вы всегда рисуете Игдрасиль?

— Да. Странно, не правда ли?

— Здесь на скамье... на фишке в субботу вечером... и в павильоне утром в воскресенье...

Рука, державшая карандаш, напряглась и замерла.

— В павильоне? — спросила Генриетта безразличным тоном.

— Да, на круглом железном столике.

— О, должно быть... в субботу после полудня.

— Нет, не в субботу после полудня. Когда Гаджен убрал бокалы из павильона около двенадцати часов в воскресенье, ничего на столе нарисовано не было. Я спрашивал его, и он дал четкий ответ.

— Тогда это было, — она запнулась лишь на мгновение, — разумеется, в воскресенье после полудня.

Продолжая все так же любезно улыбаться, Пуаро покачал головой:

— Думаю, что нет. Все это время люди инспектора Грэйнджа были возле бассейна, фотографируя тело, извлекая из воды револьвер. Они не уходили до темноты и обратили бы внимание на любого, кто зашел бы в павильон.

— Я вспомнила, — медленно сказала Генриетта, — я вышла одна довольно поздно вечером... после обеда...

— Люди не рисуют, задумавшись, в темноте, мисс Сэвернейк, — резко сказал Пуаро. — Вы хотите сказать, что отправились ночью в павильон и, стоя у стола, нарисовали дерево, не будучи в состоянии видеть, что вы делаете?

— Я говорю вам правду, — спокойно ответила Генриетта. — Естественно, вы не верите. У вас свое собственное мнение. Между прочим, что вы думаете по этому поводу?

564

— Полагаю, что вы были в павильоне в воскресенье утром, после двенадцати часов, когда Гаджен уже унес бокалы из павильона. Что вы стояли у стола, наблюдая за кем-то или кого-то ожидая, и механически, вынув карандаш, нарисовали Игдрасиль, не замечая, что вы делаете.

— Я не была в павильоне в воскресенье утром. Я немного посидела на террасе, потом, взяв садовую корзинку, пошла к георгинам, срезала засохшие цветы и привела в порядок растрепавшиеся астры. Затем в час пошла к бассейну. Я уже говорила об этом инспектору Грэйнджу. Я и близко не подходила к бассейну до часа дня, как раз когда был убит Джон.

— Это ваша версия, — сказал Пуаро, — но Игдрасиль, мадемуазель, свидетельствует против вас.

— Значит, я была в павильоне и я убила Джона. Вы это имеете в виду?

— Вы были там и убили Джона Кристоу, или вы были там и видели, кто убил доктора Кристоу, или кто-то другой был там, кто знал об Игдрасиле и специально нарисовал его на столе, чтобы бросить подозрение на вас.

Генриетта встала. Она обернулась к нему, вздернув подбородок:

— Вы все еще думаете, что я убила Джона Кристоу, и считаете, что можете доказать это. Ну что же, я заявляю вам: вы никогда этого не докажете. Никогда!

— Вы считаете, что вы умнее меня?

— Вы никогда не докажете! — повторила Генриетта и, повернувшись, ушла вниз по извилистой дорожке, ведущей к плавательному бассейну.

Глава 26

Инспектор Грэйндж зашел в «Тихую гавань» выпить чашечку чая с Эркюлем Пуаро. Чай был именно такой, какого опасался Грэйндж: китайский и к тому же невероятно слабый.

«Эти иностранцы, — думал инспектор, — не умеют даже заварить чай... и научить их невозможно». Вообще-то ему было все равно. Он был в том состоянии пессимизма, когда каждая вновь добавляющаяся неприятность вызывает мрачное настроение.

— Послезавтра слушание, отложенное на две недели, — сказал он, — а чего мы добились? Решительно ничего. Черт побери, должен же где-нибудь быть этот револьвер! Это просто проклятущее место... десятки миль леса! Понадобится целая армия, чтобы обыскать все как следует. Все равно, что иголка в стоге сена! Он может быть где угодно. Что ни говорите, но это факт — мы можем никогда не найти этого револьвера.

— Вы его найдете, — доверительно сказал Пуаро.

— Да уж не скажешь, что я не хотел его найти!

— Найдете, раньше или позже. Я бы даже сказал, скорее раньше. Еще чашечку?

— Не возражаю... нет-нет, кипятку не надо!

— Не слишком крепкий?

— О нет, не слишком! — Мрачно, мелкими глотками инспектор прихлебывал бледную, соломенного цвета жидкость. — Из меня сделали шута, мсье Пуаро... Шута! Не могу понять этих людей. Они как будто помогают... Но все, что они говорят, уводит тебя прочь... какая-то погоня за химерами!

— Уводит прочь, — повторил Пуаро. В его глазах появилось выражение удивления. — Да, конечно! Прочь...

Инспектор продолжал изливать свои обиды:

— Хотя бы этот револьвер... Кристоу был убит (согласно медицинскому заключению) за одну-две минуты до вашего появления. У леди Энкейтлл в руках была корзинка яиц; у мисс Сэвернейк — садовая корзинка, полная срезанных сухих цветов, а на Эдварде Энкейтлле была свободная охотничья куртка с большими карманами, набитыми патронами. Каждый из них мог унести с собой револьвер. Он не был спрятан нигде около бассейна... это исключается, мои люди прочесали это место.

Пуаро кивнул.

Грэйндж продолжал:

— Кто-то подстроил, чтобы подозрение пало на Герду Кристоу. Кто? Все вещественные доказательства прямо тают в воздухе.

— Ну а объяснение, как каждый из них провел утро? Они удовлетворительны?

— Объяснения — да, удовлетворительны. Мисс Сэвернейк работала в саду, леди Энкейтлл собирала на
ферме яйца, Эдвард Энкейтлл и сэр Генри занимались
стрельбой и расстались поздно утром: сэр Генри вернулся в дом, а Эдвард Энкейтлл направился сюда через лес. Юноша читал в спальне. Странное место для
чтения в такой чудесный день, но он из тех книжни-
ков, которые предпочитают сидеть в четырех стенах.
Мисс Хардкасл с книгой ушла в сад. Все выглядит естественно, вполне вероятно, и нет никакой возможности все это проверить. Гаджен вынес поднос с бокалами в павильон около двенадцати часов. Он не может
сказать, кто где был и чем занимался. А в общем, знаете ли, что-то есть против каждого из них.

— В самом деле?

— Конечно, самая подходящая фигура — Вероника
Крэй. Они поссорились с Кристоу, она его смертельно ненавидела, вполне вероятно, что она его убила... но
я не могу найти ни на йоту доказательств, что именно
она это сделала. Нет доказательств, что у нее была возможность взять револьвер из коллекции сэра Генри,
никто не видел, чтобы она шла к бассейну или от него
в тот день, и пропавшего из коллекции револьвера у
нее нет.

— О! Вы в этом убедились?

— А как вы думаете! Можно было получить разре-
шение на обыск, но в этом не было надобности. Она
была очень любезна. В ее жестянке-бунгало револьвера нигде нет. После того как слушание было отложено, мы сделали вид, что оставили в покое мисс Крэй и
мисс Сэвернейк, но, конечно, следили за тем, куда они
ходили и что делали. Наш человек следил за Вероникой Крэй. Никаких попыток спрятать револьвер не обнаружено.

— А Генриетта Сэвернейк?

— Тоже ничего. Она вернулась прямо в Челси, и мы с
тех пор следили за ней. Револьвера нет ни у нее, ни в ее
студии. Во время обыска она держалась очень мило. Ее
это вроде даже забавляло. Кое-что из ее чудных скульп-
тур просто ошарашило полицейского. Он говорил потом,
что не может понять, почему людям хочется делать такие
вещи... комки глины, налепленные как попало; причуд-

ливо перекрученные куски меди и алюминия; лошади такие, что узнать невозможно...

Пуаро слегка шевельнулся:

— Вы говорите, лошади?

— Ну, не лошади... одна лошадь. Если это можно назвать лошадью! Если хочешь изобразить лошадь, почему бы не пойти и не посмотреть, какая она на самом деле!

— Лошадь, — повторил Пуаро.

— Что вас так заинтересовало, Пуаро? — повернулся к нему Грэйндж. — Не понимаю!

— Ассоциация... вопрос психологии.

— Ассоциация слов? Лошадь и телега. Лошадка-качалка? Попона? Нет, не понимаю. Как бы то ни было, через день-другой мисс Сэвернейк собралась и снова приехала сюда. Вы об этом знаете?

— Да, я говорил с ней и видел, как она, беспокойная, ходила в лесу.

— Беспокойная? Ну что ж. Она была влюблена в доктора, и он сказал «Генриетта» перед смертью... Все это близко к тому, чтобы ее обвинить. Однако недостаточно близко, мсье Пуаро.

— Вы правы, — задумчиво сказал Пуаро. — Недостаточно близко.

— Какая-то здесь атмосфера... Чувствуешь себя совершенно запутанным! Леди Энкейтлл... она так и не смогла объяснить, зачем взяла с собой в тот день револьвер. Это же просто ненормально!.. Иногда я думаю, что она сумасшедшая.

Пуаро слегка покачал головой.

— Нет! — сказал он, — она не сумасшедшая.

— Или, например, Эдвард Энкейтлл. Я думал, что-то водится за ним. Леди Энкейтлл сказала... нет, намекнула, что он уже несколько лет влюблен в Генриетту. Это достаточный повод. А теперь я узнаю, что он помолвлен совсем с другой девушкой... мисс Хардкасл... Так что... пуфф! Рассыпается обвинение против него.

Пуаро пробормотал что-то сочувственное.

— Или этот молодой парень, — продолжал инспектор. — Леди Энкейтлл обронила что-то о нем. Его мать как будто умерла в психиатрической лечебнице... мания преследования... думала, что все сговариваются ее убить. Сами понимаете, что это может означать. Если парень унаследовал патологическую наклонность, у него могли появиться какие-то идеи, связанные с доктором Кристоу. Может быть, он решил, что доктор собирается удостоверить его болезнь. Хотя Кристоу был совсем другим доктором. Нервные расстройства пищеварительного тракта и заболевания сверх... сверх чего-то там... Это специализация Кристоу. Но парень немного не в себе, он мог вообразить, что Кристоу находится здесь, чтобы наблюдать за ним. Этот парень очень странно себя ведет. Нервный, как кошка. — Грэйндж с печальным видом помолчал. — Вы понимаете, что я имею в виду, мсье Пуаро? Все это неопределенные подозрения, ведущие... никуда.

Пуаро снова шевельнулся:

— Удаляться... не приближаться. «От», а не «к». «Никуда» вместо «куда-то». Да, разумеется, так оно и есть.

Грэйндж с удивлением смотрел на него.

— Все они какие-то странные, — сказал инспектор, — все Энкейтллы. Иногда я готов поклясться, что они все знают об этом деле.

— Они и в самом деле знают, — спокойно подтвердил Пуаро.

— Вы хотите сказать, что они знают, каждый из них знает, кто убийца? — недоверчиво спросил инспектор.

Пуаро кивнул:

— Да. Они знают. Я давно это подозревал. Сейчас я в этом вполне уверен.

— Понятно. — Лицо инспектора было очень хмурым. — И они все это скрывают, сговорившись между собой? Ну что ж, я еще до них доберусь. Я найду этот револьвер.

«Пожалуй, это лейтмотив всех речей инспектора», — подумал Пуаро.

— Я бы все отдал, чтобы расквитаться с ними, — со злостью продолжал Грэйндж.

— С кем?

— Со всеми! Морочат голову! Подсказывают всякие глупости! Намекают! Помогают моим людям... помогают! Все паутина... отвратительная липкая паутина...

Ничего существенного! Мне нужны простые надежные факты!

Эркюль Пуаро пристально смотрел в окно. Взгляд его был привлечен нарушением линии в живой изгороди его владения.

— Вы хотите надежных фактов? — обратился он к инспектору. — Eh bien[1], если я не ошибаюсь, именно такой надежный факт сейчас находится у изгороди возле моей калитки.

Они пошли по садовой дорожке. Грэйндж встал на колени и начал раздвигать ветки, пока полностью не открылось то, что было втиснуто между ними. Инспектор глубоко вздохнул, когда показалось что-то черное и стальное.

— Да, это револьвер, — сказал он, и на какое-то мгновение его взгляд с подозрением остановился на Пуаро.

— Нет, нет, друг мой! — воскликнул Пуаро. — Я не убивал доктора Кристоу и не прятал револьвер в живой изгороди собственного дома.

— Конечно нет, мсье Пуаро! Простите! Ну что ж, наконец, мы нашли его. Похоже, что он из кабинета сэра Генри. Это можно проверить, как только узнаем номер. Тогда можно будет установить, из этого ли оружия был застрелен Кристоу. Теперь, как говорится, тише едешь — дальше будешь. — С большой осторожностью инспектор шелковым платком извлек револьвер из кустов изгороди. — Хорошо бы обнаружить отпечатки пальцев! Знаете, у меня такое впечатление, что счастье наконец-то к нам повернулось.

— Дайте мне знать...

— Конечно, мсье Пуаро. Я позвоню вам.

Эркюлю Пуаро позвонили по телефону дважды. Первый раз — в тот же вечер.

— Это вы, мсье Пуаро? — послышался ликующий голос инспектора. — Вот вам секретная информация. Это действительно револьвер из коллекции сэра Генри, и тот самый, из которого был убит Джон Кристоу. Абсолютно точно! И на нем хороший набор отпечатков пальцев. Большой палец, указательный и частич-

---

[1] Хорошо *(фр.)*.

но средний. Я же вам говорил, что счастье к нам повернулось!

— Вы установили отпечатки пальцев?

— Еще нет. Они, безусловно, не принадлежат миссис Кристоу. Ее отпечатки у нас есть. По размеру они больше похожи на мужские, чем на женские. Завтра я отправляюсь в «Лощину». Уж я выскажу все, что думаю, и сниму отпечатки пальцев. И тогда, мсье Пуаро, все станет ясно.

— Будем надеяться, — вежливо сказал Пуаро.

Второй раз телефон прозвенел на следующий день, и голос, звучавший в трубке, уже не был ликующим.

— Хотите услышать последние новости? — мрачно спросил инспектор. — Отпечатки пальцев не принадлежат никому из тех, кто связан с преступлением! Нет, сэр! Ни Эдварду Энкейтллу, ни Дэвиду, ни сэру Генри! Они не принадлежат ни Герде Кристоу, ни Генриетте Сэвернейк, ни нашей Веронике, ни ее сиятельству, ни маленькой темноволосой девушке, ни даже судомойке или кому-нибудь из других слуг!

Пуаро выразил сочувствие.

Грустный голос инспектора Грэйнджа продолжал:

— Так что похоже все-таки, что это кто-то посторонний. Может быть, тот, кто имел что-нибудь против доктора Кристоу и о ком мы ничего не знаем! Кто-то невидимый и неслышимый, кто стащил револьвер из кабинета и, совершив убийство, ушел по тропинке к дороге. Потом засунул револьвер в вашу изгородь и исчез.

— Друг мой, не хотите ли взять мои отпечатки пальцев?

— Пожалуй, не стану возражать. Поразительно, мсье Пуаро! Ведь вы были на месте преступления и, вообще говоря, являетесь самой подозрительной личностью в этом деле!

Глава 27

Следователь откашлялся и выжидательно взглянул на старшину присяжных, который, в свою очередь, смотрел вниз на листок бумаги в руке. Кадык на его шее возбужденно ходил вниз и вверх. Он старательно читал: «Установлено, что смерть наступила в результате преднамеренного убийства. Убийца или убийцы не установлены».

Сидя в углу у стены, Пуаро кивнул.

Другого решения присяжных и быть не могло. Выйдя на улицу, Энкейтллы остановились поговорить с Гердой и ее сестрой. На Герде было все то же черное платье, на лице — такое же ошеломленное, несчастное выражение. На этот раз обошлось без «даймлера». Железнодорожное сообщение, объяснила Элси Паттерссон, в самом деле очень надежное. Если ехать скорым поездом до Ватерлоо, они легко успевают на поезд, который отправляется в час двадцать до Бексхилла.

— Дорогая, — шептала леди Энкейтлл, пожимая руку Герды, — вы не должны терять с нами связь. Может быть, небольшой ленч когда-нибудь в Лондоне? Я думаю, вы будете иногда приезжать за покупками.

— Я... я не знаю, — ответила Герда.

— Мы должны торопиться, дорогая, — сказала Элси Паттерссон, — наш поезд...

И Герда отвернулась от леди Энкейтлл с явным облегчением.

— Бедная Герда, — сказала Мидж. — Единственное доброе дело, которое принесла ей смерть Джона, — это освобождение от твоего ужасного гостеприимства, Люси.

— Как нелюбезно с твоей стороны, Мидж! Никто не может обвинить меня в том, что я не старалась.

— Когда ты стараешься, Люси, ты становишься еще хуже.

— Ну, как бы то ни было, приятно думать, что все кончилось, не так ли? — Леди Энкейтлл озарила всех своей лучезарной улыбкой. — Кроме, конечно, бедного инспектора Грэйнджа. Мне его просто жаль. Как вы думаете, поднимется у него настроение, если мы пригласим его на ленч?

— По-моему, Люси, его лучше оставить в покое, — сказал сэр Генри.

— Пожалуй, ты прав, — задумчиво произнесла леди Энкейтлл. — К тому же сегодня совсем неподходящий для него ленч. Куропатка с капустой и вкуснейшее суфле «Сюрприз», которое миссис Медуэй так чудесно готовит. Совсем неподходящий ленч для инспектора. Солидный стейк, немного недожаренный, и хороший старомодный яблочный пирог без всяких выдумок... или яблоки в тесте. Вот что я заказала бы для инспектора Грэйнджа.

— Твой инстинкт в отношении еды, Люси, всегда очень верен. Я думаю, нам следует поспешить домой к куропаткам... Судя по всему, они должны быть восхитительны.

— Видишь ли, я полагала, что мы должны как-то отпраздновать! Просто чудесно, не правда ли, что всегда все поворачивается к лучшему!

— Да-а...

— Я знаю, Генри, о чем ты думаешь. Не беспокойся, я займусь этим сегодня же.

— Люси, что еще ты задумала?

Леди Энкейтлл улыбнулась:

— Не волнуйся, дорогой, просто нужно кое-что привести в порядок.

Сэр Генри с сомнением посмотрел на жену.

Когда они подъехали к «Лощине», Гаджен подошел открыть дверцы машины.

— Все прошло вполне удовлетворительно, Гаджен, — сказала леди Энкейтлл. — Передайте это миссис Медуэй и всем остальным. Я знаю, как неприятно все это было для вас, и я хотела бы сказать, что сэр Генри и я ценим проявленную вами преданность.

— Мы очень беспокоились за вас, миледи, — сказал Гаджен.

Проходя в малую гостиную, леди Энкейтлл сказала:

— Очень мило со стороны Гаджена, но совершенно напрасно. Я в самом деле получила удовольствие. Это так не похоже на то, к чему привык. Не кажется ли вам, Дэвид, что подобный опыт расширяет ваш кругозор? И так не похоже на Кембридж.

— Я в Оксфорде, — холодно поправил Дэвид.

— Милые лодочные гонки... Истинно по-английски, не правда ли? — рассеянно проговорила леди Энкейтлл и подошла к телефону. Она сняла трубку и, держа ее в руке, продолжала: — Надеюсь, Дэвид, вы снова приедете к нам погостить. Так трудно познакомиться поближе, когда в доме произошло убийство, не так ли? И разумеется, совершенно невозможно вести по-настоящему интеллектуальную беседу.

— Благодарю вас, — ответил Дэвид, — но, надеюсь, вскоре я уеду в Афины... в Британскую школу.

— Кто там теперь послом? — обратилась к мужу леди Энкейтлл. — О да, разумеется. Хоуп-Реммингтон. Нет, я не думаю, что он понравится Дэвиду. Их дочери так ужасающе энергичны... Они играют в хоккей и крокет и в эту странную игру, где вы должны ловить мяч сеткой. — Она вдруг замолчала, удивленно глядя на телефонную трубку. — Зачем у меня эта штука?

— Наверное, ты хотела кому-то позвонить, — сказал Эдвард.

— Не думаю. — Она положила трубку на место. — Вам нравится телефон, Дэвид?

«Типичный для нее вопрос, — раздраженно подумал Дэвид. — Она постоянно задает вопросы, на которые невозможно дать разумный ответ». Он холодно сказал, что находит телефон полезным.

— Вы хотите сказать, как мясорубка? Или резинка? Все равно не...

Появившись в дверях, Гаджен объявил, что ленч подан, и фраза так и осталась незаконченной.

— Но куропаток вы любите? — озабоченно осведомилась леди Энкейтлл.

Дэвид нехотя признал, что куропаток он любит.

— Иногда я думаю, что Люси и в самом деле немного не в себе, — сказала Мидж, когда, выйдя из дома, они с Эдвардом направились в лес.

Куропатки и суфле «Сюрприз» были превосходны, к тому же следствие закончилось и тягостная атмосфера разрядилась.

— Я всегда полагал, — задумчиво сказал Эдвард, — что Люси обладает блестящим умом, который выражает себя как в игре, где нужно найти пропущенное слово. Если прибегнуть к метафоре — ее мысли прыгают, как молоток от гвоздя к гвоздю, но всегда попадает точно по шляпке!

— Все равно, — трезво заметила Мидж, — иногда Люси меня пугает. — Помолчав, она добавила, слегка вздрогнув: — Вообще в последнее время это место пугает меня.

— «Лощина»? — Эдвард повернул к ней удивленное лицо. — «Лощина» всегда немного напоминает мне «Эйнсвик». Хотя, конечно, что-то в ней ненастоящее...

— Вот именно, Эдвард, — перебила его Мидж. — А я боюсь всего, что ненастоящее... Неизвестно, что прячется за ним... Это похоже... о, это похоже на маску!

— Ты не должна рисовать себе всякие страхи и давать волю фантазии, малышка Мидж!

Опять этот старый снисходительный тон, каким он разговаривал с ней много лет назад. Тогда это ей нравилось, но теперь вызывало беспокойство. Она старалась высказать свою мысль яснее, показать ему, что за тем, что он называет фантазией, скрываются очертания смутно осознанной реальности.

— Я избавилась от всего в Лондоне, но здесь все снова вернулось. Я чувствую, что все знают, кто убил Джона Кристоу. И я единственная, кто этого не знает.

— Почему мы должны думать и говорить о Джоне Кристоу? Его уже нет!

Мидж прошептала:

> Он мертв, его больше нет, леди,
> Он мертв, его больше нет.
> В головах у него зеленый мох,
> Камень тяжелый — у ног[1].

Мидж положила ладонь на руку Эдварда:

— Кто же убил его, Эдвард? Мы думали, что Герда... но это не так. Кто же в таком случае? Скажи мне, что ты думаешь? Это был кто-то, о ком мы никогда не слышали?

— Все предположения кажутся мне совершенно беспочвенными. Если полиция не может найти убийцу или не может собрать достаточно доказательств, тогда нужно оставить дело... и мы избавимся от этого гнетущего состояния.

— Да, но если не узнать...

— Зачем нам стараться узнать? Что у нас с ним общего?

---

[1] У. Шекспир. «Гамлет».

«У нас, у Эдварда и у меня? Ничего!» — подумала Мидж. Утешительная мысль. Она и Эдвард, соединенные в единое существо. И все же... все же... Несмотря на то что Джон Кристоу уже в могиле и над ним произнесены слова погребального обряда, все же он был зарыт недостаточно глубоко. «Он мертв, его больше нет, леди!» О Джоне Кристоу, однако, нельзя было сказать: «Он мертв, его больше нет», как бы ни хотел того Эдвард! Джон Кристоу продолжал оставаться здесь, в «Лощине».

— Куда мы идем? — спросил вдруг Эдвард.

Что-то в его тоне удивило Мидж.

— Пойдем на вершину холма. Хорошо? — сказала она.

— Если ты хочешь.

Эдварду явно не хотелось этого. «Почему? — удивилась Мидж. — Обычно это была его любимая прогулка. Он и Генриетта почти всегда...» Мысль будто щелкнула и сломалась. Он и Генриетта.

— Ты был здесь этой осенью?

— Мы гуляли здесь с Генриеттой в первый день уик-энда.

Оба замолчали. Поднявшись на вершину, они сели на ствол поваленного дерева.

«Может быть, здесь они сидели с Генриеттой», — подумала Мидж. Она машинально оборачивала обручальное кольцо на пальце. Бриллиант холодно сверкнул. Как Эдвард сказал тогда? «Только не изумруд!»

— Будет очень хорошо снова оказаться в «Эйнсвике» на Рождество, — сделав над собой усилие, сказала Мидж.

Казалось, он не слышал. Он был далеко.

«Он думает о Генриетте и Джоне Кристоу», — решила Мидж.

Сидя здесь тогда, Эдвард сказал что-то Генриетте, или она рассказала ему о чем-то. Генриетта, может быть, и знает, чего она не хочет, но он все еще принадлежит ей. «Он всегда будет принадлежать Генриетте», — подумала Мидж. Ее охватила боль. Призрачно-счастливый мир, в котором она жила последнюю неделю, дрогнул и лопнул, как мыльный пузырь. «Я не могу так жить... если он постоянно думает о Генриетте. Не могу мириться с этим. Не могу этого вынести!»

Ветер дохнул сквозь деревья... Листья стали падать быстрее... золота почти не осталось, преобладал коричневый цвет.

— Эдвард!

Настойчивость в ее голосе словно разбудила Эдварда. Он повернул голову:

— Да?!

— Мне очень жаль, Эдвард. — Губы ее дрожали, но голос был ровный и сдержанный. — Я должна сказать... Это бесполезно. Я не могу выйти за тебя замуж. У нас ничего не получится, Эдвард.

— Но, Мидж... «Эйнсвик», конечно...

Она перебила его:

— Я не могу выйти за тебя замуж из-за «Эйнсвика», Эдвард! Ты... ты должен понять это.

Он вздохнул. Долгий, протяжный вздох, как эхо мертвых листьев, тихо скользящих вниз с ветвей.

— Я понимаю, — сказал он. — Да, я думаю, ты права.

— Было очень любезно, очень мило с твоей стороны сделать мне предложение, но из этого ничего хорошего не получится, Эдвард. Не получится.

Может, она слабо надеялась, что он станет возражать ей, попытается ее уговорить... Но он как будто чувствовал то же, что и она. Здесь, где рядом витала тень Генриетты, он, очевидно, тоже понимал, что все тщетно.

— Нет, — повторил он слова Мидж, — ничего не получится.

Мидж сняла с пальца кольцо и протянула его Эдварду. Она всегда будет любить Эдварда, а Эдвард всегда будет любить Генриетту, и жизнь будет — просто сущий ад!

— Это прекрасное кольцо, Эдвард, — сказала Мидж. У нее перехватило дыхание.

— Я хотел бы, чтобы ты оставила его, Мидж. Мне это было бы приятно.

Она покачала головой:

— Я не могу.

Все было вполне дружелюбно. Он не знал... Он никогда не узнает, что она чувствовала. Блаженство на блюдечке... Но блюдечко разбилось, а блаженство скользнуло между пальцев, или, может быть, его там никогда и не было.

В тот день, после полудня, Эркюлю Пуаро нанес визит еще один человек. К нему уже приходили Генриетта Сэвернейк и Вероника Крэй. На этот раз явилась леди Энкейтлл. Она скользнула по дорожке к дому, легкая, со свойственным ей неземным видом.

Пуаро открыл дверь — леди Энкейтлл, улыбаясь, стояла у порога.

— Я пришла повидать вас, — заявила она. Совсем как фея, одарившая своим присутствием простого смертного.

— Я польщен, мадам!

Он проводил ее в гостиную. Леди Энкейтлл опустилась на диван и снова улыбнулась.

«Она стара... — подумал Эркюль Пуаро, — у нее седые волосы и морщины на лице... И все-таки в ней есть какое-то волшебное очарование... И оно останется у нее всегда...»

— Я хочу попросить вас об одолжении, — сказала она тихо.

— Да, мадам.

— Прежде всего, я должна поговорить с вами о докторе Кристоу.

— О докторе Кристоу?

— Да. Мне кажется, единственный выход — положить всему этому конец. Вы понимаете, о чем я говорю, не так ли?

— Я в этом не уверен, леди Энкейтлл.

Она снова озарила его своей милой ослепительной улыбкой и положила красивую белую руку на его рукав:

— Дорогой мсье Пуаро, вы прекрасно знаете, о чем я говорю. Полиция должна будет охотиться за владельцем этих отпечатков пальцев, не найдет его и в конце концов вынуждена будет закрыть все дело. Но мне кажется, что вы этого так не оставите.

— Нет, не оставлю.

— Я так и думала. Поэтому я и пришла. Вы хотите знать правду, не так ли?

— Разумеется, я хочу знать правду.

— Я вижу, что недостаточно ясно выразилась. Я пытаюсь понять, почему вы не хотите прекратить следствие. Полагаю, не из-за вашего престижа... или из желания повесить убийцу... Я всегда считала это таким неприятным видом казни... таким средневековым. Я думаю, что вы просто хотите знать. Вы понимаете, что я имею в виду, не так ли? Если бы вы знали правду... если бы вам сказали правду, я думаю... я полагаю, может быть, это удовлетворило бы вас. Удовлетворит это вас, мсье Пуаро?

— Вы предлагаете мне открыть правду, леди Энкейтлл?

Она кивнула.

— Значит, вы знаете правду?

Она широко раскрыла глаза:

— О да, я давно знаю. Я могла бы сказать ее вам. И тогда мы решили бы... что все закончено. — Она улыбнулась. — Вы согласны со мной, мсье Пуаро?

— Нет, мадам, не согласен.

Пуаро пришлось сделать немалое усилие над собой, чтобы сказать это. Ему хотелось... очень хотелось оставить все... только потому, что леди Энкейтлл просила его об этом.

Секунду она сидела не двигаясь. Потом подняла брови.

— Хотела бы я знать, — сказала она, — хотела бы я знать, понимаете ли вы, что делаете?

Глава 28

Без сна, с сухими глазами Мидж лежала в темноте, беспокойно ворочаясь на подушке.

Она услышала, как открылась дверь, послышались шаги в коридоре, мимо ее двери. Дверь открылась из комнаты Эдварда, и шаги были его.

Мидж включила лампу у кровати и посмотрела на часы, стоявшие около лампы на столике. Было без десяти минут три.

В такой час Эдвард прошел по коридору и спустился по лестнице... Странно.

Накануне все отправились спать в половине десятого. Она не могла уснуть и лежала с болью в сердце и воспаленными глазами.

Мидж слышала, как внизу пробили часы... под окном ее спальни кричала сова. Она чувствовала, как постепенно нарастает депрессия. «Я не могу больше, — стучало в висках, — я больше не могу... Наступает утро... новый день. И так изо дня в день!»

По своей воле она изгнана из «Эйнсвика»... самого прекрасного и самого дорогого места на земле, которое могло бы принадлежать ей. Но лучше изгнание, лучше одиночество, однообразное, тусклое существование, чем жизнь с Эдвардом и тенью Генриетты. До этого дня в лесу она не знала, что сможет ревновать так мучительно.

В общем, Эдвард никогда и не говорил, что любит ее. Привязанность, доброта, не больше; он никогда не притворялся. Она принимала такое ограничение, пока не поняла, что значит жить с Эдвардом, чье сердце и ум постоянно заняты Генриеттой. Тогда стало ясно: одной привязанности Эдварда ей недостаточно.

Эдвард прошел мимо ее двери, вниз по лестнице... Странно... Куда он направился? Тревога нарастала. Все это было неотъемлемой частью общего беспокойства, которое вызывала в ней теперь «Лощина». Что делает Эдвард внизу в такой ранний час? Может, он вышел из дома?

Мидж не могла больше оставаться в бездействии... Она встала, набросила халат и, взяв фонарик, вышла в коридор.

Было довольно темно, свет нигде не горел. Мидж повернула влево и подошла к лестнице. Внизу тоже было темно. Мидж сбежала вниз по лестнице и, секунду поколебавшись, включила свет в холле. Все было тихо. Входная дверь была закрыта и заперта. Мидж попробовала боковую дверь... тоже заперта.

Значит, Эдвард не выходил. Где же он?

Вдруг она подняла голову и втянула воздух. Запах газа... Очень слабый запах газа. Обитая сукном дверь в коридор, ведущая на кухню, слегка приоткрыта. Мидж вошла в коридор и увидела слабый свет, проникающий через кухонную дверь. Запах газа значительно усилился.

Мидж пробежала по коридору на кухню. Эдвард лежал на полу головой внутрь газовой печки, газ полностью включен.

Мидж была девушкой быстрой и практичной. Она распахнула ставни, но не смогла открыть окно и тогда, обернув руку полотенцем, разбила стекло. Затем, стараясь не дышать, оттащила Эдварда от газовой печки и закрыла кран.

Эдвард был без сознания и странно дышал, но Мидж знала, что он потерял сознание только что. Ветер, врываясь через разбитое окно и открытую дверь, быстро рассеял газ. Мидж подтащила Эдварда ближе к окну, где струя воздуха была сильнее. Она села на пол, обхватив Эдварда сильными, крепкими руками.

— Эдвард, Эдвард, Эдвард... — звала Мидж, вначале тихо, потом с возрастающим отчаянием.

Он шевельнулся, открыл глаза и посмотрел на нее.

— Газовая печка, — чуть слышно произнес он, и его взгляд остановился на ней.

— Я знаю, дорогой, но почему... Почему?

Эдварда охватила сильная дрожь, руки были холодные и безжизненные.

— Мидж?! — В голосе Эдварда были удивление и радость.

— Я слышала, как ты прошел мимо моей двери, — сказала она, — я не знала... спустилась вниз.

Эдвард глубоко вздохнул.

— Лучший выход из положения, — сказал он и добавил: «Ньюс оф зе уорлд».

Мидж вначале не поняла, но потом вспомнила высказывание Люси в день, когда произошла трагедия.

— Но почему, Эдвард, почему... почему?

Он посмотрел на нее, и пустая, холодная темнота в его взгляде испугала Мидж.

— Потому что я знаю теперь, что никогда не был стоящим человеком. Всегда неудачи. Всегда неуспех. Это люди, подобные Кристоу, действуют. Они добиваются успеха, и женщины восхищаются ими. Я — ничто, во мне не много жизненной энергии. Я наследовал «Эйнсвик», и у меня достаточно средств для жизни... иначе я бы пропал. Карьеры я не сделал... так и не стал хорошим писателем. Генриетте я не нужен. Я никому не нужен. Тогда... в «Баркли»... я было подумал... Но получилось то же самое. Тебе, Мидж, я тоже безразличен. Ты не можешь принять меня даже ради «Эйнсвика». Потому я решил, что лучше уж уйти совсем.

— Дорогой мой, дорогой... — Слова вырывались стремительно. — Ты не понял. Это из-за Генриетты... потому что я думала, ты все еще любишь Генриетту.

— Генриетта? — невнятно прошептал Эдвард, как будто говорил о ком-то невероятно далеком. — Да, я очень любил ее.

Мидж услышала, как он прошептал едва слышно:

— Как холодно...

— Эдвард... дорогой мой!

Руки Мидж крепче обхватили Эдварда. Он улыбнулся ей и прошептал:

— С тобой так тепло, Мидж, так тепло.

«Да, — подумала она, — это и есть отчаяние. Холод... бесконечный холод и одиночество». До сих пор она не знала, что отчаяние — это холод. Отчаяние представлялось Мидж чем-то горячим, страстным, даже неистовым. Здесь было совсем другое. Это отчаяние — полнейшая темнота, холод и одиночество. Грех отчаяния, о котором говорят священники, это леденящий грех, при котором человек отторгается от всех теплых, живительных контактов с людьми.

— С тобой так тепло, Мидж! — снова повторил Эдвард.

И Мидж внезапно с гордой уверенностью подумала: «Ведь это именно то, что ему нужно... то, что я могу ему дать!» Все Энкейтллы холодные; даже в Генриетте есть нечто ускользающее, что-то от призрачной холодности эльфов, которая скрыта в крови Энкейтллов. Пусть Эдвард любит Генриетту как недосягаемую, неуловимую мечту. Но в чем он действительно нуждается — это теплота, постоянство, уверенность. И взаимопонимание, и любовь, и смех, звучащий в «Эйнсвике».

«Эдварду нужно, чтобы кто-то зажег огонь в его камине, — подумала Мидж. — И это сделаю я».

Эдвард поднял глаза на нее. Он увидел лицо Мидж, наклонившейся над ним, теплый цвет ее кожи, крупный рот, спокойный взгляд, темные волосы, как два крыла лежащие на лбу.

Генриетту он всегда воспринимал как отражение прошлого. Во взрослой женщине он искал и хотел видеть только семнадцатилетнюю девушку, свою первую любовь. Теперь же, глядя на Мидж, он испытывал странное чувство, так как видел «непрерывную» Мидж: школьницу с волосами, заплетенными в две косички; темные волны волос, обрамляющие сейчас ее лицо, и он ярко представил себе, как эти волны будут выглядеть, когда волосы перестанут быть темными и поседеют.

«Мидж, — думал он, — настоящая... Единственная». Он чувствовал ее живительное тепло, силу... Темноволосая, энергичная, настоящая! «Мидж — это скала, на которой я могу построить свою жизнь».

— Дорогая Мидж, — сказал он, — я люблю тебя. Не оставляй меня больше.

Она наклонилась, и он почувствовал на своих губах тепло ее губ, почувствовал, как ее любовь укрывает и защищает его, а счастье расцветает в той холодной пустыне, где он так долго жил один.

Мидж внезапно сказала, рассмеявшись:

— Эдвард! Таракан вылез посмотреть на нас. Не правда ли, это очень славный таракан? Вот уж никогда не думала, что черный таракан может мне так понравиться!

Как необычна жизнь, — продолжала она задумчиво. — Мы сидим в кухне на полу, где все еще пахнет газом, рядом с тараканами и чувствуем себя так, будто мы в раю!

— Я мог бы остаться здесь навсегда, — задумчиво сказал Эдвард.

— Пожалуй, нам лучше пойти и поспать. Сейчас четыре часа. Как мы сможем объяснить Люси разбитое окно?

«К счастью, — подумала Мидж, — как раз Люси невероятно просто объяснить что угодно».

Следуя примеру Люси, Мидж вошла к ней в комнату в шесть часов утра и выложила без всяких прикрас все, как было.

— Эдвард ночью спустился вниз и положил голову в газовую печку, — сказала она. — К счастью, я услышала его шаги и пошла за ним. Я разбила окно, потому что не смогла его быстро открыть.

Мидж вынуждена была признать, что Люси держалась просто великолепно. Она мило улыбнулась и не высказала никакого удивления.

— Мидж, дорогая, — сказала она, — ты всегда так практична! Я уверена, что ты будешь величайшим утешением и поддержкой для Эдварда.

Когда Мидж ушла, леди Энкейтлл некоторое время лежала задумавшись. Потом она встала и направилась в комнату мужа, дверь которой на этот раз не была заперта.

— Генри!

— Дорогая! Еще первые петухи не пели!

— Нет, конечно. Но послушай, Генри, это в самом деле очень важно. Мы должны выбросить газовую печку и установить электрическую.

— Почему? Она ведь хорошо работает, не правда ли?

— О да, дорогой. Но она внушает людям странные мысли, а ведь не каждый может быть таким практичным, как наша дорогая Мидж.

Она выскользнула из комнаты. Сэр Генри с ворчанием перевернулся на другой бок. Он только начал было дремать, как внезапно проснулся.

— Мне приснилось, — проворчал он, — или Люси в самом деле приходила и что-то говорила о газовых плитах?

Следуя по коридору и увидев газовую горелку в открытую дверь, леди Энкейтлл поставила чайник на газ. «Иногда, — подумала она, — людям нравится рано утром выпить чашку чаю».

Воодушевленная собственными рассуждениями, она вернулась в постель и опустилась на подушку, довольная жизнью и самой собой.

Эдвард и Мидж в «Эйнсвике»... следствие закончено... Она снова пойдет и поговорит с мсье Пуаро. Славный маленький человек.

Внезапно новая мысль сверкнула в ее мозгу. Она села в кровати.

«Интересно знать, — размышляла леди Энкейтлл, — подумала ли она об этом?»

Она опять поднялась с постели и проскользнула в комнату Генриетты, начав, по своему обыкновению, разговор еще до того, как подошла к двери.

— ...И вдруг до меня дошло, дорогая, что ты могла не подумать об этом.

— Господи, Люси, — сонно пробормотала Генриетта. — Даже птицы еще не проснулись!

— О, я знаю, дорогая, еще довольно рано. Пожалуй, это была очень беспокойная ночь: Эдвард и газовая плита, Мидж и кухонное окно... мысли о том, что сказать мсье Пуаро, и все такое...

— Извини, Люси, но все, что ты говоришь, кажется мне абсолютнейшей тарабарщиной. Нельзя ли отложить это до утра?

— Кобура, дорогая! Понимаешь, я подумала, что ты могла забыть о кобуре.

— Кобура? — Генриетта села в кровати. Она вдруг совершенно проснулась. — Какая кобура?

— Понимаешь, револьвер Генри был в кобуре. И кобуру не нашли. Может быть, никто и не вспомнит о ней... но, с другой стороны, кто-то может...

Генриетта вскочила с постели:

— Недаром говорят — что-нибудь да забудешь!

Леди Энкейтлл вернулась в свою комнату. Она легла в постель и быстро заснула.

Чайник на газовой плите закипел и продолжал кипеть.

Глава 29

Герда перекатилась к краю кровати и села. Голова теперь болела меньше, но она все же была довольна, что не отправилась вместе со всеми на пикник. Было так мирно и почти утешительно хоть немного побыть одной в доме.

Элси, конечно, была очень добра... очень добра... особенно вначале. Герду убеждали не подниматься рано. Ей приносили завтрак на подносе. Каждый предлагал ей самое удобное кресло, приподнять ноги, не делать ничего требующего усилий.

Все ей сочувствовали из-за Джона. Она оставалась, благодарно защищенная дымкой неясных мыслей. Ей не хотелось ни думать, ни чувствовать, ни вспоминать.

Но теперь с каждым днем она ощущала приближение повседневных забот... Ей нужно было снова начинать жить и решать, что делать. Элси уже начала проявлять признаки нетерпения: «О, Герда, не будь так медлительна!»

Все опять стало как раньше... давным-давно, до того, как явился Джон и увез ее. Все они считали ее медлительной и тупой. Не было никого, кто сказал бы, как Джон: «Я буду заботиться о тебе».

Голова болела, и Герда подумала: «Пожалуй, я приготовлю себе чаю».

Она спустилась на кухню и поставила чайник. Он уже почти закипел, когда она услышала звонок у входной двери.

У прислуги был выходной день. Герда пошла к двери и открыла ее. Она удивилась, увидев щегольской автомобиль Генриетты у тротуара и саму Генриетту, стоящую у порога.

— Генриетта? Вы? — воскликнула она, отступив назад. — Входите. Боюсь, сестры и детей нет дома, но...

Генриетта перебила ее:

— Очень хорошо. Я рада. Мне хотелось застать вас одну. Послушайте, Герда, что вы сделали с кобурой?

Герда остановилась. Глаза ее вдруг стали пустыми и непонимающими.

— С кобурой? — переспросила она. Потом открыла дверь справа от холла. — Пройдите сюда. Боюсь, здесь довольно пыльно. У нас сегодня утром не было времени...

Генриетта снова резко перебила ее:

— Послушайте, Герда, вы должны сказать мне. Кроме кобуры, все в порядке... абсолютно! Ничего нет такого, что связывало бы вас с этим делом. Я нашла револьвер там, где вы засунули его в заросли у бассейна, и спрятала его в такое место, куда вы не могли бы спрятать... На нем отпечатки пальцев, которые никогда не будут опознаны. Так что осталась только кобура. Я должна знать, что вы с ней сделали.

Генриетта остановилась, отчаянно молясь, чтобы Герда скорее отреагировала. Она и сама не знала, почему в ней было сознание необходимости спешить. Слежки за машиной не было. Это она проверила. Она выехала по лондонской дороге, залила бензин в бак на станции, упомянув, что направляется в Лондон. Потом чуть дальше по дороге свернула на проселок, пока не доехала до главной дороги, ведущей на юг, к побережью.

Герда продолжала пристально смотреть на нее. «Беда в том, — подумала Генриетта, — что Герда так медлительна!»

— Если кобура еще у вас, Герда, вы должны дать ее мне. Я от нее как-нибудь избавлюсь. Это единственная вещь, которая соединяет вас теперь со смертью Джона. Кобура у вас?

После долгой паузы Герда медленно кивнула.

— Разве вы не знали, что хранить ее у себя — просто безумие?! — Генриетта с трудом сдерживала нетерпение.

— Я забыла об этом. Она наверху, в моей комнате. Когда полицейский пришел на Харли-стрит, я разрезала кобуру надвое и положила в рабочую сумку вместе с другими кусками кожи.

— Это очень разумно, — заметила Генриетта.

— Я не такая тупая, как все думают. — Она прижала руку к горлу:

— Джон... Джон... — Голос ее прервался.

— Я знаю, дорогая, знаю...

— Но вы не можете знать, — возразила Герда. — Джон не был...

Она стояла онемевшая и странно трогательная. Наконец она подняла глаза и посмотрела на Генриетту:

— Все было ложью... Все! Все, что я о нем думала! Я видела его лицо, когда он пошел в тот вечер за этой женщиной. Вероникой Крэй! Я, конечно, знала, что он любил ее много лет назад, до того как женился на мне, но я думала, что там все кончилось.

— Там действительно все кончилось, — тихо сказала Генриетта.

Герда покачала головой:

— Нет. Она пришла, притворившись, что не встречалась с Джоном много лет, но я видела его лицо. Он ушел с ней. Я легла в постель. Пыталась читать... Я пыталась читать тот детективный роман, который читал Джон. Он все не возвращается. Наконец я вышла из дома. — Взгляд Герды, казалось, был обращен назад, к той сцене. — Светила луна. Я прошла по дорожке к плавательному бассейну. В павильоне был свет. Они были там... Джон и эта женщина...

Генриетта издала слабый звук. Лицо Герды изменилось... в нем не было больше какого-либо дружелюбия. Оно было неумолимым, безжалостным.

— Я доверяла Джону. Я верила в него, как в Бога. Я думала, он самый благородный человек на свете. Я думала, что в нем все самое прекрасное и благородное... и все это была ложь! Мне ничего не осталось... совсем ничего. Я... я поклонялась Джону!

Генриетта завороженно смотрела на нее. Здесь, перед ее глазами, было то, что подсказывало ее воображение и что она стремилась выразить в дереве. Вот оно — поклонение... слепая преданность, отброшенная как ненужная, разочарованная... опасная.

— Я не могла этого вынести, — сказала Герда. — Я должна была убить его! Я должна была... Вы понимаете, Генриетта? — Она говорила это обычным, почти дружеским тоном. — И я знала, что должна быть осторожной, потому что полицейские умные. Но я тоже не такая глупая, как люди думают! Если вы очень медлительны и просто смотрите, ничего не говоря, все думают, что вы ничего не понимаете... Иногда вы исподтишка смеетесь над ними! Я знала, что могу убить Джона и никто об этом не узнает, потому что я прочитала в этом детективе, будто полиция может определить, из какого револьвера был произведен выстрел. Как раз в тот день сэр Генри показал мне, как заряжать револьвер и как стрелять. И я решила, что возьму два револьвера. Я убью Джона из одного и спрячу его, а все увидят меня с другим револьвером в руках. И все вначале решат, будто я его убила, а потом станет ясно, что его не могли убить из этого револьвера, и скажут, что это сделала не я!

Она торжествующе кивнула.

— Но я забыла про эту кожаную штуку. Она лежала в ящике в моей спальне. Как, вы сказали, она называется? Кобура? Но ведь полиция не станет заниматься этим теперь?

— Кто знает, — сказала Генриетта, — вы лучше дайте ее мне, и я унесу. Как только кобуры не будет в ваших руках, вы будете в безопасности.

Генриетта села, почувствовав себя невероятно уставшей.

— Вы плохо выглядите, — заметила Герда. — Я как раз приготовила чай.

Она вышла из комнаты и вскоре вернулась с подносом. На нем был чайник, молочник и две чашки. Молочник был переполнен, и молоко пролилось. Герда поставила поднос, налила чашку чая и подала Генриетте.

— О Господи... — сказала она расстроенно, — кажется, чайник так и не закипел.

— Это не важно, — сказала Генриетта. — Герда, пойдите и принесите кобуру.

Поколебавшись, Герда вышла из комнаты. Генриетта наклонилась вперед, положила руки на стол и опустила на них голову. Она так устала, так невероятно устала! Но теперь почти все сделано. Герда будет в безопасности, как того хотел Джон.

Генриетта выпрямилась, откинула со лба волосы и придвинула к себе чашку. Услышав какой-то звук у двери, она повернула голову, удивившись, что Герда оказалась быстрой на этот раз. Но это была не Герда. У двери стоял Эркюль Пуаро.

— Входная дверь была открыта, — сказал он, подходя к столу. — И я взял на себя смелость войти.

— Вы? — удивилась Генриетта. — Как вы сюда попали?

— Когда вы так внезапно покинули «Лощину», я, конечно, знал, куда вы направитесь. Я нанял очень быструю машину и приехал прямо сюда.

— Понимаю. — Генриетта вздохнула. — Только вы можете...

— Вы не должны пить этот чай, — сказал Пуаро, забирая у нее чашку и ставя ее обратно на поднос. — Нехорошо пить чай, если вода не закипела.

— Разве такая мелочь имеет значение?

— Все имеет значение, — мягко сказал Пуаро.

Послышался шум, и Герда вошла в комнату. В руках у нее была рабочая сумка. Взгляд Герды переходил с Пуаро на Генриетту.

— Боюсь, я довольно подозрительная личность, — поспешно сказала Генриетта. — Герда, оказывается, мсье Пуаро следил за мной. Он считает, что я убила Джона... Но он не может этого доказать.

Она говорила нарочито медленно и осмотрительно. Только бы Герда не выдала себя...

— Мне очень жаль, — рассеянно сказала Герда. — Хотите чаю, мсье Пуаро?

— Нет, благодарю вас, мадам.

Герда села рядом с подносом. Она начала говорить в своей обычной извиняющейся манере:

— Мне так жаль, что никого нет дома. Моя сестра и дети отправились на пикник. Я не очень хорошо себя чувствовала, и они оставили меня дома.

— Я вам сочувствую, мадам.

Герда взяла чашку и выпила:

— Все так беспокойно. Все беспокойно! Видите ли, всегда все устраивал Джон, а теперь Джона нет... — Голос замер. — Теперь Джона нет... — Ее взгляд, жалкий, недоумевающий, поочередно устремлялся на Пуаро и Генриетту. — Я не знаю, что делать без Джона. Джон заботился обо мне. Теперь его нет, и ничего больше нет. А дети... Они задают вопросы, и я не могу на них ответить. Я не знаю, что сказать Тэрри. Он все время повторяет: «Почему убили отца?» Когда-нибудь он, конечно, узнает почему. Тэрри всегда должен знать. Меня удивляет, что он постоянно спрашивает «почему», а не «кто»! Герда откинулась на спинку стула. Губы ее посинели. — Я чувствую себя не очень хорошо, — с трудом проговорила она. — Если бы Джон... Джон...

Пуаро обошел вокруг стола и, подойдя к Герде, осторожно сбоку подвинул ее на стуле. Голова ее наклонилась вперед. Пуаро склонился над ней, поднял ее веко. Затем выпрямился.

— Легкая и сравнительно безболезненная смерть.

Генриетта пристально посмотрела на него:

— Сердце? Нет! — Внезапно она поняла. — Что-то в чае. Она сама положила. Она избрала такой путь?

Пуаро слегка покачал головой:

— О нет! Это предназначалось для вас. Это ваша чашка.

— Для меня? — недоверчиво спросила Генриетта. — Но я пыталась помочь ей!

— Это не имеет значения. Вы видели когда-нибудь собаку, попавшую в западню? Она вонзает зубы в любого, кто ее коснется. Миссис Кристоу поняла, что вы узнали ее секрет. Значит, вы тоже должны были умереть.

— И вы, — медленно сказала Генриетта, — заставили меня поставить чашку обратно на поднос... Вы имели в виду... вы имели в виду Герду...

Пуаро спокойно прервал ее:

— Нет, нет, мадемуазель. Я не знал, что в вашей чашке был яд. Я только знал, что он мог там быть. А когда чашка была на подносе — это был равный шанс: выпьет она из этой или из другой чашки... если вы называете это шансом. Я бы сказал, что это милосердный конец. Для нее... и для двух невиновных детей. Вы очень устали, не правда ли? — сказал он мягко.

Генриетта кивнула.

— Когда вы догадались? — спросила она.

— Не знаю точно. Сцена была разыграна, я чувствовал это с самого начала. Но очень долго не понимал, что она была подготовлена Гердой Кристоу... что ее поза была театральной, потому что она на самом деле играла роль. Я был озадачен простотой и в то же время сложностью. Вскоре я понял, что сражаюсь против вашей изобретательности и что вам помогают и подыгрывают ваши родственники, как только они поняли, чего вы добиваетесь. — Он помолчал, а потом спросил: — Почему вы этого добивались?

— Потому что меня попросил Джон! Он это имел в виду, когда сказал: «Генриетта!» В этом слове заключалось все. Он просил меня защитить Герду. Понимаете, он любил ее. Больше, чем Веронику Крэй... больше, чем меня. Герда принадлежала ему, а Джон любил вещи, которые были его собственностью. Он знал, что только я могу защитить Герду от последствий того, что она сделала. И он знал, что я сделаю все, что он хочет, потому что я любила его.

— И вы сразу начали действовать, — мрачно сказал Пуаро.

— Да, первое, что я могла придумать, — это взять револьвер из рук Герды и уронить его в бассейн, чтобы усложнить опознание отпечатков пальцев. Когда позже я узнала, что Джон был убит из другого револьвера, я стала его искать и, конечно, сразу нашла, потому что знаю, куда Герда могла бы его спрятать... Я только на минуту опередила людей инспектора Грэйнджа.

Револьвер лежал у меня в моей большой сумке, — продолжала она после небольшой паузы. — Пока я не отвезла его в Лондон и спрятала в студии до тех пор, пока смогу вернуть его по назначению. Спрятала так, чтобы полицейские не нашли.

— Глиняный конь... — тихо сказал Пуаро.

— Откуда вы знаете? Да, я положила револьвер в мешочек для губки, обмотала проволокой и эту арматуру покрыла глиной. В конце концов, полиция не может уничтожить шедевр художника! А что натолкнуло вас на эту мысль?

— Тот факт, что вы смоделировали лошадь. Троянский конь — подсознательная ассоциация в вашем мозгу. Но отпечатки пальцев... Как вы это устроили?

— Слепой старик, который продает спички на улице. Он не знал, какую вещь я попросила его подержать минутку, пока достану деньги.

Пуаро мгновение смотрел на нее.

— C'est formidable![1] — пробормотал он. — Вы, мадемуазель, одна из лучших противников, с которыми мне приходилось встречаться.

— Это было ужасно утомительно... Все время стараться быть на один ход впереди вас!

— Я знаю. Я начал понимать истину, как только увидел, что план был рассчитан на то, чтобы вовлекать не одного человека, а всех, кроме Герды Кристоу. Все уводило от нее. Вы умышленно нарисовали Игдрасиль, чтобы привлечь мое внимание и направить подозрение на себя. Леди Энкейтлл, которая прекрасно знала, что вы делаете, забавлялась, направляя бедного инспектора Грэйнджа от одного к другому: Дэвид, Эдвард, она сама... Да, есть такой прием, чтобы отвести подозрение от виновного, — намекать на вину где-то в другом месте, но никогда не указывать точно. При этом каждая улика выглядит вначале обещающе, затем бледнеет и кончается ничем.

Генриетта посмотрела на ссутулившуюся фигуру на стуле:

— Бедная Герда!

— Именно это чувство вы испытывали все время?

— Думаю, что да. Герда ужасно любила Джона... но не хотела любить его таким, каким он был. Она подняла его на пьедестал и наделила прекрасными, благородными, великодушными качествами. А если идол сбрасывается с пьедестала, не остается ничего.

---

[1] Это невероятно! *(фр.)*.

Она помолчала.

— Но Джон был чем-то значительно лучшим, чем идол на пьедестале, — продолжала она после паузы. — Он был настоящим, полнокровным человеческим существом. Это был душевный, добрый, энергичный человек, и он был замечательным доктором... да, замечательным доктором. И вот он мертв, и мир потерял незаурядную личность. А я потеряла единственного человека, которого любила...

Пуаро тихонько положил руку ей на плечо:

— Но вы из тех, кто может жить с мечом в сердце... кто может продолжать жить и улыбаться...

Генриетта посмотрела на него, горько усмехнулась:

— Несколько мелодраматично, вам не кажется?

— Это потому, что я иностранец и люблю употреблять красивые слова.

— Вы были очень добры ко мне, — вдруг сказала Генриетта.

— Потому, что всегда восхищался вами.

— Мсье Пуаро, что вы собираетесь предпринять? Я имею в виду Герду.

Пуаро придвинул к себе сумку и высыпал содержимое: куски коричневой замши и обрезки цветной кожи. Среди них — три толстых блестящих коричневых куска. Пуаро сложил их вместе:

— Кобура. Это я возьму с собой. Бедная мадам Кристоу! Чрезмерное напряжение, смерть мужа была для нее слишком большим ударом... Станет известно, что она покончила с собой в душевном расстройстве.

— И никто никогда не узнает, что случилось на самом деле? — медленно спросила Генриетта.

— Я думаю, один человек узнает. Сын доктора. Настанет день, когда он явится ко мне, чтобы узнать правду.

— Но вы не скажете ему! — воскликнула Генриетта.

— Скажу.

— О нет!

— Вам трудно понять. Для вас невыносимо, если кому-то причиняют боль. Но для некоторых людей существует нечто еще более невыносимое — не знать правды! Вы слышали, как эта бедная женщина сказала: «Тэрри всегда должен знать...» Для научного склада ума истина всегда на первом месте. Правда, какая бы она ни была горькая, может быть воспринята и вплетена в общий рисунок жизни.

Генриетта поднялась:

— Вы хотите, чтобы я осталась, или мне лучше уйти?

— Я думаю, будет лучше, если вы уйдете.

Она кивнула. Потом произнесла скорее для себя, чем для него:

— Куда я пойду? Что я буду делать... без Джона?

— Вы говорите как Герда Кристоу. Вы сильный человек и найдете, куда идти и что делать.

— Я так устала, мсье Пуаро, так устала.

— Идите, дитя мое, — мягко сказал Пуаро, — ваше место среди живых. Я побуду здесь с умершей.

Глава 30

По дороге в Лондон две фразы звучали в мозгу Генриетты: «Что я буду делать? Куда пойду?»

Последние несколько недель она была в страшном напряжении, возбуждена, не разрешала себе расслабиться ни на минуту. Она должна была выполнить то, что возложил на нее Джон. Но теперь все было кончено... Поражение это или успех? Можно оценить по-всякому. Но в любом случае все кончено, и она чувствует теперь ужасную усталость.

Мысль снова вернула Генриетту к словам, которые она сказала Эдварду той ночью на террасе... «Я хотела бы оплакать Джона...» Но она не смела расслабиться, боялась дать горю овладеть ею.

Теперь она может это сделать. Теперь у нее сколько угодно на это времени. «Джон... Джон...» — повторяла она шепотом. На нее навалилась тяжесть беспросветного отчаяния и горечи.

— Лучше бы я выпила ту чашку чаю...

Движение машины успокаивало, придавало сил. Скоро она будет в Лондоне. Поставит машину в гараж и войдет в пустую студию. Пустую, потому что Джон никогда больше не будет сидеть там, подтрунивая над ней, сердясь на нее, любя ее больше, чем ему бы этого хотелось, рассказывая с энтузиазмом о болезни Риджуэя... о своих победах и отчаянии, о миссис Крэбтри в больнице Святого Христофора.

Черная пелена, окутавшая ее, вдруг поднялась, и Генриетта громко сказала:

— Ну конечно! Вот туда я и поеду. В больницу Святого Христофора.

Лежа на узкой больничной койке, старая миссис Крэбтри всматривалась в посетительницу слезящимися, мигающими глазами. Она была точно такой, как ее описывал Джон, и Генриетта внезапно почувствовала прилив тепла и бодрости. Это настоящее... то, что останется! Здесь на мгновение она снова обрела Джона.

— Бедный доктор. Ужасно, верно? — говорила миссис Крэбтри, в ее голосе сожаление сочеталось с интересом, потому что миссис Крэбтри любила жизнь, и внезапная смерть, а тем более убийство или смерть младенца — самые яркие краски в ковре, который ткет жизнь. — Как же он дал себя убить! Когда я услыхала, у меня все нутро перевернулось. Я прочитала в газетах... Сестра дала все, что смогла достать... она уж постаралась! Там были снимки и все такое. Плавательный бассейн и другое. Как его жена выходит из суда, бедняга, и леди Энкейтлл, чей этот плавательный бассейн! Много снимков. Это убийство — настоящая тайна, верно?

Нездоровое любопытство старухи не вызывало у Генриетты отвращения, даже нравилось, потому что, она была уверена, оно понравилось бы самому Джону. Если выпало ему умереть, он предпочел бы, чтобы старая миссис Крэбтри получила от этого какое-то удовольствие, а не шмыгала носом и лила слезы.

— Чего я хочу, так это чтобы поймали того, кто его убил, и повесили, — продолжала мстительно миссис Крэбтри. — Теперь не вешают, как раньше, на народе... а жалко. Мне всегда хотелось посмотреть... И уж я бы поспешила, сами понимаете, посмотреть, как вешают того, кто убил доктора! Настоящий злодей, вот он кто! Господи, да такого доктора поискать! Один на тысячу. А какой умный! Какой обходительный! Рассмешит, даже если тебе совсем не до смеха. Такое иногда, бывало, скажет! Я бы для него что хочешь сделала. Это уж точно!

— Да, — сказала Генриетта. — Он был умный. Он был замечательный человек!

— А как про него говорили в больнице! Все медсестры! И все больные! Каждый верил, что поправится, если он был рядом.

— Вот и вы должны поправиться, — сказала Генриетта.

Маленькие проницательные глаза старухи на секунду потускнели.

— Не очень-то я в это верю, милочка! Теперь у меня этот молодой парень в очках. Совсем не такой, как доктор Кристоу. Никогда не улыбнется. У доктора Кристоу всегда была наготове шутка. Иногда так плохо мне было от этого лечения. «Не могу больше терпеть, доктор», — бывало, говорю ему, а он: «Можете, говорит, миссис Крэбтри! Вы крепкая. Выдержите. Мы с вами еще сделаем открытие в медицине — вы и я!» И всегда он так развеселит. Я бы для него все... ну все бы сделала! Надеялся на меня, ну и, значит, нельзя было его подвести, понимаете?

— Понимаю, — сказала Генриетта.

Маленькие быстрые глазки пристально всматривались в нее.

— Извините меня, милочка, вы, случайно, не жена ему?

— Нет, — ответила Генриетта. — Я просто друг.

— Понятно, — сказала миссис Крэбтри.

Генриетта подумала, что ей действительно понятно.

— Вы уж не обижайтесь, только что вас заставило прийти сюда?

— Доктор много говорил мне о вас... и о своем новом лечении. Я хотела узнать, как вы себя чувствуете.

— Мне хуже... вот так-то, мне хуже.

— Но вам не должно быть хуже! — воскликнула Генриетта. — Вы должны поправиться!

— Уж я-то не хочу выходить из игры, и не думайте!

— Ну так боритесь! Доктор говорил, что вы настоящий боец!

— Правда? — Миссис Крэбтри минуту лежала молча, потом медленно сказала: — Кто его убил... это же злодейство! Таких, как доктор, нечасто встретишь!

«Таких, как он, мы не увидим боле...»[1] — мелькнуло в голове Генриетты. Миссис Крэбтри проницательно смотрела на нее.

— Не вешайте носа, голубушка, — сказала она и, помолчав, спросила: — Похороны хоть у него были хорошие?

— Очень хорошие, — сказала, желая ей угодить, Генриетта.

— Эх! Хотела бы я поглядеть! — Миссис Крэбтри вздохнула. — Скоро отправлюсь на свои собственные похороны...

— Нет! — закричала Генриетта. — Вы не должны сдаваться! Вы же сами только что сказали, что говорил вам доктор, — вместе, он и вы, сделаете открытие в медицине. Ну что ж, теперь вы должны продолжать одна за двоих. Лечение ведь то же самое. У вас должно хватить силы, и вы сделаете это открытие ради него.

Миссис Крэбтри минуту-другую смотрела на нее:

— Уж очень важно сказано! Постараюсь, голубушка. Больше ничего не могу сказать.

Генриетта встала и взяла ее руку в свою:

— До свидания. Если можно, я зайду навестить вас.

— Заходите. Поговорить немного про доктора — это мне только на пользу. — Озорной огонек сверкнул опять в глазах миссис Крэбтри. — Молодец доктор Кристоу, во всем молодец!

— Да, — сказала Генриетта. — Был.

— Не отчаивайся, голубушка, — сказала старуха. — Что ушло, то ушло. Его не вернешь.

«Миссис Крэбтри и Эркюль Пуаро высказали одну и ту же истину, — подумала Генриетта, — только разными словами».

Она вернулась в Челси, поставила машину в гараж и медленно вошла в студию.

«Вот теперь, — подумала она, — настал момент, которого я так боялась... Я одна. И мое горе со мной».

Как она тогда сказала Эдварду? «Я хотела бы оплакать Джона».

Она опустилась на стул, откинула назад волосы.

---

[1] У. Шекспир. «Гамлет».

Одна... опустошенная... лишившаяся всего... Эта ужасная пустота! Слезы набежали на глаза, медленно потекли по щекам.

«Скорбь, — подумала она, — скорбь по Джону...»

О Джон... Джон... Воспоминания... воспоминания... Его слова, полные боли: «Умри я, первое, что ты сделаешь, — со слезами, льющимися по лицу, начнешь моделировать какую-нибудь чертову скорбящую женщину или символ печали».

Она тревожно шевельнулась. Почему ей это пришло в голову?

Скорбь, скорбь... скрытая покрывалом фигура, очертания едва просматриваются, покрытая голова, алебастр...

Она видела очертания. Высокая, удлиненная фигура, печаль скрыта, она видна лишь в длинных скорбных складках покрывала... Скорбь, проступающая сквозь чистый светлый алебастр.

«Умри я...»

Внезапно горечь нахлынула на нее.

— Джон был прав. Я не могу любить. Я не могу отдаться горю всем своим существом. Мидж! Люди, подобные Мидж, они — соль земли. Мидж и Эдвард в «Эйнсвике». Это реальность, сила, теплота.

«А я, — думала она, — неполноценный человек. Я принадлежу не себе, а чему-то вне меня. Я не могу даже оплакать мертвого. Вместо этого я должна превратить мою скорбь в скульптуру из алебастра».

«Экспонат № 58. «Скорбь». Алебастр. Мисс Генриетта Сэвернейк».

— Джон, прости меня, — прошептала она. — Прости меня... я не могу не делать то, что должна.

КОММЕНТАРИИ

«УБИЙСТВО ПО АЛФАВИТУ»

Как-то в интервью Агата Кристи заметила, что, по всей вероятности, могла бы писать одну и ту же книгу снова и снова и никто бы этого даже не заметил. Такая искренность делает ей честь. Поскольку приемы, которые она использует в своих произведениях, начиная с «Убийства Роджера Экройда», действительно нередко повторяются. Но читателя, похоже, такое вовсе не интересует. Ведь все «жанры» хороши, кроме скучного. А произведения Агаты Кристи принадлежат к одним из самых читаемых в мире.

Агату Кристи критики порой упрекали в том, что она слишком часто ведет читателя по ложному следу. Это, как представляется, позволяет истинному преступнику подготовить себе алиби, подстроив целый ряд доказательств своей якобы непричастности к происшествию. И если это алиби на первый взгляд выглядит убедительно, то преступник надеется, что останется вне подозрений вообще. В таком случае писательнице помогает ее виртуозное мастерство представлять ситуации честертоновского типа. Известный английский писатель Гилберт Кит Честертон (1874—1936) считал, что люди не замечают чего-то, потому что не ждут этого, то есть читатель и не обращает внимания на то, на что ему следовало бы обратить внимание. И потому Франклин Кларк почти до конца повествования остается вне поля зрения сыщика. Сходная ситуация возникает и в предыдущем произведении писательницы «Драма в трех актах» (1934). В данном же произведении ложной предпосылкой для разгадки личности убийцы в известной мере становится железнодорожный справочник, где все названия расположены по алфавиту. Он наталкивает на мысль об убийце-маньяке. Так в повествовании возникает фигура Александра Бонапарта Каста с его комплексом неполноценности. Он, по предположению убийцы, и должен стать козлом отпущения. Но по мысли писательницы ему уготована еще и другая роль. Как поддержать интерес читателя к повествованию? Ведь читателю, возможно, уже наскучила серия одинаково повторяющихся убийств, о которых сообщает Гастингс. В какой-то момент в действие включается Каст. Цель автора достигнута. Внимание и интерес читателя теперь уже направлены на Каста.

Американский критик Д. Рэмзи считает, что в этом тщательно обдуманном повествовании метод Пуаро, когда он торопится предотвратить следующее убийство, дает осечку. Кроме того, и наугад выбранные жертвы делают «нерабочей» саму идею подстроенной ловушки, когда в качестве приманки используются подходящие инициалы жертв. И потому Эркюлю Пуаро необходима последняя «объяснительная» глава, где он заставляет преступника во всем признаться. Но для этого Пуаро вынужден прибегнуть к маленьким хитростям — выкрадывает из кармана Франклина Кларка пистолет и вынимает из него пулю; говорит неправду об отпечатках пальцев Франклина Кларка на машинке; о свидетелях, которые якобы могут его, Франклина Кларка, опознать. Но все это становится невозможным, когда Эркюль Пуаро уже твердо уверен, кого ему следует подозревать в убийствах. И все же, пишет Д. Рэмзи, Пуаро мог бы сделать это раньше, если бы сопоставил текст получаемых им писем и устную речь Франклина Кларка. Теперь же Пуаро остается лишь роль Купидона, соединив руки двух ранее подозреваемых Дональда и Меган.

Произведение было опубликовано в 1936 году в Лондоне издательством «Коллинз».

«РОЖДЕСТВО ЭРКЮЛЯ ПУАРО»

Агата Кристи не очень жаловала тему «чисто английского убийства», то есть убийства в загородном доме, когда туда съехались приглашенные. Однако в данном случае она не отказала себе в удовольствии объединить эту тему с другой традиционной темой английского детектива — убийства в комнате, запертой изнутри на ключ. Типично для Агаты Кристи, что и подметил английский критик Барнард, описание не сборища в доме фешенебельного общества, а только членов семейного клана Ли, как законно-, так и незаконнорожденных. Правда, сюда проникли и два самозванца. И это является еще одним широко используемым мотивом в английском детективе.

Главный ключ к разгадке интриги здесь — это фамильное сходство: орлиный нос, характерный жест руки и т.д. Подается все это писательницей как бы исподволь, ненароком, но достаточно часто. Но даже когда самозванка Пилар Эстравадос интуитивно во всеуслышание произносит комплимент по этому поводу в адрес убийцы-полицейского, читатель ничтоже сумняшеся воспринимает смущение последнего.

Самозванство двух персонажей повествования — пример «отвлекающего маневра» писательницы. Он, однако, имеет маргинальный характер, хотя и тут дело не обошлось без подвоха. У голубоглазых родителей не рождаются дети с карими глазами, глубокомысленно заметил Эркюль Пуаро. Он быстро понял, что эта испанская девушка совсем не та, за кого она себя выдает. С другим самозванцем, Стивеном Фэрром, было посложнее. Но тут помогло фамильное сходство.

В такое, казалось бы, реалистическое повествование вторгаются явно нереалистические моменты. Вспомним, например, эпизод с каменным ядром над дверью в комнату Пилар Эстравадос. Он выглядит нелепо. Уже в тридцатые годы критика не прощала таких промахов писательнице. В 1938 году в газете «Ивнинг стандард» Говард Спринг буквально разгромил «Рождество Эркюля Пуаро», лишив его всех тайных побудительных мотивов преступления. Но за писательницу тогда же вступился Джон Карр, секретарь Клуба детективных писателей. А современный критик Барнард считает, что в данном случае о реализме вообще следует забыть, принять условности жанра и не пытаться слишком пристально вглядываться в механику убийства. Нужно наслаждаться чтением.

Интересно отметить еще один момент в этом произведении. А именно роль музыки. Как пишет современный критик Уивер, здесь это очень важно в двух случаях. Во время убийства Дэвид Ли играет похоронный марш, а Пилар Эстравадос и Стивен Фэрр танцуют под граммофон. Всем троим это обеспечивает алиби.

Для Агаты Кристи не имело особого значения то, что действие в произведении происходит в рождественские дни. Мы не встретим в тексте примет на этот счет вроде рождественского пудинга с коринкой или жареной индейки. Но для лондонского издательства «Коллинз», опубликовавшего книгу в 1938 году, название книги «Рождество Эркюля Пуаро» пришлось весьма кстати. Она стала бестселлером. В США книга была издана под названием «Рождество Эркюля Пуаро» в 1938 году издательством «Додд, Мид энд К⁰».

«ЛОЩИНА»

Агата Кристи хорошо знала и любила английскую поэзию, хотя получила лишь домашнее образование. Нередко в названиях и текстах своих произведений она использовала цитаты из любимых авторов. Так произошло и в данном случае, когда она обратилась к творчеству известного английского поэта

Альфреда Теннисона (1809—1892), в частности к его романтической поэме «Мод» (1855) о любви бедняка к красавице Мод, дочери лорда. В качестве заглавия Агата Кристи взяла одно слово из первой строки первого четверостишия поэмы, а затем уже в тексте своего произведения привела все четверостишие. Оно может служить иллюстрацией психологического настроя скульптора Генриетты Сэвернейк — одного из главных действующих лиц данного произведения. Генриетте Сэвернейк, как пишет англо-американский критик Уильям Уивер, присущи не только талант и проницательность, но и человечность. Английский критик Роберт Барнард также отмечает «более разностороннюю, чем обычно, характеристику героев». Да и сама Агата Кристи в «Автобиографии» признает, что написала «скорее роман, чем детективное повествование». Во всяком случае, она получила удовольствие, когда создавала эту книгу. И все же писательница полагает, что «испортила всю книгу, включив в число героев Эркюля Пуаро». И далее она признается: «Я так привыкла к нему, что он, разумеется, оказался и здесь... однако не на месте. Он делал свое дело как надо. Но без него было бы куда лучше».

Поэтому, когда Агате Кристи предложили написать по этому произведению пьесу, она обошлась без Эркюля Пуаро, не включив его в число действующих в пьесе лиц. Следует отметить, что намерение писательницы написать эту пьесу вызвало неодобрение некоторых членов ее семьи. Так, ее дочь Розалинд, строгая ценительница всех произведений матери, всегда верно угадывавшая развязку всех ее произведений, была категорически против создания такой пьесы.

Успех пьесы на сцене заставил Агату Кристи по-новому оценить свои творческие возможности. «Писать пьесы легче, чем книги, — отмечает она в «Автобиографии», — вас не затрудняют все эти утомительные описания, не мешают вам показывать то, что происходит... Ограниченные возможности сцены облегчают вашу задачу».

Написав эту пьесу, Агата Кристи поняла и другое. А именно то, что может быть настоящим драматургом, то есть писать пьесы не по готовой канве своих прозаических повествований, а создавать оригинальные вещи, «писать пьесу как пьесу».

Произведение «Лощина» впервые увидело свет в 1946 году в Лондоне в издательстве «Коллинз». В том же году оно было опубликовано издательством «Додд, Мид энд Кⁿ» в Нью-Йорке, где тираж его достиг сорока тысяч экземпляров.

Пьеса «Лощина» была опубликована в Лондоне в издательстве «Френч» в 1952 году. Поставлена там же на сцене небольшого «Форчьюн тиэтр» летом 1951 года, где прошла с аншлагом.

Т.Н. Шишкина

СОДЕРЖАНИЕ

Литературно-художественное издание

Агата Кристи

Весь Эркюль Пуаро

РОЖДЕСТВО ЭРКЮЛЯ ПУАРО

Романы

Ответственный редактор *З.В. Полякова*

Художественный редактор *И.А. Озеров*

Технический редактор *Н.В. Травкина*

Ответственный корректор *В.А. Андриянова*

Изд. лиц. ЛР № 065372 от 22.08.97 г.
Подписано к печати с готовых диапозитивов 13.10.2000
Формат 84x108¹/₃₂. Бумага газетная. Гарнитура «Таймс»
Печать офсетная. Усл. печ. л. 31,92. Уч.-изд. л. 32,55
Тираж 8 000 экз. Заказ № 2481

ЗАО «Издательство «Центрполиграф»
111024, Москва, 1-я ул. Энтузиастов, 15
E-MAIL: CNPOL@DOL.RU

Отпечатано в ГУП Издательско-полиграфический
комплекс «Ульяновский Дом печати»
432601, г. Ульяновск, ул. Гончарова, 14

ЦЕНТРПОЛИГРАФ

Книга-почтой

Если Вы желаете приобрести книги издательства «Центрполиграф» без торговой наценки, то можете воспользоваться услугами отдела «Книга-почтой»

Все книги будут рассылаться наложенным платежом без предварительной оплаты. Заказы принимаются на отдельные книги, а также на целые серии, выпускаемые нашим издательством. В последнем случае Вы будете регулярно получать по 2 новых книги выбранной серии в месяц.

Для этого Вам нужно только заполнить почтовую карточку по образцу и отправить по адресу:

111024, Москва, а/я 18, «Центрполиграф»

ПОЧТОВАЯ КАРТОЧКА

В
РОССИЯ

Куда ___ г. Москва, а/я 18

Кому ___ «ЦЕНТРПОЛИГРАФ»

Индекс предприятия связи и адрес отправителя
680011
г.Хабаровск, ул. Мира,
д. 10, кв. 5.
Ивановой Г.П.

=111024

Мин. связи России. Издательство «Марка». 1992.
з. 105470. ППФ Гознака. Ц 55 к.

Пишите индекс предприятия связи места назначения

На обратной стороне открытки необходимо указать, какую книгу Вы хотели бы получить или на какую из серий хотели бы подписаться. Укажите также требуемое количество экземпляров каждого названия.

Стоимость пересылки почтового перевода наложенного платежа оплачивается отделению связи и составляет 10—20% от стоимости заказа.

Книги оплачиваются при получении на почте.

К сожалению, издательство не может долго удерживать объявленные цены по независящим от него причинам, в связи с общей ситуацией в стране. Надеемся на Ваше понимание.

МЫ РАДЫ ВАШИМ ЗАКАЗАМ!